Legenda das atrações

DOWNTOWN
Estátua da Liberdade (p. 56)
South Street Seaport (p. 64)
Tenement Museum (p. 70)
Greenwich Village (p. 78)
The High Line (p. 84)

MIDTOWN
Empire State Building (p. 92)
Grand Central Terminal (p. 98)
The Museum of Modern Art (p. 104)
Rockefeller Center (p. 110)
Times Square (p. 116)

CENTRAL PARK
Central Park Zoo (p. 126)
Bethesda Terrace (p. 132)
Belvedere Castle (p. 138)

UPPER EAST SIDE
Metropolitan Museum of Art (p. 148)
Solomon R. Guggenheim Museum (p. 156)

UPPER WEST SIDE E HARLEM
Museum of Arts and Design (p. 166)
American Museum of Natural History (p. 172)
125th Street, Harlem (p. 178)
The Cloisters (p. 184)

ARREDORES DE MANHATTAN
Brooklyn Bridge (p. 194)
Brooklyn Museum (p. 200)
New York Aquarium (p. 210)
Museum of the Moving Image (p. 216)
New York Hall of Science (p. 222)
New York Botanical Garden (p. 228)
Bronx Zoo (p. 234)

Arredores de Manhattan

- New York Botanical Garden
- Bronx Zoo
- Museum of the Moving Image
- New York Hall of Science
- Brooklyn Bridge
- Brooklyn Museum
- New York Aquarium

0 km 5
0 milhas 5

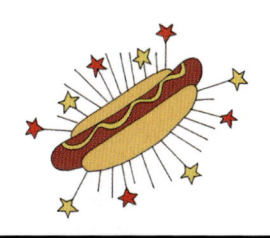

GUIA VISUAL - FOLHA DE S.PAULO

FÉRIAS EM FAMÍLIA

GUIA NOVA YORK

GUIA VISUAL - **Folha de S.Paulo**

FÉRIAS EM FAMÍLIA

GUIA NOVA YORK

PubliFolha

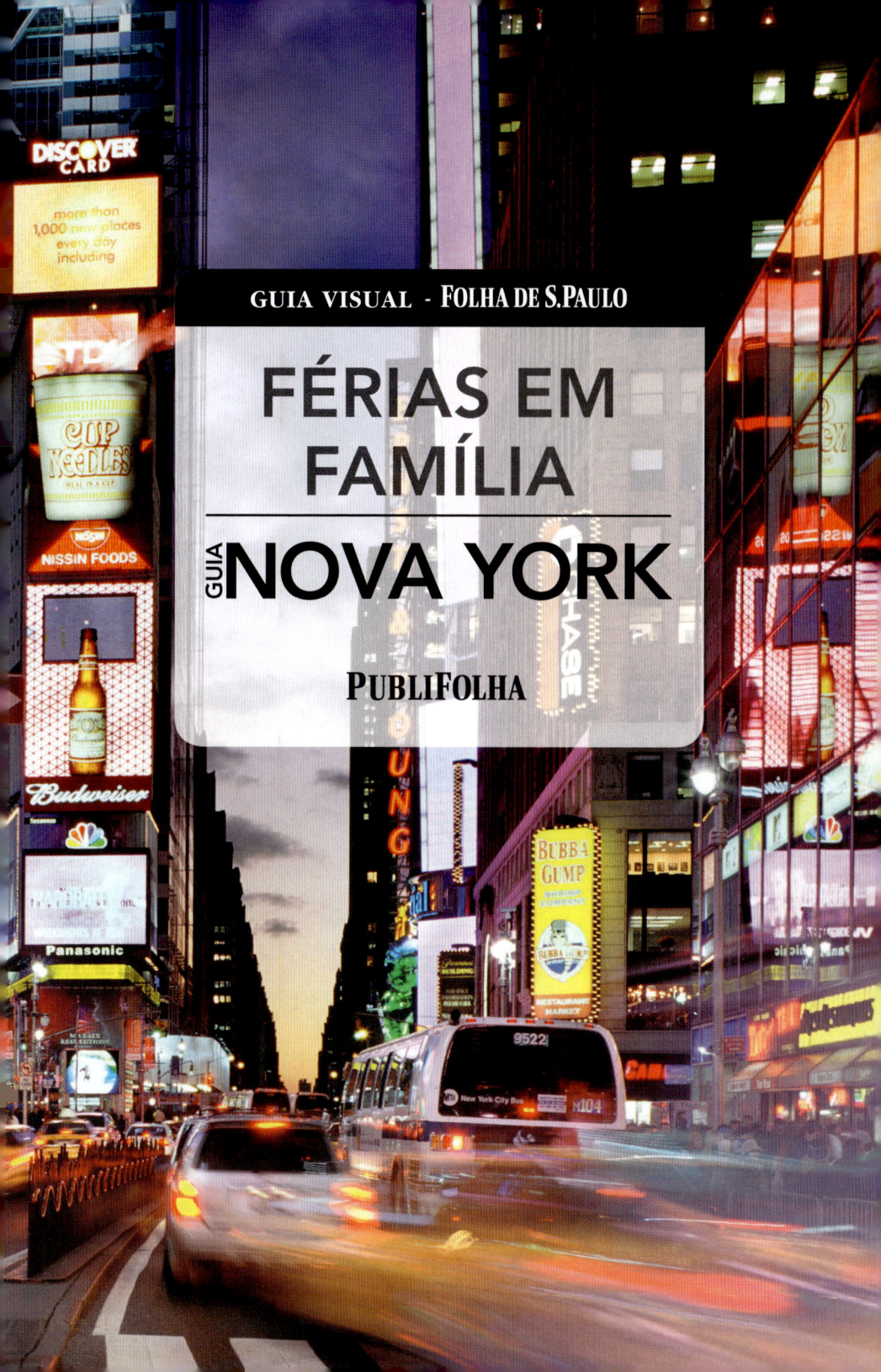

UM LIVRO DORLING KINDERSLEY
www.dk.com

Copyright © 2012, 2014 Dorling Kindersley Limited, Londres, uma companhia da Penguin.
Family Guide New York foi publicado originalmente na Grã-Bretanha em 2012 pela Dorling Kindersley Limited, 80 Strand, Londres WC2R 0RL, Inglaterra.

Copyright © 2012 Publifolha – Divisão de Publicações da Empresa Folha da Manhã S.A.
3ª edição brasileira: 2014

Todos os direitos reservados. Nenhuma parte desta obra pode ser reproduzida, arquivada ou transmitida de nenhuma forma ou por nenhum meio sem a permissão expressa e por escrito da Empresa Folha da Manhã S.A., por sua divisão de publicações Publifolha.

Proibida a comercialização fora do território brasileiro.

COORDENAÇÃO DO PROJETO
PUBLIFOLHA
EDITOR ASSISTENTE: Thiago Barbalho
COORDENADORA DE PRODUÇÃO GRÁFICA: Mariana Metidieri

PRODUÇÃO EDITORIAL
PÁGINA VIVA
EDIÇÃO: Carlos Tranjan
TRADUÇÃO: Thaís Costa
PRODUÇÃO GRÁFICA: Priscylla Cabral
REVISÃO: Denise Roberti Camargo, Pedro Ribeiro
Atualização da 3ª edição: Página Viva

DORLING KINDERSLEY
DIRETORA GERAL: Aruna Ghose
DIRETORA EDITORIAL: Sheeba Bhatnagar
DIRETORA DE ARTE: Kavita Saha
ASSISTENTE DE DIREÇÃO DE ARTE: Mathew Kurien
EDITOR DO PROJETO: Arundhti Bhanot
EDITORA: Karen Faye D'Souza
DIRETORA DE ARTE DO PROJETO: Namrata Adhwaryu
DESIGN: Shruti Bahl
DIRETORA DE PESQUISA ICONOGRÁFICA: Taiyaba Khatoon
PESQUISA ICONOGRÁFICA: Sumita Khatwani
DIAGRAMAÇÃO: Azeem Siddiqui, Rakesh Pal
DIREÇÃO DE CARTOGRAFIA: Uma Bhattacharya
ASSISTENTE DE CARTOGRAFIA: Suresh Kumar
AUTORES: Eleanor Berman, Lee Magill, AnneLise Sorensen
FOTOGRAFIA: Steven Greaves
CARTUM: Julian Mosedale
OUTRAS ILUSTRAÇÕES: Richard Draper, Robbie Polley, Arun Pottirayil, Hamish Simpson, Pallavi Thakur
PROJETO GRÁFICO: Keith Hagan, de www.greenwich-design.co.uk

Dados Internacionais de Catalogação na Publicação (CIP) (Câmara Brasileira do Livro, SP, Brasil)

Férias em família : Guia Nova York / Dorling Kindersley ; [tradução Thaís Costa]. – 3. ed. – São Paulo : Publifolha, 2014.

Título original : Family Guide New York.
ISBN 978-85-7914-382-3

1. Nova York (N. Y.) – Descrição e viagens – Guias I. Dorling Kindersley.

12-05339   CDD-917.471

Índices para catálogo sistemático:
1. Guias de viagem : Nova York 917.471
2. Nova York : Guias de viagem 917.471

Este livro segue as regras do Acordo Ortográfico da Língua Portuguesa (1990), em vigor desde 1º de janeiro de 2009.

Impresso na South China, China.

PUBLIFOLHA
Divisão de Publicações do Grupo Folha
Al. Barão de Limeira, 401, 6º andar
CEP 01202-900, São Paulo, SP
Tel.: (11) 3224-2186/2187/2197
www.publifolha.com.br

Foi feito o possível para garantir que as informações deste livro fossem as mais atualizadas disponíveis até o momento da impressão. No entanto, alguns dados como telefones, preços, horários de funcionamento e informações de viagem estão sujeitos a mudanças. Os editores não podem se responsabilizar por qualquer consequência do uso deste guia, nem garantir a validade das informações contidas nos sites indicados.

Os leitores interessados em fazer sugestões ou comunicar eventuais correções podem escrever para a Publifolha, Al. Barão de Limeira, 401, 6º andar, CEP 01202-900, São Paulo, SP, ou enviar um e-mail para: atendimento@publifolha.com.br

Sumário

Como Usar Este Guia	6
Introdução a Nova York	8
O Melhor de Nova York	10
Nova York ao Longo do Ano	14
Como Chegar	18
Como Circular	20
Informações Úteis	24
Onde Ficar	28
Onde Comer	30
Compras	34
Diversão	38
Teatro e Artes Cênicas	40
Eventos Esportivos e Atividades	42
Verão na Cidade	44
A História de Nova York	46

DOWNTOWN 52

O Melhor de Downtown 54

Estátua da Liberdade 56
Ellis Island Immigration Museum
National Museum of the American Indian
Skyscraper Museum
Irish Hunger Memorial
New York City Police Museum

South Street Seaport 64
Federal Reserve Bank of New York
Federal Hall
National September 11 Memorial

Tenement Museum 70
Lower East Side
New Museum
Little Italy
Ukrainian Museum
Children's Museum of the Arts
Chinatown
New York City Fire Museum

Greenwich Village 78
East Village
Flatiron District e Union Square Greenmarket
Local de nascimento de Theodore Roosevelt

High Line e Meatpacking District 84

MIDTOWN 88

O Melhor de Midtown 90

Empire State Building 92
Scandinavia House
The Morgan Library and Museum
Herald Square

Grand Central Terminal 98
Library Way
New York Public Library
Bryant Park

Museum of Modern Art 104
Carnegie Hall
Apple Store Fifth Avenue
FAO Schwarz

Rockefeller Center 110
Nintendo World
St. Patrick's Cathedral
Paley Center for Media

Times Square 116
Intrepid Sea, Air & Space Museum
Cruzeiro Circle Line
International Center of Photography

CENTRAL PARK 122

O Melhor do Central Park 124

Central Park Zoo 126
Trump Rink
Friedsam Memorial Carousel
Estátua de Balto e Literary Walk

Crianças se divertem no carrossel do Friedsam Memorial

Bethesda Terrace   132
The Ramble
Conservatory Water
Estátuas de Alice no País das Maravilhas e Hans Christian Andersen

Belvedere Castle   138
Swedish Cottage
Shakespeare Garden
Great Lawn e Jacqueline Kennedy Onassis Reservoir

UPPER EAST SIDE   144

O Melhor do Upper East Side   146

Metropolitan Museum of Art   148
Whitney Museum of American Art
The Frick Collection
Asia Society

Solomon R. Guggenheim Museum   156
Jewish Museum
Museum of the City of New York
El Museo del Barrio

UPPER WEST SIDE E HARLEM   162

O Melhor de Upper West Side e Harlem   164

Museum of Arts and Design   166
Time Warner Center
Museum of Biblical Art
Lincoln Center

American Museum of Natural History   172
New York Historical Society
Children's Museum of Manhattan
Cathedral Church of St. John the Divine
Columbia University

125th Street, Harlem   178
Schomburg Center for Research into Black Culture
Abyssinian Baptist Church
St. Nicholas Historic District
Hamilton Heights Historic District e Sugar Hill

The Cloisters   184
Inwood Hill Park
Dyckman Farmhouse Museum
Little Red Lighthouse

ARREDORES DE MANHATTAN   190

O Melhor nos Arredores de Manhattan   192

Brooklyn Bridge   194
Dumbo
Jacques Torres Chocolate Shop
Brooklyn Ice Cream Factory
New York Transit Museum

Brooklyn Museum   200
Prospect Park Zoo
Grand Army Plaza
Brooklyn Botanic Garden
Brooklyn Children's Museum
Prospect Park
Lefferts Historic House
Audubon Center

New York Aquarium, Coney Island   210
Coney Island
Brighton Beach

Museum of the Moving Image   216
Isamu Noguchi Foundation and Garden Museum
Long Island City

New York Hall of Science   222
Queens Zoo
Queens Museum of Art
Queens Botanical Garden

New York Botanical Garden   228
Edgar Allan Poe Cottage
Wave Hill
City Island

Bronx Zoo   234
Grand Concourse
The Bronx Museum of the Arts
Yankee Stadium

Onde Ficar   240
Mapas   250
Índice   276
Frases   285
Agradecimentos   287

Desfile da Macy's no Dia de Ação de Graças

Como Usar Este Guia

Este guia foi planejado para auxiliar as famílias a aproveitar ao máximo sua visita a Nova York, fornecendo indicações para passeios com crianças e informações práticas detalhadas. A seção introdutória faz uma apresentação da cidade e de seus destaques e oferece dicas úteis para planejar as férias (incluindo informações sobre chegada à cidade, transportes, saúde, seguros, dinheiro, restaurantes, hotéis, compras e comunicações). Traz, ainda, um guia de festivais para toda a família e um breve histórico de Nova York.

A seção principal, dedicada às atrações, é dividida em áreas. Depois da apresentação do melhor de cada área, segue-se a descrição dos destaques e das outras atrações nas proximidades, sempre com indicações de restaurantes, bares e locais de diversão. No fim do livro, você encontra relações de hotéis e mapas detalhados da cidade.

APRESENTAÇÃO DA ÁREA
Cada capítulo é aberto com uma página dupla em que, após breve introdução, são apresentados os destaques da área e sua localização na cidade.

Mapa de localização

Principais atrações relaciona os destaques da área.

O MELHOR DE...
Essas páginas indicam os melhores programas para fazer em cada área – de atrações históricas, artísticas e culturais a parques e locais de diversão.

Sugestões temáticas das melhores atrações e programas com as crianças.

ONDE FICAR
Especialistas relacionam um variado leque de lugares para se hospedar com a família – desde hotéis e pousadas que aceitam crianças até apartamentos totalmente equipados.

Símbolos de fácil identificação mostram as características-chave dos estabelecimentos que hospedam famílias.

Categorias de preço dá detalhes das diárias para uma família com quatro pessoas.

ATRAÇÕES EM NOVA YORK

Cada área possui algumas atrações principais *(veja abaixo)*, apresentadas em um mapa detalhado em que se relaciona o que é necessário para explorá-las. As páginas seguintes fornecem uma perspectiva real do destino, com foco nas atrações principais e no que as torna especiais para as crianças e os adultos. Há ainda indicações de locais para relaxar ou para se proteger em um dia chuvoso, além de sugestões de lugares onde se pode comer, beber e comprar com os pequenos. Informações práticas e ideias para continuar os passeios completam os roteiros.

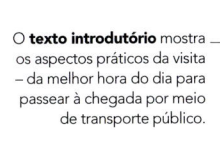

O **texto introdutório** mostra os aspectos práticos da visita – da melhor hora do dia para passear à chegada por meio de transporte público.

O quadro **Informações** fornece todas as dicas práticas para visitar a área. A legenda dos símbolos está na orelha da contracapa.

Além das atrações indicadas no capítulo, o **mapa central** mostra restaurantes, lojas, hotéis e meios de transporte. Localiza, ainda, playgrounds, supermercados e farmácias mais próximos.

Nas **atrações centrais** – os melhores locais a visitar em cada área – há textos informativos que estimulam adultos e crianças.

Em **Destaques**, as ilustrações mostram as características mais interessantes de cada atração, realçando os elementos que costumam agradar às crianças.

Para relaxar sugere locais para as crianças brincarem depois de uma atração cultural.

Comida e bebida lista indicações de locais bons para a família – de opções para piqueniques e lanches a refeições completas e jantares refinados.

O quadro **Criançada!** é destaque em todas as páginas que descrevem passeios *(veja abaixo)*.

Informações fornece dicas práticas abrangentes – por exemplo, para transportes, horários, preços, atividades, faixa etária e tempo ideal de visita.

Próxima parada... indica outros locais a visitar – perto da atração principal, tematicamente relacionado a ela ou em outra localização que mude o ritmo do restante do dia.

Saiba mais dá sugestões de downloads, jogos, aplicativos e filmes que estimulam as crianças a conhecer um local e as ajudam a aprender mais sobre ele.

Outros destaques perto da atração central, também selecionados para agradar adultos e crianças, são mostrados nas páginas seguintes.

Os **locais de interesse** são recomendados com ênfase nos aspectos que mais provavelmente vão entusiasmar as crianças. Cada um deles revela histórias e fatos curiosos, além de incluir uma sugestão de local para relaxar ou se abrigar da chuva.

Criançada! foi pensado para envolver os pequenos com a atração, por meio de jogos, curiosidades e fatos divertidos. As respostas do quiz são dadas na parte de baixo do quadro.

O quadro **Informações** fornece dicas práticas e de transporte para visitar a atração.

Grafite vibrante e colorido representando a Estátua da Liberdade, pintado sobre um portão de metal em Manhattan, Nova York

INTRODUÇÃO A
NOVA YORK

O Melhor de Nova York

Os tesouros culturais, a beleza do skyline, os muitos espaços verdes e a inesgotável vitalidade renderam a Nova York o status de ícone entre as grandes metrópoles. A cidade é múltipla – aventurosa e sublime, civilizada e rude –, e há muitos modos de conhecê-la. É também muito amiga das crianças, repleta de museus dedicados a elas e de grandes parques e locais de diversão. Aqui estão apenas algumas ideias para compor um roteiro em família.

Aventuras arquitetônicas

Nova York não seria a mesma sem seu skyline mutante e, ao mesmo tempo, atemporal. O caso de amor entre a cidade e os arranha-céus começou por volta de 1890 e não dá sinais de arrefecimento. Curiosamente, três de seus edifícios mais simbólicos foram erguidos no espaço de apenas três anos, entre 1930 e 1933 – o **Chrysler Building** (p. 95), que era o mais alto do mundo quando foi concluído, em 1930; o **Empire State Building** (pp. 94-5), que abocanhou esse título do Chrysler em 1931, e o **Rockefeller Center**, com catorze edifícios (pp. 112-3), em 1933, que até hoje é um vibrante eixo cultural. Todos ficam a poucas quadras de distância entre si em Midtown.

Uma das melhores maneiras de apreciar o traçado urbano é subir até o Top of the Rock no **Rockefeller Center** ou até o deque de observação no topo do **Empire State Building**. A visão da floresta de torres em todas as direções é estupenda. Outra perspectiva imperdível é descortinada quando se olha para a magnífica **Brooklyn Bridge** (pp. 196-7), após cruzá-la a pé.

Acima *Estátua dourada de Prometeu, Rockefeller Center*
Abaixo *Vista da Brooklyn Bridge, no rio East, com o skyline de Manhattan ao fundo*

Acima Roda-gigante e restaurantes na praia de Coney Island

Epicentro cultural

Um dos polos culturais mais vibrantes nos EUA, Nova York abriga uma quantidade incrível de museus. Os destaques em história da arte, como o **Museum of Modern Art** (pp. 106-7) e o **Metropolitan Museum of Art** (pp. 150-3), agradam pais e filhos, assim como os modernos centros de arte contemporânea, que incluem o **PS1** (p. 221) e o **New Museum** (pp. 74-5). Famílias também devem ir a vários museus menores, como a galeria e estúdio no **Children's Museum of the Arts** (p. 76), onde a criançada pode desenvolver a criatividade, e o **Museum of the Moving Image** (pp. 218-9), que se dedica a filmes e vídeos.

Atrações animais

São muitas as atrações para crianças, incluindo os dinossauros pré-históricos no **American Museum of Natural History** (pp. 174-5) e os zoos em diferentes áreas de Nova York. O intimista **Central Park Zoo** (pp. 128-9) tem zonas interessantes com pinguins e floresta tropical, enquanto os destaques no vasto **Bronx Zoo** (pp. 236-7) incluem um interessante habitat de gorilas e um monotrilho que passa sobre o rio Bronx mostrando elefantes asiáticos, cervos, pandas e tigres siberianos. **Coney Island** (p. 214) abriga o **New York Aquarium** (pp. 212-3), cujos habitantes incluem medusas, arraias, tubarões, tartarugas-marinhas, morsas e inteligentes leões-marinhos da Califórnia.

Uma caminhada nas matas do **Ramble**, no Central Park (p. 136), leva a ver e ouvir aves e pequenos mamíferos, sendo possível avistar garças-cinzentas e verdes durante o passeio.

Caça ao passado

Nova York também tem diversos lugares que rememoram sua história. O **Ellis Island Immigration Museum** (p. 60) e o **Tenement Museum** (pp. 72-3), por exemplo, exibem vividamente a experiência dos imigrantes.

O primeiro ocupa o edifício pelo qual passaram milhões de estrangeiros ao ser admiti-

À dir. Crianças observam um leopardo negro no Jungle World do Bronx Zoo

dos nos EUA, enquanto o outro transporta os visitantes na época em que esses imigrantes lutavam para se adaptar ao país.

Visitar o local de nascimento de **Theodore Roosevelt** *(p. 83)*, uma casa de arenito pardo reconstruída em Gramercy Park, e **Wave Hill** *(p. 232)*, no Bronx, é uma ótima maneira de saber mais sobre uma das figuras mais fascinantes da história dos EUA. Várias casas preservadas dão aos visitantes uma noção de como eram os habitantes, incluindo o **Edgar Allan Poe Cottage** *(p. 232)* e a **Lefferts Historic House** *(p. 208)*, no Prospect Park. Crianças curiosas sobre o passado da cidade apreciarão uma visita ao **Museum of the City of New York** *(p. 160)*.

Nova York econômica

A cidade oferece muitos programas gratuitos ou a um custo irrisório. Os enormes espaços verdes do Central Park e do **Prospect Park** *(p. 208)* são repletos de atrações culturais e lúdicas. Ambos os parques oferecem diversas caminhadas guiadas grátis o ano todo. A visita à **High Line** *(pp. 86-7)*, em Chelsea, também é grátis, assim como em todo o vasto sistema de parques locais. Vários museus, zoos e jardins não cobram ingresso em determinados dias ou manhãs. Ver a **Estátua da Liberdade** *(pp. 58-9)* a bordo do Staten Island Ferry *(p. 23)*, explorar joias arquitetônicas como o **Grand Central Terminal** *(pp. 100-1)*, com seu teto magnífico, e visitar os diversos marcos no **Rockefeller Center** tampouco custam um centavo. No verão, há uma profusão de eventos culturais grátis bons para famílias, a exemplo do **SummerStage** *(p. 38)* e do **River To River Festival**

Abaixo Pessoas relaxando em um trecho da High Line, um parque público elevado em uma antiga linha de trem

Acima A entrada imponente do Grand Central Terminal, coroada por estátuas de Mercúrio, Hércules e Minerva

(p. 40), cujas apresentações de música, teatro e dança são famosas, e de projeções de filmes infantis ao ar livre, como a série River Flicks.

Nova York verde

Entre as atrações mais conhecidas da cidade estão numerosos oásis verdes, com destaque para o Central Park. Com a **Literary Walk** *(p. 131)*, a grandiosa esplanada de **Bethesda Terrace** *(pp. 134-5)* e atrativos para crianças como o carrossel e o zoo, o parque é um refúgio natural em vários sentidos. Oferece ainda remo, patinação no gelo, ciclismo e caminhadas. No Brooklyn, o **Audubon Center** *(p. 209)*, no Prospect Park, foca a beleza do terreno

Acima Cerejeiras em flor no Japanese Hill-and-Pond Garden, Brooklyn Botanic Garden

diversificado e os animais silvestres que vivem por lá. O **Brooklyn Botanic Garden** (pp. 206-7) e o **New York Botanical Garden** (pp. 230-1), no Bronx, propiciam muita diversão para as crianças pelos gramados vastos, jardins floridos, matas fechadas e até (no caso do primeiro) um jardim japonês com lago em uma colina. O **Hudson River Park** (p. 81) tem quadras de basquete, tênis e vôlei de praia de uso gratuito, além de playgrounds.

As estações

Cada uma das quatro estações em Nova York, do verão muito curto ao inverno longo, tem charme próprio. Embora o início da primavera mal se diferencie do inverno, visitas ao **Union Square Greenmarket** (pp. 82-3), onde agricultores vendem delícias como xarope de bordo, mel, rúcula e queijo de cabra, e à **High Line** (pp. 86-7), cujas plantas ficam verdejantes a partir de abril, permitem apreciar a beleza da estação do renascimento.

O verão é a época perfeita para passear de barco em volta da ilha de Manhattan, explorar o Hudson de caiaque e ver um jogo de beisebol no **Yankee Stadium** (p. 239). Amantes da natureza podem participar de uma saída de barco do Audubon Center para observar aves no **Prospect Park**.

Os dias agradáveis do verão dão lugar ao ar fresco e a uma pulsante energia cultural com a chegada do outono. Vá ao **National Museum of the American Indian** (pp. 60-1) para ter umaideia dos habitantes originais do país. O museu tem ótimas exposições, uma excelente loja de presentes e shows de música e dança. O outono também é perfeito para explorar **Chinatown** (pp. 76-7), fazer uma visita ao **Intrepid Sea, Air & Space Museum** (p. 120) e andar nas matas do **Ramble**, no Central Park. Após a caminhada, suba os degraus do **Belvedere Castle** (pp. 140-1), onde há três mirantes majestosos para apreciar o panorama.

O inverno, obviamente, requer passar mais tempo em ambientes fechados. Além dos diversos museus, outra boa opção é o **New York Hall of Science** (pp. 224-5), no Queens. Uma ida ao **Trump Rink** (p.130) para patinar no gelo ao ar livre pode entreter as crianças por horas. Em dezembro, a cidade ganha um toque mágico com a árvore no Rockefeller Center e as vitrines das lojas de departamentos com suntuosa decoração natalina.

À dir. Escultura Angel of the Waters no Bethesda Terrace, Central Park

Nova York ao Longo do Ano

Em Nova York há uma infinidade de eventos o ano todo. Cada estação oferece tentações especiais, como patinação no gelo e exposições no inverno, e flores e desfiles na primavera. O verão é instigante para esportes, shows e passeios de barco ao ar livre, enquanto o outono marca o início de uma nova temporada na Broadway. A partir do final de novembro, Nova York monta o desfile mais glorioso de Ação de Graças e a melhor decoração natalina do país.

Primavera

Mesmo antes do início oficial da primavera, a cidade fica repleta de atividades. À medida que a temperatura aumenta, Nova York floresce com seus jardins, e os desfiles criam um clima festivo.

MARÇO

Orquídeas premiadas do mundo inteiro são expostas no **Orchid Show (p. 229)** anual no New York Botanical Garden (pp. 230-1).

O **Armory Show** exibe arte contemporânea, e durante três semanas o **New York International Children's Film Festival (p. 38)** traz filmes independentes que encantam todas as idades. Fãs de basquete se animam com o **Big East Championship Tournament**.

Mais antigo e o maior de Nova York, o desfile no **St. Patrick's Day (p. 92)**, em 17 de março, dá adeus ao inverno com um animado cortejo formado por músicos e cidadãos de todas as faixas etárias. O desfile anual no **Greek Independence Day** apresenta trajes pitorescos, enquanto o **Macy's Flower Show (p. 95)** transforma a loja em um estonteante paraíso floral.

ABRIL

O **Sakura Matsuri Cherry Blossom Festival (p. 201)** é um espetáculo anual de cores, com mais de 200 cerejeiras em flor e demonstrações de artes japonesas tradicionais. A chegada dos **Ringling Bros. and Barnum & Bailey Circus** promete emoções para toda a família, enquanto a volta do beisebol com os Yankees no **Yankee Stadium (p. 239)** e os Mets no Citi Field atrai multidões de torcedores.

No domingo de Páscoa, o **Easter Parade** e o **Easter Bonnet Festival** são a chance de ver os chapéus fantásticos dos participantes. O excelente **Tribeca Film Festival**, de Robert De Niro, exibe mais de mil filmes recentes de alto nível.

MAIO

Uma das melhores companhias de dança nos EUA, o **New York City Ballet** arrebata as plateias com apresentações anuais na primavera. O **Ninth Avenue International Food Festival** é a maior reunião local de produtores de alimentos do mundo.

Qualquer pessoa pode entrar na folia na **New York Dance Parade**, quando dançarinos de samba, valsa e ritmos irlandeses passam pelo centro; a seguir, há dança no Tompkins Square Park. A **Fleet Week**, na semana do Memorial Day, atrai marinheiros à cidade, e o público pode visitar os navios de graça.

Abaixo, à esq. Um dos belos exemplares do Orchid Show no New York Botanical Garden
Abaixo, à dir. Elefantes asiáticos em uma apresentação no Madison Square Garden

Verão

O verão é tempo de teatro e shows grátis ao ar livre, feiras de artesanato, passeios de barco e fogos de artifício no Dia da Independência. O beisebol está a mil, as praias nos arredores ficam lotadas e corridas de barcos com dragões dão um toque asiático festivo à cidade.

JUNHO

O ponto alto cultural é o **Museum Mile Festival** anual, quando se pode ir a nove museus de graça, e o trânsito na Fifth Avenue dá lugar a música e apresentações. Em junho há a pitoresca **Mermaid Parade** (p. 211), com carros alegóricos e piratas que marcam informalmente o início da temporada de praia. O desfile do **Puerto Rican Day Parade**, maior festa latina da cidade, atrai milhões de pessoas.

O **American Crafts Festival**, realizado em dois fins de semana, traz dezenas de artesãos à cidade, onde expõem suas criações. O **Lesbian and Gay Pride Day Parade** (p. 79) celebra a Semana do Orgulho Gay com um desfile e uma feira de rua no Greenwich Village (pp. 80-1).

JULHO

O ponto alto do Dia da Independência é o show pirotécnico da **Macy's** (p. 95) em 4 de julho, que ilumina o céu com formas fantásticas. O **Midsummer Night Swing** transforma a praça ao ar livre em uma pista de dança com orquestras ao vivo. O excelente **Shakespeare in the Park**, no Delacorte Theater (p. 141) do Central Park, é grátis e exibe duas peças ao público. Os espectadores fazem piquenique e ouvem música de primeira sob as estrelas quando o Central Park promove os **Philharmonic in the Park Concerts** grátis, com direito a fogos de artifício. A **Metropolitan Opera** também oferece uma série de concertos grátis ao ar livre. As projeções em HD ao vivo no Lincoln Center Plaza e concertos em muitos parques são destaque no verão.

AGOSTO

Ao ar livre, o festival anual **Lincoln Center Out of Doors** (p. 167) tem mais de cem atrações grátis. Um dos eventos mais originais é o **Hong Kong Dragon Boat Festival**, no Meadow Lake do Flushing Meadows-Corona Park, com corridas de barcos adornados com dragões. A **Harlem Week** (p. 179) oferece diversão e eventos culturais durante vários dias.

O **US Open de Tênis** (p. 42), no fim do mês, é o evento final do Grand Slam no ano e reúne os melhores tenistas do mundo.

Outono

O Dia do Trabalho marca o fim do verão, mas não da diversão ao ar livre, pois os dias bonitos do outono são ideais para festivais e mais desfiles. A temporada da Broadway está a todo vapor no outono e museus montam novas exposições.

SETEMBRO

No fim de semana do Dia do Trabalho, o **West Indian Carnival** passa pelo Brooklyn com um dos maiores desfiles da cidade: bandas, carros alegóricos e fantasias atraem 3 milhões de espectadores. No mesmo fim de semana, famílias vão à **Richmond County Fair**, onde o único povoado histórico que resta em Nova York oferece parques de diversão à moda antiga e música.

No início de setembro, a **Feast of San Gennaro** (p. 71) envolve onze dias de desfiles e comida italiana. O **Dumbo Arts Festival** (p. 195) dá chance a esta parte emergente do Brooklyn de mostrar seu lado artístico com estúdios abertos, instalações e artistas de rua. O **New York Film Festival**, no Walter Reade Theater, agrada os cinéfilos com filmes premiados e a presença de seus diretores e atores.

Abaixo, à esq. Remadores no Hong Kong Dragon Boat Festival, Flushing Meadows-Corona Park, Queens
Abaixo, à dir. Dança do ventre, um dos estilos apresentados no New York Dance Parade, anual

16 | Introdução a Nova York

OUTUBRO

No primeiro domingo desse mês há o encantador **St. Francis Day**, na Cathedral Church of St. John the Divine *(pp. 176-7)*, quando camelos, pavões, cabras e animais de estimação ficam em fila para a bênção dos animais. O **Columbus Day Parade**, na segunda segunda-feira de outubro, é uma comemoração ítalo-americana com 35 mil participantes e mais de cem bandas.

Visitas grátis a edifícios e locais interessantes, muitos dos quais em geral fechados ao público, são o destaque do **Open House New York Weekend**, com foco em arquitetura e design locais. Fãs de histórias em quadrinhos vão em peso ao **New York Comic-Con**, no Javits Center, onde gibis, graphic novels, animês, videogames, brinquedos e filmes ficam expostos e também à venda.

A cidade festeja o Halloween com o famoso **Village Halloween Parade** *(p. 79)*, no Greenwich Village, onde fantasias exageradas são a norma.

NOVEMBRO

Com o início da temporada de patinação no gelo, é possível alugar patins no **City Pond at Bryant Park** *(p. 43)* ou no famoso **Rockefeller Center Ice Rink** *(p. 112)*. Cerca de uma semana mais tarde, o **Trump Rink** *(p. 130)* do Central Park passa a funcionar. Enquanto os patinadores rodopiam ao ar livre, a temporada de basquete decola com os **New York Knicks** *(p. 42)* entrando em ação no Madison Square Garden. O clima fica mais frio em novembro, mas isso não detém os milhares de corredores que percorrem 42,1km em cinco distritos, indo de Staten Island ao Central Park, na **New York City Marathon**.

O **New York Comedy Festival** é diversão garantida, pois, ao longo de cinco dias, traz grandes comediantes ao palco. Chocólatras aguardam ansiosamente o **New York Chocolate Show**, no Metropolitan Pavilion, onde tudo gira em torno de chocolate – degustações, moda, obras de arte e muito mais.

Há quase 90 anos, o **Macy's Thanksgiving Day Parade** *(p. 92)*, quarta quinta-feira do mês, inaugura oficialmente a temporada natalina. Outra tradição é a cerimônia de iluminação da árvore de Natal (na primeira quarta-feira após o Dia de Ação de Graças) no Rockefeller Center *(pp. 112-3)*, em que uma árvore imensa brilha com mais de 30 mil luzes, tendo na ponta uma estrela de cristal Swarovski de 250kg.

A temporada não seria completa sem o adequadamente denominado **Christmas Spectacular** no Radio City Music Hall, com efeitos especiais e belas dançarinas Rockettes.

Do fim de novembro a 24 de dezembro, bazares natalinos – Union Square, Grand Central Terminal *(pp. 100-1)*, Bryant Park *(p. 103)*, Cathedral Church of St. John) e Columbus Circle *(p. 169)* – seduzem os consumidores com belos artesanatos para os festejos.

O **Holiday Train Show** *(p. 229)*, no New York Botanical Garden *(pp. 230-1)*, lança pequenos trens de cortiça e materiais vegetais na cidade, que vão a 140 marcos locais, incluindo a Brooklyn Bridge *(pp. 196-7)* e o Yankee Stadium.

Inverno

Nova York torna-se mágica no Natal. Até os leões de pedra da New York Public Library se enfeitam para a ocasião, e as vitrines das lojas viram verdadeiras obras de arte. Há muitas comemorações na cidade, e patinadores de roupas coloridas deslizam nos parques tendo os arranha-céus ao fundo.

DEZEMBRO

O Natal não é o único feriado em dezembro. Os judeus celebram o **Hanukkah** com a iluminação do

---

Abaixo, à esq. Visitante no Holiday Train Show no New York Botanical Garden
Abaixo, à dir. Balão de Bob Esponja pairando acima do desfile da Macy's no Dia de Ação de Graças

maior menorá do mundo na Fifth Avenue. Anualmente, no fim de dezembro, o **Kwanzaa Festival** tem música, dança e artesanatos afro-americanos no American Museum of Natural History.

Na noite de 31 de dezembro, milhares de pessoas se reúnem na Times Square *(pp. 118-9)* para ver a queda da bola gigantesca que marca o Ano-Novo *(p. 116)*.

JANEIRO

Os dias gelados não diminuem a empolgação em Nova York. Organizada pelo Museo del Barrio, o **Three Kings Day Parade** *(p. 157)*, em 6 de janeiro, tem a participação de crianças, camelos, ovelhas e marionetes, bem como de adultos fantasiados como os três reis magos. Ainda nesse mês, o **New York Boat Show**, uma tradição local centenária, é um espetáculo para os olhos, com embarcações que variam de caiaques a iates.

FEVEREIRO

A **Chinese New Year Parade** é realizada em geral no início de fevereiro, quando dragões deslumbrantes dançam pelas ruas de Chinatown. Loucos por cães vêm para ver qual será o cachorro premiado no **Westminster Kennel Club Dog Show** no Madison Square Garden.

Informações

Primavera
Armory Show www.thearmory show.com
Big East Championship Tournament www.bigeast.org
Easter Parade e Easter Bonnet Festival www.nycgo.com/events/easter-parade-and-easter-bonnetfestival1
Fleet Week fleetweeknewyork.com
Greek Independence Day Parade www.greekparade.org
NYC Ballet www.nycballet.com
New York Dance Parade www.danceparade.org
Ninth Avenue International Food Festival www.ninthavenuefoodfestival.com
Ringling Bros. and Barnum & Bailey Circus www.ringling.com
Tribeca Film Festival www.tribecafilm.com

Verão
American Crafts Festival www.craftsatlincoln.org
Hong Kong Dragon Boat Festival www.hkdbf-ny.org
Metropolitan Opera www.metoperafamily.org
Midsummer Night Swing www.midsummernightswing.org
Museum Mile Festival www.nycgo.com/events/museum-mile-festival
Philharmonic in the Park Concerts www.nyphil.org
Puerto Rican Day Parade www.nationalpuertoricandayparade.org

Outono
Christmas Spectacular www.radiocity.com
NY Film Festival www.filmlinc.com
New York Chocolate Show www.chocolateshow.com

New York City Marathon www.ingnycmarathon.org
New York Comedy Festival www.nycomedyfestival.com
New York Comic-Con www.newyorkcomiccon.com
New York International Children's Film Festival www.gkids.com
NY Film Festival www.filmlinc.com
Open House New York Weekend www.ohny.org
Richmond County Fair www.historicrichmondtown.org
St. Francis Day www.stjohndivine.org/St.Francis2012.html
West Indian Carnival www.wiadca.org

Inverno
Chinese New Year Parade www.chinatown-online.com
Kwanzaa Festival gonyc.about.com/od/kwanzaa/Kwanzaa_Celebrations_in_New_York_City.htm
New York Boat Show www.nyboatshow.com
Westminster Kennel Club Dog Show www.westminsterkennelclub.org

Feriados nacionais e estaduais
Ano-Novo 1º jan
Martin Luther King Day 3ª seg de jan
Lincoln's Birthday 12 fev
Presidents' Day (Washington's Birthday) 3ª seg de fev
Memorial Day última seg de mai
Independence Day 4 jul
Labor Day 1ª seg de set
Columbus Day 2ª seg de out
Election Day 1ª ter de nov
Veterans' Day 11 nov
Thanksgiving Day (Dia de Ação de Graças) 4ª qui de nov
Natal 25 dez

Abaixo, à esq. Ano-Novo chinês no bairro de Sunset Park, Brooklyn Chinatown
Abaixo, à dir. New York City Marathon, uma das maratonas anuais de maior prestígio mundial, Fourth Avenue Brooklyn

Como Chegar

Para boa parte do mundo, Nova York é a principal porta de entrada para os EUA. A cidade recebe mais de 48 milhões de visitantes por ano, e seus terminais estão sempre lotados, mas você terá uma recepção cordial e eficiente, seja chegando de avião, por mar ou por terra. É importante saber o que o espera na chegada; portanto, informe-se sobre os requisitos básicos e tenha à mão a documentação necessária, incluindo a das crianças.

Requisitos para entrar nos EUA

Cidadãos brasileiros precisam de visto para entrar nos Estados Unidos; por isso, providencie o seu com bastante antecedência. É necessário fazer uma entrevista no consulado, que pode demorar para ser agendada. Para requerer um visto, o turista tem de demonstrar que possui laços fortes com o Brasil, caso contrário o visto pode ser negado. Um formulário disponível na internet deve ser preenchido também. Consulte o site www.visto-eua.com.br para informações sobre visto e agendamento da entrevista.

Cidadãos de 36 nações e de boa parte dos países europeus não precisam de visto para entrar nos EUA, mas devem pedir o formulário I-94W através do Electronic System for Travel Authorization (Esta) com antecedência. Antes de desembarcar, estrangeiros devem preencher um formulário da **Customs and Border Protection Agency** com dados do passaporte, número do voo e endereço nos EUA. Por medida de segurança, são tiradas fotos e impressões digitais de não residentes acima de 14 anos.

De avião

John F. Kennedy (JFK) e **Newark Liberty International (EWR)**, em New Jersey, são os principais aeroportos internacionais de Nova York e também operam alguns voos domésticos. Entre as principais companhias aéreas que voam do Brasil para Nova York estão a **TAM**, **American Airlines**, **Lan Airlines**, **United Airlines** e **Copa**. O tempo de voo de São Paulo e Rio de Janeiro é de cerca de nove horas, se a viagem for direta, e aumenta se o voo partir de uma cidade e fizer escala na outra.

Traslado do aeroporto

O **New York Airport Service** tem ônibus entre Manhattan e o JFK (US$15, US$27 ida e volta por pessoa) ou o LGA (US$12, US$21 ida e volta por pessoa). O **Olympia Trails Airport Express** oferece ônibus expressos entre o Newark Airport e o Port Authority Bus Terminal, o Bryant Park e o Grand Central Terminal (US$16, US$28 ida e volta por pessoa). Há táxis nas áreas de desembarque. Micro-ônibus coletivos da **Super Shuttle** e da **Air Link** entre todos os aeroportos e Manhattan custam cerca de US$20 por pessoa, param sob pedido, mas levam mais tempo. Nos aeroportos há táxis para

Abaixo, à esq. Guichês perto do relógio de quatro faces no Grand Central Terminal
Abaixo, à dir. Trem em plataforma a caminho da Penn Station

Midtown, bem como limusines privadas da **Carmel** e **Allstate**. Peça uma van se estiver levando carrinho de bebê ou bagagem pesada.

O **AirTrain** é barato, mas levar a bagagem é difícil. Ele sai do JFK e vai para Howard Beach ou a Jamaica Station, de onde os metrôs A, E, J e Z seguem para Manhattan.

De navio

Estar num cruzeiro que passa pela Estátua da Liberdade é algo emocionante. A cidade possui três píeres que recebem cruzeiros de várias partes do mundo, vindos, sobretudo, do Caribe, das Bermudas, do Canadá e da Europa. Para cruzeiros, consulte www.cruisecritic.com e www.cruises.com. Boa parte desses navios atraca no **Manhattan Cruise Terminal** ou no **Brooklyn Cruise Terminal** em Red Hook.

De trem

A **Amtrak** é o sistema ferroviário nacional, cujos trens chegam à agitada **Penn Station**. Trabalhadores do norte do estado e de Connecticut descem no Grand Central Terminal, uma estação mais agradável. Faça reserva on-line com alguma antecedência na Amtrak e fique de olho em ofertas semanais.

Informações

Requisitos p/ entrar nos EUA
Customs and Border Protection Agency www.cbp.gov
Agendamento para solicitar o visto www.visto-eua.com.br

De avião
Aeroportos
JFK 718 244 4444; www.panynj.gov/airports/jfk.html
LaGuardia 718 533 3400; www.laguardiaairport.com
Newark Liberty International 973 961 6000; www.panynj.gov/airports/newark-liberty.html
Companhias Aéreas
American Airlines www.aa.com.br
Copa www.copaair.com
Lan Airlines www.lan.com
TAM www.tam.com.br
United Airlines www.united.com

Traslados
Air Link 212 812 9000; www.goairlinkshuttle.com
AirTrain www.airtrainjfk.com; www.airtrainnewark.com
Allstate Car Service 212 333 3333; www.allstatelimo.com
Carmel Car Service 212 666 6666; www.carmellimo.com

New York Airport Service 212 875 8200; www.nyairportservice.com
Olympia Trails Airport Express 877 863 9275; www.coachusa.com/olympia
Super Shuttle 800 258 3826; www.supershuttle.com

De barco
Brooklyn Cruise Terminal Red Hook Terminal Píer nº 12; 718 246 2794
Manhattan Cruise Terminal Twelfth Ave e West 55th St; 212 246 5450

De trem
Amtrak 800 872 7245; www.amtrak.com
Penn Station 33rd St, entre Seventh Ave e Eighth Ave; 212 630 6401

De ônibus
Bolt Bus 877 265 8287; www.boltbus.com
Greyhound 800 231 2222; www.greyhound.com
Megabus 877 462 6342; www.megabus.com
Port Authority Bus Terminal Eighth Ave com 42nd St; 212 564 8484; www.panynj.com

De ônibus

A **Greyhound** é a maior empresa de ônibus do país e tem preços acessíveis. Seus ônibus mais novos são confortáveis. Compre bilhetes on-line e receba-os por e-mail. Em Nova York, todos os ônibus de longa distância vão para o **Port Authority Bus Terminal**, onde é fácil achar táxi. Ônibus de empresas baratas como **Bolt** e **Megabus**, de Boston, Filadélfia, Baltimore e Washington, param perto da **Penn Station**.

Abaixo, à esq. Navio de cruzeiro na Upper Bay, com a Estátua da Liberdade ao longe
Abaixo, à dir. Passageiros chegando ao John F. Kennedy International Airport

Como Circular

Graças ao amplo e eficiente sistema de transporte público, é fácil circular em Nova York. Para andar de ônibus ou metrô, veja mapas e direções no Transit Planner no site da Metropolitan Transit Authority (MTA). Circular em Manhattan é relativamente simples, porque a maior parte da área tem traçado regular. No entanto, ficar meio perdido em Nova York faz parte da diversão, pois cada quadra reserva descobertas interessantes.

Como se localizar

As ruas de Manhattan no sentido leste-oeste são numeradas – rumo a Uptown (norte), o número das ruas sobe, e rumo a Downtown (sul), diminui. A largura da ilha é de apenas doze quadras divididas por avenidas no sentido sul-norte. Essas avenidas podem ter nomes, em vez de números, mas ficam em uma grade de fácil compreensão. A Fifth Avenue divide as ruas "horizontais" em "East" ou "West" (como em "East 40th St").

É mais desafiador circular em partes mais antigas da cidade, como Greenwich Village, Chinatown e o Financial District. O mapa dobrável de ruas na lista telefônica de Páginas Amarelas de Manhattan – provavelmente disponível na recepção de seu hotel – é extremamente útil para localizar o número das ruas na cidade.

MetroCard

Usado no metrô, mas também conveniente para ônibus, o MetroCard elimina a necessidade de ter o valor exato para pagar. Ele é vendido por US$1 em todas as estações de metrô em guichês e máquinas, e ambos aceitam cartões de crédito. Um percurso único custa US$2,50. Cartões para várias utilizações estão à venda a partir de US$5. Até três crianças podem andar de graça com um adulto, desde que tenham até 1,12m de altura. Ponha US$5 ou mais em seu cartão e ganhe um bônus de 5% sobre o valor. Comprar um Unlimited Pass de sete dias por US$30 é uma boa forma de poupar.

De metrô

O metrô é o meio mais rápido para circular na cidade, mas evite os horários de pico, antes de 9h30 e entre 15h30 e 20h, quando os vagões ficam lotados. As rotas são indicadas por uma letra ou número, e cada rota também tem uma cor específica, o que facilita visualizar o itinerário em um mapa do metrô. As rotas principais vão no sentido norte-sul pelas avenidas Lexington, Eighth, Broadway/Seventh e Sixth. Os metrôs N e R vão no sentido leste-oeste passando no meio de Manhattan; um traslado leste-oeste liga o Grand Central Terminal e a Times Square na 42nd Street. Placas indicam a direção dos metrôs – Uptown (norte) ou Downtown (sul) – e se eles são locais (fazendo todas as paradas) ou expressos (com paradas limitadas). A primeira e a última paradas são anunciadas em placas nos trilhos e nos vagões. Há mapas grandes do sistema em todas as estações, bem como mapas grátis nos guichês.

Abaixo, à esq. *O MetroCard na catraca de uma estação de metrô em Nova York*
Abaixo, à dir. *Ônibus municipal no Columbus Circle, Midtown*

Como Circular | 21

Passe o MetroCard na catraca para entrar no metrô; isso não é necessário na saída. Nas horas de pico, os vagões menos lotados são os que ficam nas pontas do metrô. Em dias de semana, os trens passam a cada 2-5 minutos nas horas de pico (6h30-9h30, 15h30-20h) e a cada 5-15 minutos nos outros horários, exceto entre meia-noite e 6h30, quando passam a cada 20 minutos. Nos fins de semana, o número é reduzido.

As estações de metrô e ônibus e paradas movimentadas, como a Rockefeller Center, têm elevadores e rampas para deficientes e carrinhos de bebê. A maioria das estações, porém, possui degraus íngremes e um vão entre a plataforma e os vagões. Há uma lista de estações acessíveis no site da **MTA**.

De ônibus

Os ônibus são um meio relaxante de circular, apesar de lentos no trânsito pesado. Se você não tiver o MetroCard nem dinheiro exato, deve comprar um bilhete unitário por US$2,75 em uma máquina automática; notas não são aceitas. Entre pela frente e use o MetroCard ou ponha as moedas na caixa de coleta ao lado do motorista. Se precisar tomar um segundo ônibus ou o metrô para chegar ao destino e tiver pago em dinheiro, peça um bilhete "transfer"; metrôs requerem novo pagamento. (Lembre-se: o MetroCard dá direito a trocas gratuitas para outro ônibus ou metrô.) Não é permitido embarcar na mesma linha de ônibus com um transfer.

Novos "Select Bus Services" com paradas limitadas estão testando um sistema para poupar tempo – os bilhetes são comprados em boxes na calçada com MetroCards ou dinheiro, e os passageiros podem entrar no ônibus pela frente ou por trás.

Pontos de ônibus são identificados por placas azuis redondas em um poste com a figura de um ônibus, e os números das rotas ficam abaixo. A maioria tem mapas das paradas e horários de cada linha. Há ônibus para o norte ou o sul em todas as avenidas principais, exceto a Park e a 12th, com paradas visíveis nas esquinas a cada duas ou três quadras. Ônibus no sentido leste-oeste passam a cada sete ou oito quadras, com paradas em todas. Todas as rotas em Manhattan começam com M; B significa Brooklyn, Bx significa Bronx e Q é para Queens. Placas eletrônicas na frente dos ônibus indicam o número da rota e que ônibus são "limitados", ou seja, têm menos paradas. Os ônibus não pegam passageiros fora dos pontos.

Para solicitar uma parada, pressione as faixas amarelas na lateral entre as janelas do ônibus ou os botões nos mastros centrais. Saia pela porta de trás; pressione a faixa amarela na porta e ela se abrirá. Muitos ônibus funcionam 24 horas, mas algumas linhas não operam entre 2h e 5h. A maioria dos ônibus passa a cada 3-5 minutos de manhã e nas horas de pico à noite; a cada 7-12 minutos do meio-dia às 16h30 e após as 19h; e a cada 30-60 minutos da meia-noite às 6h. Há menos ônibus nos fins de semana e feriados.

Há várias linhas boas para passeios agradáveis e baratos na cidade. Uma das melhores é a M5, que anda pelo centro do Upper West Side, passa pela Riverside Drive até a Fifth Avenue, depois para Lower Manhattan, na Broadway, e então volta para Uptown pela Sixth Avenue. A M1 anda no centro pela Upper Fifth Avenue, desde a Museum Mile, passa por Midtown, ruma para o East Village e depois volta a Uptown pela Madison Avenue. A M42 sai da sede da ONU, passa pelo Grand Central Terminal e a New York Public Library, e segue para a Times Square.

NECESSIDADES ESPECIAIS

Todos os ônibus têm rampas que elevam e baixam cadeiras de rodas.

Abaixo, à esq. Placas em um cruzamento na cidade
Abaixo, à dir. Trabalhadores na estação de metrô no Port Authority Bus Terminal

Introdução a Nova York

Quando o passageiro embarca, o motorista o ajuda a segurar a cadeira e pergunta sobre a parada desejada. Eles ajudam os portadores de deficiência a descer na parada solicitada. Portadores de deficiência pagam metade da tarifa.

De táxi

Os táxis, ou *cabs*, de Nova York são identificados pela cor amarela e o logotipo. Embora convenientes, podem ser caros, sobretudo quando o trânsito está pesado e a corrida se prolonga demais. Use os táxis licenciados – consulte o site www.NYC.gov. Caso pegue um "gypsy cab" (táxi clandestino), você pode acabar pagando uma conta salgada.

Pode-se pegar táxis em qualquer parte da cidade. A placa com a luz apagada significa ocupado; o luminoso "off-duty" indica táxi fora de serviço. Há sempre muitos táxis diante de hotéis e estações de trem e ônibus. Quando um porteiro de hotel chama um táxi para você, é praxe dar uma gorjeta de US$1.

Táxis aceitam até quatro passageiros. O taxímetro começa marcando US$2,50 e sobe US$0,50 a cada quinto de milha (um terço de um quilômetro). Há uma taxa extra de US$1 de segunda a sexta entre 16h e 20h, e de US$0,50 das 20h às 6h. Pedágios são à parte e, como as taxas extras, são acrescentados à conta. Todos os táxis oficiais aceitam dinheiro e cartões de crédito. Não há cobrança por bagagem. É praxe dar uma gorjeta de 10-20%.

Empresas de limusine como a **Carmel** e a **AllState** (p. 19) também fornecem carro e motorista para levá-lo aonde você quiser na cidade, parando sempre que desejado. A Carmel cobra US$40 por hora em Manhattan, com mínimo de 2 horas. Na Allstate, o preço é de US$42.

A pé

Devido ao trânsito pesado de Nova York, às vezes é mais rápido ir aos lugares a pé. Atravesse apenas em esquinas e obedeça aos sinais eletrônicos de "walk" e "stop". Para calcular distâncias, vinte quadras norte-sul dão cerca de 1,6km (1 milha). Cada quadra transversal (leste-oeste) é duas a três vezes mais longa do que as no sentido norte-sul, portanto, 6-10 quadras são 1,6km.

As calçadas podem maltratar os pés e cansar as crianças rapidamente. Portanto, calçados confortáveis são fundamentais. Há bons lugares na cidade para descansar pernas exaustas. Perto da Times Square e da Herald Square há espaço reservado para as pessoas se sentarem, assim como em torno do Lincoln Center. Parques com paisagismo em Midtown, como o Paley Park, na 53rd Street, e o Greenacre Park, entre as avenidas Second e Third, também são oásis bem-vindos. Muitos edifícios na Sixth Avenue também têm esplanadas onde se pode sentar e descansar dos passeios.

Dirigir

Dirigir é a pior maneira de circular em Nova York. Os motoristas são agressivos, o trânsito é congestionado, as vagas para estacionar nas ruas são raras, os estacionamentos comerciais custam uma fortuna e os postos de gasolina são escassos. Quem tem a sorte de achar vaga precisa de moedas para o parquímetro. As tarifas dependem da região da cidade. Uma moeda de 25 centavos dá direito a vinte minutos e pode haver um limite de uma hora. Para informações mais detalhadas, ligue para o **Department of Transportation (DOT)**. Caso seja mesmo essencial alugar um carro, há locadoras conhecidas como Hertz, Avis e National em todos os aeroportos e em muitos pontos da cidade.

Para alugar um carro, é preciso ter no mínimo 25 anos, carteira de habilitação internacional e cartão de crédito. É fundamental ter seguro

Abaixo, à esq. *Típicos táxis amarelos passando pela Times Square*
Abaixo, à dir. *Balsa atracando no Staten Island Ferry Terminal*

contra acidentes e responsabilidade por danos pessoais; estrangeiros podem fazer o seguro na locadora.

De bicicleta

O número de ciclovias está aumentando, mas é preciso ter muita coragem para pedalar em um trânsito pesado, sobretudo com crianças na garupa. Ciclovias no Central Park e ao longo dos rios East e Hudson são mais adequadas para famílias. Alugue bicicletas na **Central Park Bicycle Shop** ou na **Bike NYC**.

Balsas e táxis aquáticos

O passeio de 50 minutos de ida e volta no **Staten Island Ferry**, entre a Whitehall Street, em Lower Manhattan, e St. George, na Staten Island, é o melhor (e de graça), com vista de Manhattan, da Estátua da Liberdade e da Ellis Island. Não é preciso pagar; basta ir ao Ferry Terminal e pegar a próxima balsa. As balsas gratuitas da Governors Island (p. 45) são outra opção agradável.

A **New York Water Taxi** oferece cruzeiros grátis nos fins de semana (US$5 em dias de semana). Eles levam consumidores à loja da Ikea em Red Hook, Brooklyn, mas dá chance de conhecer a área. O passeio (você embarca e desembarca à vontade) sai por US$28 (adultos) e US$16 (crianças entre 3 e 12 anos) e inclui o ônibus NYWT Express, também com embarque/desembarque livre. Às sextas, o barco para na Governors Island: ida e volta US$3, família (2 adultos e 2 crianças) US$6; fins de semana, ida e volta US$10, família (2 adultos e 2 crianças) US$15. Compre ingressos on-line, por telefone ou a bordo. A Water Taxi tem rotas diárias para o Brooklyn e o Queens, e de Downtown com paradas no rio East.

Passeios turísticos

Passeios de ônibus são ótimos para conhecer a cidade. As rotas cobrem Uptown, Downtown, o Harlem e o Brooklyn. Ao descer em uma atração, você sabe que logo mais poderá pegar outro ônibus. A **Gray Line** e a **City Sights** estão entre as operadoras principais: consulte o site ou pegue um guia quando comprar os bilhetes, que são válidos por 48 horas. Adultos, US$54; crianças, US$44; quem faz reserva on-line tem um desconto de US$5.

Caminhadas em bairros são boa opção para ver o cotidiano da cidade, desde que as crianças estejam em carrinhos ou sejam maiores e gostem de andar. Passeios desse tipo são oferecidos pela **Municipal Art Society** e a **Big Onion Tours**.

Informações

Metrô
Metropolitan Transit Authority (MTA)
511; www.mta.info/lirr
Trens metropolitanos
Long Island Railroad 718 217 5477; www.mta.info
Metro North 212 532 4900; www.mta.info
New Jersey Transit 973 275 5555; www.njtransit.com

Ônibus
www.mta.info/nyct/bus/

Táxi
311; www.nyc.gov/taxi

Dirigir
Department of Transportation (DOA) www.nyc.gov

Bicicleta
Central Park Bicycle Shop
www.centralparkbicycleshop.com
Bike NYC 117 West 58th St, 10019; 917 520 2066;
www.bikerentalsnyc.com

Balsas e táxis aquáticos
New York Water Taxi
www.nywatertaxi.com
Staten Island Ferry www.siferry.com

Passeios turísticos
Big Onion Tours 888 606 9255; www.bigonion.com
City Sights 212 812 2700; www.citysightsny.com
Gray Line 212 445 0848; www.newyorksightseeing.com
Municipal Art Society 212 935 3960; www.mas.org

Abaixo, à esq. Ciclistas passeiam pelo Central Park, Upper West Side
Abaixo, à dir. Turistas tirando fotos em um ônibus da Gray Line

Introdução a Nova York

Informações Úteis

Uma das principais metrópoles do mundo, Nova York tem tudo de que um turista precisa em termos de estrutura de saúde e comodidades, como Wi-Fi, conexões de telefones celulares e caixas eletrônicos. Quem vem de outros países, porém, deve saber que um seguro de viagem é um investimento sensato e que, embora a cidade hoje seja uma das mais seguras nos EUA, ainda é preciso usar o bom-senso e tomar os cuidados de praxe.

Seguro

O custo alto do atendimento médico para não residentes nos EUA e as dificuldades enfrentadas no caso de atrasos nos voos ou de perda de bagagem tornam o seguro de viagem essencial. Sua seguradora ou agente de viagem pode ajudá-lo a escolher o melhor seguro, com a apólice mais adequada para sua viagem. As características mais importantes em uma apólice de seguro são atendimento médico e odontológico de emergência, 24 horas, cobertura para cancelamento de viagem e para perda de bagagens e de documentos. Outro fator importante é o transporte de volta ao país de origem em caso de emergência. Se você tem seguro para perda de bens pessoais em seu país, informe-se se ele também vale no exterior.

Saúde

Leve medicamentos com receita em sua bagagem de mão, mantendo-os nas embalagens originais e com os rótulos farmacêuticos para evitar problemas com a segurança no aeroporto. Notifique funcionários da segurança sobre quaisquer itens especiais, como equipamentos para diabetes. Seringas sem uso são permitidas quando acompanhadas de insulina ou outro medicamento injetável com receita. Tenha remédios para dor de cabeça, alergias e problemas estomacais.

Caso precise de atendimento médico em Nova York, peça recomendação ao seu hotel ou recorra a um serviço como **New York Doctor on Call** e o **Housecall MD NY**. Prepare-se para gastar muito e saiba que os médicos da Housecall MD NY só aceitam cartão. A Doctor on Call aceita cartão ou dinheiro.

EMERGÊNCIAS MÉDICAS

Veja endereços de prontos-socorros nas Páginas Amarelas da lista telefônica de Nova York. Os principais hospitais em Mid-town são o **NYU**, o **Beth Israel** e o **Roosevelt Hospital**. No Upper East Side, são o **Mount Sinai**, o **Lenox Hill** e o **NewYork-Presbyterian/Weill Cornell Medical Center**. Veja a localização de farmácias por bairro nos mapas deste guia. Caso precise de ambulância, ligue para **911**.

ALERGIAS ALIMENTARES

A culinária americana usa trigo, leite e manteiga; portanto, precavenha-se caso tenha restrições a esses ingredientes. Alguns restaurantes fazem pratos vegetarianos e sem glúten. Se um membro da família tem alergia a nozes, sempre mencione isso antes e tenha um medicamento de emergência à mão.

Abaixo, à esq. Farmácia 24h em rua de Nova York
Abaixo, à dir. Passaporte americano azul e dourado, com logotipo gravado

Segurança

Embora Nova York seja uma das cidades mais seguras dos EUA, fique atento, sobretudo a batedores de carteira. Guarde-a em um bolso interno, jamais em um bolso traseiro. Se estiver com uma criança no colo, cruze a bolsa na frente do corpo; do contrário, mantenha-a presa na curva do cotovelo, não no ombro.

Deixe passaportes no cofre do hotel, assim como um cartão de crédito, um pouco de dinheiro e laptops. Caso pense em visitar um bairro à noite, informe-se com o pessoal do hotel se isso é seguro. Se deixar bagagem no hotel, peça um recibo. Quando sair, não use joias que chamem atenção nem leve equipamentos caros que despertem a atenção de ladrões.

Ligue 911 para chamar a polícia ou peça ajuda se for ferido. Se artigos de valor forem roubados ou perdidos, solicite uma cópia do boletim de ocorrência da polícia e o apresente depois à sua seguradora.

ACHADOS E PERDIDOS

O Grand Central Terminal e a Penn Station possuem guichês de achados e perdidos. Caso esqueça algo em um ônibus, metrô ou táxi, ligue para 311 e relate a perda ao órgão responsável pelos táxis ou pelo trânsito.

Dinheiro

Para trocar moeda estrangeira por dólares dos EUA, vá a casas de câmbio como **Travelex** nos aeroportos e em Midtown. Máquinas em bancos e quase todo o comércio e restaurantes aceitam cartões de crédito como MasterCard, Visa e American Express, mas sacar dinheiro com cartão de crédito incorre no pagamento de juros. Por questão de segurança, use só caixas eletrônicos dentro de bancos, em vez daqueles que ficam na rua.

MOEDA

A unidade básica é o dólar, dividido em 100 centavos. Há moedas nos valores de 1 centavo (penny), 5 centavos (nickel), 10 centavos (dime) e 25 centavos (quarter). É fácil distingui-las, pois elas têm tamanhos diferentes. Existe a moeda de US$1, mas ela é mais rara. As cédulas mais comuns são de US$1, US$5, US$10 e US$20, embora haja de US$50 e US$100.

CARTÕES DE CRÉDITO E TRAVELLER'S CHEQUES

Cartões de crédito e débito são amplamente aceitos nos EUA. É melhor usar cartão de crédito em compras caras para pedir a troca no caso de algum problema e evitar andar com grandes somas de dinheiro. Traveller's cheques estão sendo substituídos por cartões de viagem recarregáveis pré-pagos. Você pode comprá-los com antecedência no valor desejado, e depois sacar o saldo quando utilizar o cartão. Esse serviço cobra uma taxa. Cartões de viagem são emitidos por bandeiras como Visa e MasterCard, funcionam como cartões de crédito comuns e são protegidos pelo uso de um PIN (senha) e/ou assinatura.

Horários de funcionamento

O horário comercial é das 9h às 17h. Quase todas as lojas na cidade abrem às 10h; as menores podem fechar às 18h ou 19h, mas lojas de departamentos funcionam até 20h30 ou 21h30. No domingo, o horário comercial geralmente é das 11h às 18h ou 19h. Bancos normalmente abrem das 8h às 15h em dias de semana, mas muitos funcionam até mais tarde. O horário no sábado é das 9h às 15h.

Informação turística

A **NYC & Company**, órgão oficial de turismo local, tem quatro postos de informações. Há outro a cargo da **Times Square Alliance**.

Abaixo, à esq. Se você sofre de alguma alergia alimentar, tenha cuidado ao comprar lanches de ambulantes
Abaixo, à dir. Uniforme com emblema do Departamento de Polícia de Nova York

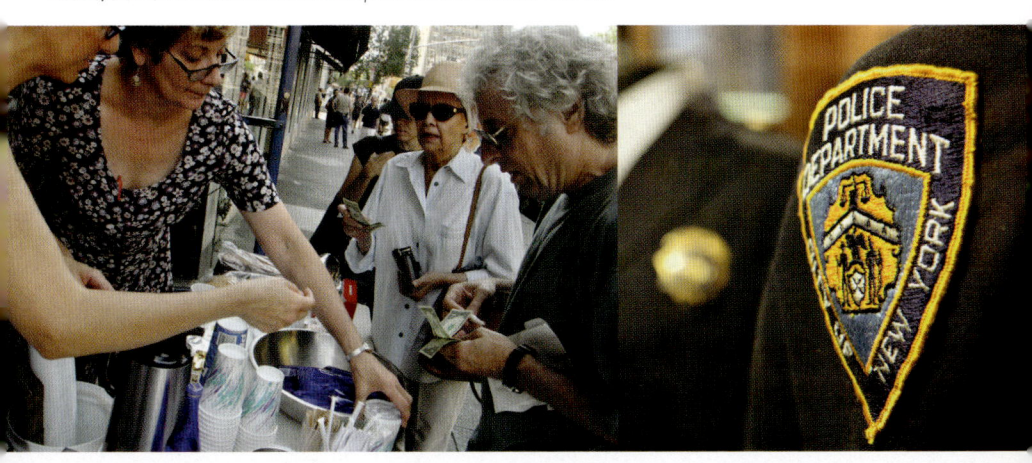

Comunicações

Para fazer qualquer telefonema em Nova York, mesmo local, tecle 1 primeiro. Por exemplo, para fazer uma ligação dentro de Nova York, disque 1-212 mais o número. Disque 0 se precisar de ajuda da telefonista. Para obter um número de telefone, tecle 411 – para isso é cobrada uma taxa. Números gratuitos têm os prefixos 800, 866, 877 e 888, e é preciso começar discando 1. Para ligar para o exterior, tecle 011, o código do país – o do Brasil é 55 –, o código de área da cidade e o número desejado.

CELULARES E INTERNET

A maioria dos telefones modernos funciona nos Estados Unidos, mas o roaming pode ser caro. Se seu celular não for compatível com o sistema americano, troque o cartão SIM e tente usá-lo. Antes de viajar, informe-se com sua operadora. É possível alugar celulares em empresas como a **Jojotalk**. Para economizar, você pode comprar um cartão pré-pago em uma banca de jornal; a tarifa por minuto com esses cartões é menor do que a cobrada pela maioria das operadoras, porém varia, por isso é bom pesquisar antes de comprar.

A maioria dos hotéis oferece acesso à internet e/ou Wi-Fi, mas isso pode ser de graça ou pago. Informe-se antes de fazer reserva, pois as taxas podem ser de US$10 ou mais por dia. Há Wi-Fi em todas as bibliotecas da cidade, nas livrarias Barnes & Noble e Borders, na Starbucks, no McDonald's, no Bryant e no Battery Park, no saguão do Grand Central Terminal e na Broadway, perto da Times Square. A Google anunciou que tem planos de oferecer Wi-Fi nos arredores de Chelsea.

CORREIOS

Muitos hotéis vendem selos e enviam suas cartas e cartões-postais. Você pode ir a uma agência de correio em Midtown ou à agência central, que funciona até as 22h.

Mídia

The New York Times é o principal jornal diário da cidade e cobre notícias locais e internacionais. Sua edição de sexta-feira traz a programação em cartaz, incluindo opções para famílias. O jornal alternativo semanal **Village Voice** aborda diversão e notícias de interesse do público jovem. As maiores redes de TV são CBS, NBC e ABC. Para notícias, veja os canais a cabo CNN e Fox. Para crianças há os canais Nickelodeon, Disney e Cartoon Network.

Necessidades especiais

Todos os ônibus da cidade são acessíveis, assim como a maioria dos restaurantes, mas poucas paradas de metrô dispõem de elevadores. A maioria das quadras tem meio-fio rebaixado nas esquinas para cadeiras de rodas, pedestres e carrinhos de bebê. Portadores de necessidades especiais podem obter informações úteis no **Mayor's Office for People with Disabilities**.

Banheiros

Parques e playgrounds municipais têm banheiros públicos, o que é raro em Nova York. Prefira usar o banheiro de hotéis, lojas de departamentos, estações de trem e ônibus, Time Warner Center, Starbucks, McDonald's e livrarias Barnes & Noble pela cidade.

Eletricidade

A voltagem padrão nos EUA é 110-120 volts. Aparelhos de outras voltagens só funcionam com conversor.

Abaixo, à esq. Cliente em uma boa livraria na cidade *Abaixo, centro* Caixas de correspondência azuis com o logotipo dos correios dos Estados Unidos *Abaixo, à dir.* Muitos cafés da cidade oferecem Wi-Fi grátis

Informações Úteis | 27

Informações

Saúde
New York Doctor on Call 212 737 3136; www.doctorcallny.com
Housecall MD NY 877 636 3996; www.housecallmdny.com

Emergências médicas
Beth Israel First Ave com 16th St, 10003; 212 420 2000
Lenox Hill 100 East 77th St perto da Lexington Ave, 10075; 212 434 2800
Mount Sinai 1190 Fifth Ave com 100th St, 10029; 212 241 6500
NewYork-Presbyterian/Weill Cornell Medical Center 525 East 68th St com York Ave, 10065; 212 746 5454
NYU 550 First Ave com 31st St, 10016; 212 263 7300
Roosevelt Hospital 1000 Tenth Ave com 59th St, 10019; 212 523 4000

Segurança
Achados e perdidos em Transporte Público 311
Polícia, Ambulância, Bombeiros 911

Câmbio
Travelex 1271 Broadway com 32nd St, 10001; 212 679 4365.
1578 Broadway com 47th St, 10036; 212 265 6063; www.travelex.com

Informação turística
NYC & Company 810 Seventh Ave, 10019; 212 484 1222; www.nycgo.com
Times Square Alliance 1560 Broadway, 46th St e 47th St, 10036; 212 452 5283; www.timessquarenyc.org

Celulares
Jojotalk 1173A Second Ave #134, 10065; 212 659 2200; www.jojotalk.com

Correio
Correio central 421 Eighth Ave com 33rd St, 10001; 212 330 3296

Mídia
The New York Times www.nytimes.com
Village Voice www.villagevoice.com

Portadores de necessidades especiais
Mayor's Office for People with Disabilities 100 Gold St, 2º andar, 10038; 212 788 2830; www.nyc.gov/html/mopd/home.html

Fuso horário
Nova York está 2h atrás do horário oficial de Brasília. Durante o verão americano Nova York fica só com 1h a menos em relação a Brasília; durante o inverno (quando é horário de verão no Brasil), chega a ficar com 3h a menos.

Etiqueta
Crianças são bem-vindas na maioria dos lugares. Em geral, desde recepcionistas de hotel até motoristas de ônibus são amáveis com a meninada, mas cabe aos pais se assegurar de que tudo continue bem, instruindo as crianças para serem educadas e respeitosas. Caso haja gritos, choro ou algazarras em lugares públicos, sobretudo em restaurantes, é melhor os pais levarem os filhos para fora até que se acalmem.

Gorjetas
Lembre que nos Estados Unidos é praxe dar gorjetas para prestadores de serviços. A quantia usual é de 15-20% para garçons, taxistas, barbeiros e cabeleireiros. Gorjetas para serviço de quarto muitas vezes são acrescentadas à conta. Carregadores de hotel devem receber cerca de US$1 por mala, camareiras, US$1-2 por dia, e atendentes de chapelaria, US$1 por peça. Embora não seja obrigatório, quando garçons ou outros funcionários são muito prestativos com as crianças, é de bom-tom dar uma gorjeta mais caprichada.

Abaixo Mãe e filhas em restaurante de Nova York, onde há muitos estabelecimentos bons para famílias com crianças

Onde Ficar

Há muitas opções de hospedagem em Nova York. Vários estabelecimentos têm mimos especiais de boas-vindas para crianças e oferecem espaço extra para famílias. Até lugares "econômicos" podem custar mais de US$200 por noite, mas geralmente dispõem de todas as comodidades básicas, como TV e acesso à internet. As listas nas pp. 240-9 estão organizadas por área e correspondem a cada seção de atrações turísticas deste guia.

Onde procurar

Há opções de hospedagem em todos os bairros da cidade, mas algumas áreas são mais atraentes para turistas. Como teatro é um ótimo chamariz, um grande número de hotéis fica no Times Square Theater District, onde há muitas opções a preço moderado. Essa área, porém, é movimentada e, com crianças pequenas, o Upper East Side e o Upper West Side, embora menos práticos, podem ser bons pela tranquilidade, proximidade de parques, cafés e restaurantes experientes no trato com crianças, que são menos caros e mais descontraídos do que aqueles em Midtown.

Para economizar, fique em um hotel no Financial District nos fins de semana e use o transporte público para ir a Midtown. Mais voltados a executivos, os hotéis dali costumam ter tarifas mais reduzidas nos fins de semana e facilitam o acesso a parques ao longo do rio, onde as crianças podem brincar à vontade. Hotéis de negócios em Midtown também oferecem tarifas mais baixas nos fins de semana.

Midtown também tem alguns dos hotéis mais exclusivos da cidade, e quem pode pagar a conta alta dispõe de mimos para crianças, como roupões de banho e chinelos.

Logo abaixo de Midtown, as áreas de Gramercy e Chelsea são boas para se hospedar, mas nem todos os hotéis são de alto padrão. Quem pretende explorar os bairros em alta na cidade deve pesquisar as opções no Lower East Side.

Descontos e custos extras

Pode valer a pena pegar um casaco de inverno e vir a Nova York na baixa temporada, pois as menores tarifas de hotel vigoram de janeiro a março (exceto no período de festas). Consulte sites de reservas com desconto, em que as tarifas são mais baixas do que as informadas pelos hotéis. De qualquer forma, procure pacotes e descontos especiais em sites de hotéis.

Ao calcular o gasto com hospedagem, lembre-se das taxas altas em Nova York. Impostos municipais, estaduais e outros aumentam a conta em até 14,75%, além da taxa de ocupação de US$3,50 por noite. A gorjeta para o carregador é de US$1 por mala; para a camareira, de US$1-2 por noite.

Quartos para famílias e suítes podem ter uma ou duas camas grandes e um sofá-cama. Alguns hotéis especificam que pais só podem dividir o quarto com filhos de até 12 anos (às vezes, de até 17); pode

Abaixo, à esq. O Hilton Times Square, instalado na famosa 42nd Street, perto da Broadway
Abaixo, à dir. Confortáveis sofás de couro no bar retrô do TriBeCa Smyth Hotel

haver uma taxa adicional para filhos mais velhos ou pelo uso de uma cama extra. Escolher hotéis com café da manhã, Wi-Fi ou acesso à internet grátis e estrutura para cozinhar reduz o orçamento, assim como usar celular, em vez do telefone do quarto. Veja informações sobre celular e acesso à internet na p. 26.

Hotéis

Dois fatores importantes na hora de escolher um hotel em Nova York são mais espaço e estrutura para cozinhar. Muitos hotéis fornecem micro-ondas e frigobar, mas não cozinha completa. Isso já traz economia, pois viabiliza cafés da manhã e lanches baratos no quarto. Pergunte se há berço ou caminhas dobráveis e se isso é cobrado à parte; se há menus para crianças; e se tem algum parque ou playground por perto. A maioria dos hotéis grandes pode indicar babás confiáveis, mas é melhor verificar antes. Caso seu orçamento permita, opte por um hotel com piscina coberta, para que as crianças possam se divertir independentemente do clima. Famílias com carro devem considerar o Skyline (p. 245) – o único motel em Manhattan – e as tarifas mais baixas de estacionamento em hotéis no Brooklyn e em Long Island City.

Apartamentos

Alugar um apartamento mobiliado pode ser mais barato do que hospedar-se em hotel e proporciona mais espaço. Há opções montadas com essa finalidade e outras em que os donos estão fora. Os apartamentos têm cozinha completa e lavadora, mas não há empregada. Por toda a cidade você encontra desde estúdios até apartamentos com três quartos. Faça reserva através de agências como a **Abode Apartment Rentals** e a **Manhattan Getaways**.

Bed & breakfasts

Nova York oferece poucos bed & breakfasts, porém a oferta desse tipo de acomodação vem crescendo, principalmente em apartamentos particulares. Isso dá um sabor especial à estada, mas diminui a privacidade e o conforto das crianças. Portanto, explique bem suas necessidades. Faça reserva em sites indicados pela **Bed and Breakfast Network**.

Portadores de necessidades especiais

A lei exige que hotéis novos tenham acomodações para portadores de deficiência, e mesmo os mais antigos fizeram reformas para se adaptar às normas. Para descobrir quais hotéis oferecem as melhores instalações, consulte seus respectivos sites. Eles estão indicados para todos os hotéis relacionados nas pp. 240-9. Ao fazer a reserva, informe o hotel sobre necessidades específicas. A maior parte dos hotéis permite a entrada de cães-guias, mas é bom checar ao fazer a reserva.

O **Mayor's Office for People with Disabilities** pode fornecer mais detalhes sobre os hotéis.

Informações

Descontos em hotéis
www.expedia.com, www.travelocity.com, www.quikbook.com, www.hotels.com, www.getaroom.com

Apartamentos
Abode Apartment Rentals 212 472 2000; www.abodenyc.com
Manhattan Getaways 212 956 2010; www.manhattangetaways.com

Bed & breakfast
Bed and Breakfast Network
800 462 2632; www.bedandbreakfast.com/manhattan-new-york.html

Necessidades especiais
Mayor's Office for People with Disabilities
www.nyc.gov/html/mopd/home.html

Abaixo, à esq. O moderno e bonito Room Mate Grace Hotel, na Times Square
Abaixo, à dir. Turistas no saguão do Mandarin Oriental Hotel

Onde Comer

Nova York possui restaurantes de alta qualidade, mas o traço marcante da gastronomia local é a incrível diversidade. Quase todos os países do planeta estão representados aqui. Desde sorvete artesanal até a levíssima comida vietnamita, há sempre algo do gosto de cada um, até mesmo para crianças pequenas. As faixas de preço neste guia se referem a almoço com dois pratos para uma família de quatro pessoas, sem vinho, mas com refrigerantes.

Comer fora

A maioria dos restaurantes funciona do almoço até o jantar, e também há muitas delicatessens e lanchonetes 24h. Em geral, o almoço é servido das 11h30 ou 12h até as 14h30 ou 15h – se o lugar fecha antes do jantar –, e o jantar, das 17h30 ou 18h até as 22h, 23h ou meia-noite.

Geralmente, para o almoço ou em restaurantes econômicos não são necessárias reservas, o que não se aplica ao jantar em um lugar novo ou badalado. É melhor ligar para reservar uma mesa. O site 24h www.opentable.com tem opções exclusivas em termos de reservas.

Comer fora em Nova York não é barato. Lanchonetes e pequenos lugares asiáticos ou do Oriente Médio são as opções mais em conta, além de comida servida na rua por ambulantes (p. 32) e fatias de pizza. Veja menus de antemão em www.menupages.com. Caso pretenda ir com carrinho de bebê a algum lugar, informe-se antes, pois nem sempre ele é aceito. A proibição ao fumo vigora em todos os restaurantes, cafés e bares. Como de praxe em todo o país, deve-se dar gorjeta em qualquer lugar que não seja self-service (p. 27). O mínimo aceitável é de 15%, e a gorjeta padrão por bom atendimento é de 20%.

Café da manhã e brunch

Delicatessens, sobretudo em Midtown, têm um balcão – que serve ovos, bagels, sanduíches e café – e mesas e cadeiras para a freguesia, sendo uma opção rápida e barata. Redes como **Au Bon Pain**, **Le Pain Quotidien** (p. 121) e **Sarabeth's Kitchen** são especializadas em alimentos de forno, como croissants e muffins. Os nova-iorquinos adoram um diner (ou lanchonete) tipicamente americano, cujo nome advém dos dining cars (ou vagões-restaurante) de trens. Os diners, muitos deles 24h, servem artigos de café da manhã como cereais, frutas, torradas, panquecas e omeletes feitas na hora. Entre os mais adequados para famílias estão os **Bubby's**, **Galaxy Diner**, **Tom's Restaurant** e o **Bel Aire Diner**.

Nos fins de semana, vários restaurantes que não servem café da manhã abrem para o brunch – em geral, das 10h às 16h. Você pode tomar brunch na **Clinton Street Baking Company**, **Dublin 6**, **Joe Allen** e **Buttermilk Channel**, entre várias outras opções.

Soul food/sulista

A soul food, que teve origem afro-americana no sul dos EUA, e a co-

Abaixo, à esq. Fachada da Taverna Kyclades, grega, em Astoria, Queens
Abaixo, à dir. Interior colorido do restaurante mexicano La Lucha, no East Village

zinha sulista se mesclam. Ambas envolvem métodos de preparo como grelhar e defumar, e têm especialidades como broa de milho, batata-doce, bagre, couve e carne de porco assada e desfiada. **Amy Ruth's** (p. 181), **Miss Maude's Spoonbread Too** (p. 182), **Sylvia's, Pies 'n' Thighs** e **Red Rooster Harlem** são expoentes da soul food.

Nova culinária americana

Um gênero culinário que decolou na cidade consiste em refeições criativas feitas com ingredientes sazonais locais, com ênfase em frescor, sabor e harmonização criteriosa. Entre os melhores do gênero estão **Tenth Avenue Cookshop**, **Mesa Grill** e **The Farm on Adderley**, todos adequados para famílias.

Mexicano e latino

Nova York tem alguns restaurantes mexicanos excepcionais e adequados para famílias. Os petiscos e tacos do **La Lucha** são divinos. O **Maya** serve comida deliciosa, e a elogiada **Tortillería Nixtamal** (p. 226) prepara tortilhas na hora.

A cidade abriga muitos moradores vindos das Américas Central e do Sul, cujas culinárias enriquecem a cena gastronômica. O **Café Cortadito**, um restaurante cubano com ambiente alegre e música latina, oferece pratos como churrasco e camarão com molho creole e banana-da-terra. As crianças vão adorar a **Empanada Mama**, onde há grande variedade desse petisco com recheios como cogumelos, queijo e camarão.

Grego

Astoria, no Queens, abriga alguns dos melhores restaurantes gregos. Cruze o rio East para jantar no **Ovelia** ou na **Taverna Kyclades**, cuja especialidade são frutos do mar grelhados. Outras opções são o **Periyali**, no Flatiron District, e o **Molyvos**, em Midtown.

Italiano

Há ótimas massas no **Cacio e Pepe** (p. 82) e no **Max**, ao passo que o **Gennaro** tem comida excelente a preços honestos. Para antepastos maravilhosos, o **Adrienne's Pizza Bar** (p. 59) é imbatível.

Espanhol

Nova-iorquinos adoram tapas espanholas, uma paixão que parece duradoura. O **Tía Pol**, um lugarzinho basco, tem uma saborosa variedade

Abaixo Bancos ao ar livre do Bubby's, um conhecido diner no bairro de Tribeca

CRIANÇADA!

Não perca

1 Egg cream (creme de ovos) é uma invenção do século XIX que era muito apreciada por imigrantes no Lower East Side. Trata-se de uma espécie de milkshake feito com soda, xarope de chocolate e leite.

2 O chocolate quente da City Bakery's é lendário. Espesso como uma barra líquida de chocolate, pode vir coberto de marshmallow.

3 Antigamente os hambúrgueres tinham o mesmo tamanho, mas agora existem os *sliders*, mini-hambúrgueres dentro de um pãozinho macio, com variações como bolo de caranguejo, vegetariano e até lagosta.

4 Vá à Doughnut Plant e peça a rosquinha Tres Leches. Envolta por uma camada de açúcar, sua massa macia vai ao forno já recheada de creme, ao contrário da versão comum.

MASTIGUE A SOPA!

Bolinhos chineses não ficam boiando na sopa. A sopa é que fica dentro deles e escorre quando você os morde.

Quanto mais, melhor

Há uma infinidade de sorvetes deliciosos para provar em Nova York. *Frozen custard* é um sorvete cremoso e espesso feito com gema de ovos. *Gelato* é sorvete italiano, geralmente sem ovos nem creme. Ambos são mais pesados e menos aerados do que o sorvete americano comum.

de petiscos, assim como o **Boqueria**. O **Socarrat Paella Bar** oferece carne, frutos do mar, paella vegetariana e pratos com *fideo* (macarrão espanhol).

Etíope

Crianças adoram comer com as mãos, o que é um hábito para os etíopes: *injera* (um pão-panqueca) é usado para pegar *wat* (guisado de legumes ou carne). Vá ao **Meskerem**, ao **Awash** e ao **Meskel**.

Indiano

Curry Hill, perto da Lexington Avenue e da East 6th Street no East Village, tem a maior concentração de restaurantes indianos na cidade. O **Saravanaas** e o **Tiffin Wallah** oferecem excelentes opções vegetarianas. A **Brick Lane Curry House** é para autênticos curries, enquanto o **Banjara** ganhou fama por especialidades cozidas lentamente como *sharabi kabobi*, um frango suculento feito em forno de barro.

Chinês

Vá a Chinatown, onde estão alguns dos melhores restaurantes chineses da cidade. O **Golden Unicorn** e o **Dim Sum Go Go** têm *dim sum* excelente, e o **Joe's Shanghai** é famoso pelos bolinhos recheados com sopa. Frutos do mar são a especialidade do **Oriental Garden**, onde há bolinhos de camarão fritos, ostras em panela de barro e lagosta.

Tailandês

A comida tailandesa é muito apreciada em Nova York. O **Republic** (p. 83) serve diversas sopas com talharim e outros pratos tradicionais. O **Thai Market** prima pelos tira-gostos e curries clássicos. O tailandês mais elogiado é o **Sripraphai**, devido aos sabores autênticos.

Vietnamita

Há muitos fãs da cozinha leve e refinada do Vietnã, mas Nova York tem poucos restaurantes do gênero. Entre os melhores estão o **Nha Trang** (p. 77) e o **Omai**, conhecidos pelas sopas com talharim e carne, frutos do mar e entradas com legumes.

Japonês

Para talharins, vá ao **Ajisen Noodle**, e, para sobá, ao **Cocoron**. Peça sushi no **Japonica** (p. 83) ou no **Jewel Bako**. As crianças adoram o lámen e os espetinhos do **Hana Michi**, perto da Herald Square.

Comida de rua

Há muita comida deliciosa e barata pelas ruas. O **Calexico** oferece burritos, tacos e milho grelhado. O **Alan's Falafel** serve porções de homus e babaganuche. O **N.Y. Dosas** tem variados *dosas* (crepes do sul da Índia) vegetarianos. O itinerante **Treats Truck**, com brownies e cookies, e o **Van Leeuwen Ice Cream Truck** são ideais para comer algo doce sem perder tempo.

Chocolatarias, sorveterias e padarias

Não há muitas lojas independentes que fazem chocolates em Nova York. Dentre as principais, vale a pena conhecer a **Jacques Torres** (p. 198), a **Chocolate Bar**, **Li-Lac** e a **Kee's Chocolates**, que produzem chocolates perfeitos.

A cidade tem sorveterias e gelaterias (de sorvete italiano) excelentes, como **Cones**, **Il Laboratorio del Gelato** (p. 74), **Chinatown Ice Cream Factory** e **L'Arte del Gelato**. Para doces, vá à **Doughnut Plant** (p. 74) e à **Buttercup Bake Shop**. A **Two Little Red Hens** tem delícias de forno, e a **Patisserie Claude**, doces franceses.

Abaixo, à esq. Famílias saboreiam frutos do mar em um restaurante chinês no Brooklyn
Abaixo, à dir. Banca de waffles perto da Grand Army Plaza

Onde Comer | 33

Informações

Café da manhã e brunch
Au Bon Pain www.aubonpain.com
Bel Aire Diner www.orderbelairediner.com
Bubby's www.bubbys.com
Clinton Street Baking Company www.clintonstreetbaking.com
Dublin 6 www.dublin6nyc.com
Galaxy Diner 665 Ninth Ave com 46th St, 10036; 212 586 4885
Joe Allen www.joeallenrestaurant.com
Sarabeth's Kitchen www.sarabeth.com
Tom's Restaurant www.tomsrestaurant.net

Soul food/sulista
Pies-N-Thighs www.piesnthighs.com
Red Rooster Harlem www.redroosterharlem.com
Slyvia's www.sylviasrestaurant.com

Nova culinária americana
The Farm on Adderley www.thefarmonadderley.com
Mesa Grill www.mesagrill.com
Tenth Avenue Cookshop www.cookshopny.com

Mexicano e latino
Café Cortadito www.cafecortadito.com
Empanada Mama www.empmamanyc.com
La Lucha www.laluchanyc.com
Maya www.richardsandoval.com/mayany/

Grego
Molyvos www.molyvos.com
Ovelia www.ovelia-nyc.com
Periyali www.periyali.com

Taverna Kyclades www.tavernakyclades.com

Italiano
Gennaro www.gennaronyc.com
Max www.max-ny.com

Espanhol
Boqueria www.boquerianyc.com
Socarrat Paella Bar www.socarratpaellabar.com
Tía Pol www.tiapol.com

Etíope
Awash www.awashny.com
Meskel 199 East 3rd St, 10009; 212 254 2411
Meskerem 124 MacDougal St, 10012; 212 777 8111

Indiano
Banjara www.banjaranyc.com
Brick Lane Curry House www.bricklanecurryhouse.com
Saravanaas 81 Lexington Ave, 10016; 212 679 0204
Tiffin Wallah 127 East 28th St, 10016; 212 685 7301

Chinês
Dim Sum Go Go 5 East Broadway, 10038; 212 732 0797
Golden Unicorn www.goldenunicornrestaurant.com
Joe's Shanghai www.joeshangairestaurants.com
Oriental Garden www.orientalgardenny.com

Tailandês
Sripraphai www.sripraphairestaurant.com
Thai Market www.thaimarketny.com

Vietnamita
Omai www.omainyc.com

Japonês
Ajisen Noodle www.ajisenusa.com
Cocoron 61 Delancey St, 10002; 212 925 5220; www.cocoron-soba.com
Hana Michi www.hanamichinyc.com
Jewel Bako 239 East 5th St, 10003; 212 979 1012

Comida de rua
Alan's Falafel Broadway, entre Cedar St e Liberty St, 10005
Calexico www.calexicocart.com
N.Y. Dosas 50 Washington Square South, 10014; 917 710 2092
Treats Truck www.treatstruck.com
Van Leeuwen Ice Cream Truck www.vanleeuwenicecream.com

Chocolatarias, sorveterias e padarias
Buttercup Bake Shop www.buttercupbakeshop.com
Chinatown Ice Cream Factory www.chinatownicecreamfactory.com
Chocolate Bar www.chocolatebarnyc.com
The City Bakery www.thecitybakery.com
Cones 272 Bleecker St, 10014; 212 414 1795
Kee's Chocolates www.keeschocolates.com
L'Arte del Gelato www.lartedelgelato.com
Li-Lac www.li-lacchocolates.com
Patisserie Claude 187 West 4th St, 10012; 212 255 5911
Two Little Red Hens www.twolittleredhens.com

Abaixo, à esq. Hambúrguer e fritas do Bill's Bar and Burger
Abaixo, à dir. Jacques Torres, uma das melhores chocolatarias locais, onde também há sorvete

Compras

Nova York é o paraíso das compras, repleto de lugares que atendem de bebês a adolescentes. Pequenas butiques de moda, lojas de brinquedos e de materiais de arte, bem como as lojas de departamentos, têm enorme variedade de artigos incomuns, bonitos e, às vezes, exclusivos. A maioria das lojas dedicadas às crianças fica em Manhattan, mas outro distrito com ótimas opções para famílias é o Brooklyn, especialmente na Smith Street.

Horário de funcionamento

A maioria das lojas abre sete dias por semana. O horário de lojas de departamentos é das 10h às 19h-20h de segunda a sábado e das 12h às 18h-19h no domingo. Em lojas independentes varia, mas em geral é das 10h-11h às 18h-19h durante a semana, e menos horas nos fins de semana, sobretudo aos domingos.

Impostos

O imposto sobre vendas em Nova York varia e, quando se trata de comprar roupas, até os residentes podem ficar confusos diante de alguma nova lei. Sobre outros tipos de compras, incluindo refeições, bolsas e produtos eletrônicos, incide um imposto de 8,875%. Itens de vestuário abaixo de US$110 são isentos de impostos. Para valores superiores há um imposto sobre vendas da cidade de Nova York, de 4,5%, e outro estadual, de 4%.

Devolução

A maioria dos produtos comprados em lojas de departamentos ou de rede, como roupas, brinquedos e equipamentos esportivos, pode ser devolvida dentro de um certo prazo, desde que não tenha sido usada, e então a pessoa recebe o dinheiro de volta se tiver o recibo. Lojas independentes também costumam devolver o dinheiro, mas algumas oferecem apenas crédito da loja ou troca.

Liquidações

Quase todas as lojas de roupas dão descontos de cerca de 25-40% em janeiro e junho em artigos da estação passada. Há descontos maiores (50-70%) em julho, agosto, fevereiro e março, mas a variedade é menor, e grandes pechinchas na Black Friday (um dia depois do Dia de Ação de Graças). Lojas de brinquedos raramente fazem liquidações, mas podem baixar o preço de certos itens.

Onde fazer compras

Carnegie Hill, um bairro no Upper East Side, é conhecido pelas butiques sofisticadas de roupas infantis, como **Bundle**, **Petit Bateau**, **Bonpoint** e **Catimini**.

O Soho, na ponta sudoeste de Manhattan, tem várias lojas infantis, como **Giggle**, **Patagonia** (com boa seleção de moda infantil, desde casacos de inverno até roupa de banho) e **Makié**, uma butique de inspiração japonesa com roupas minimalistas para crianças e algu-

Abaixo, à esq. Brinquedos e bichos de pelúcia expostos na FAO Schwarz *Abaixo, centro* Entrada da Toys"R"US, na Times Square, a maior loja de brinquedos do mundo *Abaixo, à dir.* Joias à venda no Hell's Kitchen Fleamarket

Compras | 35

Tabela de tamanhos
A numeração nos EUA é diferente da do Brasil. Tamanhos de roupas infantis são estabelecidos de acordo com a idade.

Roupas femininas*		Calçados femininos		Roupas masculinas**		Calçados masculinos		Calçados infantis	
Brasil	EUA	Brasil	EUA	Brasil	EUA	Brasil	EUA	Brasil	EUA
38	4	36	5	-	34	39	7	24-25	7½
40	6	-	6	46	36	40	7½	26-27	8½
42	8	37	7	-	38	41	8	28	9½
44	10	-	8	48	40	42	8½	29	10½
46	12	38	9	-	42	43	9½	30	11½
48	14	-	10	50	44			31	12½
50	16	39	11	52	46			32	13½
				54	48			33	1½
								34	2½

* Numeração referente a vestidos, saias e casacos. ** Numeração referente a ternos.

mas peças para os pais. Tribeca, abaixo do Soho, é uma área divertida e menos óbvia. Vá à loja **Capucine**, que tem roupas e acessórios modernos para mães e filhos, e à **Babesta**, uma loja excelente de roupas e brinquedos. No Flatiron District ficam a **Paragon** (p. 82), a melhor loja de produtos esportivos da cidade, o **Union Square Greenmarket** (p. 82) e duas lojas de brinquedos, a **Space Kiddets** (p. 82) e a **Kidding Around**.

Mercados

Se você adora garimpar peças de artistas, artesanato e artigos antigos colecionáveis, prepare-se para bater perna. O principal mercado ao ar livre é o **Hell's Kitchen Flea-market** sazonal, onde se encontram desde bichos de pelúcia artesanais até câmeras antigas. A **Antiques Garage**, uma versão coberta que funciona o ano todo, vende itens colecionáveis de todos os tipos, entre eles contas e gibis antigos. Com a mesma proposta, o **Brooklyn Flea** fica em um local coberto no inverno e em dois locais ao ar livre. Todos são bons para famílias e têm opções de lanches. Nos fins de semana, o **Market NYC** reúne artistas emergentes e estilistas de roupas e joias, que vendem direto aos consumidores.

Brinquedos, jogos e novidades

Na Times Square, a enorme **Toys"R"Us** (p. 119) oferece uma variedade imensa de jogos de tabuleiro, Lego, bonecos de personagens e até kits de mágica. Além disso, dispõe da única roda-gigante em Manhattan. A **FAO Schwarz** (p. 109) é organizada em áreas temáticas – brinquedos para bebês e crianças pequenas, bonecas Corolle, trens Thomas, brinquedos de teor científico e educativo, Calico Critters, cavalos Breyer, fantasias e maravilhosos bichos de pelúcia no 1º andar, onde também há um piano e um balcão de doces. Não há quem não se divirta aqui.

Abaixo Bancas de flores e produtos agrícolas no conhecido Union Square Greenmarket, no Flatiron District

Muitos pais preferem o ambiente de lojas de brinquedos menores, como a **Kidding Around**, que tem diversos brinquedos europeus e um trem permanente que desperta a curiosidade das crianças, e a charmosa **Dinosaur Hill**, decorada com marionetes, onde a criançada pode brincar com Ugly Dolls e Slinkys e fazer colares. Outra grande dica é a **Village Chess Shop**, com seus tabuleiros de xadrez à disposição da garotada. A **Half Pint Citizens** tem criativos kits artesanais e grande variedade de carrinhos, caminhões, trens e bonecas.

Midtown reúne lojas de brinquedos de megaempresas, entre elas a **Nintendo World** (p. 114), ideal para experimentar novos jogos, a **Lego Store** (p. 113), também no Rockefeller Center, a **Build-A-Bear Workshop**, onde os pequenos escolhem e recheiam seus animais de brinquedo, e a **Disney Store**, com brinquedos, jogos e roupas temáticos, além de artigos colecionáveis, como broches de edição limitada.

Equipamentos para bebês

A cidade abriga várias lojas especializadas em tudo para bebês e crianças menores, desde brinquedos e roupas ecológicos até berços, mamadeiras e carrinhos. A maior é a **Buy Buy Baby**, onde os pais encontram tudo o que procuram: aquecedores de mamadeira, penicos e artigos de cama. A sofisticada **Giggle** vende carrinhos de bebê Bugaboo, lindas roupas e livros. Menos chique, porém útil, a **Mini Jake** tem tudo o que a anterior oferece, além de bicicletas, livros, scooters, móbiles, brinquedos de pelúcia, fantoches e casas de boneca.

Roupas infantis

Há uma imensa variedade de opções de roupas infantis na cidade, desde redes como a **Gap**, com ótimas seções infantis, até butiques, lojas de departamentos e liquidações especializadas. A **Bundle** tem roupas de grife para bebês e uma grande variedade de pijamas, blusas, calças, vestidos, casacos, maiôs e até joias. A linha infantil da J. Crew, **Crewcuts**, tem suéteres, vestidos, camisetas, jeans, tênis e sapatos de alta qualidade. Duas favoritas de pais e filhos são a **Julian & Sara**, com roupas inspiradas, e a **Yoyamart** (p. 87), com uma seleção moderna para a faixa entre 6 e 12 anos.

Quanto a lojas para crianças maiores e adolescentes, a **Infinity** reúne várias marcas, incluindo Juicy e J Brand, pijamas e uma infinidade de acessórios. Na **B'tween** há roupas para meninas de marcas como Tractor, roupões e roupa de banho. A **Style-Licious** é especializada em acessórios como cintos, bolsas, relógios e joias. Várias lojas de departamentos da cidade têm ótimas seções infantis. A **Barneys** dispõe do departamento infantil mais fino e caro da cidade. A **Saks Fifth Avenue** também é careira. A **Bloomingdale's** vende marcas clássicas como Lacoste e Levi's e grifes mais caras como Diesel e Burberry. Menos presas a modismos e mais acessíveis, a **Lord & Taylor** e a **Macy's** (p. 95) oferecem boas marcas como Guess, Nautica e Polo. A megastore de descontos **Century 21** é ótima para famílias que não se importam em enfrentar multidões para garimpar roupas.

Lojas de calçados

Calçados esportivos estão à venda em lojas e redes como **Skechers**, **David Z** e **Foot Locker**. Se tênis não são o alvo, várias lojas vendem outros tipos de calçado. A **Ibiza Kidz** tem marcas como Naturino, Primigi e Geox. Com as mesmas marcas e outras, a **Shoo-**

Abaixo, à esq. Outdoor acima da Macy's, uma das maiores lojas do mundo
Abaixo, à dir. Livros de segunda mão à venda no East Village

fly faz liquidações de 50% no fim de junho e no início de janeiro. Aberta em 1931, a **Harry's Shoes** tem boa variedade de calçados de qualidade.

Livros

A maioria das livrarias da cidade vende livros para crianças, e redes nacionais como a **Barnes & Noble** têm grandes seções infantis com produtos para todas as fases da infância e adolescência. A **Scholastic Store** oferece livros de todos os tipos, brinquedos e áreas lúdicas. As melhores livrarias infantis independentes são a **Bank Street Bookstore**, com uma imensa área lúdica e livros de histórias, e a **Books of Wonder** (p. 82), a única exclusiva de literatura infantil, que tem também uma loja de cupcakes.

Materiais de arte

É sempre bom ter materiais de desenho à mão em dias de chuva ou em viagens longas. A **Blick** possui uma seção infantil útil e uma ótima seleção de cadernos a bons preços. A **Michaels** é outro paraíso para crianças criativas, com todo tipo de material para arte e artesanato. A loja também costuma promover oficinas.

Informações

Mercados
The Antiques Garage
www.hellskitchenfleamarket.com
Brooklyn Flea www.brooklynflea.com
Hell's Kitchen Fleamarket
www.hellskitchenfleamarket.com
The Market NYC 159 Bleecker St, 10012; www.themarketnyc.com

Brinquedos, jogos e novidades
Build-A-Bear Workshop 565 Fifth Ave, 10017; www.buildabear.com
Dinosaur Hill 306 East 9th St; 10003; www.dinosaurhill.com
Disney Store 1540 Broadway, 10036; 212 626 2910; www.disneystore.com
Half Pint Citizens 41 Washington St, Brooklyn, 11201; 718 875 4037; www.halfpintcitizens.com
Kidding Around
www.kiddingaround.us
Village Chess Shop 230 Thompson St, 10012; www.chess-shop.com

Equipamentos para bebês
Buy Buy Baby www.buybuybaby.com
Giggle www.giggle.com
Mini Jake www.minijake.com

Roupas infantis
Babesta www.babesta.com
Barneys New York www.barneys.com
Bloomingdale's
www.bloomingdales.com
Bonpoint www.bonpoint.com
B'tween 354 DeGraw St, Cobble Hill, Brooklyn, 11231; 718 683 7593; www.btweenbklyn.com

Bundle 128 Thompson St, 10012; 212 982 9465; www.bundlenyc.com
Capucine www.capucine.com
Catimini www.catimini.com
Century 21 www.c21stores.com
Crewcuts www.jcrew.com
Gap www.gap.com
Infinity 1116 Madison Ave com 83rd St, 10028; 212 734 0077
Lord & Taylor www.lordandtaylor.com
Makié 109 Thompson St, 10012; 212 625 3930; www.makieclothier.com
Patagonia www.patagonia.com
Petit Bateau www.petit-bateau.us
Saks Fifth Avenue
www.saksfifthavenue.com
Style-Licious www.styleliciousnyc.com

Lojas de calçados
David Z www.davidz.com
Foot Locker www.footlocker.com
Harry's Shoes www.harrys-shoes.com
Ibiza Kidz www.ibizakidz.com
Skechers www.skechers.com
Shoofly www.shooflynyc.com

Livros
Bank Street Bookstore
www.bankstreetbooks.com
Barnes & Noble
www.barnesandnoble.com
Scholastic Store www.scholastic.com

Materiais de arte
Blick www.dickblick.com
Michaels www.michaels.com

Abaixo, à esq. Vista interna da LEGO Store, no Rockefeller Center
Abaixo, à dir. Consumidores com sacolas do empório infantil Giggle

Diversão

Visitar os marcos de Nova York é parte essencial de qualquer viagem, mas vale a pena conhecer a cultura local em apresentações, projeções e aulas divertidas, o que fará as crianças se sentirem nova-iorquinas honorárias. De shows no Central Park e filmes ao ar livre no verão a aulas de joalheria e desenhos, há muitas opções, incluindo atividades conjuntas para pais e filhos.

Informações úteis

A revista *Time Out Kids* e seu site têm páginas dedicadas a cinema, música e teatro, com resenhas atualizadas. O site **Mommy Poppins**, de uma mãe nova-iorquina, divulga para os pais o que está em cartaz. Os dois sites também têm links para compra de ingressos. Alguns eventos, como aulas de culinária e festivais de cinema, requerem inscrição ou compra antecipada de ingressos. Em outros, como shows grátis ao ar livre e oficinas de arte para famílias no **MoMA** *(pp. 106-7)*, basta comparecer.

Música

Sempre há shows de música para crianças pela cidade, em locais como o **Joe's Pub** e o **Symphony Space** em Uptown, cuja série cultural (uma mescla de cinema, música, teatro e dança) nas manhãs de sábado é excelente. No **Lincoln Center** *(pp. 170-1)*, as crianças podem se inscrever para uma das sessões da Meet the Music! da Chamber Music Society, que dá uma introdução sobre vários aspectos musicais.

No verão, a Metropolitan Opera e a New York Philharmonic fazem concertos grátis no gramado principal do Central Park, enquanto a série **SummerStage** da City Parks Foundation leva jazz, pop e world music de graça a parques nos cinco distritos. Também no verão há o **River To River Festival** e o festival **Celebrate Brooklyn!**

Cinema

O **New York International Children's Film Festival** (março) exibe mais de cem filmes comerciais e experimentais. O **BAMkids Film Festival**, na Brooklyn Academy of Music (em um fim de semana em fevereiro), projeta todos os tipos de joias cinematográficas. Os **Cobble Hill Cinemas** tem o Big Movies for Little Kids (seg, uma vez por mês), com filmes para crianças a partir de 2 anos.

Arte

Muitos dos ótimos museus da cidade, incluindo **MoMA**, **Guggenheim** *(pp. 158-9)* e **Metropolitan Museum of Art** *(pp. 150-3)*, têm programação infantil. O **MoMA** oferece palestras e oficinas de arte grátis para famílias, que incluem a entrada no museu. O **Children's Museum of the Arts** *(p. 76)* mostra arte feita pela garotada. O ingresso inclui acesso ilimitado a estações com atividades como colagem, cerâmica e pintura. Suas

Abaixo, à esq. O Symphony Space, que oferece dança, performances e música de vanguarda
Abaixo, à dir. Crianças fazendo cupcakes em aula de culinária oferecida pela Taste Buds

exposições temporárias muitas vezes são de obras infantis.

Literatura

Os sites da **New York Public Library** (p. 102) e das bibliotecas do Brooklyn e do Queens têm listas abrangentes de eventos. Livrarias, incluindo a **Bank Street Bookstore**, a **Books of Wonder** e a **McNally Jackson**, às vezes oferecem narração de histórias, leituras feitas por autores e sessões de autógrafos. O **Thalia Kids' Book Club** do Symphony Space realiza eventos enfocando autores de obras infantis.

Artesanato

As crianças podem fazer joias, velas, sabonetes e artesanato em papel (preços variam por projeto e não membros pagam uma taxa diária por pessoa) na **Make Meaning**. A **Beads of Paradise** tem aulas de bijuteria no domingo à tarde para a faixa acima de 8 anos. A **Little Shop of Crafts** (dois locais) oferece artesanato com gesso, pintura em cerâmica, mosaico e estofamento de bonecos, enquanto **La Mano Pottery** dá aula de cerâmica no domingo de manhã para a faixa a partir de 6 anos.

Informações

Art Farm in the City 419 East 91st St, 10128; 212 410 3117; www.theartfarms.org
BAMkids Film Festival BAM 30 Lafayette Ave, Brooklyn, 11217; 718 636 4100; www.bam.org/programs/bam-kids-film-festival
Bank Street Bookstore Broadway e 112th St, 10025; 212 678 1654; www.bankstreetbooks.com
Beads of Paradise 16 East 17th St, 10003; 212 620 0642; www.beadsofparadisenyc.org
Books of Wonder 18 West 18th St, 10011; 212 989 3270; www.booksofwonder.com
Brooklyn Public Library 10 Grand Army Plaza, Brooklyn, 11238; www.brooklynpubliclibrary.org
Celebrate Brooklyn! 718 683 5600; www.bricartsmedia.org
Cobble Hill Cinemas 265 Court St, Cobble Hill, Brooklyn ,11231; 718 596 9113; www.cobblehilltheatre.com
Institute of Culinary Education 50 West 23rd St, 10010; 212 847 0700; www.iceculinary.com
Joe's Pub 425 Lafayette St, 10003; 212 539 8778; www.joespub.com
La Mano Pottery 110 West 26th St, 10001; 212 627 9450; www.lamanopottery.com

Little Shop of Crafts 711 Amsterdam Ave, 10025; 212 531 2723; e 431 East 73rd St, 10021; 212 717 6636; www.littleshopny.com
Make Meaning www.makemeaning.com
McNally Jackson 52 Prince St, 10012; 212 274 1160; www.mcnallyjackson.com
Mommy Poppins www.mommypoppins.com
New York International Children's Film Festival www.gkids.com
New York Public Library www.nypl.org
Queens Public Library www.queenslibrary.org
River To River Festival www.rivertorivernyc.com
SummerStage www.cityparksfoundation.org/summerstage
Symphony Space 2537 Broadway, 10025; 212 864 5400; www.symphonyspace.org
Taste Buds 109 West 27th St, 10001; 212 242 2248; www.tastebudscook.com
Thalia Kids' Book Club 2537 Broadway, 10025; 212 864 5400; www.symphonyspace.org
Time Out Kids www.timeout.com/new-york-kids

Culinária

O **Institute of Culinary Education** em Chelsea oferece aulas de preparo de pizza (a partir de 9 anos), de cupcakes (11-14 anos) e de pâtisserie (14-18 anos). Para os mais novos, tente a **Art Farm in the City** (aulas para a faixa de 2-8 anos). A **Taste Buds** leva a criançada a diversos restaurantes, cujas equipes ensinam a preparar pratos simples.

Abaixo, à esq. Vitrine da Bank Street Bookstore, onde autores de literatura infantil fazem leituras
Abaixo, à dir. Menina se diverte em aula de artesanato

Teatro e Artes Cênicas

Luzes brilhantes e musicais extravagantes são parte do fascínio exercido pela Times Square. Cidade amante do teatro, Nova York tem uma cena teatral diversificada, que não se resume ao Theater District, englobando também a off-Broadway e além. Teatros menores levam peças infantis o ano todo, e no verão há opções grátis para crianças nos cinco distritos. Além disso, circos e shows de acrobacia deixam a molecada encantada.

Venda de ingressos

Os sites da revista *Time Out Kids* e do **Theater Mania** divulgam todos os shows e peças em cartaz. Após escolher um programa, consulte o **Broadway Box** para códigos de desconto antes de comprar ingressos; eles podem ser usados on-line e na bilheteria do teatro (pessoalmente) ou por telefone. Ou entre no site do show, que pode oferecer ingressos ou redirecionar o usuário para o **Ticketmaster**. Caso não se importe em pegar fila, vá a um dos três guichês da **TKTS**, na Times Square, no South Street Seaport e no centro do Brooklyn, que vendem ingressos com desconto. Veja detalhes no site da TKTS.

Na **Kids' Night on Broadway** uma criança (6-18 anos) entra de graça mediante a compra de um ingresso para um adulto. E, durante o evento semestral 20at20 (www.20at20.com), ingressos para muitos shows **off-Broadway** custam US$20 cerca de 20 minutos antes do espetáculo. Não há garantia, porém, de haver ingressos para todos os shows.

Apresentações grátis

Crianças mais velhas vão adorar o Shakespeare in the Park, a série de verão no **Delacorte Theater** (p. 141) no Central Park. O Theatre-worksUSA oferece uma peça grátis no **Lucille Lortel Theatre** no West Village, a qual fica em cartaz por um mês no verão. Ingressos (quatro por pessoa) são distribuídos uma hora antes da primeira apresentação do dia, até se esgotar. O Bryant Park tem teatro infantil grátis ao ar livre dentro do programa **Word for Word Kids**, e produções da Broadway são encenadas no **Bryant Park**. Montagens do **New York Classic Theatre** são mostradas no Central Park ou no **River To River Festival**, que também tem outras peças e apresentações de dança para crianças. Há muita diversão para famílias nos festivais de verão realizados em diversos parques, incluindo o SummerStage e o Celebrate Brooklyn!

Abaixo, à esq. Fila diante de um guichê da TKTS que vende ingressos com desconto para a Broadway, off-Broadway e outros teatros
Abaixo, à dir. Apresentação no River To River Festival junto ao rio Hudson

Acima Produção off-Broadway no DR2 Theatre
À esq. Quiosque de ingressos da TKTS na Times Square

Broadway

Algumas produções da Broadway – que são sempre as mais caras – miram o público infantil. As mais populares são *O rei leão*, a história dos perigos e triunfos do leão Simba; e *Wicked*, um antecessor não oficial do *Mágico de Oz*, de L. Frank Baum. *Newsies* é uma interessante produção sobre jovens jornaleiros na Nova York da virada do século XIX para o XX.

Off-Broadway e teatros pequenos

Vários teatros off-Broadway são ideais para famílias, pois são voltados ao público mirim. O **New Victory Theater** monta diversas produções infantis inventivas o ano todo, enquanto o McGinn/Cazale Theatre é sede da **Vital Theatre Company**, que geralmente tem duas ou três peças em cartaz simultaneamente. Outros programas para a garotada são encontrados no **DR2 Theatre** em Downtown; no **Symphony Space**, que tem peças e musicais infantis nas manhãs de sábado; no **NYU Skirball Center**, que oferece a série Big Red Chair para famílias; e no **TADA! Youth Theater**. Não perca o **Swedish Cottage Marionette Theater** (p. 142), que produz seus próprios marionetes e enredos.

Circos

Todo outono, o **Big Apple Circus** monta sua tenda simples no Damrosch Park no Lincoln Center, na qual apresenta por vários meses um show original com muito humor e esquetes surpreendentes. O circo **Ringling Bros.** e o **Cirque du Soleil** vêm de vez em quando à cidade. O **Streb Lab for Action Mechanics** do Brooklyn mostra ótimos espetáculos de acrobacia por toda a cidade e faz ensaios e oficinas abertas ao público. Há produções frequentes voltadas a crianças, com malabarismos e números aéreos, no **New Victory Theater**.

Informações

Big Apple Circus
www.bigapplecircus.org
Broadway Box
www.broadwaybox.com
Broadway no Bryant Park
www.bryantpark.org
Cirque du Soleil
www.cirquedusoleil.com
DR2 Theatre www.dr2theatre.com
Kids Night on Broadway
www.kidsnightonbroadway.com
Lucille Lortel Theatre
www.lortel.org
New Victory Theater
www.newvictory.org
New York Classical Theatre
www.newyorkclassical.org
NYU Skirball Center
www.skirballcenter.nyu.edu
Ringling Bros. and Barnum & Bailey Circus www.ringling.com
River to River Festival
www.rivertorivernyc.com
Shows off-Broadway
www.newworldstages.com
Streb Lab for Action Mechanics
www.streb.org
Symphony Space
www.symphonyspace.org
TADA! Youth Theater
www.tadatheater.com
Theater Mania
www.theatermania.com
TheatreworksUSA
www.theatreworksusa.org
Ticketmaster
www.ticketmaster.com
Time Out Kids
www.timeoutnewyorkkids.com
TKTS booths www.tdf.org
Vital Theatre Company
www.vitaltheatre.org
Word for Word Kids
www.bryantpark.org

Eventos Esportivos e Atividades

Muitos nova-iorquinos são fãs de esportes e torcedores inflamados dos dois times de beisebol locais. É empolgante ver um jogo quando faz calor ou uma partida de hóquei ou de basquete no inverno. A cidade propicia muitas atividades ao ar livre, como passear de caiaque no rio Hudson, patinar no gelo no Bryant Park e pedalar em uma das novas ciclovias. Além de fáceis e relativamente baratos, esses programas também são ótimos para quebrar a rotina.

Esportes para assistir
(p. 43)

BEISEBOL
Nova York tem dois times de beisebol da Major League – o **New York Yankees** e o **New York Mets**. É fácil comprar ingressos no site oficial da MLB ou pessoalmente no dia do jogo, e há metrô para os dois estádios – o Yankee Stadium *(p. 239)*, no South Bronx, e o Citi Field, em Flushing, no Queens. Chegue cedo para entrar com calma.

TÊNIS
O torneio de tênis **US Open** é realizado em Flushing Meadows, no Queens, na última semana de agosto e na primeira semana de setembro. É melhor comprar um passe para um dos cinco primeiros dias do torneio, o qual dá acesso livre a todas as quadras, ao Louis Armstrong Stadium e ao Grandstand (mas não ao imenso Arthur Ashe Stadium). Como não há lugares marcados nesses locais, não é preciso comprar ingresso com antecedência, porém é melhor chegar cedo. Use a entrada oeste, que, por ser mais distante da estação de metrô, fica menos lotada.

FUTEBOL
A popularidade da Major League Soccer vem crescendo nos EUA. Os fãs devem ver um jogo na Red Bull Arena em Harrison, New Jersey, sede dos **New York Red Bulls**, outrora chamados Metro-Stars. Compre pacotes de quatro ingressos para a família. É fácil ir ao estádio pegando o trem PATH em Manhattan ou um ônibus da Port Authority em Midtown.

BASQUETE E HÓQUEI
O Madison Square Garden é sede do time de basquete **New York**

Informações

Esportes para assistir
New York Knicks
www.nba.com/knicks
New York Mets
newyork.mets.mlb.com
New York Rangers rangers.nhl.com
New York Red Bulls
www.newyorkredbulls.com
New York Yankees newyork.yankees.mlb.com
US Open www.usopen.org

Esportes e atividades em família
Bike and Roll www.bikeandroll.com
Downtown Boathouse
www.downtownboathouse.org
New York's Waterfront Bicycle Shop 391 West St; 212 414 2453; www.bikeshopny.com
The Pond no Bryant Park
West 40th St, entre Fifth Ave e Sixth Ave;
www.citipondatbryantpark.com
Rockefeller Center Ice Skating Rink 601 Fifth Ave, 212 332 7654; www.therinkatrockcenter.com
Sky Rink Pier 61, 23rd St com o Hudson River Park; 212 336 6100; www.chelseapiers.com

Abaixo Pai e filho pedalam em uma ciclovia no Central Park
Abaixo, à dir. Crianças patinando no Wollman Rink no inverno

Acima Vista aérea do Yankee Stadium durante um jogo
À esq. Jogo de basquete no Madison Square Garden

Knicks e do time de hóquei no gelo **New York Rangers**. Para obter bons lugares, faça reserva on-line com boa antecedência e não deixe de se agasalhar bem para ver os jogos.

Esportes e atividades em família

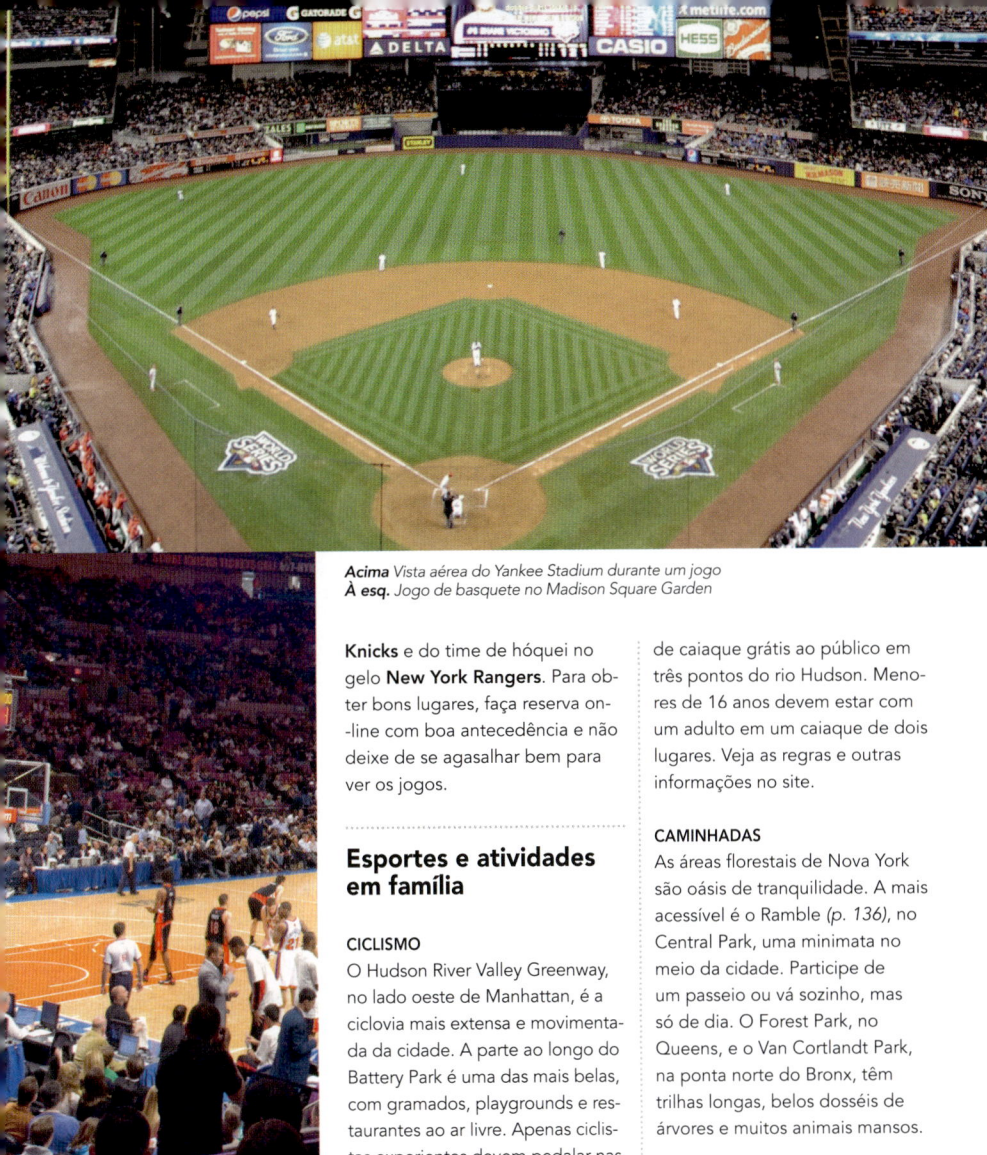

CICLISMO
O Hudson River Valley Greenway, no lado oeste de Manhattan, é a ciclovia mais extensa e movimentada da cidade. A parte ao longo do Battery Park é uma das mais belas, com gramados, playgrounds e restaurantes ao ar livre. Apenas ciclistas experientes devem pedalar nas ruas da cidade, pois os motoristas podem ser agressivos. Pode-se alugar bikes facilmente na **New York's Waterfront Bicycle Shop** e na **Bike and Roll** ao longo da Greenway. Lembre-se de que é obrigatório menores de 12 anos usarem capacete ao andar de bicicleta.

CAIAQUE
A prática de caiaque é muito popular na cidade durante o verão. O **Downtown Boathouse** é uma organização de voluntários sem fins lucrativos que oferece saídas de caiaque grátis ao público em três pontos do rio Hudson. Menores de 16 anos devem estar com um adulto em um caiaque de dois lugares. Veja as regras e outras informações no site.

CAMINHADAS
As áreas florestais de Nova York são oásis de tranquilidade. A mais acessível é o Ramble *(p. 136)*, no Central Park, uma minimata no meio da cidade. Participe de um passeio ou vá sozinho, mas só de dia. O Forest Park, no Queens, e o Van Cortlandt Park, na ponta norte do Bronx, têm trilhas longas, belos dosséis de árvores e muitos animais mansos.

PATINAÇÃO NO GELO
Há quatro rinques ao ar livre e um coberto na cidade. O mais famoso, e também o mais caro, é o **Rockefeller Center Ice-Skating Rink** *(p. 112)*. O **Trump Rink** *(p. 130)*, na ponta sul do Central Park, é uma mescla urbana e campestre. Todo inverno, **Citi Pond at Bryant Park**, um rinque de patinação grátis, é montado no Bryant Park *(p. 103)*; o início da manhã é o horário menos cheio. O **Sky Rink**, coberto, nos Chelsea Piers, é uma opção disponível o ano todo.

Verão na Cidade

Quando o sol se junta a tantas outras atrações no verão, Nova York se torna ainda mais sedutora. Os dias são mais longos, há teatro e shows a céu aberto *(p. 40)* e diversas feiras de rua, e as águas em torno de Manhattan acenam com a promessa de muita diversão e andanças pela ilha. Quando bater o cansaço de ver atrações turísticas, é fácil recobrar o ânimo com uma refeição ao ar livre ou um sorvete.

Nas águas

Embora Manhattan e Staten Island sejam as únicas ilhas de fato em Nova York, todos os distritos têm rios que merecem ser explorados de barco. Um dos passeios mais divertidos é circum-navegar Manhattan em um navio da **Circle Line** ou a bordo do **Manhattan**, um barco pequeno que serve até brunch. Navegar em escunas como a **Adirondack** ou a **Shearwater** é uma experiência excitante que dá outra noção da cidade. Um passeio com foco em história saindo do **South Street Seaport** *(pp. 66-7)* salienta o quanto a cidade foi importante como polo marítimo, e pode abranger a **Estátua da Liberdade** *(pp. 58-9)* e os rios Hudson e East.

Três filiais da **Downtown Boathouse** ao longo do Hudson oferecem saídas de caiaque grátis com supervisão, enquanto a **Loeb Boathouse** aluga barcos a remo por hora no Central Park Lake, onde se veem animais silvestres. Os pedalinhos e as saídas para ver aves no Prospect Park Lake são maravilhosos.

Acima Barcos a remo no Central Park Lake, com arranha-céus ao fundo

Ver a vida selvagem

Pouca gente sabe, mas Nova York tem muitos animais silvestres, desde aves migratórias exóticas até morcegos, tartarugas e caracóis.

O passeio de barco elétrico para observar aves do **Audubon Center** *(p. 209)* no Prospect Park é uma maneira mais intimista de avistar algumas das aves mais raras da cidade, pois a embarcação passa por ilhas que são inacessíveis por outros meios. Talvez a opção mais emocionante nesse sentido seja o **Audubon EcoCruise**, uma parceria entre o Audubon Center e a **New York Water Taxi**. Realizados nas noites de domingo durante o verão, os ecocruzeiros coincidem com o retorno de garças, egretas e íbis a seus ninhais nas desabitadas Brother Islands, na parte norte do rio East, após um dia de pesca em água doce.

Passeios nas ilhas

Desde o final do século XIX, **Coney Island** *(p. 214)* é ponto de veraneio da cidade. Hoje, os nova-iorquinos passam o dia em Coney (não mais uma ilha) para usufruir seu amplo calçadão de madeira ao longo da praia, ladeado por restaurantes, e se divertir no **Luna Park** *(p. 214)*,

Informações

Adirondack Píer 62, Hudson R. com 22nd St, 10011; www.sail-nyc.com
Circle Line Píer 83, rio Hudson River com 42nd St, 10036; www.circleline42.com
Downtown Boathouse Hudson River com 72nd St; Píer 96, Hudson River com 56th St; Píer 40, Hudson River com Houston St; www.downtownboathouse.org
Governors Island www.govisland.com
Loeb Boathouse no Central Park, East 72nd St com Park Dr North; www.thecentralparkboathouse.com
Manhattan Píer 62, Hudson R. com 22nd St, 10011; www.sail-nyc.com
New York Water Taxi Audubon EcoCruise, Píer 17 com o South Street Seaport; 212 742 1969; www.nywatertaxi.com
Shearwater 385 South End Ave, North Cove Marina, Battery Park City; www.manhattanbysail.com

Acima Turistas na Water Taxi Beach na Governors Island
À esq. Aves em águas rasas

onde há jogos, uma enorme montanha-russa e roda-gigante. Em junho, o Mermaid Parade anuncia o início da temporada de verão em Coney, enquanto o **New York Aquarium** (pp. 212-3) encanta a meninada com a vida marinha.

Uma das maiores atrações da cidade é a **Governors Island**, no meio do porto de Nova York. Balsas grátis frequentes saem do Battery Maritime Building para a ilha durante o verão (sex, sáb e dom). Famílias podem fazer um piquenique e explorar a ilha a pé por conta própria, alugar bicicletas ou participar de uma caminhada guiada. Nos fins de semana de verão, oficinas de arte grátis para crianças, um minicampo de golfe e shows ao ar livre atraem muitos visitantes.

É difícil acreditar que **City Island** (p. 233), um lugarejo sonolento outrora conhecido por seus estaleiros, seja parte de Nova York. Pode-se alugar um barquinho para pescar por uma hora ou duas, ou visitar as pequenas galerias, lojas, restaurantes de frutos do mar e sorveterias da cidade.

À esq. Famílias se divertem no Luna Park, Coney Island, Brooklyn
Abaixo Barco da Circle Line passando pela Estátua da Liberdade

A História de Nova York

A cidade mais populosa e antiga dos EUA é rica em história. Nova York passou por mudanças drásticas durante sua transformação – de um charco com grande diversidade ecológica, tornou-se a primeira capital do país. Nos últimos 200 anos, a cidade tem sido um bastião de esperança para milhões de imigrantes que aqui desembarcaram, e continua inspirando gerações com seu icônico skyline e a energia contagiante de seus habitantes.

Henry Hudson fazendo permuta com índios no rio Hudson

Habitantes originais e colonizadores

Originalmente, a área era habitada pelos índios lenapes, que eram agricultores, pescadores e caçadores seminômades. Eles coletavam alimentos na terra e no mar, cultivavam milho, abóbora e favas, e mudavam de área sazonalmente. O fim de sua tranquilidade começou em 1524, com a chegada de Giovanni da Verrazzano, primeiro explorador europeu a ter contato com os lenapes.

Outro estrangeiro chegou 85 anos depois – o inglês Henry Hudson, que navegou para o Novo Mundo a serviço da Companhia Holandesa das Índias Ocidentais em 1609. Ele foi o primeiro não nativo a subir o rio que depois ganhou seu nome e, graças a seu diário de bordo, os holandeses puderam reivindicar a posse da região fértil à qual deram o nome de Nova Holanda, rapidamente montando postos de comércio em locais estratégicos. Em 1624, 30 famílias holandesas aportaram na atual Governors Island, sendo os primeiros colonos europeus. Um ano depois mudaram-se para a ponta sul de Manhattan e fundaram o povoado de Nova Amsterdã, cuja posse foi assegurada pela compra da ilha dos lenapes em 1626 e a construção de um grande forte. No mesmo ano, escravos africanos foram trazidos pela Companhia Holandesa das Índias Ocidentais.

O último governador de Nova Amsterdã, Peter Stuyvesant, assumiu o controle da cidade em 1647. Após uma invasão surpresa, os britânicos tomaram posse do povoado em 1664 e o rebatizaram de Nova York, em homenagem ao duque de York. Nesse ínterim, os lenapes foram sendo dizimados por doenças infecciosas de origem europeia e guerras com os índios iroqueses motivadas pelo comércio de peles. Em 1700, restavam apenas cerca de 200 deles.

Nova York colonial

Após a colonização, a cidade venciou a criação de três condados – Kings (atual Brooklyn), Queens e Richmond (Staten Island) –, duas rebeliões de escravos, a participação na Guerra dos Sete Anos (1756-63) e o arrocho crescente dos dominadores britânicos sobre o povo, o que levou a uma rebelião contra a monarquia deste lado do Atlântico.

Retrato do último governador de Nova Amsterdã, Peter Stuyvesant

Cronologia

1524 — O italiano Giovanni da Verrazzano descobre Nova York e seu entorno

1609 — O explorador inglês Henry Hudson navega no porto de Nova York

1624 — Trinta famílias holandesas chegam a Nova Amsterdã

1647 — Peter Stuyvesant se torna diretor-geral de Nova Amsterdã

1664 — Os holandeses se rendem aos britânicos, que rebatizam a cidade como Nova York

1689 — A rebelião de Leisler tira dos britânicos o controle da cidade

1700s — Apenas 200 lenapes sobrevivem após a introdução de doenças europeias

Em 1689, o mercador alemão Jacob Leisler liderou uma rebelião que controlou a cidade por quase dois anos, mas depois ele foi preso e executado. Esse foi o primeiro caso local de insurreição contra o poder. Outro evento marcante foi o julgamento em 1735 de John Peter Zenger, publisher do *New York Weekly Journal*, acusado de calúnia por publicar críticas anônimas ao governador de Nova York. Seu advogado de defesa, Andrew Hamilton, argumentou que, mesmo que o material no jornal fosse difamatório, ele se baseava em fatos e, assim, não podia ser considerado calunioso. Zenger venceu o caso, e as liberdades de imprensa e de expressão entraram para o rol das vitórias locais no campo dos direitos humanos.

No entanto, o número de escravos e brancos pobres continuava crescendo. No inverno rigoroso de 1741 houve uma série de incêndios na cidade, o que resultou na detenção de 152 africanos e 20 brancos, a maioria dos quais foi enforcada ou queimada após um julgamento injusto. Chamado de Conspiração de Nova York de 1741, esse episódio refletiu o abismo crescente entre os extremos da pirâmide social.

Nova York revolucionária

Quando a longa Guerra Franco-Indígena (1754-63) terminou, com a expulsão dos franceses do continente, o resultado foi uma grande expan-

Opositores à Lei do Selo queimam selos em Nova York

são do território britânico. Com a premissa de que os colonos deviam pagar pela proteção do governo britânico, o Parlamento inglês impôs uma série de leis que se deparou com forte oposição: a Lei do Açúcar de 1764 impunha a cobrança de uma tarifa sobre esse produto e o melaço; a Lei do Alojamento de 1765 obrigava os colonos a darem comida e abrigo a soldados britânicos; e a Lei do Selo de 1765 determinava o uso obrigatório de papel timbrado em jornais, livros, contratos e documentos legais, todos essenciais ao comércio colonial.

As leis logo despertaram reação. Duas semanas antes de a Lei do Selo entrar em vigor, representantes de nove das 13 colônias se reuniram em Nova York para o Congresso sobre a Lei do Selo, a primeira assembleia organizada contra os britânicos. O Congresso argumentou que, como

CURIOSIDADES

Término sob aposta
Os construtores dos edifícios Empire State e Chrysler fizeram uma aposta para ver qual obra terminava primeiro. O Chrysler Building ganhou, mas o Empire State se destacou como o edifício mais alto do mundo.

Muro famoso
Antigamente, Wall Street era um muro de pedra, o qual foi construído pelo governador Peter Stuyvesant para resguardar a cidadezinha então chamada de Nova Amsterdã.

Força cavalar
Mulas e cavalos cegos impulsionavam o carrossel do Central Park de 1873 até 1924, antes do advento da eletricidade.

Grande Migração
Durante a Grande Fome na Irlanda em 1845-52, cerca de 650 mil pessoas deixaram aquele país e vieram para Nova York.

Marco
Em 1925, com quase 8 milhões de habitantes, Nova York ultrapassou Londres e se tornou a cidade mais populosa do mundo.

Negócio da China
Em 1626, o holandês Peter Minuit comprou Manhattan da tribo lenape por cerca de US$24 em produtos.

1735 — julgamento de John Peter Zenger estabelece liberdade de imprensa

1741 — A Conspiração de 1741, movida por escravos, sofre dura retaliação

1765 — Protesto dos Filhos da Liberdade; realização do Congresso da Lei do Selo na cidade

1776 — O general George Washington perde a Batalha do Brooklyn, mas salva suas tropas

1783 — Derrotados pelos revolucionários, os britânicos deixam Nova York

48 | Introdução a Nova York

George Washington toma posse como presidente

os colonos não possuíam representação no Parlamento, os britânicos não tinham direito de impor leis fiscais sobre eles. Surpresos com o protesto, os britânicos anularam a lei, mas retaliaram com outra série de normas para subjugar as colônias. Isso gerou um boicote a produtos britânicos, seguido de conflitos violentos em Boston, os quais resultaram nas batalhas de Lexington e Concord em Massachusetts, o germe da Revolução americana.

Tendo expulsado os britânicos de Boston em março de 1776, o general George Washington tomou Manhattan. Porém, apesar das fortificações e das advertências do general, o Exército Continental de Washington foi cercado por tropas britânicas na noite de 17 de agosto de 1776 na chamada Batalha do Brooklyn, o primeiro conflito militar desde a assinatura da Declaração da Independência em 4 de julho do mesmo ano. Washington mandou suas tropas de volta a Manhattan sob a proteção da névoa naquela noite, mas as forças acabaram recuando e foram para a Pensilvânia.

Sede do comando central britânico, Nova York serviu de abrigo para os partidários da Coroa nos sete anos seguintes. Os britânicos também começaram a manter prisioneiros de guerra na cidade. Mais de 10 mil soldados americanos e suas famílias morreram de doença, fome e inanição a bordo de navios atracados no rio East. Por fim, em 1783, o comandante-chefe Washington marchou por Lower Manhattan.

Séculos XVIII e XIX

Com o êxito da Revolução, Nova York se tornou a primeira capital dos EUA em 1789, quatro anos após a realização do Congresso Continental na cidade. Washington tomou posse como primeiro presidente do país em 30 de abril de 1789. Apesar da transferência da sede do governo para a Filadélfia em 1790, o ano em que Nova York reinou foi bastante significativo. A Carta de Direitos dos EUA e o Regulamento do Noroeste, plano para a expansão para o Oeste, foram esboçados aqui, e o Congresso e a Suprema Corte nacionais se reuniram pela primeira vez.

A população da cidade cresceu vertiginosamente em meados do século XIX com a chegada de irlandeses fugidos da Grande Fome (1845-52) e de alemães escapando do tumulto das Revoluções de 1848. Após a Guerra Civil (1861-5), a Ellis Island se tornou o único ponto de triagem para estrangeiros que queriam se radicar em Nova York.

Século XX

Em 1898, cinco distritos se juntaram formando uma nova cidade. O início

O exército de Washington em retirada de Long Island após a Batalha do Brooklyn (1776)

Cronologia

1789	1811	1825	1835	1842	1863	1883
George Washington toma posse como primeiro presidente do país	Apresentação do projeto do traçado urbano de Manhattan	Abertura do canal Erie ligando o porto de Nova York aos Grandes Lagos	O Grande Incêndio destrói boa parte de Manhattan	Abertura do aqueduto Croton, que fornece água para os habitantes da cidade	Nova-iorquinos protestam nos Draft Riots contra o recrutamento da Guerra Civil	Abertura da ponte do Brooklyn após 14 anos de construção

A História de Nova York

Vista do Ground Zero, onde ficavam as Torres Gêmeas do World Trade Center

dos anos 1920 marcou o início da Grande Migração do Sul, basicamente de descendentes de escravos. O Harlem se tornou um polo vibrante de literatura, música e artes visuais no chamado movimento de Renascimento do Harlem. Na mesma época, não obstante a depressão econômica, o skyline da cidade começou a se formar com a construção dos edifícios Empire State e Chrysler e do Rockefeller Center.

A cidade teve papel importante durante a Segunda Guerra Mundial: dos estaleiros no Brooklyn saíam couraçados, porta-aviões e barcaças de desembarque que levavam tanques para os combates no exterior.

Soldados de volta da guerra em 1945 e levas de refugiados da Europa fomentaram outro boom econômico e demográfico. As décadas de 1950 e 60 revelaram uma safra altamente criativa de artistas e músicos, como Allen Ginsberg e Bob Dylan, cuja base era o Greenwich Village. Ao mesmo tempo, tensões raciais e a pobreza causaram um êxodo em massa para os subúrbios, e um aumento na criminalidade e violência, que chegou ao auge nas décadas de 1970 e 80. Por pouco a cidade não faliu em 1975. A recuperação, iniciada nos anos 1980, finalmente se consolidou nos anos 1990, graças ao crescimento econômico do país, ao boom do mercado de ações de Wall Street e à repressão ao crime.

Dias atuais

Em 11 de setembro de 2001, terroristas da Al-Qaeda comandaram a colisão de dois aviões contra as Torres Gêmeas do World Trade Center. Quase 3 mil pessoas morreram, a maioria presa nos edifícios que ruíram horas depois do ataque. Hoje, a cidade está quase recuperada do choque emocional e da paralisação econômica causados pelo episódio.

Nas duas últimas décadas, belos parques e instalações recreativas foram criados ou reformados, e até a Times Square deixou de ser um enclave maltratado, virando atração turística. Os aluguéis em Manhattan, porém, ficaram exorbitantes para recém-chegados. Por outro lado, os nova-iorquinos estão mais empenhados em cuidar dos filhos, em vez de se mudar, e se veem escolas e carrinhos de bebê para todo lado. A recessão de 2008 deu força ao movimento Occupy Wall Street, um protesto contra a desigualdade de renda. Em outubro de 2012, o furacão Sandy devastou grandes áreas da cidade.

HERÓIS E VILÕES

Herói da atualidade
Hoje, o grande herói de Nova York é Stephen Siller, um bombeiro que, ao saber que o Battery Tunnel estava fechado ao trânsito, cruzou-o a pé, com seus equipamentos, do Brooklyn até Manhattan para ajudar as pessoas presas no World Trade Center em 11 de setembro de 2001.

Descoberta inesperada
O inglês Henry Hudson fez três tentativas de achar a Passagem Noroeste para a Ásia. Embora a passagem não existisse, Hudson descobriu e explorou o rio que depois ganhou seu nome.

Mártir revolucionário
Aos 21 anos, o soldado Nathan Hale, espião no Exército Continental durante a Revolução Americana, foi capturado pelos britânicos. Ele fez um discurso desafiador na manhã de seu enforcamento.

"Boss" Tweed
O poderoso político local William Magear Tweed foi condenado em 1877 por roubar entre US$25 milhões e US$45 milhões dos contribuintes de Nova York. Ele morreu na prisão da rua Ludlow.

1939	1969	1977	2001	2012
ova York sedia a ira Mundial	Protestos de Stonewall contra a discriminação a gays	Um apagão de energia de 25 horas resulta em saques na cidade	Terroristas atingem o World Trade Center com dois aviões	Abertura do Memorial Nacional ao 11 de Setembro. O furacão Sandy causa destruição.

Pessoas na Bow Bridge, sobre o Central Park Lake, em uma ensolarada tarde de outono

Atrações de
NOVA YORK

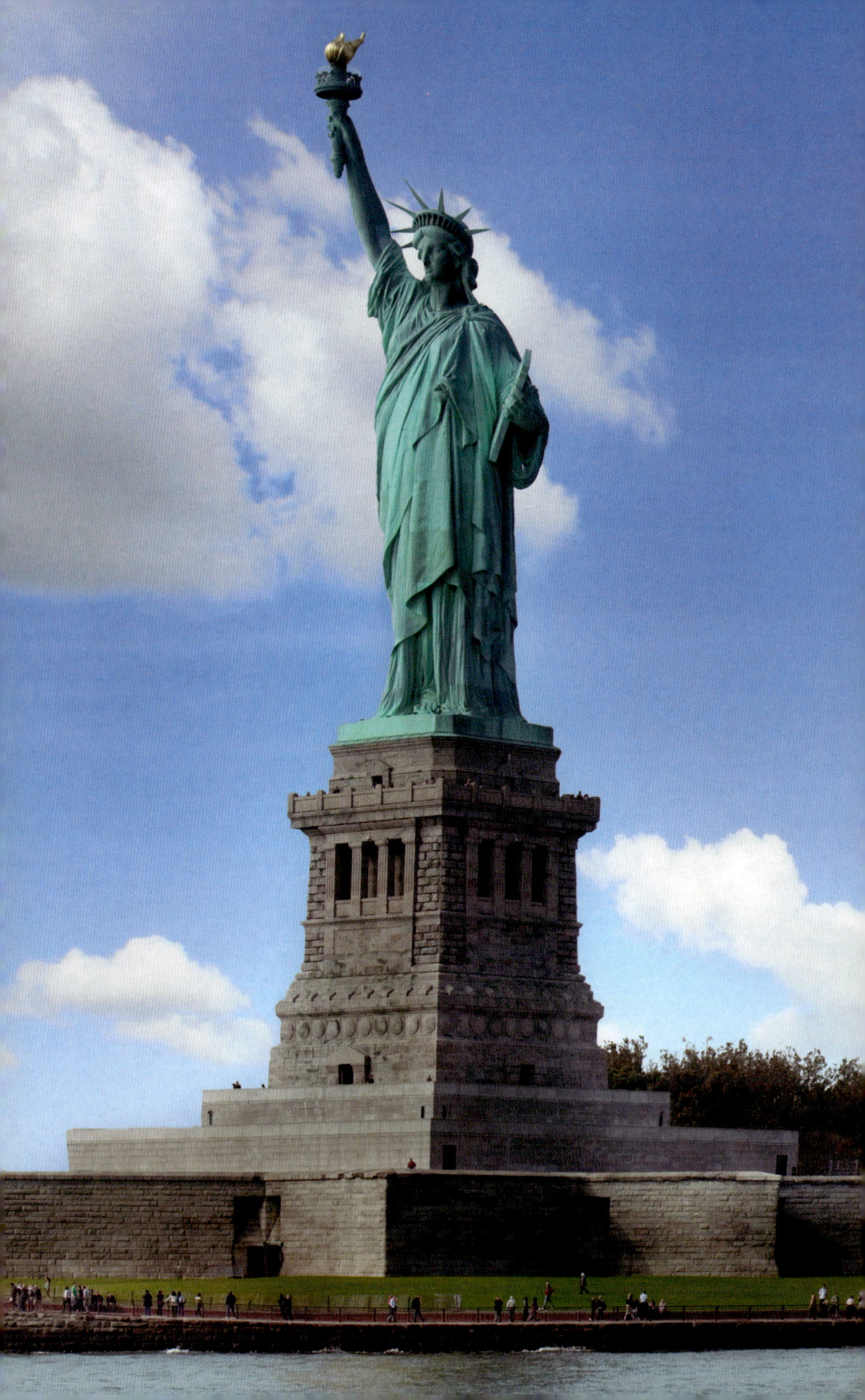

Downtown

Nos séculos XVII e XVIII, o centro de Nova York era a extremidade sul da ilha de Manhattan, hoje conhecida como Downtown. Foi aqui que o primeiro presidente do país, George Washington, tomou posse em 1789. Essa área, a primeira avistada pelos imigrantes que chegavam aos EUA, tem muitos locais impregnados da história local e também oferece diversas áreas verdes e atrações adequadas a famílias.

Principais atrações

Estátua da Liberdade e Ellis Island
Suba os 354 degraus até a coroa da Lady Liberty e depois vá à Ellis Island para conhecer um pouco da história dos imigrantes que vieram para Nova York (pp. 58-60).

Passeio de táxi aquático no porto
Nesse passeio de barco você tem outra perspectiva da ilha de Manhattan e aprende sobre a história da cidade como porto internacional (p. 59).

Tenement Museum
Visite esse museu fascinante que mostra a dura realidade dos imigrantes no enclave de maior densidade populacional da cidade na virada do século XIX para o XX (pp. 72-3).

Washington Square Park
Ande no parque que fica no meio do Greenwich Village e traduz o espírito do animado bairro (p. 80).

High Line
Conheça essa antiga linha de trens de carga, que ficou abandonada e agora é um agradável parque elevado. Aberto ao público desde 2009, o parque é uma das joias do momento na cidade (pp. 86-7).

À esq. Lady Liberty, com uma tocha em uma mão e uma tabuleta de pedra na outra; monumento da Estátua da Liberdade, Liberty Island
Acima, à esq. Washington Square Arch, na orla norte do Washington Square Park

O Melhor de Downtown

Nova York nasceu no centro, o qual continua dando o tom da cidade. Em sua extremidade sul, barcos partem para a icônica Estátua da Liberdade ou para passeios pelo porto. Mais ao norte ficam os bairros charmosos de Lower East Side e Greenwich Village – seus pares, o East e o West Villages – e o Meatpacking District. O parque elevado High Line faz jus à grande repercussão positiva que obteve desde a inauguração.

Excursões de barco

Uma das melhores maneiras de conhecer Nova York é pela via aquática. O **South Street Seaport** *(pp. 66-7)*, principal eixo marítimo da cidade, tem o movimentado Pier 17 como centro. Vá à orla norte para apreciar uma vista magnífica da **Brooklyn Bridge** *(pp. 196-7)*, depois pegue um táxi aquático e passeie no porto de Nova York, que foi muito importante na história local. Ao norte, no **Greenwich Village** *(pp. 80-1)*, o playground do Hudson River Park, apelidado de parque aquático e de parque pirata, é ideal para as crianças se refrescarem no verão. Alugue bicicletas e pedale pela margem do rio de volta ao centro. Os numerosos gramados, playgrounds e rampas ao longo do caminho através de **Battery Park City** *(pp. 56-7)* são encantadores.

À dir. *Táxi aquático perto da Brooklyn Bridge*
Abaixo *Entrada do Ellis Island Immigration Museum*

Acima Pistas de concreto da High Line, que é cercada de verde e de prédios altos

Viagens no tempo
É fascinante descobrir o passado de Nova York. O **Tenement Museum** (pp. 72-3) no Lower East Side, que foi o bairro com maior densidade populacional da cidade, revive o passado em um antigo edifício de cômodos restaurado. Algumas lojas originais da área, como Russ & Daughters, continuam na ativa. Portal de entrada para muitos imigrantes na virada do século XIX para o XX, o Great Hall no **Ellis Island Immigration Museum** (p. 60) traz à mente as agruras dos recém-chegados. Por fim, vá ao **National September 11 Memorial** (p. 69), onde ficavam as Torres Gêmeas do World Trade Center. Esse memorial recente é um lembrete tocante de um momento trágico na história dos EUA.

Programas culturais
Com sete andares, o **New Museum** (pp. 74-5) é notável por suas instalações monumentais e seu espírito lúdico. Para apreciar arte de forma mais intimista, vá à West 22nd Street entre a Tenth e a Eleventh Avenues em Chelsea; o conjunto eclético de galerias nessa quadra é de nível internacional. O **National Museum of the American Indian** (pp. 60-1) enfoca as culturas dos índios do país por meio de mostras temporárias e programas ótimos para famílias. E, para saber mais sobre a vida de um menino que se tornou um dos presidentes mais fascinantes do país, visite o local de nascimento de **Theodore Roosevelt** (p. 83).

Áreas verdes
Os parques de Nova York são bem mais que oásis verdes, pois funcionam como polos culturais onde os habitantes se encontram, desaceleram o ritmo e recobram a serenidade. O **Tompkins Square Park** (p. 75), que era reduto dos poetas da geração beat como Allen Ginsberg, ainda é o coração do East Village e se estende sob um dossel de olmos americanos raros. A oeste, o **Washington Square Park** (p. 80), que foi uma fazenda e depois um cemitério, é um grande exemplo de renovação urbana e exala energia. Um dos melhores recantos na cidade é o Jefferson Market Garden, no **Greenwich Village**. Essa área verde, na qual havia uma prisão feminina, é gerida pela comunidade e tem plantas muito bem cuidadas. Verdadeiro marco entre os parques locais, a **High Line** (pp. 86-7) foi criada em uma linha férrea abandonada. Essa via de 9m de altura oferece vistas incríveis da cidade.

À esq. O barco-farol Ambrose, no Pier 17 no rio East, South Street Seaport

Downtown

Estátua da Liberdade e arredores

Como a Estátua da Liberdade e a Ellis Island estão entre os grandes destaques de Nova York – e seu acesso é só por uma empresa de balsas –, é impossível evitar as multidões. Chegar cedo ao Battery Park pode abreviar muito o tempo de espera por uma balsa. Chegando à ilha da estátua e à Ellis Island, dá para ir a pé às atrações. De volta a Manhattan, há muito o que ver, desde o New York City Police Museum, de grande interesse para crianças, ao incomum Irish Hunger Memorial, além de áreas verdes como o Teardrop Park e o Bowling Green.

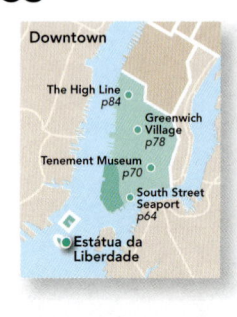

Downtown
The High Line *p84*
Greenwich Village *p78*
Tenement Museum *p70*
South Street Seaport *p64*
Estátua da Liberdade

Vista dos arranha-céus de Nova York a partir do rio Hudson

Informações

- **Metrô** N e R p/ Whitehall St; 1 p/ South Ferry; 4 e 5 p/ Bowling Green **Ônibus** M5 e M15; Downtown Connection – serviço de van grátis entre Battery Park City e South Street Seaport com várias paradas; 10h-19h30 diariam

- **Informação turística** NYC & Company, 810 Seventh Ave, 10019; 212 484 1200; www.nycgo.com

- **Supermercado** Gristedes 070, 71 South End Ave e Battery Park, 10280; 212 233 7770 **Mercado** Bowling Green Greenmarket, em Battery Place e Broadway; 8h-17h ter e qui

- **Festival** River to River Festival – shows, atrações para crianças, feiras e exposições (jun-ago); www.rivertorivernyc.com

- **Farmácias** Duane Reade, 67 Broad St, 10004; 212 943 3690; 8h-19h seg-sex. Battery Park Pharmacy, 327 South End Ave, 10280; 212 912 0555; 8h-20h seg-sex, 9h-19h sáb, 10h-18h dom.

- **Playgrounds** Battery Playspace, Battery Park, 10004. Teardrop Park, entre Warren Street e Murray Street, leste do River Terrace, 10007

Entrada do National Museum of the American Indian

Visitantes apreciam uma maquete do Burj Dubai no Skyscraper Museum

Crianças brincam em escorregador e na areia do Teardrop Park

Estátua da Liberdade e arredores | 57

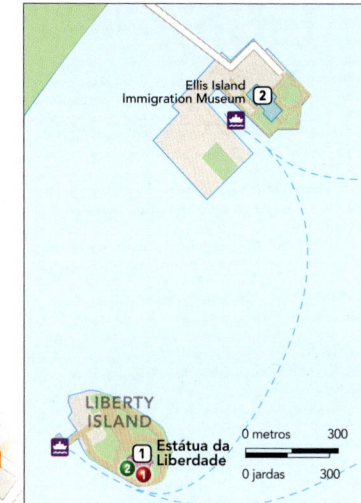

Locais de interesse

ATRAÇÕES
1. Estátua da Liberdade
2. Ellis Island Immigration Museum
3. National Museum of the American Indian
4. Skyscraper Museum
5. Irish Hunger Memorial
6. New York City Police Museum

🟢 COMIDA E BEBIDA
1. Cucina Liberta Market
2. Crown Café
3. Adrienne's Pizza Bar
4. The Exchange
5. Chipotle Mexican Grill
6. Ulysses' Folk House
7. Inatteso Pizzabar Casano
8. 2 West
9. The Country Café
10. PJ Clarke's on the Hudson
11. Financier Patisserie
12. Mercantile Grill

Veja também Ellis Island Immigration Museum (p. 60)

🔴 COMPRAS
1. Statue of Liberty Museum Shop

Veja também New York City Police Museum (p. 63)

🟣 HOSPEDAGEM
1. DoubleTree Financial District
2. Marriott New York Downtown
3. Millenium Hilton
4. The Ritz-Carlton, Battery Park
5. The Wall Street Inn

Ellis Island Immigration Museum, símbolo do legado dos imigrantes nos EUA

① Estátua da Liberdade
O símbolo de Nova York

A um só tempo imponente, graciosa e reconfortante, a imensa Estátua da Liberdade foi um presente da França aos Estados Unidos pelo centenário do país em 1876. O escultor francês Frédéric-Auguste Bartholdi desenhou, construiu e remontou essa obra-prima em Paris (ela foi desmontada para ser levada a Nova York e montada novamente em 1886, ano em que finalmente foi inaugurada).

Liberty Island Bartholdi achou que esse era o melhor lugar para a estátua, pois ela seria vista por todos os navios entrando no porto.

Informações

- **Mapa** 1 A6
  Endereço Liberty Is., 10004; www.thestatueofliberty.com
- **Metrô** 1 p/ South Ferry; 4 e 5 p/ Bowling Green; R e W p/ Whitehall St **Ônibus** M5, M15 e M20 **Balsa** Do Battery Park a partir das 9h (última saída às 17h)
- **Aberto** jun-ago: 8h-18h diariam; set-mai: 9h30-17h diariam; fechado 25 dez
- **Preço** O ingresso da balsa ($36-46) inclui a entrada na Liberty e na Ellis Islands; a visita ao pedestal, ao museu e à coroa custa $3
- **Para evitar fila** Compre antes os ingressos para a balsa em www.statuecruises.com
- **Passeios guiados** Saem do mastro da bandeira, na Liberty Island, e são grátis; passeios com áudio: $31-41
- **Idade** A partir de 4 anos; crianças devem ter no mínimo 1m de altura para subir na coroa
- **Atividades** Crianças de 7-12 anos aprendem sobre a estátua nos Junior Ranger Programs. Imprima atividades e páginas para colorir em www.thestatueofliberty.com.
- **Duração** 4h
- **Cadeira de rodas** Até o deque de observação
- **Café** The Crown Café
- **Loja** Statue of Liberty Museum Shop
- **Banheiros** No monumento

Bom para a família
A visita ao maior símbolo dos EUA é uma experiência única e vale as ocasionais longas esperas na fila.

Destaques

Coroa Os sete espigões que se irradiam da coroa representam os raios do sol e os sete mares e continentes do mundo.

Traje Lady Liberty veste uma toga e um manto no estilo de estátuas de deusas romanas.

"Pele" de cobre Lâminas de cobre de 2,5mm são presas a uma estrutura que permite que esse revestimento se mova, a fim de resistir a ventos fortes.

Tabuleta A tábua da lei em uma mão da estátua simboliza o sistema legal dos EUA, que respeita os direitos de seus cidadãos.

Pedestal Fundido e construído nos EUA, o pedestal de 47m de altura abriga o Statue of Liberty Museum.

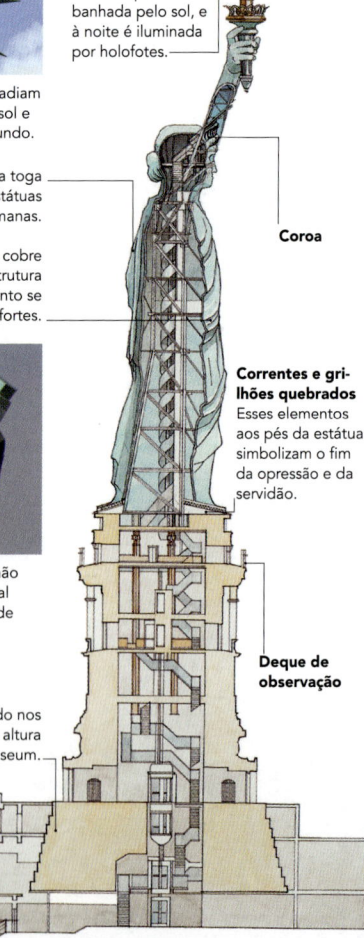

A tocha original

Tocha Símbolo do Iluminismo, a tocha de cobre folheado a ouro de 24 quilates é uma cópia da original mantida no saguão do museu. A tocha parece estar em chamas quando é banhada pelo sol, e à noite é iluminada por holofotes.

Coroa

Correntes e grilhões quebrados Esses elementos aos pés da estátua simbolizam o fim da opressão e da servidão.

Deque de observação

Preços para família de 4 pessoas

Estátua da Liberdade e arredores

Vista do Elevated Acre, um parque verdejante com bancos ao ar livre

Para relaxar
Após a longa visita à Liberty Island e talvez também à Ellis Island (p. 60), vá ao **Elevated Acre** (55 Water St, 10041), um parque pequeno e meio escondido, porém encantador. Suba os degraus ou pegue a escada rolante e passeie por jardins bem cuidados e um bom trecho de grama artificial, admirando vistas fantásticas do rio East e de seu heliporto.

Comida e bebida
Piquenique: até US$20; Lanches: US$20-35; Refeição: US$35-70; Para a família: mais de US$70 (base para 4 pessoas)

PIQUENIQUE Cucina Liberta Market (17 Battery Pl, 10004; 212 871 6300; www.cucinaliberta.com), no extremo norte de Bowling Green, tem petiscos refinados, além de pizza, sushi e sopas, que podem ser consumidos no Battery Park ou na Liberty Island.
LANCHES Crown Café (Liberty Island, 10079; 212 363 3180), em estilo de praça de alimentação, tem porções de frutos do mar, hambúrgueres, paninis grelhados e wraps.
REFEIÇÃO Adrienne's Pizza Bar (54 Stone St, 10004; 212 248 3838; www.adriennespizzabar.com) é um lugar aconchegante e simpático

que serve uma versão moderna de pratos italianos, incluindo excelentes antepastos, massas e pizzas individuais. Sente-se ao ar livre na Stone Street, só para pedestres.
PARA A FAMÍLIA The Exchange (40 Broad St, 2º andar no The Setai Wall Street, 10004; 212 809 3993; www.exchangewallstreet.com) serve cozinha americana contemporânea com influências da Carolina do Norte. No cardápio, pratos com ingredientes locais.

Compras
A **Statue of Liberty Museum Shop** (www.thestatueoflibertymuseumstoreonline.com) tem miniaturas da estátua e camisetas.

Saiba mais
INTERNET O site www.statueofliberty.net oferece passeio interativo pela estátua, jogo de memória e desafio de conhecimentos.
FILMES The Statue of Liberty (1985) é um documentário sobre a história da estátua, feito por Ken Burns. An American Tail (1986) é uma aventura em animação sobre um ratinho russo que se perde de sua família, quando ela emigra para os EUA. Para crianças mais velhas, O dia depois de amanhã (2004) mostra a estátua submersa em neve e gelo após uma mudança climática catastrófica.

Próxima parada...
PORTO DE NOVA YORK Um passeio de táxi aquático (www.nywatertaxi.com/HarborTours) no porto e nos rios East e Hudson dá uma vista ampla da estátua e de seu entorno.

Refeição no Adrienne's Pizza Bar

CRIANÇADA!

Você sabia?
1 Frédéric-Auguste Bartholdi soube desde o primeiro momento que a Liberty Island, outrora Bedloe Island, seria o lugar perfeito para a Estátua da Liberdade. Por que ele tinha essa opinião?
2 Aos pés da Lady Liberty há correntes e grilhões quebrados que só são vistos depois que se sobe até o pedestal. O que eles representam?
3 A coroa da Lady Liberty tem quantos espigões, e o que eles simbolizam?

Respostas no fim do quadro.

SUBIDA DIFÍCIL
Há 354 degraus na escada estreita e sinuosa que leva até a coroa – cuja altura equivale à de um prédio de 22 andares.

Mamma Mia Dizem que o rosto da Estátua da Liberdade se parece com o da mãe de Bartholdi.

Uma longa espera
Após a destruição das torres do World Trade Center no centro de Manhattan por um ataque terrorista em 2001, a estátua ficou fechada ao público por três anos. A coroa da Lady Liberty foi reaberta para visitação somente em 4 de julho de 2009.

Respostas: 1 Porque lá a estátua seria a primeira coisa que as pessoas veriam quando chegassem de navio. **2** Eles significam o fim da opressão (na nova República) e também o fim da escravidão (ilegal nos EUA desde 1865). **3** Há sete espigões, os quais representam os sete mares e continentes do mundo.

Vista do Ellis Island Immigration Museum a partir do porto

② Ellis Island Immigration Museum
Antigo portal de entrada nos EUA

A minúscula Ellis Island era o famoso ponto de chegada para milhões de imigrantes na virada do século XIX para o XX. Hoje, a ilha abriga o Ellis Island Immigration Museum, que conta as histórias das pessoas que fizeram a perigosa viagem até a costa dos EUA, por que elas se arriscaram e o que as aguardava. Entre 1892 e 1924, a Ellis Island Immigration Station aprovou a entrada de cerca de 12 milhões de pessoas que fugiam de discriminação, pobreza, perseguição religiosa e instabilidade política.

O edifício principal do complexo, uma estrutura beaux-arts construída em 1900, é a única parte da ilha aberta ao público. A antiga sala de bagagens no 1º andar narra a experiência dos imigrantes por meio de mostras e artefatos; o centro de inspeção no 2º andar, ou Great Hall, é onde a sorte dos recém-chegados era decidida. Muitos eram passageiros de terceira classe, que viajavam apinhados em condições insalubres perto do casco de navios a vapor. Cerca de 2% das pessoas tinham sua entrada negada, seja por estarem doentes ou despertarem suspeitas de que iriam se envolver em atividades ilegais ou precisar de ajuda do governo. Passageiros de primeira e segunda classes eram poupados do processo, pois o governo dos EUA achava que quem podia pagar uma passagem mais cara era menos propenso a se tornar um fardo financeiro para os americanos ou disseminar doenças contagiosas. Os doentes eram enviados para o hospital no lado sul da ilha. Alguns se recuperaram e depois foram admitidos no país, mas outros morreram ou foram deportados para seus países de origem.

O posto de triagem de imigrantes parou de funcionar em 1924, tornou-se um centro de detenção e, por fim, foi desativado em 1954. Somente em 1990, após restauração de US$160 milhões, o Ellis Island Immigration Museum foi aberto ao público. O Immigration History Center dá acesso a uma base de dados na qual se pode procurar informações sobre familiares que possam ter passado pela Ellis Island. Hoje, mais de 150 milhões de americanos dão continuidade à árvore genealógica dos imigrantes.

Para relaxar
As crianças podem perambular pelos Gardens of Remembrance no **Battery Park** *(1 New York Plaza, 10004)*. Caso faça calor, elas se refrescam na fonte em espiral de granito de 12m de largura, um círculo plano com jorros de água intermitentes. Outra opção é explorar o Battery Labyrinth no canto noroeste do parque, perto do Pier A.

Mostras no National Museum of the American Indian

③ National Museum of the American Indian
A memória de antigas tribos e da alfândega

George Gustav Heye começou colecionando artefatos indígenas em 1903 e abriu o Museum of the American Indian em 1922, no Audubon Terrace, em Upper Manhattan. Em 1994, o museu mudou-se para a sua atual localização, onde virou o National Museum of the American Indian, da Smithsonian Institution. Além de preservar o legado dos povos indígenas

Informações

- **Mapa** 1 A6
- **Endereço** Ellis Island, 10004; 212 561 4588; www.ellisisland.org
- **Metrô** 4 e 5 p/ Bowling Green; 1 p/ South Ferry **Ônibus** M5, M6 e M15 **Balsa** Inclui a Estátua e a Ellis Island; sai do Battery Park: 8h30-17h diariam, até tarde no verão
- **Aberto** 9h-17h diariam, fechado 25 dez
- **Preço** Balsa: $52-62, inclui o acesso à Ellis Island. Menores de 4 grátis.
- **Para evitar fila** Compre antes os ingressos da balsa em www.statuecruises.com e imprima-os em casa, ou ligue 877 523 9849
- **Passeios guiados** Com guardas-florestais, grátis; audioguias US$8; versão para crianças, narrada por Marty the Muskrat: $31-41
- **Idade** Livre.
- **Atividades** Famílias redescobrem as raízes no American Family Immigration History Center; programa Junior Ranger para crianças
- **Duração** 3h (6h se incluir passeio à Estátua da Liberdade)
- **Cadeira de rodas** Sim
- **Comida e bebida** *Refeição* Ellis Island Café serve hambúrgueres, frutos do mar, sanduíches e saladas
- **Banheiros** Na entrada principal

Preços para família de 4 pessoas

Estátua da Liberdade e arredores | 61

Charging Bull, de Arturo Di Modica

das Américas, o museu também fomenta e apoia suas realizações culturais na atualidade. Uma imensa gama de tribos, incluindo quase todas as primeiras nações dos EUA e do Canadá e um grande número de povos das Américas Central e do Sul e do Caribe, está representada na coleção de 850 mil obras de arte e artefatos abrangendo 12 milênios de história.

A principal exposição permanente do museu, Infinity of Nations: Art and History in the Collections of the National Museum of the American Indian, revive as culturas passadas e presentes por meio de obras de arte e artefatos. Há também um arquivo fotográfico. O museu sedia vários eventos, incluindo apresentações de música e dança de índios americanos, feiras com trabalhos de artesãos contemporâneos e oficinas diárias para crianças.

Visite a excelente loja do museu, onde há brinquedos, tecidos, joias, cerâmicas e artigos de papel artesanais, além de uma ótima seleção de livros e CDs.

Mesas ao ar livre no restaurante Ulysses' Folk House

Para relaxar
Caminhe no parque público mais antigo de Nova York, o **Bowling Green** *(entre Broadway e Whitehall St, 10004)*, que mantém a cerca original de ferro batido do século XVIII, e veja a escultura em bronze *Charging Bull* (1987), de Arturo Di Modica, na ponta norte.

Informações
- **Mapa** 1 D5
  End. 1 Bowling Green, 10004; 212 514 3700; www.nmai.si.edu
- **Metrô** J, M e Z p/ Broad St; R p/ Whitehall St; 4 e 5 p/ Bowling Green; 1 p/ South Ferry **Ônibus** M5 e M15
- **Aberto** 10h-17h seg-qua e sex-dom, 10h-20h qui
- **Preço** Grátis
- **Passeios guiados** Às 13h e 15h seg-sex e 15h dom, a partir do guichê de informação turística no 2º andar. Visitas ao museu com guia de seg a sex (exceto em feriados nacionais) entre 14h e 15h
- **Idade** Livre
- **Atividades** Storybook Reading and Hands-on Activity, no 2º sáb de cada mês, às 13h. Envie a mensagem "Native Game" para 56512 e participe de jogos de perguntas e respostas.
- **Duração** 2h
- **Cadeira de rodas** Sim
- **Comida e bebida** Lanches Chipotle Mexican Grill *(2 Broadway, 10004; 212 344 0941)* tem restaurante e delivery. *Refeição* Ulysses' Folk House *(95 Pearl St/58 Stone St, 10004; 212 482 0400)* serve boa comida no estilo pub.
- **Banheiros** 1º e 2º andares

CRIANÇADA!

Descubra mais
1 O Ellis Island Immigration Museum tem um saguão imenso com piso ladrilhado. Qual é o nome desse saguão e sua finalidade original?
2 Alguns imigrantes que chegavam à Ellis Island tinham sua entrada negada no país. Para onde eles eram enviados?
3 Os britânicos não foram os primeiros colonizadores que chegaram ao país. Você sabe quem eram os habitantes originais dos EUA?

Respostas no fim do quadro.

FATO FASCINANTE
Muitos alimentos apreciados hoje em dia, como milho, pimenta, chocolate, baunilha e pimentão verde, já eram cultivados por povos indígenas americanos.

Recuperando um pedaço da história
Construída em 1904, a balsa de Ellis Island, que trazia passageiros de terceira classe dos píeres onde seus navios chegavam até o centro de imigração, ficou atracada na rampa de balsas da ilha até ser aposentada em 1954 e acabou afundando em 1968. Somente em 2009 a embarcação foi retirada das águas.

Respostas: 1 Great Hall; era lá que os imigrantes eram interrogados e examinados para determinar se teriam permissão de entrar nos EUA. **2** Eles eram deportados para seus países de origem. **3** Índios americanos.

Piquenique até US$20; **Lanches** US$20-35; **Refeição** US$35-70; **Para a família** mais de US$70 (base para 4 pessoas)

Downtown

Garoto examina uma peça no Skyscraper Museum

④ Skyscraper Museum
A história dos arranha-céus

Dedicado à verticalidade majestosa da arquitetura de Nova York, o Skyscraper Museum foi fundado em 1997 e transferido em 2004 para seu endereço permanente na ponta sul de Battery Park City. O museu mostra o legado arquitetônico da cidade em exposições temporárias e permanentes. Entre as últimas, várias destacam o bairro que abriga o museu. Na exposição Maps and Photographs of Lower Manhattan, veja como os píeres abandonados do West Side em Battery Park City foram transformados na década de 1960. O museu mostra o planejamento, a construção e a trágica destruição do World Trade Center, assim como o projeto de Daniel Libeskind e o plano para a construção da Freedom Tower.

Para relaxar
Ao norte do desembarque das balsas, por perto, o **Robert F. Wagner Jr. Park** *(entre Battery Pl e o rio Hudson, 10280)* tem belos gramados e jardins onde as crianças podem brincar, e também um deque elevado com vista para as ilhas Ellis e Liberty.

Informações
- **Mapa** 1 C5
- **Endereço** 39 Battery Place, 10280; 212 968 1961; www.skyscraper.org/home.htm
- **Metrô** 1 e R p/ Rector St; 4 e 5 p/ Bowling Green **Ônibus** M5 e M20
- **Aberto** 12h-18h qua-dom
- **Preço** $20-30
- **Passeios guiados** Ligue 212 968 1961 para passeios a pé
- **Idade** A partir de 4 anos
- **Atividades** Workshops infantis em algumas manhãs sáb; $5, envie e-mail para education@skyscraper.org até 17h sex
- **Duração** 1-2h
- **Cadeira de rodas** Sim
- **Comida e bebida** *Refeição* Inatteso Pizzabar Casano *(28 West St, Battery Park, 10004; 212 267 8000)* serve pizza feita em forno à lenha, carne e peixe. *Para a família* 2 West *(Ritz-Carlton Hotel, Two West St, 10004; 917 790 2600)* tem pratos deliciosos e também oferece uma "kid's table" com opções como dedinhos de frango, pizza margherita e batatas fritas.
- **Banheiros** No térreo

⑤ Irish Hunger Memorial
Em memória da falta de batatas

Surpreendente trecho verde em meio aos arranha-céus de Battery Park City, o Irish Hunger Memorial

Entrada do Irish Hunger Memorial

Informações
- **Mapa** 1 A3
- **Endereço** Vesey St com North End Ave, 10004; 212 267 9700
- **Metrô** E p/ World Trade Center **Ônibus** M20 e M22
- **Aberto** Diariam (com luz do dia)
- **Preço** Grátis
- **Idade** Livre
- **Duração** 15-30min
- **Cadeira de rodas** Sim
- **Comida e bebida** *Lanches* The Country Café *(60 Wall St, 10005; 212 943 0800)* vende lanches rápidos para comer no local ou levar – panini, sanduíches, wraps e sopas. *Refeição* PJ Clarke's on the Hudson *(250 Vesey St, no World Financial Center, 10281; 212 285 1500)* tem sanduíches, costelinha de porco e até tacos recheados com peixe.
- **Banheiros** Não

Famílias aproveitam o dia ensolarado no Nelson A. Rockefeller Park

(2002) é uma instalação de arte permanente de Brian Tolle, que evoca 1 milhão de vítimas da Grande Fome na Irlanda de 1845-52, assim como a atual escassez de alimentos em diversos lugares do mundo. Após entrar em um corredor escuro onde vozes gravadas relatam os horrores da fome, os visitantes saem em um caminho de concreto que os leva até uma casa de pedra do início do século XIX vinda do condado irlandês de Mayo. O terreno do memorial lembra os campos lavrados no interior da Irlanda.

Para relaxar
Vá para o oeste pela margem do rio Hudson e depois para o norte para brincar de pega-pega ou com frisbee em uma das áreas

Preços para família de 4 pessoas

Estátua da Liberdade e arredores | 63

verdes mais apreciadas em Manhattan, o **Nelson A. Rockefeller Park** (ponta norte de Battery Park City, a oeste do River Terrace, 10282).

⑥ New York City Police Museum
Sirenes, viaturas, solução de crimes e mais

Em uma antiga delegacia de polícia, esse museu enfoca a história do Departamento de Polícia de Nova York. Trata-se de um ótimo programa infantil, pois a mostra Junior Officers Discovery Zone tem diversas atividades para a garotada. Crianças menores vão adorar a delegacia de mentirinha e duas imitações de carros de polícia: um deles é uma van para emergências com pedais a gás que têm efeitos sonoros e botões que ligam sirenes e luzes; e o outro, uma miniviatura policial com quatro volantes. Na parte da Academia de Polícia, crianças mais velhas participam de um jogo de memória interativo, descobrem qual é o seu entre os três padrões básicos de impressões digitais e analisam crimes para descobrir os culpados. Há também uma instigante mostra de equipamentos usados por policiais e duas exposições mais sombrias, uma dedicada a policiais mortos em 11 de Setembro e outra sobre policiais do século passado que perderam a vida em serviço. O museu foi danificado pelo furacão Sandy e está fechado; a reabertura está prevista para 2014.

Para relaxar
Vá ao **Elevated Acre** (55 Water St, 10041; 212 963 7099) e aprecie a vista do rio East a partir da Brooklyn Bridge até a Governors Island. Esse parque tem um jardim perene e um bom trecho de grama artificial.

Carrinho na delegacia de brinquedo do New York City Police Museum

Informações

🌐 **Mapa** 2 E5
Endereço 100 Old Slip, 10005; 212 480 3100; www.nycpm.org

🚇 **Metrô** 2 e 3 p/ Wall St; 4 e 5 p/ Bowling Green **Ônibus** M15

🕐 **Aberto** 10h-17h seg-sáb, 12h-17h dom, fechado 1º jan, Dia de Ação de Graças e 25 dez

💲 **Preço** $26-36; até 2 anos, grátis

👣 **Passeios guiados** Ligue 212 480 3100 ou acesse o site do museu para informações

👶 **Idade** Livre

⏱ **Duração** 1h

🛍 **Loja** Gift Shop, no 1º andar

♿ **Cadeira de rodas** Sim

🍴 **Comida e bebida** *Lanches* Financier Patisserie (62 Stone St, 10004; 212 344 5600; www.financierpastries.com) serve bolos e café da manhã, além de sopas, quiches, saladas e sanduíches à francesa no almoço. *Refeição* Mercantile Grill (126 Pearl St, 10005; 212 482 1221; www.mercantilegrill.com) oferece enormes saladas, hambúrgueres, torta de frango e petiscos como palitos de frango, batatas recheadas e bolinhos de vegetais.

🚻 **Banheiros** Em todos os andares

CRIANÇADA!

Descubra mais
1 Qual era o edifício mais alto de Nova York antes da construção do World Trade Center e que recuperou esse título após o 11 de Setembro? Quantos andares ele tem?
2 O arquiteto Daniel Libeskind projetou um complexo de edifícios no Ground Zero. Qual é o nome desse projeto?
3 Há três padrões básicos de impressões digitais: arqueado, verticilo e laçado. Qual é o mais comum e qual é o mais raro?

Respostas no fim do quadro.

Pontas dos dedos
Não existem sequer dois conjuntos de impressões digitais iguais – nem no caso de gêmeos idênticos.

A FOME NA IRLANDA
Uma praga destruiu as plantações de batata da Irlanda durante anos, mas outro fator também causou a fome: grande parte dos alimentos cultivados no país era exportada para a Inglaterra, cujo Parlamento dominava a Irlanda naquela época.

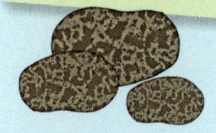

Diretamente da Emerald Isle
Toda a vegetação, pedras e até a terra que compõem o Irish Hunger Memorial vieram da região oeste da Irlanda (a Ilha Esmeralda, por causa do verde de sua paisagem).

Respostas: 1 O Empire State Building, que tem 102 andares. **2** O complexo se chama Freedom Tower. **3** O mais comum é o verticilo e o mais raro é o arqueado.

Delícias de forno expostas na Financier Patisserie

Piquenique até US$20; **Lanches** US$20-35; **Refeição** US$35-70; **Para a família** mais de US$70 (base para 4 pessoas)

South Street Seaport e arredores

Embora muitos nova-iorquinos considerem como uma coisa só o South Street Seaport e o Pier 17 – onde há um shopping cheio de lojas e restaurantes –, aqui também há outras atrações para as famílias se divertirem, como ver o porto histórico de Nova York a bordo de um táxi aquático ou de um veloz barco a motor e visitar o fascinante Seaport Museum e o Titanic Memorial Lighthouse, ao longo da Fulton Street, com calçamento de pedra. Caminhar é uma das maneiras mais agradáveis de conhecer essa área banhada pelas águas.

Artista de rua no South Street Seaport

Downtown
- The High Line p. 84
- Greenwich Village p. 78
- Tenement Museum p. 70
- South Street Seaport
- Estátua da Liberdade p. 56

Locais de interesse

ATRAÇÕES
1. South Street Seaport
2. Federal Reserve Bank of New York
3. Federal Hall
4. National September 11 Memorial
5. Zaitzeff
6. Brasserie les Halles
7. Alfanoose
8. Jerry's Café
9. Max Tribeca
10. Trinity Place

COMPRAS
1. Babesta – Threads
2. Midtown Comics

COMIDA/BEBIDA
1. New Amsterdam Market
2. Cowgirl Sea-Horse
3. Acqua Restaurant & Wine Bar
4. Bridge Café

HOSPEDAGEM
1. Best Western Seaport Inn
2. Cosmopolitan Hotel
3. Duane Street Hotel

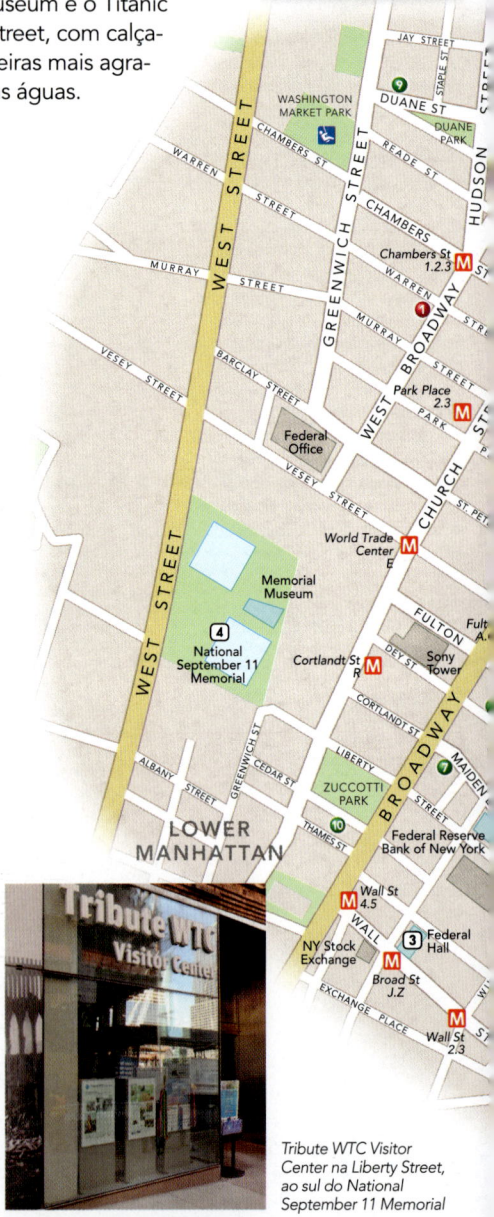

Tribute WTC Visitor Center na Liberty Street, ao sul do National September 11 Memorial

South Street Seaport e arredores | 65

Informações

🚗 **Metrô** 2 e 3 p/ Fulton St; 4 e 5 p/ Wall St; J e Z p/ Broad St; E p/ World Trade Center **Ônibus** M1, M6, M9, M15, M109 e M22 cruzam a cidade; Downtown Connection (serviço de van grátis)

ℹ️ **Informação turística** NYC & Company, 810 Seventh Ave, 10019; 212 484 1200; www.nycgo.com, ver também www.southstreetseaport.com

🛒 **Supermercado** 55 Fulton Market, 55 Fulton St, 10038; 646 581 9260
Mercado Fulton Stall Market, South St, entre Beekman St e Fulton St, 10038; mai-out: 11h-16h dom

🎪 **Festival** River To River, com shows, atrações para crianças e exposições de arte (jun- ago; www.rivertorivernyc.com)

➕ **Farmácia** 165 William St, 10038; 212 233 0333; 7h30-18h30 seg-sex, 10h-16h sáb, fechada dom

🛝 **Playgrounds** Imagination Playground, Burling Slip, John St com Front St, 10038 (p. 68). Washington Market Park, Chambers St com Greenwich St, 10007 (p. 69)

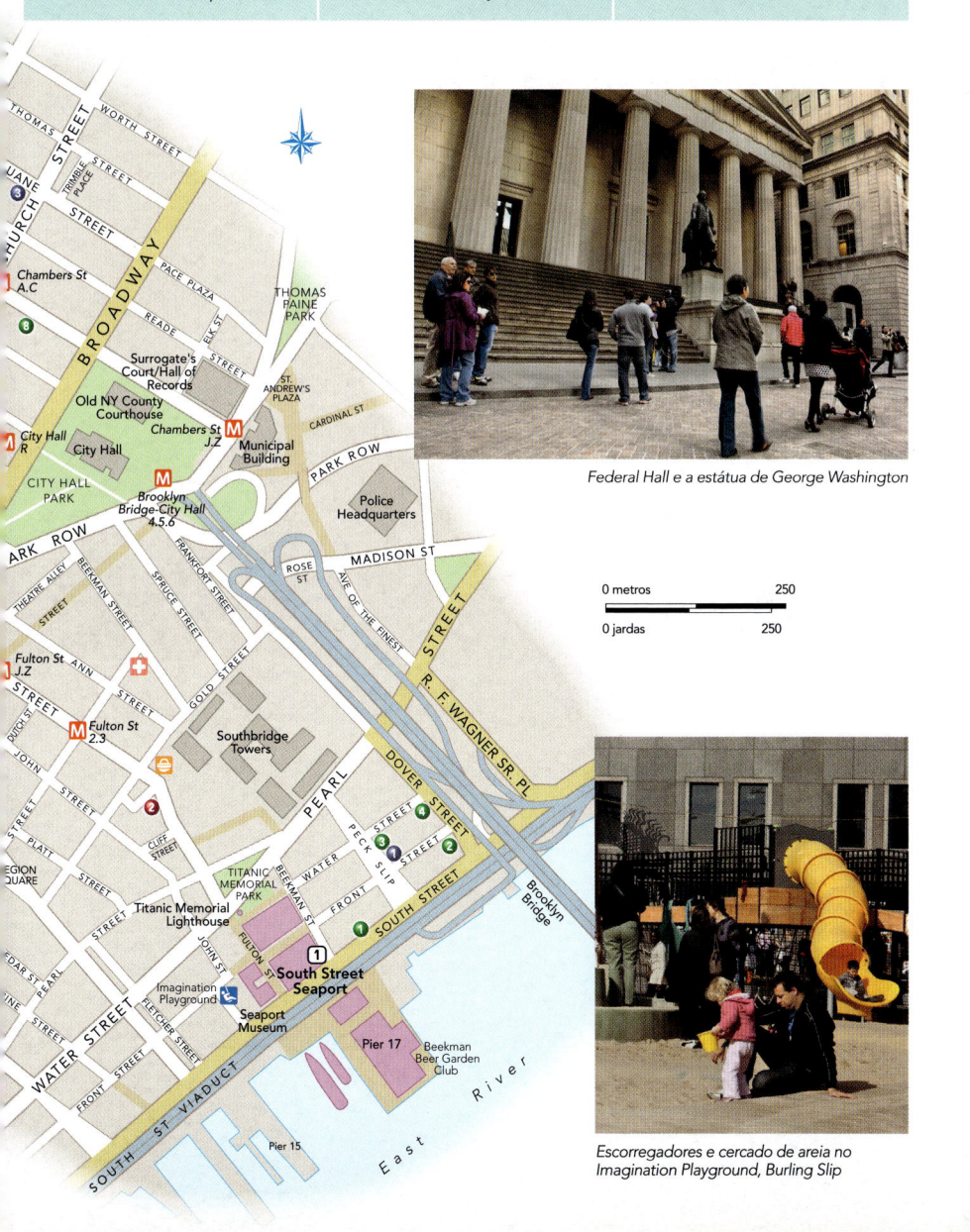

Federal Hall e a estátua de George Washington

Escorregadores e cercado de areia no Imagination Playground, Burling Slip

① South Street Seaport
Navios altos e artefatos marítimos

Poucos lugares em Nova York são tão impregnados de história quanto o South Street Seaport, um bairro com calçamento de pedra que foi o eixo do comércio marítimo durante séculos. Aqui se pode conhecer navios históricos e o memorial às vítimas do *Titanic*, que atrai multidões. Os píeres têm grande movimento de barcos, e no verão mercados ao ar livre, uma praia artificial e shows grátis dão mais charme à região.

Navios Históricos Entre os navios no Seaport Museum estão o brigue *Peking*, com quatro mastros, o rebocador *W. O. Decker* e o barco-farol *Ambrose*.

Destaques

Titanic Memorial Lighthouse O farol de 19m foi construído em 1913, um ano após a tragédia do navio *Titanic*, que afundou a caminho de Nova York.

Schermerhorn Row Construídos em 1810 pela família Schermerhorn, de negociantes, esses edifícios de tijolos eram alugados para hotéis e lojas. Hoje, abrigam o Seaport Museum e várias lojas.

Seaport Museum New York Partes parcialmente restauradas do antigo Fulton Ferry Hotel integram a mostra permanente. No 1º e no 2º andares há salões finamente mobiliados.

Maritime Crafts Center Parte do Seaport Museum, o centro é uma oficina para artífices marítimos, entre eles construtores de maquetes que fazem miniaturas de navios, inclusive para inserir em garrafas.

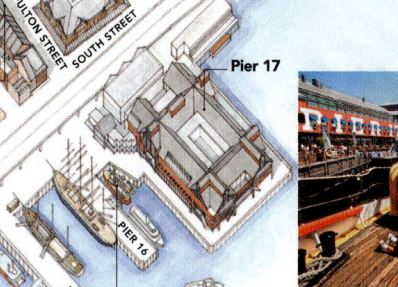

Ambrose De 1908, esse barco-farol guiava navios até o oceano Atlântico após passarem por águas rasas e bancos de areia na parte baixa da baía de Nova York.

Informações

Mapa 2 E3
Endereço Seaport Museum New York, 12 Fulton St, 10038; 917 492 3379; www.southstreetseaportmuseum.org (o Píer 17 está fechado até 2015; ligue para mais detalhes ou acesse o site do museu para informações sobre visita aos navios e horários de funcionamento)
Metrô A, C, J, Z, 2, 3, e 5 p/ Fulton St (3 estações diferentes) **Ônibus** Downtown Connection, serviço de van grátis 10h-20h diariam

Aberto Navios do museu: 10h-18h diariam. Maritime Crafts Center: diariam (horário variável)
Preço Navios: $40-50, grátis na 3ª sex do mês 18h-20h45
Para evitar fila Ingressos para os navios podem ser comprados no site
Idade A partir de 4 anos
Atividades "Mini-mates" para crianças de 1 a 3 anos 10h-11h15. Programa familiar sáb para menores de 12 anos
Duração 2-4h

Loja O museu tem uma loja na 12 Fulton St; 10h-17h diariam
Café Não, mas há vários cafés e restaurantes nesse bairro histórico
Banheiros No museu

Bom para a família
A visita a um ou a vários navios, um passeio pelas ruas perto do porto e o fácil acesso a bons restaurantes fazem deste um agradável – embora caro – dia em família.

Preços para família de 4 pessoas

Para relaxar

Na ponta norte do Pier 17, perto da parada de táxis aquáticos, o **Beekman Beer Garden Beach Club** *(89 South St, 10038; 212 896 4600; 12h-3h)* é uma cervejaria sazonal ao ar livre que tem uma praia artificial com areia, onde as crianças podem fazer minicastelos, brincar de bola e pingue-pongue ou jogar xadrez em um tabuleiro enorme.

Comida e bebida

Piquenique: até US$20; Lanches: US$20-35; Refeição: US$35-70; Para a família: mais de US$70 (base para 4 pessoas)

PIQUENIQUE New Amsterdam Market *(South St, entre Beekman St e Peck Slip, 10038; 212 766 8688; 11h-16h)*, mercado ao ar livre aos domingos, atrai alguns dos melhores fornecedores de alimentos da cidade, incluindo queijos artesanais, pães, carnes maturadas, ravióli e legumes. Leve sua compra para o Elevated Acre *(p. 59)* ou pegue uma das mesas em torno do gramado.

LANCHES Cowgirl Sea-Horse *(259 Front St, 10038; 212 608 7873; www.cowgirlseahorse.com)*, como seu restaurante afiliado Cowgirl, tem uma saborosa mescla de comfort food americana (galinha frita, costeletas), mexicana (quesadillas e nachos) e frutos do mar (tacos de peixe, bolo de caranguejo).

REFEIÇÃO Acqua Restaurant & Wine Bar *(21 Peck Slip com Water St, 10038; 212 349 4433; www.acquarestaurantnyc.com)*, lugar casual e simpático para famílias, tem charme rústico e excelentes massas e pizzas.

PARA A FAMÍLIA Bridge Café *(279 Water St, 10038; 212 227 3344; www.bridgecafenyc.com)*, a taberna mais antiga da cidade, fica na base da Brooklyn Bridge e é um lugar encantador para provar a nova culinária americana.

Compras

A **Babesta – Threads** *(66 West Broadway, 10007; 212 608 4522; www.babesta.com)* tem uma variedade incrível de roupas, móveis e equipamentos de alta qualidade para crianças. Mais a leste fica a filial no centro da **Midtown Comics** *(64 Fulton St, 10038; 212 302 8192)*, que oferece gibis, bonecos de personagens e graphic novels.

Estantes cheias de gibis e graphic novels na Midtown Comics

Saiba mais

INTERNET Para pesquisar o passado e o presente desse distrito histórico, incluindo informações sobre sua frota de navios antigos, entre em www.seany.org. Para dados atualizados sobre shows e eventos, consulte www.southstreetseaport.com

Próxima parada...
LITTLE AIRPLANE PRODUCTIONS

Visite a Little Airplane Productions *(207 Front St, 10038; 212 965 8999; www.littleairplane.com; US$40-50)*, o estúdio onde são feitos programas infantis de TV em animação como *Wonder Pets, Go, Baby!* e *Oobi!*. A visita *(sob pedido seg-sex)* mostra às crianças todos os processos envolvidos nas animações, como roteiro, desenho e sonorização na pós-produção.

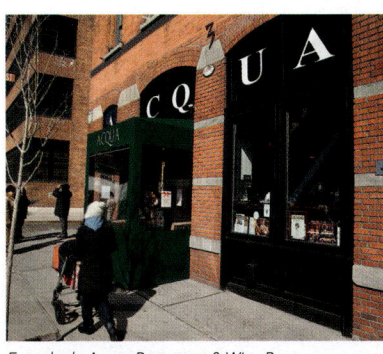

Entrada do Acqua Restaurant & Wine Bar

CRIANÇADA!

Fique de olho

1 Artesãos no Maritime Crafts Center usam madeira para criar réplicas de carrancas de navios. Você sabe o que são carrancas?
2 Quais pontes de Nova York são avistadas do Beekman Beer Garden Beach Club?
3 Um dos navios no Seaport é uma escuna chamada *Pioneer*. Antes de haver caminhões, ela transportava cargas pesadas. Do que ela é feita?

Respostas no fim do quadro.

ESCOLA EM UM BARCO

Após ser aposentado em 1921, o **Peking** funcionou 40 anos como internato de meninos no rio Medway na Inglaterra.

Lembrete diário

A casa original do Titanic Memorial Lighthouse era no topo do Seamen's Church Institute, que acabou sendo demolido. Embora não fosse um farol de verdade, o equipamento enviava sinais aos navios no porto. Diariamente às 12h, a esfera no topo abaixava o mastro para sinalizar o horário.

Respostas: 1 Carrancas são as figuras esculpidas em madeira colocadas na proa de navios. Elas denotam a riqueza do dono e, às vezes, simbolizam algo ou o nome do navio – belas mulheres, deuses gregos e leões ferozes. **2** A Brooklyn Bridge **3** Ela tem casco de aço e armação de ferro.

② Federal Reserve Bank of New York

Barras de ouro e guardas armados

Barras de ouro puro em profusão parecem coisa de contos de fadas, mas esse banco imenso tem milhares delas. Uma das doze filiais do Federal Reserve Bank, a agência de Nova York guarda cerca de 635 toneladas de barras de ouro em seu cofre, 24m abaixo das ruas da cidade. Provavelmente esse é o maior depósito de ouro do mundo, mas a maior parte desse tesouro não é dos EUA, e sim de países e instituições estrangeiros. A visita, que famílias podem fazer mediante reserva antecipada, começa na Numismatic Room, só de moedas. Veja a famosa Double Eagle de 1933, a única moeda do gênero no mundo exposta ao público. A Casa da Moeda pretendia destruir todas as Double Eagles, exceto duas forjadas em 1933, mas um punhado delas foi roubado; essa é uma das que restaram. Um comprador anônimo pagou mais de US$7,5 milhões pela raridade em um leilão em 2002, mas concordou em deixá-la no banco.

Após ver um vídeo curto sobre o Federal Reserve, pegue o elevador até os cofres. O único acesso a eles é por um corredor de 3m, o qual é parte de um cilindro de aço de 80 toneladas que pode ser trancado prontamente em uma emergência. Dentro da casa-forte, veja alguns dos 122 cofres – todos protegidos por grades de ferro e contendo pilhas de barras de ouro de 12kg –, assim como uma balança imensa para pesar ouro, e proteções especiais de magnésio para calçados. A um custo de cerca de US$500 por par, elas resguardam os pés de funcionários durante o transporte do tesouro pesado, no caso de alguma barra cair. Uma das funções do Treasury Department é destruir dinheiro danificado. As crianças podem verificar os resultados: na saída recebem um pacote de notas de dólar rasgadas.

Para relaxar

Cercado por um caminho de madeira curvo, o **Imagination Playground** (Burling Slip, John St com Front St, 10038) tem areia, água, blocos imensos de espuma, carrinhos de mão e baldes para as crianças brincarem.

Escorregadores, balanços e estruturas para escalada no Imagination Playground

O Federal Reserve Bank de Nova York tem o estilo de um palácio renascentista

Informações

- **Mapa** 1 D4
- **Endereço** 33 Liberty St (entrada de visitantes pela 44 Maiden Lane), 10045; 212 720 6130; www.newyorkfed.org
- **Metrô** A, C, 4 e 5 p/ Fulton St; 4 e 5 p/ Wall St **Ônibus** M5 e M15
- **Aberto** Visitas aos cofres de barras de ouro, 11h15, 12h, 12h45, 13h30, 14h15, 15h, exceto feriados bancários; chegar 30min antes para assistir ao vídeo de segurança. Visitas autoguiadas a outras exposições, seg-sex, exceto feriados bancários.
- **Preço** Grátis
- **Para evitar fila** Agende sua visita com bastante antecedência
- **Passeios guiados** O Federal Reserve Bank recomenda que você agende com antecedência (até três meses antes). Reservas on-line devem ser confirmadas até três dias depois de feitas, caso contrário serão canceladas.
- **Idade** A partir de 16 anos
- **Duração** 1h
- **Comida e bebida** *Refeição* Zaitzeff *(72 Nassau St, 10038; 212 571 7272)* serve hambúrgueres e sanduíches em mesas comunais. *Para a família* Brasserie les Halles *(15 John St, 10038; 212 285 8585)* oferece clássicos de bistrô, como beef bourguignon e moules frites (carne assada no vinho tinto com mariscos).
- **Banheiros** Em todos os andares

Preços para família de 4 pessoas

③ Federal Hall

Onde George Washington se tornou o primeiro presidente dos EUA

É do conhecimento geral que Washington, DC, é a capital dos EUA, mas nem sempre foi assim. A primeira sede do governo do país foi Nova York, no edifício do Federal Hall na Wall Street. O primeiro Congresso se reuniu aqui e elaborou a Carta de Direitos, e o general George Washington tomou posse no balcão como primeiro presidente do país em 30 de abril de 1789.

Uma grandiosa estátua de Washington recebe os visitantes nos degraus diante do edifício inspirado no Partenon de Atenas. Embora o Federal Hall original tenha sido demolido em 1812, muito tempo após a transferência do Capitólio para Filadélfia (em 1790), o edifício histórico que o substitui é digno de nota por sua imensa rotunda e suas mostras sobre a história de Nova York.

Para relaxar

Com árvores e bancos, o **Zuccotti Park** *(entre Broadway St e Church St, 10006)* é um bom lugar para fazer um piquenique e passear.

Informações

- **Mapa** 1 D4
- **Endereço** 26 Wall St, 10004; 212 825 6990; www.nps.gov/feha
- **Metrô** J e Z p/ Broad St; 4 e 5 p/ Wall St **Ônibus** M5 e M15
- **Aberto** 9h-17h seg-sex
- **Preço** Grátis
- **Passeios guiados** Com guarda-florestal, 10h, 11h, 13h, 14h e 15h
- **Idade** A partir de 4 anos
- **Atividades** Passeios a pé pelo centro saem do Federal Hall; veja os horários no site
- **Duração** 1h
- **Comida e bebida** *Lanches* Alfanoose *(8 Maiden Lane, 10038; 212 528 4669)* oferece bons petiscos do Oriente Médio e o clássico falafel, baratos. *Refeição* Jerry's Café *(90 Chambers St, perto da Church St, 10007; 212 608 1700)* serve ótimos omeletes, saladas, hambúrgueres e sanduíches; tem menu para crianças.
- **Banheiros** Na entrada

④ National September 11 Memorial

Uma triste lembrança

Após 11 de setembro de 2001, quando terroristas da Al-Qaeda sequestraram dois aviões e colidiram com as Torres Gêmeas do World Trade Center, não havia um lugar perto do Ground Zero no qual os turistas pudessem saber mais sobre o dia fatídico que matou quase 3 mil pessoas. No décimo aniversário dos atentados, o National September 11 Memorial se tornou o primeiro local no WTC aberto ao público desde 2001. O museu está sendo reconstruído e permanece fechado.

Dois enormes lagos quadrados com cascatas se encontram no local original das torres, cercados por painéis de bronze com os nomes dos mortos em 11 de setembro e em um ataque anterior ao WTC, em 1993. O museu com paredes de vidro contém dois tridentes de aço que formavam a entrada da Torre 1.

Para relaxar

O **Washington Market Park** *(Chambers St com Greenwich St, 10007)* tem um imenso gramado para futebol e uma série de playgrounds destinados a todas as faixas etárias.

Informações

- **Mapa** 1 C3
- **Endereço** 1 Liberty Plaza, 10006; 212 266 5211; www.911memorial.org
- **Metrô** E p/ WTC; R p/ Cortlandt St **Ônibus** M5 e M20
- **Aberto** Varia conforme a época do ano; cheque antes no site
- **Preço** Grátis, mas visitantes devem reservar com antecedência no site www.911memorial.org
- **Idade** Livre
- **Duração** 1-2h
- **Comida e bebida** *Refeição* Max Tribeca *(181 Duane St, 10013; 212 966 5939)*, ambiente rústico, tem boas massas. *Para a família* Trinity Place *(115 Broadway, 10006; 212 964 0939)* serve massa fresca, saladas criativas, atum e steak tartar.
- **Banheiros** Não; mas há perto, no World Financial Center

CRIANÇADA!

Descubra mais

1 Bilhões de dólares em ouro ficam guardados no Federal Reserve Bank. Esse ouro todo pertence ao governo dos EUA?

2 Há proteções de magnésio para calçados no Federal Reserve Bank. Qual é sua finalidade e quanto custa um par?

3 Washington, DC, é a atual capital dos EUA. Onde era a capital quando George Washington se tornou o primeiro presidente do país?

Respostas no fim do quadro.

Quanto você pesa?
Se cada barra de ouro pesa 12kg, seu peso equivale a quantas barras de ouro?

CARREIRA EXIGENTE

Todos os funcionários federais que trabalham no Federal Reserve Bank de Nova York também são atiradores. Praticam tiro ao alvo em um lugar no edifício e fazem testes de habilidade duas vezes por ano.

Ícone de esperança

A Freedom Tower, construída no local do WTC, tem 541m de altura, ou 1.776 pés, uma referência ao ano da ratificação da Declaração de Independência dos EUA pelo Congresso Continental. A torre foi concebida pelo arquiteto Daniel Libeskind, cujo projeto venceu um concurso em 2003 para decidir o que seria construído no local.

Respostas: 1 Não, a maior parte do ouro pertence a outros países e suas instituições. **2** Sua finalidade é proteger os pés dos funcionários no caso de uma barra de ouro cair; um par custa US$500. **3** A capital era Nova York.

Jovens deixam assinatura em vigas da construção do National September 11 Memorial

Piquenique até US$20; **Lanches** US$20-35; **Refeição** US$35-70; **Para a família** mais de US$70 (base para 4 pessoas)

Tenement Museum e arredores

Com a maior concentração de imigrantes em Nova York na virada do século XIX para o XX, hoje o Lower East Side é uma mescla fascinante do antigo e do novo, do tradicional e do moderno. Uma de suas atrações históricas é o Tenement Museum, com uma série de apartamentos de aluguel reconstituídos que podem ser vistos em visitas agendadas. Devido à sua vibrante vida noturna, especialmente nos fins de semana, o bairro deve ser percorrido pelas famílias durante o dia.

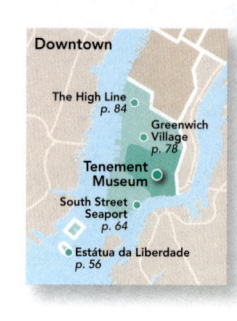

Downtown
- The High Line p. 84
- Greenwich Village p. 78
- Tenement Museum
- South Street Seaport p. 64
- Estátua da Liberdade p. 56

Carro de bombeiros a vapor La France, no New York City Fire Museum

Locais de interesse

ATRAÇÕES
1. Tenement Museum
2. Lower East Side
3. New Museum
4. Little Italy
5. Ukrainian Museum
6. Children's Museum of the Arts
7. Chinatown
8. New York City Fire Museum

COMIDA/BEBIDA
1. Despaña
2. Cheeky Sandwiches
3. Katz's Delicatessen
4. Alias Restaurant
5. Yonah Schimmel Knishery
6. 88 Orchard
7. Freemans
8. Peasant
9. Two Boots to Go-Go
10. Balthazar
11. Lombardi's Pizza
12. Blue Ribbon
13. Nha Trang
14. Peking Duck House
15. Ear Inn
16. Mooncake Foods

Veja também New Museum (pp. 174-5)

COMPRAS
1. Earnest Sewn
2. Ted's Fine Clothing

Veja também Tenement Museum (p. 72)

HOSPEDAGEM
1. Blue Moon
2. Bowery Hotel
3. The Gem Hotel Soho
4. Hotel on Rivington
5. Off Soho Suites

Tenement Museum e arredores | 71

Loja na movimentada Essex Street

Delícias de forno produzidas pela lendária Katz's Delicatessen

Informações

🚙 **Metrô** B e D p/ Grand St; J, M e Z p/ Delancey St; F p/ Second Ave; 6 p/ Spring St (C e E p/ Spring St com Sixth Ave); B, D, F e M p/ Broadway-Lafayette St **Ônibus** M9, M15, M21 e M14A

ℹ️ **Informação turística** Lower East Side Visitor Center, 54 Orchard St, 10002; 212 226 9010; www.lowereastsideny.com; 9h30-17h30 seg-sex; 9h30-16h sáb e dom

🛒 **Supermercado** Key Foods, 52 Ave A, 10009; 212 477 9063 **Mercado** Essex Street Market, 120 Essex St, 10002; 212 312 3603; 8h-19h seg-sáb, 10h-18h dom

🎌 **Festivais** Lower East Side Festival of the Arts (normalmente último fim de semana mai) oferece apresentações de teatro e dança. Egg Rolls & Egg Creams Festival (em geral no 1º ou 2º dom jun). San Gennaro Festival tem procissões, música, dança e outros espetáculos (set).

➕ **Farmácia** Rite Aid, 408 Grand St, 10002; 212 529 7115; 24h diariam

🧸 **Playgrounds** Seward Park, leste da Essex St, entre Grand St e East Broadway, 10002. Lillian D.Wald Playground (p. 73). Hester Street Playground (p. 74). Desalvio Playground (p. 75). James J. Walker Park (p. 77). Tompkins Square Park (p. 75). Columbus Park (pp. 76-7).

① Tenement Museum
Uma cápsula do tempo descoberta

O Tenement Museum transporta os visitantes de volta à época entre 1863, quando o edifício foi construído, e a década de 1930, quando foi fechado pelo proprietário. Quase 7 mil pessoas da classe trabalhadora moraram no edifício nesse período em que a imigração para os EUA chegou ao auge. Em 1988, seis apartamentos intactos foram descobertos e restaurados, e agora mostram a vida dos imigrantes em visitas guiadas e reencenações. A visita cobre apenas um ou dois apartamentos.

Entrada do Tenement Museum

Visitas guiadas

Victoria Confino Essa visita de 1 hora é no apartamento de imigrantes sefarditas gregos no 1º andar. Uma atriz com traje de época faz o papel de Victoria Confino aos 14 anos, enquanto os visitantes interpretam os imigrantes recém-chegados.

Hard Times Há duas visitas distintas no 2º andar. A Hard Times, de 1 hora, passa pelos apartamentos da família judaico-alemã Gumpertz, cujo pai desapareceu na Depressão em 1873, e dos Baldizzi, que viveram a Grande Depressão nos anos 1930. A visita de 2 horas (idade mínima de 12 anos) enfoca mais detalhadamente as experiências das duas famílias.

Irish Outsiders Esse apartamento era o lar de uma família irlandesa que se mudou para cá na segunda metade do século XIX.

3º andar

Sweatshop Workers Essa visita mostra a vida de imigrantes judeus na confecção da família Levine e no apartamento dos Rogarshevsky, no 3º andar.

2º andar

1º andar

Entrada

Informações

🌐 **Mapa** 5 C5
Endereço 103 Orchard St, 10002; 212 982 8420; www.tenement.org

🚗 **Metrô** B e D p/ Grand St; F p/ Essex St; J, M e Z p/ Delancey St

🕐 **Aberto** 10h-18h diariam; último passeio às 17h; fechado feriados

💲 **Preço** $78-88; passeios a pé têm desconto quando incluem a visita a um apartamento

👥 **Para evitar fila** Reserve ingressos em www.tenement.org/tours.php ou ligue 866 606 7232

🚩 **Passeios guiados** Além dos passeios acima, o Outside the Home leva crianças maiores de 8 anos a uma escola pública primária, em visita a pé de 90min; o Then and Now é um passeio de 2h, também para crianças maiores de 8 anos, que enfoca a história do Lower East Side e a vida dos imigrantes ali.

👫 **Idade** A partir de 6 anos

🎭 **Atividades** Leituras e reencenações da época; palestras grátis na loja

⏱ **Duração** 2h

♿ **Cadeira de rodas** Restrito

🏷 **Loja** A Tenement Museum Shop tem livros infantis sobre a imigração e a vida nos apartamentos

🚻 **Banheiros** No Visitors' Center

Bom para a família
Apesar do ingresso um pouco caro, o Tenement Museum proporciona uma experiência incrível para as crianças, que adoram sua maneira interativa de abordar a História.

Preços para família de 4 pessoas

Tenement Museum e arredores | 73

Garoto brinca em quadra de basquete no Lillian D. Wald Playground

Para relaxar
Com o nome de uma pioneira no campo dos direitos da infância, o arborizado **Lillian D. Wald Playground** *(entre as ruas Cherry, Gouverneur, Monroe e Montgomery, 10002)* tem quadras de handebol, basquete e vôlei, assim como balanços e brinquedos rústicos.

Comida e bebida
Piquenique: até US$20; Lanches: US$20-35; Refeição: US$35-70; Para a família: mais de US$70 (base para 4 pessoas)

PIQUENIQUE Despaña *(408 Broome St, entre Lafayette St e Cleveland Pl, 10013; 212 219 5050)* tem carnes maturadas, queijos, tortilhas e, nos fins de semana, churros. Compre suprimentos e faça um piquenique no Lillian D. Wald Playground.
LANCHES Cheeky Sandwiches *(35 Orchard St, perto da Hester St, 10002)*, lugar despojado porém charmoso, serve sopas e sanduíches cajun e creole, incluindo *po' boys* com ostras fritas e galinha frita com biscoitos de coalhada.
REFEIÇÃO Katz's Delicatessen *(205 East Houston St, 10002; 212 254 2246)*, fundada em 1888, mantém a temática imigrante, a atmosfera antiga e o menu tradicional, incluindo sopas, bagels, o lendário *brisket*, pastrami e saborosos sanduíches de carne.
PARA A FAMÍLIA Alias Restaurant *(76 Clinton St, 10002; 212 505 5011)* se destaca pela decoração moderna e alegre, a equipe excelente e a inovadora cozinha americana preparada no capricho com ingredientes sazonais.

Compras
A **Earnest Sewn** *(90 Orchard St, 10002; 212 979 5120)* vende roupas de qualidade para crianças e adultos em cenário americano rústico. A **Ted's Fine Clothing** *(155 Orchard St, 10002; 212 966 2029)* tem camisetas de rock em estilo vintage e objetos interessantes para adultos e crianças.

Saiba mais
INTERNET No site do museu, www.tenement.org, a seção "Play" tem atividades interativas: caminhada virtual, jogo sobre imigração, gibis com adolescentes imigrantes.

Próxima parada...
ELDRIDGE STREET SYNAGOGUE
A poucas quadras do museu, a magnífica Eldridge Street Synagogue *(12 Eldridge St, 10002; www.eldridgestreet.org)* foi construída em 1887 por membros da comunidade imigrante do Lower East Side. Reaberta em 2007 após uma restauração extraordinária que durou vinte anos, a sinagoga recebe visitas dom-sex (10h-17h dom-qui, 10h-15h sex). Entrada grátis seg.

Fotos de clientes famosos em parede da Katz's Delicatessen

CRIANÇADA!

Descubra mais
1 O prédio ganhou iluminação a gás entre 1896 e 1905, e a eletricidade só foi instalada após 1918. Antes disso, que tipo de iluminação era usado pelos moradores?
2 A maioria das lareiras nos apartamentos foi lacrada no fim dos anos 1880. Como as famílias aqueciam seus apartamentos no inverno?
3 Em 1905, duas privadas com descarga foram instaladas no prédio. Que tipo de privada era usado antes e qual era seu nome?
4 As mulheres lavavam roupa fora, perto de uma torneira com água doce. Você sabe a razão disso?

Respostas no fim do quadro.

DECORAÇÃO SINISTRA
Um dos apartamentos do prédio foi redecorado nos anos 1980 tendo como referência uma foto antiga tirada pela polícia, na qual o corpo da vítima assassinada está jogado no chão.

A quebra do banco
Muitos imigrantes tinham poupança no Jarmulowsky Bank, fundado em 1873. Com a deflagração da Primeira Guerra Mundial em 1914, eles perderam todo o dinheiro, pois investidores alemães sacaram os fundos para enviar a seus parentes no exterior.

Respostas: 1 Querosene ou lâmpadas a óleo. **2** Elas se aqueciam com os fogões de carvão usados para cozinhar. **3** Privadas rudimentares no pátio chamadas *outhouses* (casinhas). **4** Elas lavavam roupa ao ar livre para não ter de subir as escadas do prédio carregando baldes de água.

Frutas e legumes variados à venda no Essex Street Market

② Lower East Side
Doces e iguarias

Outrora um enclave de imigrantes da classe trabalhadora, o Lower East Side tem uma identidade cultural que o diferencia dos outros bairros na cidade. Algumas pequenas lojas independentes abertas aqui há quase cem anos continuam funcionando e agora dividem espaço com novos estabelecimentos que produzem de gelatos italianos a bagels artesanais.

Vale a pena conhecer o remanescente mais antigo e renomado da área, o **Russ & Daughters** (*179 East Houston St; www.russanddaughters.com*), que desde 1914 é comandado por quatro gerações sucessivas da família Russ. Suas especialidades são peixe defumado e maturado, caviar e outras iguarias. Depois, desça a Essex Street até o revitalizado **Essex Street Market** (*120 Essex St*), com bancas de alimentos em um local coberto, e procure o Saxelby Cheesemongers, onde você pode provar alguns queijos – todos feitos em pequena escala em fazendas da região, exceto o parmesão. Volte para a Rivington Street e vá à **Economy Candy** (*108 Rivington St; www.economycandy.com*), o melhor empório do gênero na cidade, com todos os doces imagináveis e chocolate vendido por peso. Duas quadras abaixo na Essex Street fica a **Kossar's Bialys** (*367 Grand St; www.kossarsbialys.com*), que desde 1936 produz uma pequena rosca recheada de patê de cebola chamada *bialy*, muito saborosa e lembrando o bagel. No passado, essa especialidade de Nova York tinha tanta demanda que os produtores de *bialy* fundaram um sindicato. Siga para a **Doughnut Plant** (*379 Grand St; www.doughnutplant.com*), que transformou o doughnut em uma forma de arte com coberturas deliciosas usando uma receita dos anos 1930 do avô do dono Mark Isreal. Como última parada, visite **Il Laboratorio del Gelato** (*188 Ludlow St; www.laboratoriodelgelato.com*), que tem quase 200 sabores de sorvete feito no local.

Para relaxar
Na parte mais baixa do Sara D. Roosevelt Park fica o **Hester Street Playground** (*entre Chrystie St e Forsythe St, 10002*), onde as crianças se divertem com borrifos de água, balanços, estruturas de escalada e vários conjuntos de aros.

Informações
- **Mapa** 5 C4
  Endereço Houston St sentido Manhattan Bridge, entre Bowery e FDR Drive
- **Metrô** F p/ East Broadway, Second Ave ou Essex St; J, M e Z p/ Delancey St; B e D p/ Grand St
  Ônibus M9, M14A, M15 e M103
- **Passeios guiados** É possível fazer o download de uma visita autoguiada/podcast em *www.lowereastsideny.com*.
- **Idade** Livre
- **Duração** 2-3h
- **Comida e bebida** *Lanches* Yonah Schimmel Knishery (*137 East Houston St; 212 477 2858*) é especializado na cozinha do Leste Europeu, com *knishes* (salgados ou doces) feitos na hora, *blintzes* e *borscht*. *Refeição* 88 Orchard (*88 Orchard St; 212 228 8880*) oferece sopas, sanduíches, saladas e café.
- **Banheiros** No Hester Street Playground e em vários restaurantes

③ New Museum
Arte e arquitetura singulares

O New Museum foi o primeiro construído no centro e é o único na cidade dedicado a artistas emergentes. Embora fundado em 1977, o museu só ganhou destaque em 2007 com a inauguração de sua nova sede, projetada pelo badalado escritório de arquitetura japonês SANAA. Os sete andares

Informações
- **Mapa** 5 B4
  End. 235 Bowery 10002; 212 219 1222; *www.newmuseum.org*
- **Metrô** F p/ Second Ave; N e R p/ Prince St; 6 p/ Spring St
  Ônibus M5, M21 e M103
- **Aberto** 11h-18h qua, sex, sáb e dom, 11h-21h qui
- **Preço** $28-38; até 18 anos grátis
- **Para evitar fila** Compre ingressos com antecedência em *www.newmuseum.org*
- **Passeios guiados** de 45 minutos grátis, 11h30-16h30 qua-dom; visitas com áudio em iPod, grátis, na recepção
- **Idade** A partir de 5 anos
- **Atividades** Livros e computadores no Resource Center, 5º andar. Oficina grátis para crianças de 4 a 15 anos no 1º sáb do mês
- **Duração** 2h
- **Cadeira de rodas** Sim
- **Comida e bebida** *Lanches* Birdbath Café (*no local*) oferece sanduíches, saladas e assados. *Para a família* Freemans (*Rivington St, entre Bowery e Chrystie St, 10002; 212 420 0012*) tem menu de clássicos sazonais.
- **Banheiros** Em vários andares

Vista da pilha escultural de cubos de alumínio do New Museum

Preços para família de 4 pessoas

do edifício parecem se apoiar precariamente uns nos outros – cada andar tem peso e largura diferentes – e são revestidos por uma malha de alumínio reluzente. Um dos espaços expositivos mais modernos de Nova York, inclui arte digital e instalações em vídeo. As exposições ousadas e em grande escala do museu (todas temporárias) muitas vezes são interativas e ao gosto das crianças.

Para relaxar
Na extremidade leste do East Village fica o **Tompkins Square Park** (East Seventh St e Ave A, 10009). Embelezado por imensos olmos americanos raros e dotado de três playgrounds, várias mesas permanentes para xadrez e uma pista para cães, é perfeito para brincadeiras e piqueniques.

④ Little Italy
Cores e sabores da Itália
Antes detentor da maior concentração de imigrantes italianos da cidade, Little Italy quase desapareceu, tendo em parte se fundido com Chinatown ou virado área de butiques elegantes como no bairro de Nolita (North of Little Italy). No entanto, ainda restam vestígios de sua identidade cultural, principalmente na área ao longo da Mulberry Street, entre as ruas Grand e Hester, que é muito apreciada por seus restaurantes italianos. Algumas mercearias italianas pequenas mantêm o charme do passado, entre elas a **Piemonte Ravioli** (190 Grand St, 10013), que vende uma seleção criativa de massas secas e frescas. A queijaria italiana **Alleva** (188 Grand St, 10013) foi fundada em 1892 e hoje está sob o comando da quarta geração da mesma família. Outra boa queijaria, com cerca de 300 variedades, é a **Di Palo Selects** (200 Grand St, 10013), que oferece mozarela artesanal e uma fantástica seleção de produtos importados. Do outro lado da rua fica a diversificada **E. Rossi & Co.** (193 Grand St, 10013), cujos produtos italianos variam de estatuetas religiosas a camisetas de times de futebol.

Em setembro, a Festa de San Gennaro ocupa a Mulberry St com música, barracas de comida, brinquedos e desfiles, além de decorações em vermelho, verde e branco, as cores da bandeira italiana.

Para relaxar
O **Desalvio Playground** (esquina da Mulberry St com a Spring St, 10002) tem equipamentos lúdicos modulares, mesas para jogar xadrez e quadras de basquete.

Informações
- **Mapa** 5 A5
- **Endereço** Da Houston St p/ Canal St, entre Bowery e Lafayette St
- **Metrô** N e R p/ Prince St; B, D, F e M p/ Broadway-Lafayette St; 6 p/ Spring St **Ônibus** M21 e M103
- **Duração** 1-2h
- **Comida e bebida** Refeição Despaña (408 Broome St, 10013; 212 219 5050) serve maravilhosas tapas espanholas, sopas, saladas e sanduíches. *Para a família* Peasant (194 Elizabeth St, 10012; 212 965 9511) tem um forno aberto e o menu é italiano.
- **Banheiros** No interior de vários restaurantes

CRIANÇADA!
Descubra mais
1 Por que as pequenas lojas de gestão familiar no Lower East Side são conhecidas?
2 No século XIX, havia tantos padeiros produzindo essa rosca tradicional que eles fundaram um sindicato. Qual o nome dela e sua diferença em relação ao bagel?
3 Por que será que os sete andares do New Museum ficam empilhados em ângulos diferentes?
4 Um queijo tradicional da culinária italiana ainda é muito produzido em Little Italy. Qual é o nome dele?

Respostas no fim do quadro.

LEITE E QUEIJO
A mozarela pode ser feita com leite de vaca ou de búfala da Índia. O leite das búfalas tem maior teor de gordura, o que o torna ideal para a produção de queijo.

Um paraíso canino
O Tompkins Square Park é conhecido pela formidável pista para cães, cuja reforma custou quase US$500 mil. Há três piscinas para cães e uma área de banho com mangueiras, além de mesas de piquenique (para pessoas!). O parque também sedia a maior festa canina de Halloween do país, à qual os animais vão fantasiados.

Respostas: 1 Muitas têm uma especialidade, como doughnuts. **2** *Bialy*. Diferentemente do bagel, o *bialy* tem recheio de patê de cebola, em vez de um orifício. **3** Para que o sol possa entrar nas galerias em diferentes horas do dia. **4** Mozarela.

Pessoas relaxando em bancos do Tompkins Square Park

Piquenique até US$20; **Lanches** US$20-35; **Refeição** US$35-70; **Para a família** mais de US$70 (base para 4 pessoas)

Downtown

Trajes tradicionais expostos no Ukrainian Museum

⑤ Ukrainian Museum
Trajes e cultura

Com um imenso acervo de arte folclórica e belas-artes, este museu mudou-se em 2005 para sua atual sede no East Village. Fundado em 1976, conta com uma encantadora coleção de trajes ucranianos, blusas de camponesas com ricos bordados, faixas coloridas, peles de carneiro enfeitadas, roupas de pele e grinaldas de casamento com fios e fitas.

O acervo de arte folclórica, com mais de 8 mil objetos, é um dos mais importantes fora da Ucrânia. Entre as peças há cerâmicas, objetos de metal e de madeira esculpida e ovos de Páscoa ucranianos.

Informações
- **Mapa** 5 A3
  Endereço 222 East (entre 2nd e 3rd Aves) 10003; 212 254 3511; www.ukrainianmuseum.org
- **Metrô** 6, N, R e F **Bus** M15, M101, M102, M103, M1, M3, M8
- **Aberto** 11h30-17h qua-dom
- **Preço** $32-42; até 12 anos grátis
- **Idade** A partir de 5 anos
- **Atividades** Programa familiar sobre cultura ucraniana para menores de 12 anos. Oficina $20-30
- **Duração** 1-2h
- **Cadeira de rodas** Sim
- **Comida e bebida** *Lanches* Two Boots to Go-Go (74 Bleecker St, 10012; 212 777 1033) serve pizzas e sanduíches *po' boys*. *Para a família* Balthazar (80 Spring St, 10012; 212 965 1414) tem estilo bistrô tradicional.
- **Banheiros** No térreo

Preços para família de 4 pessoas

Para relaxar
Rume para o oeste na Houston St por duas quadras para ver as **Silver Towers** *(110 Bleecker St, 10012)*, de I. M. Pei. O complexo exibe uma escultura desenhada por Picasso, *Retrato de Sylvette* (1970), feita pelo norueguês Carl Nesjär com a ajuda do espanhol. As crianças podem correr nos espaços abertos e ver a escultura por diferentes ângulos.

⑥ Children's Museum of the Arts
Acervos de arte e teatro

Uma reforma em 2011 triplicou o tamanho desse destino muito procurado por crianças e famílias em dias de chuva. A área de 929m² tem coleções de arte feita por crianças. As exposições rotativas incluem artistas de renome, como Keith Haring e Misaki Kawai. Há também um novo laboratório de mídia com câmara de som e barra de argila, além de equipamentos de criação de vídeos e animação para uso nos premiados programas de mídia do CMA. No Fine Arts Studio as crianças podem interagir com artistas, criar suas próprias obras e levá-las para casa. Os menores de 5 anos podem visitar o WEE Arts Studio, com música, contadores de histórias e outras atividades. O museu tem ainda 2 mil objetos de arte infantil internacional desde os anos 1930.

Para relaxar
O Ball Pond do museu é uma área cercada repleta de enormes bolas coloridas nas quais as crianças podem subir e descer à vontade.

Placa colorida acima da entrada da Chinatown Ice Cream Factory

Informações
- **Mapa** 4 E5
  End. 103 Charlton St, 10014; 212 274 0986; http://cmany.org
- **Metrô** 1 p/ Houston St; C e E p/ Spring St **Ônibus** M20 e M21
- **Aberto** 12h-17h seg e qua, 12h-18h qui e sex, 10h-17h sáb e dom
- **Preço** $44-54; grátis 16h-18h qui
- **Idade** Livre
- **Duração** 1-2h
- **Cadeira de rodas** Sim
- **Comida e bebida** *Refeição* Lombardi's Pizza *(32 Spring St, 10012; 212 941 7994)* serve tortas comuns e de creme (white pies), feitas em forno a carvão, além de saladas. *Para a família* Blue Ribbon *(97 Sullivan St, 10012; 212 274 0404)* serve lagosta, espetos de cordeiro e ponta de agulha. Tem um bar agradável.
- **Banheiros** Em vários andares

⑦ Chinatown
Comércio vibrante e sorvetes deliciosos

Com limites meio incertos, Chinatown é um bairro amplo que parece uma cidade totalmente diferente. A apinhada Canal Street tem vendedores de todos os tipos de produtos de grife falsificados, incluindo óculos escuros, bolsas e joias. Comece por Nolita e rume para o sul pela Mott Street, onde o Ocidente gradualmente dá lugar ao Oriente quando se entra em Chinatown.

O bairro é repleto de mercearias que vendem legumes exóticos, frutas frescas, peixes e arroz – a preços bem abaixo daqueles cobrados em supermercados. Cruze a Canal Street e entre na Mott para ver mais lojas divertidas, como a Sanrio Hello Kitty, que os pequenos vão adorar, assim como casas de chá e restaurantes. Pare na **Chinatown Ice Cream Factory** *(65 Bayard St, 10013; www.chinatownicecreamfactory.com)* e tome sorvetes excepcionais de sabores como gergelim preto e lichia, e depois siga para o Columbus Park.

Para relaxar
O fascinante **Columbus Park** *(entre Baxter St, Bayard St, Worth St e Mulberry St, 10013)* é um pequeno mundo à parte, onde as pessoas fazem tai chi chuan,

Tenement Museum e arredores | 77

O New York City Fire Museum tem uma vasta coleção de equipamentos dos bombeiros

Informações

- **Mapa** 2 E1
- **Endereço** Grand St, sentido Worth St, entre Lafayette St e FDR Drive
- **Metrô** B e D p/ Grand St; J e Z p/ Canal St **Ônibus** M22 e M103
- **Idade** Livre
- **Duração** 1-2h
- **Comida e bebida** *Refeição* Nha Trang (*87 Baxter St, 10013; 212 233 5948*) é um restaurante vietnamita despretensioso e familiar, com pratos saborosos que podem ser divididos por toda a família. *Para a família* Peking Duck House (*28 Mott St, 10013; 212 227 1810; www.pekingduckhousenyc.com*) é um achado em Chinatown, com especialidades como o pato de Pequim e camarões.
- **Banheiros** No Columbus Park

enquanto tentavam resgatar sobreviventes do atentado terrorista ao World Trade Center. Há um mostruário de vidro com ferramentas que os bombeiros usaram na missão e uma estação computadorizada interativa.

Para relaxar

Vá ao **James J. Walker Park** (*St. Lukes Pl com Hudson St, 10014*), onde há balanços, equipamento de escalada e, no verão, aspersores de água e bancos sombreados. A piscina pública adjacente, **Tony Dapolito Recreation Center** (*1 Clarkson St, 10014*), fica aberta do fim de junho até agosto.

Informações

- **Mapa** 4 F5
- **Endereço** 278 Spring St, 10013; 212 691 1303
- **Metrô** C e E p/ Spring St; 1 p/ Houston St **Ônibus** M20 e M21
- **Aberto** 10h-17h diariam; fechado 1º jan, Páscoa, 4 jul, Dia de Ação de Graças, 25 dez
- **Preço** $26-36; até 2 anos grátis
- **Passeios guiados** Disponíveis para grupos de dez ou mais, incluem treinamento contra incêndio: adultos $5, crianças $3; reservas, ligue 212 691 1303
- **Idade** A partir de 3 anos
- **Duração** 1h
- **Cadeira de rodas** Sim
- **Comida e bebida** *Lanches* Ear Inn (*326 Spring St, 10013; 212 226 9060*) serve pratos a preços razoáveis, como mexilhão ao molho de vinho branco, hambúrgueres e saladas. *Refeição* Mooncake Foods (*28 Watts St, 10013; 212 219 8888*) tem comida asiática, incluindo saladas, rolinhos primavera e asas de frango.
- **Banheiros** No 1º andar

jogam xadrez chinês e ficam observando o movimento. O playground e os trechos gramados são perfeitos para as crianças.

8 New York City Fire Museum

Mangueiras, hidrantes e heróis

Carros de bombeiros, mangueiras e hidrantes anteriores à Guerra Civil, baldes de couro pintados e capacetes antigos estão entre os artefatos desse museu dedicado ao heroísmo diário dos bombeiros da cidade. Instalado em um posto de bombeiros de 1904 na Spring Street, apresenta muitas histórias através de fotos em sépia e documentos. O 1º andar é ocupado por uma mostra sobre os 343 bombeiros que morreram em 11 de setembro de 2001 (*p. 49*),

CRIANÇADA!

Fique de olho

1 O ovo de páscoa ucraniano, singular e elaboradíssimo, também conhecido como *pysanky*, exposto no Ukrainian Museum

2 Pessoas se movendo em câmera lenta. Caso veja isso no Columbus Park, é provável que elas estejam praticando uma forma muito antiga de exercício. Você sabe o nome dele? ....

Respostas no fim do quadro.

ALGO EM COMUM

P. O que Nova York e o Batman têm em comum? **R.** Batman mora em Gotham City – um velho apelido de Nova York.

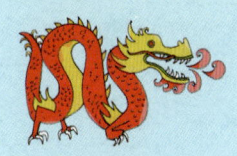

Língua predominante

Chinatown em Manhattan é o maior enclave chinês no hemisfério ocidental. Até cerca de 1980, a maioria dos imigrantes chineses vinha de Hong Kong e, portanto, falava cantonês. Desde então, a maioria provém da China continental e fala mandarim. Hoje, mandarim é a língua mais falada por ambas as populações.

Respostas: 2 Tai chi chuan.

Piquenique até US$20; **Lanches** US$20-35; **Refeição** US$35-70; **Para a família** mais de US$70 (base para 4 pessoas)

Downtown

Greenwich Village e arredores

Com ruas arborizadas e atmosfera descontraída, o Greenwich Village exerce um fascínio especial até sobre os nova-iorquinos. Bater perna é uma ótima maneira de conhecer o bairro, e, embora o West Village seja o centro histórico, o East Village e o vizinho Flatiron District também têm seus encantos, especialmente em torno da Union Square e da St. Mark's Place. A área é movimentada dia e noite, mas o Flatiron District fica mais deserto à noite, quando as lojas fecham – portanto, planeje bem seu itinerário.

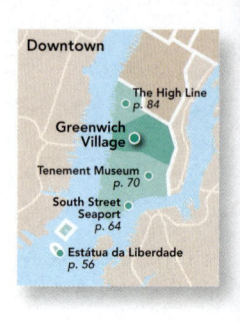

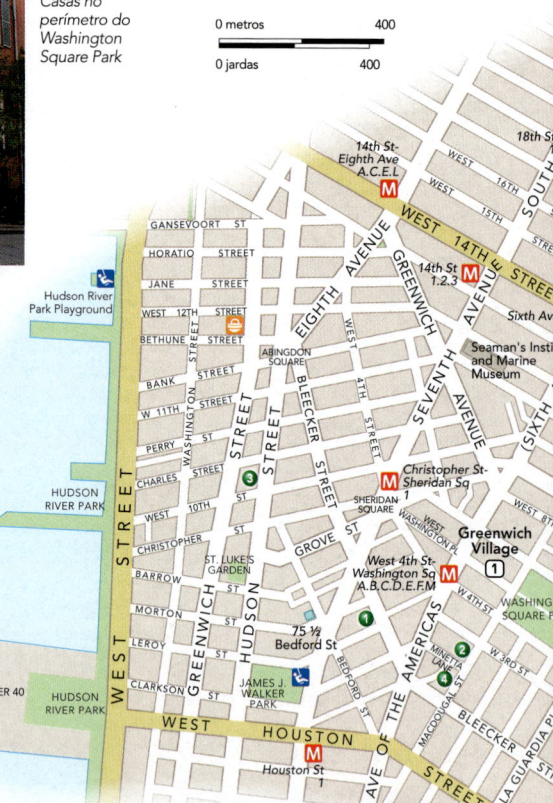

Downtown
- The High Line p. 84
- Greenwich Village
- Tenement Museum p. 70
- South Street Seaport p. 64
- Estátua da Liberdade p. 56

Casas no perímetro do Washington Square Park

0 metros 400
0 jardas 400

Locais de interesse

ATRAÇÕES
1. Greenwich Village
2. East Village
3. Flatiron District & Union Square Greenmarket
4. Theodore Roosevelt Birthplace

● COMIDA E BEBIDA
1. Murray's Cheese Bar
2. Mamoun's Falafel
3. Cowgirl
4. Minetta Tavern
5. Artichoke Basille's Pizza
6. Cacio e Pepe
7. Maoz Vegetarian
8. Japonica
9. Dogmatic
10. Republic

● COMPRAS
1. Ibiza Kidz
2. Forbidden Planet
3. Strand Bookstore

Veja também Flatiron District (p. 82).

● HOSPEDAGEM
1. Cooper Square Hotel
2. East Village Bed & Coffee
3. Gramercy Park Hotel
4. Hotel 17
5. Inn on 23rd Street
6. Larchmont Hotel
7. Marcel at Gramercy
8. St Marks Hotel
9. W New York Union Square

Entrada do restaurante Republic, defronte ao Union Square Park

Greenwich Village e arredores | 79

Vendedor de discos no East Village

Informações

🚗 **Metrô** A, B, C, D, E, F e M p/ West 4th St-Washington Sq; N e R p/ 8th St-NYU; F e M p/ 14th St; 6 p/ Astor Place
Ônibus M2, M3, M5 e M8

ℹ️ **Informação turística** NYC & Company, 810 Seventh Ave, 10019; 212 484 1222; www.nycgo.com

🛒 **Supermercado** D'Agostino, 790 Greenwich St, 10014; 212 691 9198
Mercado Union Square Greenmarket, Union Square West, entre 14th St e 17th St; 8h-18h seg, qua, sex e sáb. Abingdon Square Greenmarket, Hudson St, entre Eighth Ave e West 12th St; 8h-14h sáb.

🎌 **Festivais** Washington Square Outdoor Art Exhibit (nos fins de semana do Memorial Day e do Dia do Trabalho). Halloween Parade (31 out). Gay Pride Parade (último dom jun)

➕ **Farmácia** Duane Reade, 4 West 4th St, 10012; 212 473 1027; 9h-19h seg-sex, 10h-17h sáb

🛝 **Playgrounds** Madison Square Park (p. 83). Union Square Park (pp. 82-3). Tompkins Square Park (p. 75). Washington Square Park West, entre West 4th St e Waverly Pl, 10003. Hudson River Park Playground, Pier 51 cruzando a West 12th St, 10014.

① Greenwich Village
Becos e ruas sinuosas

Originalmente um povoado rural ao norte de onde era o centro da cidade no início do século XVIII, o encantador Greenwich Village ainda tem o ar de uma cidadezinha, com ruelas curvas e arquitetura bem preservada. O auge de seu período boêmio foi no final da década de 1950 e nos anos 1960, quando os poetas beat e músicos folk como Bob Dylan surgiram com força total e o movimento dos direitos civis ganhou impulso por aqui. Embora tenha perdido o caráter radical, o bairro conserva seu charme.

Washington Square North A imponente fileira de casas nesse local é um excelente exemplo de arquitetura de inspiração grega.

Destaques

Bleecker Street Entre as ruas mais interessantes da área, a Bleecker reúne uma mescla pitoresca de clubes com música, cafés e lojas independentes como a Murray's Cheese e a Amy's Bread.

Washington Square Park Parque vibrante e descontraído onde músicos se apresentam de improviso e famílias fazem piqueniques. O Washington Square Arch foi construído aqui em 1889, centenário da posse de George Washington como presidente.

Sheridan Square A escultura daqui evoca os tumultos em 1969 em Stonewall, que foram um momento crucial na luta pelos direitos dos gays.

St. Luke's Garden Escondido, mas aberto ao público, esse pequeno jardim verdejante tem trilhas sinuosas, flores e muitos pássaros.

Bedford Street Essa rua é repleta de sítios históricos como a casa no nº 75 ½, que é a mais estreita da cidade (3m de largura). No nº 77 há uma casa de fazenda construída em 1799 – o edifício mais antigo no Village.

Minetta Lane Um dos cantos mais tranquilos e bonitos do Village reúne o Minetta Lane Theater, a Off Broadway House e a Minetta Tavern, reduto de escritores como Ernest Hemingway, Dylan Thomas e Eugene O'Neill na década de 1930.

Informações

Mapa 4 E2
Endereço Broadway, sentido Hudson River, entre Houston St e 14th St

Metrô A, B, C, D, E, F e M p/ West 4th St-Washington Sq; 1 p/ Christopher St-Sheridan Sq.
Ônibus M1, M5, M8 e M20

Passeios guiados Big Onion Walking Tours (*www.bigonion.com*) enfoca a história e a arquitetura da área. Foods of New York (*www.foodsofny.com*) roda a cidade e para em restaurantes pelo caminho para beliscar.

Idade Livre
Duração 3-4h
Banheiros No Washington Square Park e no Starbucks da Sheridan Sq

Bom para a família
Greenwich Village é diferente de todo o resto da cidade. As famílias apreciam os parques e a tranquilidade, as lojas exóticas e, mais que tudo, a atmosfera descontraída.

Preços para família de 4 pessoas

Greenwich Village e arredores | 81

Para relaxar
Vá para o oeste até o rio Hudson e entre no **Hudson River Park** *(entre Jane St e Spring St, 10014)*, um dos melhores da cidade. A área no lado do West Village, a mais bonita, tem dois píeres – um na West 10th St e o outro uma quadra ao norte, na Charles St. O último tem um pequeno campo de grama artificial, muito usado por famílias, e gramados para piquenique e jogos de bola.

Comida e bebida
Piquenique: até US$20; Lanches: US$20-35; Refeição: US$35-70; Para a família: mais de US$70 (base para 4 pessoas)

PIQUENIQUE Murray's Cheese *(254 Bleecker St, 10014; 212 243 3289)* tem queijos de fazenda, azeitonas e baguetes. Compre suprimentos e deguste-os no Washington Square Park.
LANCHES Mamoun's Falafel *(119 MacDougal St, 10012; 212 674 8685; www.mamouns.com)* é renomado pela comida saborosa e barata do Oriente Médio, incluindo falafel, homus e pão pita. Como é pequeno, faça pedidos para viagem.
REFEIÇÃO Cowgirl *(519 Hudson St com West 10th St, 10014; 212 633 1133; www.cowgirlnyc.com)* serve deliciosa comfort food sulista em um espaço aconchegante, decorado à Velho Oeste. Há menu para crianças.
PARA A FAMÍLIA Minetta Tavern *(113 MacDougal St, 10012; 212 475 3850; www.minettataverny.com)* é um bistrô chique com menu à base de ingredientes frescos. Saladas, camarão, torrada de brioche e um hambúrguer fantástico.

Crianças fazendo pinturas no Children's Museum of the Arts

Compras
Vá à **Ibiza Kidz** *(830 Broadway, 10003; 212 228 7990)*, loja de calçados e brinquedos, e à **Forbidden Planet** *(840 Broadway, 10003; 212 473 1576)*, especializada em gibis e mangá. A **Strand Bookstore** *(212 473 1452; www.strandbooks.com)* tem um grande acervo de livros novos, usados, raros e fora de catálogo.

Saiba mais
FILME E SÉRIE *Janela Indiscreta* (1954), de Alfred Hitchcock, foi ambientado aqui, assim como partes da série *Friends* (o nº 90 de Bedford Street era o apartamento onde a turma passava boa parte do tempo).

Se chover...
Vá ao **Children's Museum of the Arts** (p. 76), onde as crianças podem soltar livremente a imaginação em projetos artísticos e apresentações teatrais.

Próxima parada...
MERCHANT'S HOUSE MUSEUM
Comprada pelo negociante Seabury Tredwell em 1835, essa casa de tijolos vermelhos e mármore *(29 East 4th St, 10003; 212 777 1089; www.merchantshouse.org)* mostra como era a vida dos ricos em Nova York em meados do século XIX. Toda a mobília, peças decorativas e objetos pessoais são originais.

Fachada do aconchegante restaurante Cowgirl

CRIANÇADA!

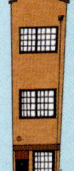

Descubra mais
1 Uma rua no Village tem a casa mais estreita da cidade e também o edifício mais antigo do bairro. Qual é o nome dela?
2 O Washington Square Arch é um dos grandes marcos do Village. Que pessoa famosa ele homenageia?
3 Um músico famoso começou a carreira aqui no início dos anos 1960. Quem é ele?

Respostas no fim do quadro.

Planejador frenético
No início dos anos 1950, o planejador urbano Robert Moses destruiu muitos bairros em Manhattan para abrir imensos bulevares. Ele queria que a Fifth Avenue atravessasse o Washington Square Park, mas foi impedido pelos moradores.

FATO ARREPIANTE
Diz a lenda que o olmo no canto noroeste do Washington Square Park era usado para enforcamentos no século XIX, quando o parque era um campo-santo para quem não podia pagar por um lugar no cemitério.

Passado sinistro
Na segunda metade do século XIX, a aglomeração humana e a pobreza em torno da Minetta Lane eram tamanhas que a rua tinha o índice mais alto de esfaqueamentos, assaltos e homicídios em Nova York.

Respostas: 1 Bedford Street. **2** George Washington. **3** Bob Dylan.

Balanços e outros brinquedos no playground do Union Square Park

② East Village
Little Tokyo e o berço do punk

Também conhecido como EVill, o East Village é uma ramificação ampla do Greenwich Village outrora conhecida por ser o lar de artistas, desde hippies e músicos até atores e poetas beat, devido aos aluguéis relativamente baratos – conforme mostrado no famoso musical da Broadway *Rent* (1996). Sua extremidade sul, a Alphabet City, se sobrepõe ao Lower East Side.

Dois lugares imperdíveis são o Tompkins Square Park *(p. 75)* e a St. Marks Place *(East 8th St, entre Second Ave e Ave A)*, uma rua que mantém muitos vestígios de seu auge roqueiro punk na década de 1970, incluindo estúdios de tatuadores, lojas de discos e de excentricidades e cafés minúsculos e escondidos. O pequeno trecho de **Little Tokyo**, na East 9th Street entre Second e Third Avenues, parece outra cidade devido a suas quitandas, restaurantes e lojas japoneses.

Uma quadra ao norte, a histórica **St. Mark's Church in-the-Bowery** *(131 East 10th St, 10003)* leva os visitantes não só a outro país, como a outro século, com sua arquitetura georgiana e amplidão externa. O terreno era uma fazenda da família holandesa Stuyvesant.

Os turistas podem deparar o tempo todo com leituras de poesias e apresentações de dança e teatro, pois o East Village tem muitas companhias artísticas importantes. Embora o bairro esteja mais comportado do que no passado, seu clima descontraído atrai famílias que querem morar em um lugar autêntico no centro.

Para relaxar
A **Stuyvesant Square** *(Second Ave e 15th St, 10003)* é um parque público construído em uma fazenda doada à cidade por Peter Gerard Stuyvesant em 1836. Com playground, numerosas estátuas e trilhas amplas, é um lugar perfeito para a criançada.

③ Flatiron District e Union Square Greenmarket
Um triângulo elevado e um oásis gastronômico

Ancorado pelo altíssimo **Flatiron Building**, de 1902, em forma triangular no cruzamento da Broadway e Fifth Avenue com 23rd Street, o Flatiron District é pequeno, mas tem comércio vibrante. Abriga várias lojas boas, como a Paragon Sports *(867 Broadway, 10003; 212 255 8889)*, a melhor de artigos esportivos da cidade, com pares de tênis e roupas de todos os tamanhos, e a livraria infantil Books of Wonder *(18 West 18th St, 10011; 212 989 3270)*. Vale a pena também conferir a loja de brinquedos Space Kiddets *(26 East 22nd St, 10010; 212 420 9878)*, com um ótimo estoque de opções vintage e de inspiração no passado.

Poucas quadras ao sul fica o famoso **Union Square Greenmarket**, no lado oeste do Union Square Park, entre as ruas 14th e 17th, onde produtores de alimentos do norte do estado, da Pensilvânia e de Connecticut vendem seus produtos para grandes chefs de Nova York e o público em geral. Entre as ofertas ultrafrescas e aromáticas estão maçãs e sidra de maçã, pães caseiros, queijos, ovos, carne, aves, xarope de bordo, pretzels, flores, plantas de estufa e até vinhos.

Para relaxar
Após uma ampla reforma, o playground do **Union Square Park** *(entre Broadway e Fourth Ave, East 14 St para East 17th St, 10003)*

Lojas na St. Mark's Place, uma rua conhecida no East Village

Informações

- **Mapa** 5 B2
  Endereço Broadway sentido East River, entre Houston St e East 14th St
- **Metrô** L p/ Third ou First Ave; N e R p/ 8th St-NYU; 6 p/ Astor Pl **Ônibus** M8, M9, M14A, M15 e M103
- **Passeios guiados** Big Onion Walking Tours (www.bigonion.com) oferece um passeio a pé pelo East Village que dura por volta de 2h: $80-90; reserve on-line ou ligue 888 606-WALK (9255)
- **Idade** Livre
- **Duração** 1-2h

- **Comida e bebida** *Refeição* Artichoke Basille's Pizza *(328 East 14th St, 10003; 212 228 2004; www.artichokepizza.com)* oferece comida ítalo-americana no melhor estilo: sobretudo pizza, mas também pratos improvisados, fora do cardápio, que podem incluir almôndegas num palito e bolinhos de couve-flor. *Para a família* Cacio e Pepe *(182 Second Ave, 10003; 212 505 5931; www.cacioepepe.com)* é uma trattoria com finos antepastos e excelentes massas.
- **Banheiros** Nos vários parques e restaurantes

Preços para família de 4 pessoas

Greenwich Village e arredores | 83

Informações

- **Mapa** 9 A6
- **Endereço** Sixth Ave sentido Park Ave, entre 14th St e 23rd St
- **Metrô** L, N, Q, R, 4, 5 e 6 p/ 14th St-Union Sq; F e M p/ 14th St; N e R p/ 23rd St **Ônibus** M1-M3, M5, M6, M8, M14A e M23
- **Idade** Livre
- **Duração** 2h
- **Comida e bebida** *Lanches* Maoz Vegetarian (38 Union Sq East, 10003; 212 260 1988) tem bufê de saladas, sanduíches de falafel e fritas belgas. *Para a família* Japonica (100 University Pl com 12th St, 10003; 212 243 7752) serve desde macarrão sobá e tempurá até sushi e sashimi superfrescos.
- **Banheiros** Nos vários parques e restaurantes

Canteiros de flores e árvores embelezam o Madison Square Park

CRIANÇADA!

Você sabia?

1 Alphabet City, a parte leste do East Village, tem esse nome devido a algumas ruas do bairro. Qual é o nome delas?

2 Ao ser eleito aos 43 anos, John F. Kennedy se tornou o presidente mais jovem dos EUA até então. Como você explica isso, já que Roosevelt tinha 42 anos quando se tornou presidente?

3 Qual edifício – um dos símbolos de Nova York – dá nome a um bairro?

Respostas no fim do quadro.

Maravilha triangular — Em sua quina mais afilada, o Flatiron Building tem apenas 2m de largura.

oferece novidades como piso emborrachado, um reluzente domo metálico prateado para escaladas e uma futurista xícara de chá rodopiante.

4 Theodore Roosevelt Birthplace

Criança frágil e grande presidente

Provavelmente a personalidade mais pitoresca que ocupou a Casa Branca, Theodore Roosevelt Jr. era vice-presidente quando o presidente William McKinley foi assassinado em 1901. Assim, aos 42 anos, ele se tornou o 26º presidente e o mais jovem até então. Chamado de Teddy pela família e a nação, Roosevelt era um grande historiador, pacifista – ganhou o Prêmio Nobel da Paz por intermediar a paz entre o Japão e a Rússia em 1905 –, escritor prolífico, amante da natureza, preservacionista e muito ligado à família. Foi ainda o único presidente dos EUA procedente de Nova York.

Roosevelt nasceu na casa nº 28 da East 20th Street em 27 de outubro de 1858, onde morou até os 14 anos. Como tinha saúde frágil, recebeu educação formal em casa. O local histórico do nascimento que se vê atualmente não é o prédio original dos Roosevelt, que foi demolido em 1916. Porém, com a morte de Roosevelt em 1919, suas irmãs e sua esposa compraram o terreno e reconstruíram a casa em homenagem a Teddy, decorando-a com objetos e móveis da residência original. A casa reconstruída tem cinco salas de época, duas galerias – uma das quais expõe charges de Roosevelt, dando um tom divertido à visita – e uma livraria.

Para relaxar

Ande várias quadras para o norte até o **Madison Square Park** (10 Madison Ave, 10010; 212 538 1884). Esse parque verdejante tem uma fonte, numerosas trilhas amplas para caminhadas e um ótimo playground na ponta norte, com aspersores de água no verão.

Informações

- **Mapa** 9 A6
- **Endereço** 28 East 20th St, entre Broadway e Park Ave South
- **Metrô** L, N, Q, R, 4, 5 e 6 p/ 14th St-Union Sq; N, R e 6 p/ 23rd St **Ônibus** M1-M3, M5 e M23
- **Aberto** 9h-17h ter-sáb
- **Preço** Grátis
- **Passeios guiados** Visitas aos cômodos, 30min; passeios de 1h saem das 10h-16h (exceto 12h)
- **Idade** Livre
- **Duração** 1h
- **Cadeira de rodas** Não
- **Comida e bebida** *Lanches* Dogmatic (26 East 17th St, 10003; 212 414 0600) tem cachorro-quente de frango, porco e carneiro, além da versão vegetariana de aspargo, com várias opções de molho. *Refeição* Republic (37 Union Sq West, 10003; 212 627 7172) serve comida do Sudeste Asiático, incluindo frutos do mar, noodle soups e tigelas de arroz.
- **Banheiros** No 1º andar

URSINHO DE PELÚCIA

O ursinho de pelúcia (*teddy bear*, em inglês) foi inventado em homenagem a Teddy Roosevelt, que certa vez se recusou a atirar em um urso que seu ajudante de caça amarrara a uma árvore. Ao ver uma charge sobre o episódio, um fabricante de brinquedos do Brooklyn obteve permissão do presidente para usar seu nome.

Pets aos montes

Ao se instalar na Casa Branca, Teddy Roosevelt e família levaram um pônei chamado Algonquin, um pequeno urso chamado Jonathan Edwards, cinco porquinhos-da-índia, uma arara azul, um porco, um texugo, um galo, uma galinha, uma hiena, uma coruja e um coelho.

Respostas: 1 Avenidas A, B, C e D. **2** Roosevelt não foi eleito – ele assumiu a presidência devido à morte do titular anterior. **3** Flatiron Building.

Piquenique até US$20; **Lanches** US$20-35; **Refeição** US$35-70; **Para a família** mais de US$70 (base para 4 pessoas)

High Line e Meatpacking District

Outrora uma espécie de terra de ninguém, o Meatpacking District e o West Chelsea agora abrigam as melhores galerias de arte de Manhattan. A área também tem clubes badalados, bares chiques e hotéis-butique, muito frequentados por nova-iorquinos em busca de diversão. A abertura da High Line, um parque elevado ao longo de uma antiga linha férrea, aumentou o poder de atração dessa parte da cidade. Há nove pontos de acesso à High Line entre Gansevoort Street e West 30th Street.

Downtown
- The High Line
- Greenwich Village p. 78
- Tenement Museum p. 70
- South Street Seaport p. 64
- Estátua da Liberdade p. 56

Bancos ao longo da High Line convidam ao relaxamento

Informações

Metrô A, C, E e L p/ 14th St-Eighth Ave; 1, 2 e 3 p/ 14th St **Ônibus** M11, M14, M20, M23 e M34

Informação turística NYC & Company, 810 Seventh Ave, 10019; 212 484 1222. Para informação sobre a High Line ligue 212 500 6035 ou acesse www.thehighline.org.

Supermercado Western Beef, 431 West 16th St, entre Ninth Ave e Tenth Ave, 10011; 212 924 1401
Mercados Abingdon Square Greenmarket, Hudson St, entre Eighth Ave e West 12th St, 10014; 8h-14h sáb o ano inteiro. Chelsea Market, 75 Ninth Ave, entre 15th St e 16th St, 10011; 7h-21h seg-sáb, 8h-20h dom.

Farmácia CVS/pharmacy, 272 Eighth Ave com 24th St, 10011; 212 255 2592; 8h-22h seg-sex, 9h-18h sáb e dom

Playgrounds Hudson River Park, Pier 51 com Hudson River, perto da Jane St, 10014 (p. 86). Chelsea Park, Ninth Ave e Tenth Ave, entre West 27th St e West 28th St, 10001. Chelsea Waterside Park, West 23rd St, 10011.

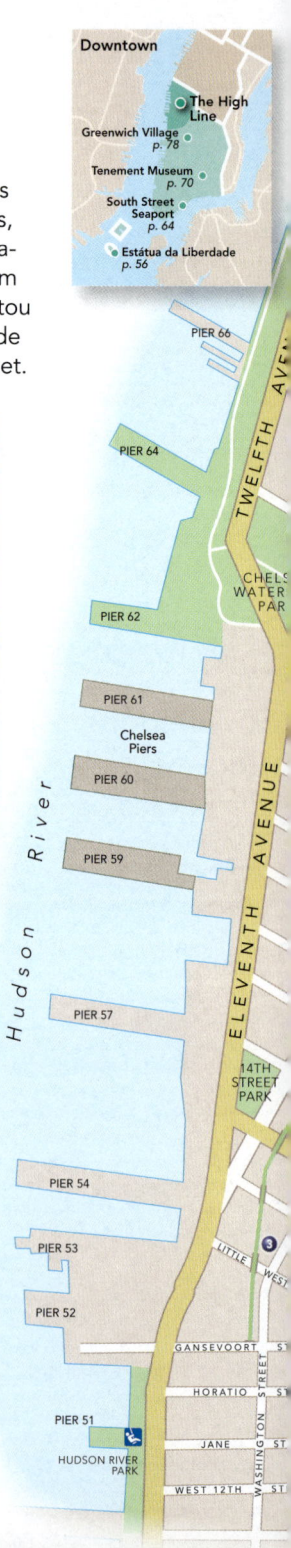

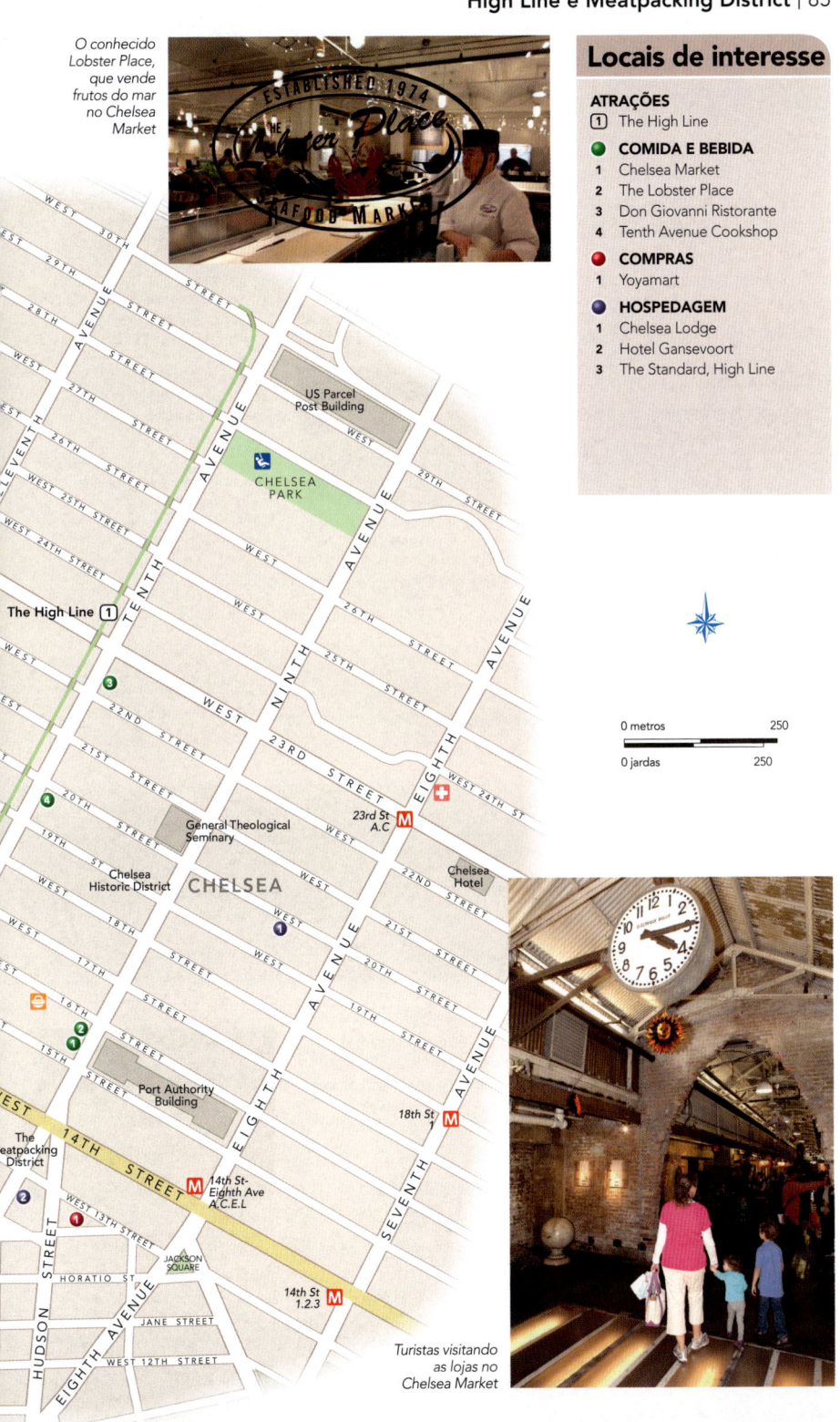

High Line e Meatpacking District | 85

O conhecido Lobster Place, que vende frutos do mar no Chelsea Market

Locais de interesse

ATRAÇÕES
1. The High Line

● **COMIDA E BEBIDA**
1. Chelsea Market
2. The Lobster Place
3. Don Giovanni Ristorante
4. Tenth Avenue Cookshop

● **COMPRAS**
1. Yoyamart

● **HOSPEDAGEM**
1. Chelsea Lodge
2. Hotel Gansevoort
3. The Standard, High Line

0 metros 250
0 jardas 250

Turistas visitando as lojas no Chelsea Market

① High Line
Um parque perto do céu

Ex-linha férrea de carga que transportava produtos para o distrito industrial da cidade, esse trecho ficou abandonado por quase 30 anos, sendo tomado pelo mato. No final dos anos 1990, quando seus proprietários resolveram demolir a ferrovia, dois moradores de Chelsea, Joshua David e Robert Hammond, fizeram uma campanha para transformá-lo em parque público. Seu sonho foi realizado quando a prefeitura concordou em financiar o projeto. As obras começaram em 2006 e a High Line foi inaugurada em 2009.

O parque elevado High Line é um espaço público bem original

Destaques

① **Gansevoort Woodland** Na entrada da Gansevoort Street, onde a High Line foi interrompida depois da demolição da parte sul, há um agrupamento denso de bétulas cinzentas.

② **Diller-von Furstenberg Sundeck** Esse espaçoso deque solar é dotado de muitos bancos e espreguiçadeiras.

③ **Tenth Avenue Square** Os bancos nessa espécie de anfiteatro ao ar livre são voltados para a Tenth Avenue, transformando a rua em um espetáculo marcado pelo dinamismo.

④ **Lawn** Esse gramado de 455m² é o único lugar ao longo da High Line no qual as pessoas podem se sentar na grama.

⑤ **Philip A. and Lisa Maria Falcone Flyover** Cerca de 3m acima da superfície da High Line, uma via elevada conduz ao dossel de um bosque cujo solo é coberto de musgos e gramíneas.

Enfeites de Halloween nos corredores do Chelsea Market

Para relaxar

O **Hudson River Park Playground** (Pier 51 no rio Hudson, perto da Jane St, 10014) tem várias atrações para as crianças, a exemplo da fonte gigantesca que elas mesmas podem controlar. Na **Waterfront Bicycle Shop** (391 West St, entre Christopher St e West 10th St) você pode alugar bicicletas para um passeio ao longo do rio Hudson.

Comida e bebida

Piquenique: até US$20; Lanches: US$20-35; Refeição: US$35-70; Para a família: mais de US$70 (base para 4 pessoas)

PIQUENIQUE Chelsea Market (75 Ninth Ave, entre 15th St e 16th St, 10011; www.chelseamarket.com) é um dos tesouros culinários da cidade. Compre uma baguete na Amy's Bread e frios na Buon Italia, e faça um piquenique na High Line.
LANCHES The Lobster Place (Chelsea Market, 10011; 212 255 5672; www.lobsterplace.com) oferece sushis e ótima sopa de mariscos.

Lagostas frescas à venda no Lobster Place, Chelsea Market

Preços para família de 4 pessoas

High Line e Meatpacking District | 87

Informações

- **Mapa** 3 C1
- **Endereço** Gansevoort St sentido 30th St, entre 10th e 11th Ave; www.thehighline.org
- **Metrô** A, C e E p/ 14th St; L p/ Eighth Ave; 1, 2 e 3 p/ 14th St e Seventh Ave; pontos de acesso na Gansevoort St, 14th St, 16th St, 18th St e 20th St, 23rd St, 26th St, 28th St e 30th St **Ônibus** M11, M14, M23 e M34
- **Aberto** 7h-23h diariam; entrada até as 22h45
- **Preço** Grátis
- **Para evitar fila** Chegue o mais cedo possível de manhã, ou vá no final da tarde ou à noite
- **Idade** Livre
- **Atividades** Para calendário de programas sobre história e arte, consulte o site
- **Duração** 1-2h
- **Cadeira de rodas** Sim
- **Café** Compre comida ou bebida na seção da High Line entre a West 15th e a West 16th (dependendo da época do ano)
- **Loja** West 16th St (sazonalmente); há uma loja on-line no site
- **Banheiros** No ponto de acesso da 16th Street

Bom para a família
A High Line oferece uma visão totalmente diferente dos bairros históricos a seu redor, o que diverte tanto crianças quanto adultos.

CRIANÇADA!

Fique de olho
1 Dê uma olhada no alto dos edifícios ao redor da High Line e repare em algumas estruturas antigas de madeira nos telhados. Qual é a finalidade delas?
2 Observando o rio Hudson, você vê terra no outro lado. Ela é parte de Nova York? E como se chama?
3 Você sabe qual foi a última entrega feita pela linha férrea que havia na High Line?

Respostas no fim do quadro.

Ponte férrea A ponte de cavaletes de aço de 9m de altura foi desgastada, impermeabilizada, aterrada e depois revestida com pranchas de concreto a fim de formar a passarela. Todos os trilhos foram tirados e alguns recolocados nos lugares originais para se harmonizar com a vegetação.

Vegetação Diversas gramíneas de pradarias, flores silvestres e árvores foram plantadas para imitar a paisagem que se criou aqui nos 30 anos de abandono da linha férrea.

REFEIÇÃO Don Giovanni Ristorante (214 Tenth Ave, entre 22nd St e 23rd St, 10011; 212 242 9054) é um lugar aconchegante com pizzas, massas e entradas de galinha.
PARA A FAMÍLIA Tenth Avenue Cookshop (156 Tenth Ave, 10011; www.cookshopny.com) serve cozinha americana à base de ingredientes sazonais, com toque mediterrâneo.

Compras
Vá à **Yoyamart** (15 Gansevoort St, 10014; 212 242 5511; www.yoyamart.com) para comprar sapatos, roupas (6-12 anos) e brinquedos.

Saiba mais
INTERNET O site www.thehighline.org mostra a história da High Line e informa sobre eventos – de apresentações de dança e leituras de poesia a observação de estrelas, caça a insetos e oficinas de arte.

Próxima parada...
CHELSEA PIERS Esse complexo esportivo (Piers 59-61, 10011; www.chelseapiers.com) tem cancha coberta de boliche e rinque de patinação no gelo. A estrutura sazonal ao ar livre inclui um campo de golfe e aluguel de tacos de beisebol.

GÊMEA PARISIENSE
Nova York não é a única cidade que tem uma High Line. Em 2000 o parque elevado Promenade Plantée foi inaugurado em um viaduto abandonado em Paris.

Dupla finalidade
A High Line foi originalmente construída para que os trens de carga entrando na cidade pelo West Side não cruzassem com pessoas e veículos na rua. Outra vantagem para donos de estabelecimentos no Meatpacking District foi a queda no índice de roubos, pois os trens entregavam mercadorias diretamente nas áreas de armazenagem no 2º andar.

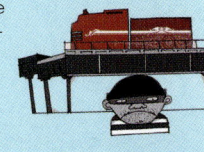

Respostas: 1 Elas eram torres que armazenavam água e criavam pressão para que esta fosse usada pelos moradores do edifício. **2** Não, trata-se de outro estado, cujo nome é Nova Jersey. **3** Três carregamentos de peru congelado.

CHER IN EVERY ART
D TO MORTAL A MEA

Midtown

Midtown é uma região bem típica de Manhattan, com arranha-céus imponentes (como os edifícios Chrysler e Empire State), as luzes faiscantes da Times Square e a histórica Grand Central Station. Tem também variadas atrações e atividades adequadas para crianças, desde o Rockefeller Center e o velho carrossel no arborizado Bryant Park até a subida no topo do edifício mais alto de Nova York.

Principais atrações

Empire State Building
Pegue o elevador ultraveloz até o topo do arranha-céu mais famoso do mundo e aprecie a cidade iluminada abaixo (pp. 94-5).

Grand Central Terminal
Visite a estação de trem mais conhecida da cidade e observe sua magnífica arquitetura do início do século XX (pp. 100-1).

New York Public Library
Examine o imenso acervo de livros e manuscritos de uma das instituições mais queridas da cidade (p. 102).

Museum of Modern Art
Admire a maior coleção do mundo de arte e escultura modernas no edifício contemporâneo do MoMA (pp. 106-7).

Rockefeller Center
Confira as famosas atrações e obras de arte do centro. No inverno, sua árvore de Natal altíssima e o cintilante rinque de patinação no gelo encantam as crianças (pp. 112-3).

Times Square
Explore esta praça vibrante, com placas de néon faiscantes e animados restaurantes e lojas (pp. 118-9).

À esq. *Patinação no gelo diante da estátua dourada do deus mítico Prometeu, Rockefeller Center*
Acima, à esq. *Sala de Leitura na New York Public Library*

O Melhor de
Midtown

Midtown oferece o que há de mais clássico em Manhattan: edifícios altos, museus formidáveis, parques urbanos encantadores, estações de trem agitadas e a fascinante Times Square. Há ótimos programas para crianças, como ir de elevador até o Top of the Rock no Rockefeller Center, folhear livros infantis na New York Public Library e andar pelos corredores coloridos de lojas de brinquedos como a FAO Schwarz e a Toys"R" Us.

Maravilhas arquitetônicas

Midtown abriga ótimos exemplos da famosa arquitetura de Nova York, incluindo o **Empire State Building** (pp. 94-5), o arranha-céu mais alto da cidade, que tem até seu próprio código postal. Elevadores de alta velocidade levam os visitantes até o topo, de onde há vistas maravilhosas de 360 graus. Menos alto, mas também impressionante, o **Grand Central Terminal** (pp. 100-1) é uma obra-prima de arquitetura do início do século XX. Um dos eixos de transporte mais movimentados de Nova York, a bela estação também exibe um elegante teto com constelações de estrelas e um relógio de quatro faces que se destaca no saguão. Outro marco famoso, o **Rockefeller Center** (pp. 112-3), em estilo art déco, tem uma arejada esplanada pública e o **Top of the Rock** (p.112), um dos melhores mirantes com vistas aéreas da cidade.

Meca de compras

Midtown é repleta de estabelecimentos de alta categoria, incluindo várias das melhores lojas de brinquedos de Nova York. Entre em outro mundo na **FAO Schwarz** (p. 109), onde doces nas cores do arco-íris, enormes animais de pelúcia e jogos de tabuleiro de todos os tipos ficam expostos. No **Rockefeller Center**, a imensa LEGO Store encanta a garotada com seus produtos inovadores, áreas lúdicas e eventos. Fãs de videogames frequentam o **Nintendo World** (p. 114) para testar os jogos mais recentes e tam-

Abaixo Vista da Brooklyn Bridge e de Midtown ao anoitecer

Acima Lojas e placas de néon em rua movimentada, Times Square **Centro** Crianças na colorida roda-gigante da Toys"R"Us **Abaixo** Fila para peça no New Victory Theater, Times Square

bém alguns clássicos. A Macy's é a mais reluzente das lojas na **Herald Square** *(p. 97)*, ao passo que a **Times Square** *(pp. 118-9)* também é cercada por lanchonetes e lojas ao gosto das crianças, incluindo a Toys"R"Us e a Disney Store.

Arte para valer

A cena artística em Midtown é capitaneada pelo excelente **Museum of Modern Art (MoMA)** *(pp. 106-7)*. Seu acervo conta com várias pinturas célebres, desde *Les Demoiselles d'Avignon*, de Picasso, até *Noite estrelada*, de Vincent van Gogh, e o atraente edifício contém galerias com claraboias e um jardim de esculturas ao ar livre. O pequeno **Morgan Library and Museum** *(p. 96)* é um dos melhores museus da cidade e expõe manuscritos raros e clássicos da literatura infantil. Também nesse bairro, a **New York Public Library** *(p. 102)* fica em um esplêndido edifício beaux-arts e é um ótimo programa em dias chuvosos.

Teatro e TV

Midtown também tem atrações como teatro e TV. Veja alguma peça no **New Victory Theater** *(p. 118)*, o principal teatro voltado a crianças, ou vá ao **Paley Center for Media** *(p. 115)* para assistir a seus programas de TV favoritos. Visite os modernos estúdios de TV da **NBC** *(p. 113)* no **Rockefeller Center** ou pose para uma foto diante da fachada marcante do **Radio City Music Hall** *(p. 112)*, que tem um dos shows de dança de maior sucesso em Nova York, a cargo das belas Rockettes.

92 | Midtown
Empire State Building e arredores

Como o Empire State Building é uma das maiores atrações de Nova York, essa área fica lotada de turistas diariamente, sobretudo nas ruas em torno do arranha-céu. O local também é repleto de lojas que atraem nova-iorquinos e turistas em peso. Essa parte de Midtown é ligada por metrô ao resto da cidade: desça na estação da 34th Street e explore a área a pé. Se possível, venha no início da tarde, após o almoço, ou no começo da noite, quando as multidões são menores.

Midtown
Rockefeller Center p. 110
MoMA p. 104
Times Square p. 116
Grand Central Terminal p. 98
Empire State Building

Informações

Metrô B, D, F, M, N, Q e R p/ 34th St-Herald Sq
Ônibus M1-5, M16, M34 e Q32; www.mta.info

Informação turística Times Square Visitor Center, 1560 Broadway, entre 46th St e 47th St, 10036; 212 452 5283; www.timessquarenyc.org; 8h-20h diariam

Supermercado D'Agostino 578 Third Ave, 10016; 212 972 4892

Mercados Várias feiras de rua durante o ano, com vendas de alimentos e artesanato

Festivais Saint Patrick's Day Parade (mar), Columbus Day Parade (out), Macy's Thanksgiving Day Parade (nov)

Farmácia Duane Reade, 1350 Broadway, 10018; 212 695 6346; 8h-22h seg-sex, 9h-19h sáb, 10h-17h dom

Playgrounds Madison Square Park, entre Madison Ave e 23rd St, 10010

Artigos para casa na loja Scandinavia

Empire State Building e arredores | 93

Vista do Empire State Building a partir do rio East

Locais de interesse

ATRAÇÕES
1. Empire State Building
2. Scandinavia House
3. The Morgan Library and Museum
4. Herald Square

● COMIDA E BEBIDA
1. 'wichcraft
2. Shake Shack
3. Circa
4. Heartland Brewery
5. El Rio Grande
6. 2nd Avenue Deli
7. Macy's Cellar Bar & Grill
8. Keens Steakhouse

Veja também Scandinavia House (p. 96) e The Morgan Library and Museum (p. 96)

● COMPRAS
1. Manhattan Mall
2. Macy's

● HOSPEDAGEM
1. 70 Park Avenue Hotel
2. Affinia Dumont
3. Affinia Manhattan
4. Affinia Shelburne
5. Carlton Arms
6. DoubleTree Hotel New York City – Chelsea
7. Eventi
8. Gershwin Hotel
9. Hotel Giraffe
10. King & Grove
11. Hotel Metro
12. NYMA, the New York Manhattan Hotel
13. Ramada Eastside
14. Residence Inn by Marriott
15. The Mave

Shrek no desfile da Macy's no Dia de Ação de Graças

① Empire State Building
Nas alturas

Com 102 andares e 443m de altura, o Empire State Building é o maior arranha-céu de Nova York. Construído em 1931, era na época o edifício mais alto do mundo e só perdeu esse título na década de 1970. A subida no elevador de alta velocidade até o deque de observação é tão memorável quanto a vista panorâmica que se tem na chegada, especialmente à noite, com luzes cintilando para todo lado. Em dias límpidos, é possível ver até os estados de Nova Jersey, Pensilvânia, Connecticut, Massachusetts e Nova York.

Destaques

Skyline de Manhattan Do East River State Park descortina-se uma das melhores vistas do arranha-céu mais famoso da cidade.

Mastro de amarração de 62m de altura Projetado para orientar aviões, hoje transmite sinais de rádio e TV.

Iluminação colorida Leds na torre, na altura do 30º andar, marcam dias especiais; no Natal emitem luzes vermelhas e verdes.

Deque de observação

Informações

- **Mapa** 8 H3
  Endereço 350 Fifth Ave, 10118; 212 736 3100; www.esbnyc.com
- **Metrô** B, D, F, M, N, Q e R p/ 34th St-Herald Sq **Ônibus** M4, M16, M34 e Q32
- **Aberto** 8h-14h diariam; último elevador à 1h15
- **Preço** $88-98; até 5 anos, grátis; com o Express Pass o visitante não pega filas (mais detalhes no site)
- **Para evitar fila** Os melhores horários de visita são de manhã bem cedo, no meio da tarde ou após a meia-noite
- **Passeios guiados** New York Skyride é um voo simulado de 30min sobre os marcos da cidade; 8h-22h diariam; adultos $29; até 13 anos $19; 212 279 9371; www.skyride.com
- **Idade** A partir de 5 anos
- **Duração** 2h
- **Cadeira de rodas** Sim
- **Café** The Empire Room e Starbucks no lobby
- **Banheiros** No deque principal

Bom para a família As viagens de elevador e as vistas incríveis fazem desta uma experiência memorável.

Preços para família de 4 pessoas

Deque de observação No observatório do 86º andar, aprecie vistas fantásticas de Manhattan, que cobrem desde o Chrysler Building até o Rockefeller Center.

Elevadores ultravelozes Vão ao topo a uma velocidade de até 305m por minuto.

Janelas Painéis de alumínio cercam as 6.500 janelas.

Alvenaria Dez milhões de tijolos foram usados para erguer todo o edifício.

Mural no saguão O saguão principal tem um relevo art déco em aço, alumínio e lâminas de ouro mostrando o Empire State.

Entrada

Empire State Building e arredores | 95

Para relaxar

A uma caminhada de 10 minutos do Empire State Building, o **Madison Square Park** *(p. 83)* é ótimo para relaxar. Essa área bem arborizada tem muitos bancos e espaço para as crianças brincarem. A seguir, tome um sorvete cremoso na **Eataly** *(200 Fifth Ave, 10010; www.eatalyny.com; 10h-23h diariam)*.

Turistas no Shake Shack, um conhecido café no Madison Square Park

Comida e bebida

Piquenique: até US$20; Lanches: US$20-35; Refeição: US$35-70; Para a família: mais de US$70 (base para 4 pessoas)

PIQUENIQUE 'wichcraft *(11 East 20th St, entre Fifth Ave e Broadway, 10003; 212 780 0577; www.wichcraftnyc.com)* oferece sanduíches reforçados que podem ser saboreados ao ar livre no Madison Square Park, nas imediações.
LANCHES Shake Shack *(Canto sudeste do Madison Square Park, perto da Madison Ave e East 23rd St, 10010; 212 889 6600; www.shakeshack.com)* tem mesas sombreadas ao ar livre. Serve hambúrgueres suculentos e baratos e deliciosos pudins de sobremesa.
REFEIÇÃO Circa *(22 West 33rd St, 10001; 212 244 3730; www.circa-ny.com; fechado dom)* tem desde paninis e massas até sushis, saladas e sopas.
PARA A FAMÍLIA Heartland Brewery *(350 Fifth Ave com 34th St, 10003; 212 563 3433; www.heartlandbrewery.com;11h-21h30dom-ter, até 22h15 qua-sáb)* é um restaurante e cervejaria que oferece canecas de cerveja, filés, bolo de caranguejo do Maine e linguini com molho de camarão.

O interior aconchegante com piso de madeira da Heartland Brewery

Compras

O **Manhattan Mall** *(100W Broadway com 33rd St, 10001; 212 465 0500; www.manhattanmallny.com; 9h-21h30 seg-sáb, 10h-20h30 dom)* tem várias lojas, incluindo JCPenny, Hallmark, Gamestop, Toys"R"Us e outras de artigos de couro. A **Macy's** *(151 West 34th St, entre Broadway e Seventh Ave; www.macys.com)* é uma das maiores lojas do mundo, e seus dez andares têm desde comida e brinquedos até roupas e joias.

Saiba mais

INTERNET O site oficial do Empire State, *www.esbnyc.com*, tem uma seção infantil com páginas para imprimir e depois colorir.
FILMES Veja um momento célebre do cinema quando o gorila gigante escapa de seus perseguidores e sobe até o topo do Empire State em *King Kong* (1933). Aventure-se pelo mundo, incluindo o Empire State Building, com o filme juvenil *Percy Jackson e o Ladrão de Raios* (2010).

Arcos em níveis com janelas triangulares no Chrysler Building

Próxima parada...

NAS ALTURAS Para mais vistas memoráveis, vá ao **Rockefeller Center** *(pp. 110-1)*, onde há um panorama de 360 graus de Nova York. Visite o **Chrysler Building** *(405 Lexington Ave, 10174)* e admire sua torre, parecida com a grade de um radiador de carro. As gárgulas do edifício foram desenhadas para evocar enfeites no capô de um Chrysler Plymouth de 1929. Vá depois ao **Grand Central Terminal** *(pp. 100-1)*.

CRIANÇADA!

Fique de olho

1 Veja o Empire State Building, onde um gorila enfrentou aviões do exército em um filme famoso de 1933. Qual é o nome desse gorila gigante?
2 Tente contar os andares e descobrir em qual deles fica o deque de observação.
3 Você consegue adivinhar quantos são os degraus até o topo do Empire State Building?
4 Você sabe quantas janelas o Empire State Building tem?
5 Quantos estados são avistados do topo do Empire State Building? Qual é o nome deles?

Respostas no fim do quadro.

CORRIDA ATÉ O TOPO

Realizada desde 1978, a Empire State Building Run-Up é uma corrida anual a pé desde o piso térreo até o deque de observação no 86º andar. O recorde foi de 9 minutos e 33 segundos!

Ataques de raios

O Empire State Building serve de para-raios natural para seu entorno. Ele é atingido por raios cerca de cem vezes por ano. O deque de observação fica fechado durante tempestades.

Respostas: 1 King Kong. **2** No 86º andar. **3** Há 1.860 degraus do piso térreo até o 102º andar. **4** 6.500. **5** Cinco: Nova Jersey, Nova York, Pensilvânia, Connecticut e Massachusetts.

② Scandinavia House
LEGO, contos de fadas e duendes

Uma fileira de bandeiras nórdicas – de Dinamarca, Suécia, Islândia, Noruega e Finlândia – marca a Scandinavia House. O interior aconchegante parece feito sob medida para crianças. Olhe para o alto e repare nas famosas "luminárias alcachofra". Como muitas criações escandinavas, seu design prima pelo despojamento e praticidade, a exemplo do produto de exportação mais famoso da Dinamarca – os bloquinhos de plástico em cores primárias da LEGO. As crianças podem brincar com eles em uma sala na qual também há hora reservada para narração de histórias de Hans Christian Andersen.

A Scandinavia House fica ainda mais bela no Natal, decorada com fitas vermelhas, verdes e douradas, flocos de neve e divertidos *nissar* (duendes) de capuz vermelho, volta e meia vistos na loja de presentes.

Para relaxar
Sente-se sob árvores frondosas e observe o movimento no **Madison Square Park** *(p. 83)* cujo playground tem jogos e atividades para crianças.

Informações
- **Mapa** 9 B2
- **Endereço** 58 Park Ave, 10016; 212 779 3587; www.scandinaviahouse.org
- **Metrô** 6 p/ 33rd St **Ônibus** M1-M4, M16, M34, M101-M103
- **Aberto** 11h-22h seg-sáb, 11h-17h dom; Children's Center: 12h-17h sáb, galerias de exposição: 12h-18h ter-sáb
- **Preço** Grátis; Children's Center $15
- **Idade** A partir de 4 anos
- **Atividades** Narração de histórias no Children's Center, em geral nas manhãs de sáb; brincadeiras para bebês nas manhãs de ter e qua
- **Duração** 1h
- **Cadeira de rodas** Sim
- **Comida e bebida** *Piquenique* El Rio Grande *(160 East 38th St, entre Lexington e Third Ave, 10016; 212 867 0902)* serve comida do México e EUA. *Refeição* Smörgås Chef (no local) tem suculentas almôndegas suecas, salmão fresco e deliciosa pastelaria holandesa.
- **Banheiros** No nível B

O pé-direito alto do gabinete de J. P. Morgan na Morgan Library

③ The Morgan Library and Museum
Encontre o Chapeleiro Maluco

O lendário banqueiro Pierpont Morgan (1837-1913) fundou o Morgan Library and Museum para expor sua coleção rara de 10 mil desenhos, manuscritos, livros com iluminuras e sinetes antigos. Entre as peças estão alguns dos exemplos mais antigos de escrita do mundo, incluindo tabuletas, sinetes e fragmentos de papiro do Egito e do Oriente Próximo. Fique de olho nos manuscritos originais de muitos livros infantis famosos, incluindo *The Story of Babar the Little Elephant*, e nos desenhos encantadores de *Alice no País das Maravilhas*. Há também as célebres Bíblias de Gutenberg (o museu tem três das onze originais que restam), desenhos de Rembrandt e Degas, partituras originais de Beethoven e manuscritos de Dickens. Igualmente impressionante é o átrio de vidro e aço da biblioteca.

Para relaxar
Descubra uma joia oculta em plena Manhattan nos nºs 150-158 da East 36th Street. Esse pátio charmoso com dez casas em estilo românico dos anos 1850 faz você retornar ao passado.

Informações
- **Mapa** 9 A2
- **Endereço** 225 Madison Ave, 10016; 212 685 0008; www.themorgan.org
- **Metrô** 6 p/ 33rd St **Ônibus** M1-M5, cruzam a cidade M16, M34
- **Aberto** 10h30-17h ter-qui, 10h30-21h sex, 10h-18h sáb e 11h-18h dom
- **Preço** $50-60; grátis até 12 anos; grátis sex (19h-21h)
- **Para evitar fila** Ingressos podem ser comprados on-line, mas raramente há fila para entrar
- **Passeios guiados** Visitas com áudio incluídas no ingresso; passeios e exibições extras
- **Idade** A partir de 6 anos
- **Atividades** Eventos ocasionais para crianças. Passeio de carrinho para pais com bebês
- **Duração** 2h
- **Cadeira de rodas** Sim
- **Comida e bebida** *Lanches* 2nd Avenue Deli *(162 East 33rd St, 10016; 212 689 9000)* oferece sanduíches de pastrami e de carne bovina e salada de batata. *Refeição* Morgan Café (no pátio central) tem sanduíches e doces.
- **Banheiros** No térreo

Sala com blocos da LEGO no Children's Center, Scandinavia House

Preços para família de 4 pessoas

Empire State Building e arredores | 97

Balão de hélio de Snoopy, desfile da Macy's no Dia de Ação de Graças

④ Herald Square
Consumoterapia

Uma caminhada em torno dessa praça agitada revela que ela é de fato triangular. A Herald Square tem esse nome devido ao famoso jornal *The New York Herald*, que teve sede aqui de 1894 a 1921, e um elemento da época continua presente – o relógio histórico do edifício do Herald, que agora está no cruzamento da Broadway com a Sixth Avenue.

Hoje em dia, a praça apresenta uma mescla animada de multidões, táxis barulhentos e lojas. A soberana da praça é a Macy's *(151 West 34th St, 10001)*, a maior loja de departamentos do mundo, onde consumidores vasculham todas as alas atrás de sapatos, roupas, acessórios para casa, instrumentos como baterias e livros para colorir. Em novembro, o desfile da Macy's no Dia de Ação de Graças invade as ruas com imensos balões de hélio e bandas marchando.

Uma mescla vívida de bairros fica adjacente à Herald Square: Little Korea, nas ruas West 31st e 32nd, é repleta de lojas, hotéis e restaurantes coreanos. A Fashion Avenue é o trecho da Seventh Avenue, em torno da 34th Street, que marca o centro do distrito de confecções de Nova York. Abriga showrooms de moda, estilistas famosos e atacadistas.

Para relaxar
Escape das massas consumistas e vá para o **Greeley Square Park** *(Sixth Ave, entre West 32nd St e West 33rd St, 10001)*. Bem cuidado e arborizado, é um oásis em meio à agitação das ruas da cidade.

Informações

🌐 **Mapa** 8 G3
Endereço No cruzamento de 34th St, Broadway e Sixth Ave, 10001. Macy's: 212 695 4400; www.macys.com

🚇 **Metrô** B, D, F, M, N, Q, R p/ 34th St-Herald Square **Ônibus** M1-M5, M7, M16, M20 e M34

🕒 **Aberto** 9h-21h30 seg-sex, 10h-21h30 sáb, 11h-20h30 dom

💲 **Preço** Grátis

👥 **Para evitar fila** A Macy's – e toda a Herald Square – está sempre cheia de gente. Faça compras de manhã cedo ou no início da tarde para evitar multidões.

👶 **Idade** A partir de 4 anos

⏱ **Duração** 2h

☕ **Comida e bebida** *Lanches* Macy's Cellar Bar & Grill tem saladas frescas e bons hambúrgueres. *Refeição* Keens Steakhouse (72 West 36th St, 10018; 212 947 3636; www.keens.com) oferece suculentos bifes porterhouse, filé mignon e hambúrgueres.

🚻 **Banheiros** Em vários andares

Greeley Square Park, um retiro tranquilo para quem quer fugir das ruas agitadas

CRIANÇADA!
Descubra mais

1 Qual é o nome da maior loja de departamentos do mundo? Você sabe quantos andares ela tem?
2 A Macy's realiza um dos desfiles mais famosos da cidade no Dia de Ação de Graças. O que caracteriza esse desfile?
3 As bandeiras de cinco países nórdicos ficam na fachada da Scandinavia House. Você sabe quais são esses países?

Respostas no fim do quadro.

Textos preciosos
Veja o manuscrito original de outro famoso livro infantil, *O pequeno príncipe*, de Antoine de Saint-Exupéry, no Morgan Library and Museum.

FELINO FLUTUANTE
O primeiro desfile da Macy's no Dia de Ação de Graças foi em 1924 e tinha animais vivos. O primeiro balão em forma de animal – o Gato Félix – foi lançado em 1927.

Sempre pioneira
Em 1862, a Macy's foi a primeira loja nos EUA a ter um Papai Noel – e, desde então, o bom velhinho encanta a garotada todo Natal. As lojas de Nova York são famosas por suas vitrines maravilhosas, sobretudo as natalinas. Isso também se deve à Macy's, que lançou a ideia de vitrines em 1864.

Respostas: 1 Macy's; ela tem onze andares. **2** Os balões em forma de animais, os personagens e os carros alegóricos. **3** Suécia, Noruega, Islândia, Finlândia e Dinamarca.

Piquenique até US$20; **Lanches** US$20-35; **Refeição** US$35-70; **Para a família** mais de US$70 (base para 4 pessoas)

Grand Central Terminal e arredores

Agitado distrito comercial, Midtown Manhattan é invadido por um exército de funcionários de escritórios nos dias de semana, muitos deles vindos do Grand Central Terminal. Principal estação em Midtown, ela concentra várias linhas de metrô e trens de subúrbio. A área também conta com muitos ônibus, mas a maioria das atrações fica a pouca distância do terminal e pode ser explorada a pé. É melhor vir aqui à noite e nos fins de semana, quando as multidões diminuem bastante.

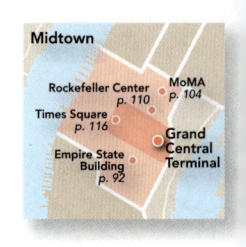

Midtown
Rockefeller Center p. 110
MoMA p. 104
Times Square p. 116
Empire State Building p. 92
Grand Central Terminal

Esculturas de Mercúrio, Hércules e Minerva, Grand Central Terminal

Locais de interesse

ATRAÇÕES
1. Grand Central Terminal
2. Library Way
3. New York Public Library
4. Bryant Park

COMIDA E BEBIDA
1. Grand Central Market
2. Magnolia Bakery
3. La Fonda del Sol
4. Oyster Bar & Restaurant
5. Sarabeth's
6. Café Zaiya
7. Hale & Hearty
8. DB Bistro Moderne
9. Bryant Park Café
10. Koi

COMPRAS
1. Grand Central Market
2. Kinokuniya Bookstore

HOSPEDAGEM
1. Affinia 50
2. Best Western Hospitality House
3. Kimberley Hotel
4. Library Hotel
5. Mansfield Hotel
6. Roger Smith Hotel
7. Room Mate Grace Hotel
8. The Alex Hotel
9. The International New York Barclay
10. The Muse Hotel
11. Waldorf Astoria

O arborizado Bryant Park, um espaço muito popular

Grand Central Terminal e arredores | 99

O restaurante Hale & Hearty na West 42nd Street

Informações

🚗 **Metrô** S, 4, 5, 6 e 7 p/ Grand Central-42nd St
Ônibus M1-M5, M42, M9, M101-M103 e Q32

ℹ️ **Informação turística** Times Square Visitor Center, 1560 Broadway, entre West 46th St e West 47th St, 10036; 212 452 528; www.timessquarenyc.org; 8h-20h diariam

🛒 **Supermercado** Grand Central Market, 89 East 42nd St, 10017
Mercado Zeytinz, 24 West 40th St, entre Fifth e Sixth Ave, 10018; 212 575 8080 7h-19h seg-sex, 8h-16h sáb

🎊 **Festival** Bryant Park Fall Festival (set)

➕ **Farmácias** Duane Reade, 1470 Broadway, 10036; 646 366 8047; 8h-22h seg-sex, 9h-18h sáb, 10h-17h dom. Duane Reade, 535 Fifth Ave, 10017; 212 687 8641; 8h-19h seg-sex

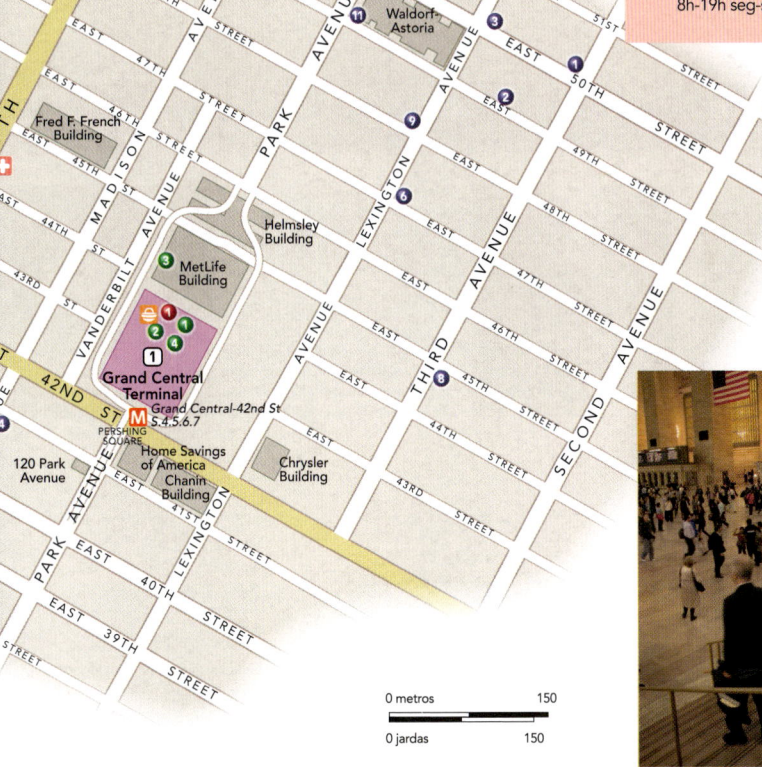

Trabalhadores apressados no vasto interior do Grand Central Terminal

① Grand Central Terminal
Todos a bordo!

A estação de trem mais famosa da cidade também é um de seus eixos de transporte mais movimentados. Basta perambular no terminal fervilhante para entender o que motivou a expressão "É tão agitado quanto a Grand Central!". Construída entre 1903 e 1913, a estação é conhecida tanto pela esplêndida arquitetura beaux-arts quanto pelas conexões de transporte. Observe as constelações de estrelas iluminando o teto abobadado e descubra passagens subterrâneas secretas entre os andares.

Estátua do magnata Cornelius Vanderbilt

Destaques

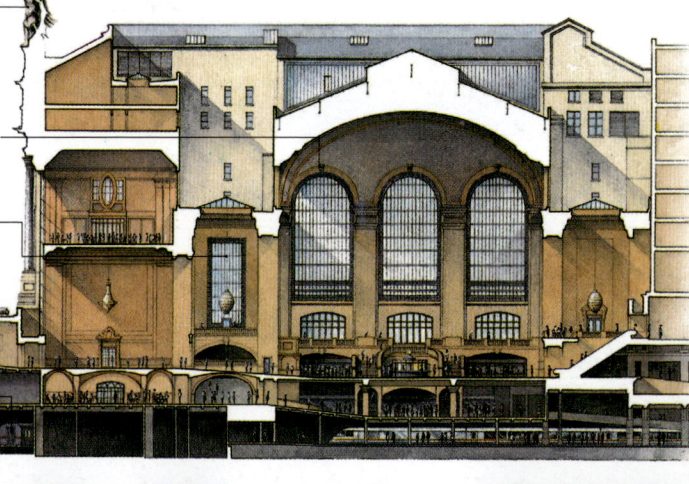

Estatuária A escultura de Mercúrio ladeada por Hércules e Minerva coroa a entrada principal.

Arcos imensos Três janelas em arco de 18m de altura se erguem acima das multidões.

Vanderbilt Hall Com o nome da família que construiu a estação, esse saguão é decorado com mármore rosa e lustres dourados.

Metrô

Teto celestial Mais de 2.500 estrelas folheadas a ouro formam conhecidas constelações, como essa, de Peixes.

Saguão principal Mais de meio milhão de pessoas, sobretudo trabalhadores, passa por aqui diariamente.

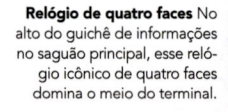

Relógio de quatro faces No alto do guichê de informações no saguão principal, esse relógio icônico de quatro faces domina o meio do terminal.

Informações

Mapa 9 B1
Endereço 89 42nd St, 10017; 212 532 4900; www.grandcentralterminal.com
Metrô S, 4, 5, 6 e 7 p/ Grand Central-42nd St **Ônibus** M1-M5
Aberto 5h30-2h diariam
Preço Grátis
Para evitar fila Venha no fim da manhã ou no meio da tarde em dias úteis, de manhã cedo nos fins de semana ou sáb à noite

Passeios guiados Municipal Arts Society oferece passeios ($70-80) diariam 12h30; ingressos no guichê do saguão principal. Grand Central Partnership guia visitas a pé toda sex 12h30; partem do Sculpture Court no 120 Park Ave.
Idade A partir de 4 anos
Atividades Na Whispering Gallery (Galeria do Sussurro), no átrio inferior (perto do Oyster Bar & Restaurant), cochiche segredos a alguém no canto oposto da sala
Duração 1h
Cadeira de rodas Sim
Cafés No mercado e na praça de alimentação
Banheiros Perto dos restaurantes

Bom para a família
Passeios grátis e atrações como a Whispering Gallery fazem da Grand Central ótimo local para a família.

Preços para família de 4 pessoas

Grand Central Terminal e arredores

Para relaxar
Escape das multidões do Grand Central e vá para o **Bryant Park** (p. 103), onde há gramados bem verdes, bancos sombreados e um antigo carrossel.

Turistas em torno da fonte no Bryant Park, em dia de verão

Comida e bebida
Piquenique: até US$20; Lanches: US$20-35; Refeição: US$35-70; Para a família: mais de US$70 (base para 4 pessoas)

PIQUENIQUE Grand Central Market (Lexington Ave, 10017; 212 340 2583) tem grande variedade de excelentes lojas especializadas em comida. Compre pão ou *rugelach* (massa recheada) na **Zaro's Bakery**, frutas na **Eli Zabar's Farm to Table** e queijos na **Murray's Cheese**; depois, faça um piquenique no Bryant Park.
LANCHES Magnolia Bakery (Praça da Alimentação, Nível Inferior; 212 682 3588; www.magnoliabakery.com; 7h30-22h seg-sex, 9h-22h sáb, até 20h dom) é famosa pelos deliciosos cupcakes com cobertura amanteigada colorida e por outros doces americanos clássicos.

Oyster Bar & Restaurant, uma instituição local de frutos do mar

REFEIÇÃO La Fonda del Sol (MetLife Building, 44th St e Vanderbilt Ave, 10166; 212 867 6767; 11h30-15h, 15h-22h30 seg-sex e até 22h sáb) serve cozinha espanhola, desde tapas até pratos como camarão ao alho, tacos de atum e paella.
PARA A FAMÍLIA Oyster Bar & Restaurant (Nível Inferior, 212 490 6650; www.oysterbarny.com; 11h30-21h30 seg-sex, 12h-21h30 sáb), um dos restaurantes de frutos do mar mais conhecidos da cidade, tem mais de 30 variedades de ostra e quase a mesma quantidade de peixes.

Compras
O **Grand Central** (www.grandcentralterminal.com) tem lojas finas, sobretudo na Lexington Passage. A **Tia's Place** oferece acessórios e presentes criativos: bolsas encantadoras, joias, chapéus, lenços. **LaCrasia Gloves and Creative Accessories** vende luvas macias, chapéus, bolsas, lenços, sarongues e guarda-chuvas.

Pães frescos na Zaro's Bakery, Grand Central Market

Saiba mais
FILME O Grand Central apareceu em muitos filmes, incluindo *Madagascar* (2005) e *Super-Homem* (1978), no qual o vilão Lex Luthor tinha um esconderijo sob a estação.

Próxima parada...
NEW YORK TRANSIT MUSEUM
O anexo do New York Transit Museum (p. 199), perto da passagem de traslado do Grand Central, destaca mostras divertidas sobre a história do transporte na cidade, além de vender desde camisetas até ímãs com logotipos de empresas de transporte.

CRIANÇADA!

Descubra mais
1 O Grand Central Terminal é a estação de trem com mais plataformas do mundo. Você sabe quantas são?
2 Tique-taque: procure o famoso relógio de quatro faces no meio do saguão principal. Quais lados estão virados para o norte, o sul, o leste e o oeste?
3 O Grand Central não tem apenas trens. Olhe em volta: que tipos de transporte diferentes você vê?

Respostas no fim do quadro.

Perdeu algo?
O Grand Central tem um dos maiores departamentos de Achados e Perdidos do mundo, e 80% dos objetos são recuperados por seus donos.

COCHICHE UM SEGREDO
Sussurre com alguém que está no outro lado da sala! Ache a Whispering Gallery do terminal, fique de frente para um canto e cochiche algo. A pessoa no canto oposto ouvirá você claramente.

Buraco no céu
O famoso teto do Grand Central é coberto por constelações, mas um olhar mais atento revela um estranho buraco no meio das estrelas. Um foguete Redstone ficou exposto no terminal em 1957, mas, como era alto demais, sua ponta acabou perfurando o teto.

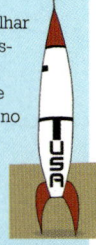

Respostas: 1 44 plataformas – e 67 trilhos de trem. **2** A face do relógio na direção da 42nd Street aponta para o norte e, com base nisso, você pode adivinhar o resto! **3** Metrô, ônibus, táxi e até bicicletas que servem de táxi.

Midtown

Os belos lustres no teto da New York Public Library

Vista interna do aconchegante Café Zaiya, Midtown Manhattan

② Library Way
A caminho dos leões

A East 41st Street foi transformada na "Library Way", um calçadão interessante que leva à New York Public Library. Seu chão tem 96 placas de bronze com citações famosas sobre literatura, a cargo de diversos escritores, como Dylan Thomas e Virginia Woolf. A rua é uma ótima introdução à biblioteca: comece pela extremidade e, enquanto caminha até a biblioteca, vá lendo as citações. A Library Way leva até os dois famosos leões sentados na entrada da biblioteca, cujos nomes são "Paciência" e "Força".

Se chover...
Vá ao **Algonquin Hotel** *(59 West 44th St, entre Fifth Ave e Sixth Ave; 212 840 6800; www.algonquin hotel.com; p. 246)* para conhecer a gata Matilda, que mora nesse suntuoso hotel em estilo eduardiano e costuma circular pelo saguão. Sente-se em um sofá confortável e peça um suco de laranja.

③ New York Public Library
A maior biblioteca do mundo

Com seus leões guardando a entrada e um labirinto de estantes abarrotadas de livros, a New York Public Library é uma das instituições mais importantes da cidade. Em um edifício beaux-arts, foi inaugurada em 1911. Comparáveis àquelas da Biblioteca do Congresso em Washington, DC, e à British Library em Londres, suas coleções incluem itens famosos, como a cópia do manuscrito de Thomas Jefferson da Declaração da Independência, clássicos de literatura infantil e primeiras edições.

Estão também à mostra os ursinhos Pooh originais que pertenciam a Christopher Robin Milne. Os brinquedos inspiraram seu pai, A. A. Milne, a escrever o famoso livro sobre o ursinho que adorava mel.

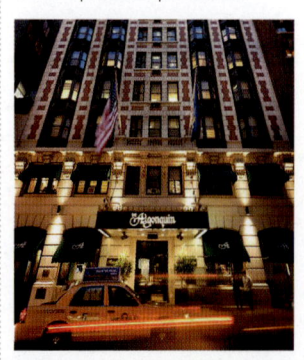

O colorido centro infantil da NYPL agrada todas as faixas etárias com uma variedade maravilhosa de livros, CDs de música, narração de histórias, peças de teatro e eventos como "Game On", quando as crianças brincam de Wii na biblioteca.

Para relaxar
Após as aventuras literárias na biblioteca, é hora de brincar ao ar livre no carrossel do **Bryant Park**

Informações
- **Mapa** 9 A1
- **Endereço** East 41st St, entre Park Ave South e Fifth Ave, 10018; 212 930 0800; www.nypl.org
- **Metrô** S, 4, 5, 6 e 7 p/ Grand Central-42nd St; 7 p/ Fifth Ave
- **Aberto** 24h diariam
- **Preço** Grátis
- **Idade** A partir de 4 anos
- **Duração** 30min
- **Comida e bebida** *Lanches* Sarabeth's *(424 Fifth Ave, 10018; 212 827 5068)* tem muffins, croissants, saladas e mais. *Refeição* Café Zaiya *(18 East 41st St, 10017; 212 779 0600)* oferece almoço japonês caixas de bentô e assados.
- **Banheiros** Não; você os encontra na New York Public Library, perto

Informações
- **Mapa** 8 H1
- **Endereço** Fifth Ave, entre 40th St e 42nd St, 10018; 212 340 0863; www.nypl.org
- **Metrô** B, D, F e M p/ 42nd St-Bryant Park; 7 p/ Fifth Ave
- **Aberto** 8h-23h seg-qui, 8h-20h sex, 10h-18h sáb-dom; fechada dom no verão; horários mudam conforme a época do ano
- **Preço** Grátis
- **Para evitar fila** Raramente há fila
- **Passeios guiados** de 1h, grátis; 11h e 14h seg-sáb, 14h dom
- **Idade** A partir de 4 anos
- **Atividades** Narração de histórias, eventos de arte, artesanato e cinema; mais informações no site
- **Duração** 1h30
- **Cadeira de rodas** Sim
- **Comida e bebida** *Lanches* Hale & Hearty *(49 West 42nd St, 10036; 212 575 9090)* serve sopas e sanduíches. *Refeição* DB Bistro Moderne *(55 West 44th St, 10036; 212 391 2400)* oferece sofisticada comida francesa.
- **Banheiros** Em vários andares

Entrada do Algonquin Hotel, um marco histórico na cidade

Preços para família de 4 pessoas

Grand Central Terminal e arredores | 103

(abaixo), atrás da biblioteca. Monte nos cavalinhos antigos e gire ao som de música francesa de cabaré.

④ Bryant Park
Cavalos voadores

O carrossel antigo é a grande atração infantil no Bryant Park, um dos espaços públicos mais charmosos em Midtown Manhattan. Elegante e bem cuidado, o parque tem gramados verdejantes, árvores esguias, calçadões gêmeos e caminhos com seixos e cadeiras dobráveis verdes.

Há também várias atividades divertidas para crianças, incluindo xadrez, pingue-pongue e, no inverno, patinação no gelo. No verão os frequentadores podem ter aulas matinais de dança e assistir a projeções de filmes no pôr do sol, em um telão ao ar livre que passa clássicos e atuais.

Acima *Livros em japonês e inglês à venda na Kinokuniya Bookstore*
Abaixo *O carrossel no Bryant Park*

Se chover...
Perambule por três andares com gibis japoneses (mangás), livros, bonecas, DVDs, bonecos de personagens e itens de papelaria como papéis para origami na encantadora **Kinokuniya Bookstore** *(1073 Sixth Ave; 212 869 1700; www.kinokuniya.com/us)*.

Informações

🌐 **Mapa** 8 G1
Endereço Atrás da New York Public Library, entre 40th St e 42nd St ou Fifth Ave e Sixth Ave, 10018; www.bryantpark.org

🚇 **Metrô** B, D, F e M p/ 42nd St-Bryant Park; 7 p/ Fifth Ave

🕐 **Aberto** Horários variam mensalmente e sazonalmente, verifique no site. O parque pode fechar aos domingos em dias de mau tempo.

💲 **Preço** Estacionamento grátis; patinação no gelo $56 (família de 4); carrossel $8; xadrez $12, 30min

👥 **Para evitar fila** Movimentado na hora do almoço; calmo no fim da manhã ou no meio da tarde

👧 **Idade** A partir de 3 anos

🎠 **Atividades** Carrossel, patinação no gelo e aulas de dança grátis

⏱ **Duração** 1h

🍴 **Comida e bebida** *Piquenique* Bryant Park Café *(42nd St, no lado do Upper Terrace, 10018; 212 921 3330)* tem saladas e sanduíches. *Para a família* Koi *(40 West 40th St, 10018; 212 642 2100; www.koirestaurant.com)* oferece ótima cozinha japonesa.

🚻 **Banheiros** Perto da ponta oeste do parque

CRIANÇADA!

Fique de olho
1 Observe a quantidade de estantes de livros na New York Public Library. Você consegue adivinhar o quanto isso representa em quilômetros?
2 Os leões que guardam a biblioteca têm nomes que descrevem qualidades. Quais são elas?
3 Qual é o alimento favorito do Ursinho Pooh?

Respostas no fim do quadro.

ARREPIOS E EMOÇÕES
O rinque de patinação no gelo Citi Pond, no Bryant Park, fica aberto ao público durante todo o inverno e recebe as Holiday Shops anuais.

Origem medieval
O carrossel tem raízes em um exercício árabe do século XII que fortalecia os cavaleiros e os preparava para combates. Cruzados europeus introduziram a ideia na Europa. Na Espanha isso ganhou o nome de *carosella*, que significa "pequena batalha". No século XVI, o exercício se disseminou na França, onde artesãos passaram a esculpir cavalos para o treino de cavaleiros. Depois, os cavalos viraram atração de carrosséis, junto com outros animais como cervos e porcos.

Respostas: **1** 141km de livros. **2** Paciência e Força. **3** Mel.

Piquenique até US$20; **Lanches** US$20-35; **Refeição** US$35-70; **Para a família** mais de US$70 (base para 4 pessoas)

Museum of Modern Art e arredores

Bem no centro do bairro de Midtown, o Museum of Modern Art fica a curta distância a pé de muitas atrações importantes, incluindo as lojas sofisticadas na Fifth Avenue, o Rockefeller Center e o verdejante Central Park. A área fervilha o dia inteiro com moradores da cidade e turistas empolgados fazendo compras, e em geral as multidões só diminuem à noite. Vá de metrô – várias estações ficam nas cercanias dos museus.

Midtown
Rockefeller Center p. 110
MoMA
Times Square p. 116
Grand Central Terminal p. 98
Empire State Building p. 92

Informações

🚇 **Metrô** E e M p/ Fifth Ave-53rd St; B, D e E p/ Seventh Ave **Ônibus** M1-M5, M7, M31 e M57

ℹ️ **Informação turística** Times Square Visitor Center, 1560 Broadway, entre 46th St e 47th St, 10036; 212 768 1560; www.timessquarenyc.org; 9h-19h seg-sex, 8h-20h sáb e dom

🛒 **Supermercado** Gristedes, 907 Eighth Ave e 54th St, 10019; 212 582 5873

➕ **Farmácia** Duane Reade, 100 West 57th Street, 10019; 212 956 0464; 7h30-20h seg-sex, 9h-18h sáb, 10h-17h dom

🧒 **Playgrounds** Heckscher Playground, entre 61st St e 63rd St, Central Park Conservancy 10022; 212 310 6600; www.centralparknyc.org; 9h-18h diariam

Entrada da famosa Carnegie Deli na Seventh Avenue

Museum of Modern Art e arredores | 105

Crianças se refrescam no Heckscher Playground, Central Park

Locais de interesse

ATRAÇÕES
1. The Museum of Modern Art
2. Carnegie Hall
3. Apple Store Fifth Avenue
4. FAO Schwarz

COMIDA E BEBIDA
1. Carnegie Deli
2. Burger Joint
3. China Grill
4. Aquavit
5. The Halal Guys
6. A Voce
7. The Plaza Food Hall by Todd English
8. Landmarc
9. La Bonne Soupe
10. The Modern

COMPRAS
1. Henri Bendel
2. Gap

HOSPEDAGEM
1. Courtyard by Marriott
2. The Shoreham Hotel
3. Four Seasons Hotel
4. Hotel Elysée
5. London NYC
6. Peninsula New York
7. Warwick Hotel

Tradicional carruagem na Grand Army Plaza, Central Park

① Museum of Modern Art
Uma explosão de formas e cores

O Museum of Modern Art (MoMA) oferece uma atração dupla: a maior coleção do mundo de arte e escultura moderna e um edifício singular que por si só é uma obra-prima contemporânea. O museu foi fundado em 1929, e seu edifício (construído em 2004) exibe um jardim de esculturas projetado pelo arquiteto japonês Yoshio Taniguchi, claraboias e galerias com pé-direito altíssimo. Pinturas famosas de artistas da categoria de Pablo Picasso, Vincent van Gogh e Salvador Dalí estão expostas ao público.

Destaques

① **Jardim de Esculturas** Além de esculturas fantásticas, o sereno Abby Aldrich Rockefeller Sculpture Garden tem árvores e um relaxante lago espelhado.

② **New York** (1938) Essa série em branco e preto da fotógrafa Helen Levitt documenta a vida nas ruas da metrópole, com ênfase em crianças.

■ **6º andar** Exposições especiais
■ **5º andar** Pinturas e escultura
■ **4º andar** Pinturas e escultura
■ **3º andar** Arquitetura, design, desenhos, fotografia e exposições especiais
■ **2º andar** Gravuras, mídia, livros ilustrados e arte contemporânea
■ **1º andar** Jardim de Esculturas

③ **Noite estrelada** (1889) A turbulenta cena noturna de Van Gogh mostra o que ele via pela janela do sanatório, sendo considerada uma de suas obras-primas.

④ **Christina's World** (1948) A pintura de Andrew Wyeth contrasta a vasta paisagem americana com um retrato terno de sua vizinha, que tinha poliomielite.

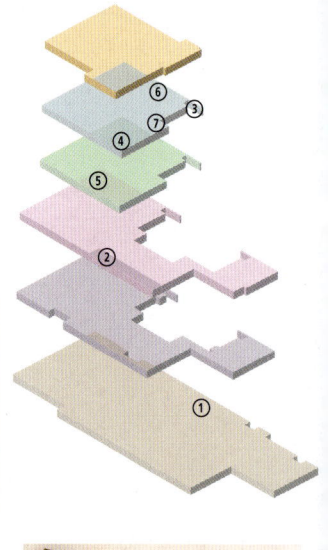

Informações

Mapa 12 H5
Endereço 11 West 53rd St, 10019; 212 708 9400; www.moma.org
Metrô E, M p/ Fifth Ave-53rd St
Ônibus M1-M5, M31 e M57
Aberto 10h30-17h30 seg-qui e sáb-dom, 10h30-20h sex; fechado no Dia de Ação de Graças e 25 dez
Preço $50-60; até 16 anos grátis; 16h-20h sex, grátis
Para evitar fila Venha no meio da semana para fugir da multidão. Evite a longa fila na entrada comprando o ingresso on-line.
Passeios guiados Com historiadores da arte e curadores; para mais informações e reservas, acesse o site do museu

Idade A partir de 6 anos
Atividades O museu oferece workshops para crianças, palestras nas galerias e vídeos
Duração 2-3h
Cadeira de rodas Sim
Cafés Um café e dois restaurantes: The Modern e um outro no terraço
Loja MoMA Design and Book Store, no 1º andar
Banheiros No 1º andar

Bom para a família
O MoMA atrai crianças e adultos com obras de arte ousadas e coloridas, espaços arejados e grande variedade de restaurantes.

⑤ **Latas de sopa Campbell** (1962) Um dos maiores artistas pop dos EUA, Andy Warhol expôs essa série pela primeira vez em uma prateleira montada na parede, como mantimentos em uma mercearia.

⑥ **Les Demoiselles d'Avignon** (1907) A obra cubista de Picasso, que mostra cinco mulheres em Barcelona, denota influência da escultura ibérica de sua terra natal.

⑦ **A persistência da memória** (1931) Relógios se derretem em uma paisagem fantasmagórica de árvores nuas e rochedos nessa obra inquietante do pintor surrealista Salvador Dalí.

Preços para família de 4 pessoas

Museum of Modern Art e arredores | 107

Entrada do Museum of Modern Art

Para relaxar
O sombreado Jardim de Esculturas do museu é um lugar agradável ao ar livre para as crianças relaxarem após ver as obras de arte. Elas têm liberdade para correr no jardim e andar em volta do lago espelhado. O jardim tem esculturas e instalações de artistas como Hector Guimard, Alexander Calder e Alberto Giacometti e, com frequência, abriga concertos clássicos e de jazz.

Comida e bebida
Piquenique: até US$20; Lanches: US$20-35; Refeição: US$35-70; Para a família: mais de US$70 (base para 4 pessoas)

PIQUENIQUE Carnegie Deli *(854 Seventh Ave com 55th St, 10019; 212 757 2245; www.carnegiedeli.com; 6h30-4h diariam)* vende fartos sanduíches de pastrami e cheesecake cremoso de sobremesa. Saboreie-os no Central Park.
LANCHES Burger Joint *(119 West 56th St, 10019; 212 708 7414; www.parkerhotel.com; 11h-23h30 dom-qui, 11h-24h sex-sáb)* é uma lanchonete encantadora no hotel Le Parker Méridien que serve suculentos hambúrgueres e fritas.
REFEIÇÃO China Grill *(60 West 53rd St com Sixth Ave, 10019; 212 333 7788; 11h-22h30 seg-sex, 11h-23h30 sáb e 15h-22h dom)* é um restaurante conhecido de cozinha asiática, com opções como galinha picante e sopa de talharim.
PARA A FAMÍLIA Aquavit *(65 East 55th St, 10022; 212 307 7311; www.aquavit.org; 11h45-14h30 e 17h30-22h30 seg-sex, 17h30-22h30 sáb)* tem diferentes áreas e menu escandinavo que inclui pratos tradicionais e modernos, a exemplo de almôndegas suecas, salmão escocês defumado frio e algumas especialidades exóticas à base de rena.

Compras
A curta caminhada do MoMA, a Fifth Avenue reúne algumas das melhores lojas da cidade. Com vários níveis, a **Henri Bendel** *(712 Fifth Ave, 10019; 212 247 1100; www.henribendel.com)* tem roupas de estilistas, inclusive para crianças. Para roupas e acessórios infantis coloridos, vá à loja da **Gap** *(680 Fifth Ave, 10019; 212 977 7023)* e confira as linhas GapKids e babyGap. A formidável **FAO Schwarz** *(p. 109)*, de brinquedos, fica duas quadras ao norte do MoMA.

Saiba mais
INTERNET O excelente site do museu, *www.moma.org*, tem uma seção interativa na qual as famílias podem se inscrever em oficinas, visitas às galerias e aulas de arte.

Próxima parada...
SONY WONDER TECHNOLOGY LAB Entre em uma aventura digital no Sony Wonder Technology Lab *(Sony Plaza na 56th St e Madison Ave, 10022; 212 833 8100; www.sonywondertechlab.com; grátis)*, centro com quatro andares de tecnologia e entretenimento para todas as idades. Jogue videogame ou faça movimentos de dança com personagens de animação. Reserve.

Crianças testam uma das atrações do Sony Wonder Technology Lab

---

CRIANÇADA!

Fique do olho
1 Entre as obras de arte do MoMA, qual delas mostra relógios se derretendo? Como se chama o artista que a pintou?
2 Ande pelo encantador Jardim de Esculturas. O que você vê no meio? Onde você vê seu próprio reflexo?
3 Na seção de pinturas e escultura, ache uma pintura de Vincent van Gogh com o céu cheio de estrelas brilhantes. Você sabe que cidade ela representa?

Respostas no fim do quadro.

DE PERDER A CONTA
O Museum of Modern Art começou com uma doação inicial de oito gravuras e um desenho. Hoje, seu acervo inclui 150 mil pinturas, esculturas, gravuras e fotografias, bem como 300 mil livros e periódicos.

Arte cotidiana
O MoMA foi o primeiro museu do mundo a incluir objetos cotidianos em seu acervo, incluindo utensílios de casa, rádios, louças, facas e móveis.

Respostas: 1 É a famosa *A persistência da memória*, de Salvador Dalí. **2** Em um lago espelhado. **3** *Noite estrelada*, de Van Gogh, mostra a cidade francesa de Saint-Rémy vista pela janela do sanatório onde ele estava internado.

Midtown

Carnegie Hall, a grandiosa sala de concertos de Nova York

② Carnegie Hall
Música para todo lado

A música, seja clássica ou contemporânea, reina no esplêndido Carnegie Hall, do século XIX, uma das melhores salas de concerto do mundo. Grandes personalidades musicais – George Gershwin, Os Beatles, Maria Callas, Frank Sinatra, Tchaikovsky, Mahler – se apresentaram aqui.

A programação abrange jazz, pop, world music, óperas e concertos de música clássica. Durante a visita de uma hora aos bastidores, explore o palco suntuoso, descubra o funcionamento interno do teatro e aprenda tudo sobre a história surpreendente do Carnegie Hall.

Em 1991 foi aberto um museu ao lado do primeiro nível que narra a história dos primeiros cem anos de "A Casa Que a Música Construiu". Grandes orquestras e artistas do mundo todo ainda atraem multidões ao Carnegie Hall, cujos corredores expõem objetos que rememoram artistas que se apresentaram aqui.

Para relaxar
Usufrua o lado verde da cidade indo ao **Pond**, no Central Park (pp. 122-3). Relaxe nesse recanto maravilhoso dotado de pontes arqueadas sobre o lago, no qual patos flutuam ao longo das margens sombreadas.

Informações
- **Mapa** 12 G4
- **Endereço** 881 Seventh Ave, 10019; 212 903 9765; www.carnegiehall.org
- **Metrô** N, Q e R p/ 57th St; B, D e E p/ Seventh Ave **Ônibus** M5-M7, M20, M30 e M31
- **Aberto** Passeios out-final mai: 11h30, 12h30, 14h e 15h seg-sex, 11h30 e 12h30 sáb, 12h30 dom
- **Preço** $10; $8 p/ estudantes e idosos, $4 p/ menores de 12 anos
- **Para evitar fila** Raramente há fila para entrar
- **Passeios guiados** O museu e o hall têm passeios guiados (acima)
- **Idade** A partir de 8 anos
- **Atividades** O saguão às vezes hospeda shows especiais para crianças; acesse o site para detalhes e novidades
- **Duração** 2h
- **Cadeira de rodas** Sim
- **Comida e bebida** Lanches The Halal Guys (53rd e Sixth Ave, 10019; www.53rdand6th.com) serve comida de rua de alto nível. O prato mais popular é a travessa de arroz e frango. Refeição A Voce (10 Columbus Circle, 3º andar, 10019; 212 823 2523; www.avocerestaurant.com) oferece cozinha italiana gourmet em um ambiente maravilhoso.
- **Banheiros** No saguão principal

③ Apple Store Fifth Avenue
Tudo que é Mac

Com um gigantesco cubo de vidro iluminado como entrada, a Apple Store é facilmente avistada na Fifth Avenue. Entre no prédio de 10m de altura e pegue o elevador circular ou a escada em espiral que desce até um espaço amplo repleto de laptops, desktops, iPhones e iPods. Aqui, os atendentes do balcão de informações Genius Bar dão duro esclarecendo todo tipo de pergunta relacionada aos Macs. Há inclusive um nicho infantil com diversos produtos

O cubo de vidro na entrada da Apple Store na Fifth Avenue

Informações
- **Mapa** 12 H3
- **Endereço** 767 Fifth Ave com 59th St, 10153; 212 336 1440; www.apple.com
- **Metrô** N, Q e R p/ Fifth Ave-59th St **Ônibus** M1, M2, M4 e M5
- **Aberto** 24h
- **Preço** Grátis
- **Para evitar fila** É melhor fazer a visita de manhã cedo ou tarde da noite
- **Idade** A partir de 5 anos
- **Atividades** Para Youth Programs veja www.apple.com/retail/youth
- **Duração** 1h
- **Cadeira de rodas** Sim
- **Comida e bebida** Refeição The Plaza Food Hall by Todd English (One West 59th St, nível central, 212 986 9260) tem grande variedade de cozinhas, de bifes a sushi. Para a família Landmarc (10 Columbus Circle, 3º andar, 10019; 212 823 6123; www.landmarc-restaurant.com) oferece saladas, bifes e massas.
- **Banheiros** No térreo

O movimentado restaurante Landmarc no Time Warner Center (p. 170)

Preços para família de 4 pessoas

A ponte de pedra arqueada e o lago dos patos no Central Park, durante o outono

que podem ser manuseados pela garotada. Os visitantes também podem passar o dia aqui se divertindo com jogos de computador.

Para relaxar
As crianças podem avistar aves aquáticas como tadornas, marrecos, patos e outras no lago com paisagismo do Central Park (*pp. 122-3*). É um lugar pitoresco para passar a tarde.

④ FAO Schwarz
Um mar de brinquedos

A imensa loja FAO Schwarz vende todos os brinquedos imagináveis, com uma gama de opções clássicas e contemporâneas que inclui antigos jogos de tabuleiro, bichos de pelúcia fofos e o que há de mais recente em videogames e geringonças eletrônicas. A seção Outdoor Play oferece scooters com motor, pranchas de skate e camas elásticas, enquanto a Arts & Crafts tem contas coloridas, cavaletes e materiais para arte e artesanato. As crianças adoram a variedade na seção de doces, onde há potes de balas, chicletes e confeitos com chocolate. Mas a maior atração é um piano enorme no solo, no qual as crianças tocam suas canções favoritas com os pés – como Tom Hanks no filme *Quero ser grande* (1988).

Para relaxar
Caminhe ou fique só olhando o movimento na **Grand Army Plaza**, por perto (*cruzamento da 59th St com a Fifth Ave, 10153*). Concluída em 1916, a praça beaux-arts oval tem uma estátua equestre dourada do herói da Guerra Civil americana, general William Tecumseh Sherman, com Lady Victory lhe apontando o caminho com uma folha de palmeira.

Informações
🌐 **Mapa** 12 H3
Endereço 767 Fifth Ave com 58th St, 10153; 212 644 9400; www.fao.com
🚗 **Metrô** N, Q e R p/ Fifth Ave-59th St **Ônibus** M1, M2, M4 e M5
🕐 **Aberto** 10h-20h seg-qui e dom, 10h-21h sex-sáb
💲 **Preço** Grátis
👥 **Para evitar fila** A loja fica mais movimentada durante as férias, no Natal e no Ano-Novo
🚻 **Idade** A partir de 3 anos
♿ **Cadeira de rodas** Sim
🍴 **Comida e bebida** *Refeição* La Bonne Soupe (*48 West 55th St, 10019; 212 586 7650*) oferece comida típica de bistrô, com crepes, sanduíches e até sopas; tem menu infantil. *Para a família* The Modern (*9 West 53rd St, 10019; 212 333 1220; www.themodernnyc.com*) serve culinária franco-americana inspirada por um chef alsaciano.
🚻 **Banheiros** No último andar

CRIANÇADA!

Fique de olho
1 Uma banda muita famosa de quatro rapazes ingleses se apresentou no Carnegie Hall em 1964. Você sabe o nome dessa banda?
2 Há uma estrutura de vidro iluminada na entrada da Apple Store. Que forma ela tem?
3 Siga os sons musicais sincopados na FAO Schwarz até achar um piano enorme no solo. Em que filme famoso ele aparece?

Respostas no fim do quadro.

TOY STORY
Criada em 1862, a FAO Schwarz é não só a loja de brinquedos mais antiga dos EUA, como uma das varejistas mais antigas do país. Ela foi fundada em Baltimore pelo imigrante alemão Frederick August Otto Schwarz.

Ao som das ondas
O Carnegie Hall surgiu de uma simples conversa em uma viagem marítima. Em 1887, em um navio de Nova York para Londres, o regente Walter Damrosch, então com 25 anos, conheceu o famoso e riquíssimo industrial Andrew Carnegie, e os dois tiveram a ideia de montar o Carnegie Hall.

Respostas: 1 Os Beatles. **2** Sua entrada é um cubo de vidro. **3** *Quero ser grande*, estrelado por Tom Hanks.

Crianças tocando o piano gigante na FAO Schwarz

Piquenique até US$20; **Lanches** US$20-35; **Refeição** US$35-70; **Para a família** mais de US$70 (base para 4 pessoas)

Rockefeller Center e arredores

Lotado de lojas, restaurantes e escritórios, e dotado de uma esplanada movimentada e de um deque de observação no topo, o Rockefeller Center é uma referência em Midtown que atrai muitos turistas. As crianças também vão gostar do centro, graças ao Nintendo World e à imensa loja da LEGO. Como a área fica agitada com trabalhadores nas horas de pico (manhã e fim da tarde), venha no meio da tarde para escapar das multidões. Chegue de metrô e depois passeie a pé.

Midtown
Rockefeller Center
MoMA p. 104
Times Square p. 116
Grand Central Terminal p. 87
Empire State Building p. 92

Locais de interesse

ATRAÇÕES
1. Rockefeller Center
2. Nintendo World
3. St. Patrick's Cathedral
4. Paley Center for Media

COMIDA E BEBIDA
1. Rockefeller Center Concourse and Food Court
2. Burger Heaven
3. American Girl Café
4. The Sea Grill
5. Bill's Bar and Burger
6. Rock Center Café
7. Karam II Restaurant
8. Oceana
9. Cosi
10. Ellen's Stardust Diner

COMPRAS
1. LEGO Store
2. NBC Experience Store

HOSPEDAGEM
1. DoubleTree Guest Suites
2. Novotel
3. Omni Berkshire Place
4. Renaissance New York Times Square
5. Broadway@Times Square
6. The Jewel
7. The New York Palace

A imensa árvore de Natal diante do Rockefeller Center

Rockefeller Center e arredores | 111

Informações

🚇 **Metrô** E e M p/ Fifth Ave-53rd St; B, D, F e M p/ 47-50th St-Rockefeller Center; N, Q e R p/ 49th St **Ônibus** M1-M5, M7 e M50

ℹ️ **Informação turística** Times Square Visitor Center, 1560 Broadway, entre 46th St e 47th St, 10036; 212 869 1890; www.timessquarenyc.org; 8h-20h diariam

🛒 **Supermercado** Ernest Klein & Co Supermarket, 1366 Sixth Ave, 10019; 212 245 7722; www.ernestklein.net

➕ **Farmácias** Duane Reade, 1150 Sixth Ave, 10036; 212 221 3588; 8h-20h seg-sex, 9h-18h sáb, 10h-17h dom. Duane Reade, 1627 Broadway, 10036; 212 586 0374; 7h-21h seg-sex, 24h sáb e dom

Entrada do Paley Center for Media

Crianças se divertindo com jogos na loja da LEGO

① Rockefeller Center
Vistas inacreditáveis e esculturas art déco

Uma joia de planejamento urbano, o Rockefeller Center há muito ocupa um lugar especial no coração dos nova-iorquinos. Construído nos anos 1930 pelo filantropo John D. Rockefeller Jr., o complexo art déco é rico em esculturas e obras de arte impressionantes e tem excelentes restaurantes e lojas de suvenires, todos em volta de uma esplanada que recebe refrescantes brisas. Visite os bastidores dos famosos NBC TV Studios ou vá de elevador até o Top of the Rock, um dos melhores mirantes da cidade.

Atlas com o mundo nas costas

Destaques

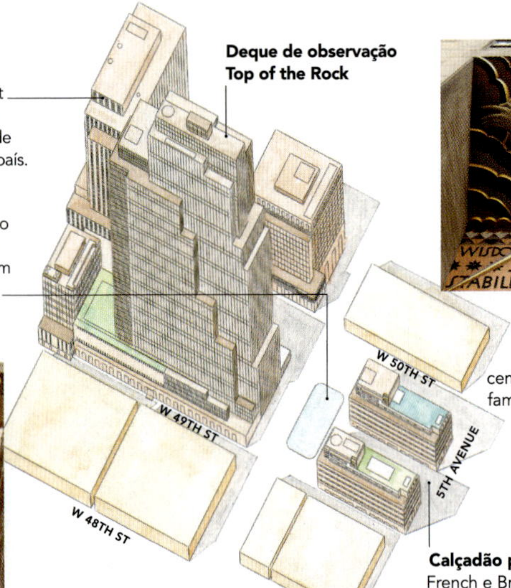

Radio City Music Hall Esse edifício art déco no lado do centro que dá para a Sixth Avenue é o teatro mais famoso de Nova York – para não dizer de todo o país.

Rinque de patinação no gelo Aberto durante o inverno, atrai patinadores novatos e profissionais, que rodopiam à sombra dos edifícios de Midtown.

Deque de observação Top of the Rock

Obras de arte no GE Building Um dos principais edifícios do centro, o altaneiro GE exibe o famoso baixo-relevo *Wisdom*, de Lee Lawrie, e os murais já um tanto gastos *Time* e *American Progress*, de José Maria Sert.

Calçadão principal Entre os edifícios French e British Empire, os arborizados Channel Gardens do centro fazem referência ao Canal da Mancha.

Estátua de Prometeu De Paul Manship, a famosa estátua dourada do deus grego que doa o fogo para a humanidade fica acima da esplanada inferior.

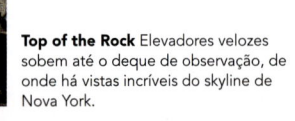

Top of the Rock Elevadores velozes sobem até o deque de observação, de onde há vistas incríveis do skyline de Nova York.

Informações

- **Mapa** 12 H5
- **Endereço** Entre Fifth Ave e Sixth Ave ou 48th St e 51st St, 10020; 212 332 6868; www.topoftherock.com; Top of the Rock, entrada na 50th St, 10020; 212 698 2000
- **Metrô** B, D, F e M p/ 47-50th St-Rockefeller Center **Ônibus** M1-M5, M7 e M50
- **Aberto** Plaza: 24h diariam; Top of the Rock: 8h-24h diariam, último elevador às 23h
- **Preço** A entrada p/ o Rockefeller Center e seus prédios é grátis;

Top of the Rock $82-92; NBC Tour $90-100

- **Para evitar fila** O Top of the Rock vende ingressos com hora marcada para a visita. Compre ingressos on-line ou no Rockefeller Center.
- **Passeios guiados** Visitas autoguiadas com podcast no Top of the Rock disponíveis na compra de ingressos on-line
- **Idade** A partir de 5 anos
- **Atividades** Patinação no gelo no inverno e Top of the Rock Breezeway

- **Duração** 3h, incluindo o passeio
- **Cadeira de rodas** Sim
- **Café** Na praça de alimentação no nível inferior
- **Lojas** Grande variedade de lojas no complexo
- **Banheiros** Em vários andares

Bom para a família
Atrações que agradam adultos e crianças, desde um deque de observação na cobertura até um rinque de patinação no gelo, fazem deste um ponto para toda a família.

Preços para família de 4 pessoas

Rockefeller Center e arredores | 113

Iluminação de LED na Top of the Rock Breezeway

Para relaxar
Ligando os deques de observação no Top of the Rock, o Target Interactive Breezeway é uma passarela que detecta movimentos e tem teto e paredes iluminados com sistemas de LED. As crianças vão adorar pular diante dos sensores e ver as cores seguindo seus movimentos.

Comida e bebida
Piquenique: até US$20; Lanches: US$20-35; Refeição: US$35-70; Para a família: mais de US$70 (base para 4 pessoas)

PIQUENIQUE Rockefeller Center Concourse and Food Court *(212 632 3975; www.rockefellercenter.com; 7h-24h diariam)* oferece sanduíches, burritos e petiscos assados que podem render um piquenique nos bancos sombreados da Rockefeller Plaza.

LANCHES Burger Heaven *(20 East 49th St, perto da Madison Ave, 10019; 212 755 2166; www.burgerheaven.com; 7h-19h30 seg-sex, 8h-17h45 sáb, 9h30-16h30 dom)* é especializada em hambúrgueres grandes e gostosos, incrementados com acompanhamentos como bacon, abacate e outras opções.

REFEIÇÃO American Girl Café *(609 Fifth ave at 49th st, 10017; 877 247 5223; ligue antes para saber horários específicos)* fica em um empório de bonecas. Serve brunch, almoço, chá da tarde e jantar a preços fixos. No menu há macarrão com queijo e peixe grelhado.

PARA A FAMÍLIA The Sea Grill *(Rockefeller Plaza, 19 West 49th St, 10020; 212 332 7610; www.theseagrillnyc.com; 11h30-15h e 17h-22h seg-sex, 17h-22h sáb)* é um restaurante elegante de frutos do mar, a exemplo de caranguejo, lagosta, ostras, salmão e espadarte.

Compras
O Rockefeller Center tem várias lojas, incluindo a enorme **LEGO Store** *(620 Fifth Ave, 10020; 212 245 5973; http://stores.lego.com)*, algumas de suvenires e outras de roupas, como Anthropologie, Ann Taylor e Brooks Brothers. Fãs de TV devem ir à **NBC Experience Store** *(30 Rockefeller Plaza, 10112; 212 664 3700)*, que vende produtos licenciados, desde canecas e ímãs até moletons.

Vista interna da LEGO Store no Rockefeller Center

Saiba mais
INTERNET Entre em www.rockefellercenter.com e veja detalhes sobre mostras, eventos especiais, lojas e restaurantes no centro.

Próxima parada...
NBC STUDIO TOUR Essa visita diária de uma hora *(www.nbcstudiotour.com)* leva os interessados aos bastidores dos estúdios da NBC e a programas de sucesso como *Saturday Night Live* e *Football Night in America*. Você também pode tentar entrar de graça na plateia matinal do popular *Today Show* da NBC.

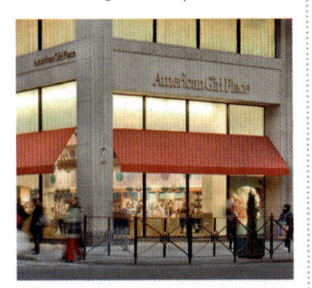

Fachada do popular American Girl Place, que abriga o American Girl Café

CRIANÇADA!

Fique de olho
1 Muitos edifícios no Rockefeller Center são adornados com figuras mitológicas esculpidas. Uma escultura fica acima da entrada do International Building. Você sabe que figura é essa?

2 Fique de olho nas dançarinas de penteados extravagantes no Radio City Music Hall. Você sabe como elas se chamam?

3 Vá à loja da NBC e veja os suvenires dessa rede de TV, muitos deles com um logotipo colorido. O que esse logotipo representa?

Respostas no fim do quadro.

Boas-vindas ao Natal
O Rockefeller Center fica mais mágico no inverno, quando sua famosa árvore de Natal é montada e iluminada com muita pompa, inaugurando a temporada natalina.

DANÇARINAS
Desde 1925 o grupo de dança Rockettes apresenta cinco shows por dia, sete dias por semana. O grupo foi fundado em St. Louis, Missouri, e originalmente se chamava "Missouri Rockets".

Respostas: 1 O titã grego Atlas. **2** As Rockettes, que se apresentam aqui desde 1933. **3** Um pavão. A NBC adotou o logo com um pavão estilizado no início das transmissões em cores em 1962.

Midtown

② Nintendo World
Um paraíso de games

Fãs de videogames vão adorar o Nintendo World, a maior loja da empresa no país. Em mais de 930m², aqui há uma ampla variedade de jogos de console envolvendo o extremamente popular sistema Wii, desde Just Dance até Donkey Kong. A loja também tem uma seção grande dedicada aos monstrinhos de bolso japoneses Pokémon, repleta de jogos animados, cartões e acessórios coloridos.

Para relaxar
Após algumas horas só com games, ande na Fifth Avenue, por perto, e veja as vitrines enquanto ruma para

Entrada da Nintendo Store, em frente à Rockefeller Plaza

Informações
- **Mapa** 12 H6
- **Endereço** 10 Rockefeller Plaza, 10020; 646 459 0800; www.nintendoworldstore.com
- **Metrô** B, D, F e M p/ 47-50th St-Rockefeller Center **Ônibus** M1 e M5
- **Aberto** 9h-20h seg-qui, 9h-21h sex-sáb, 11h-18h dom
- **Preço** Grátis
- **Idade** A partir de 4 anos
- **Atividades** Um leque fantástico de jogos para ocupar as crianças
- **Duração** 1h
- **Cadeira de rodas** Sim
- **Comida e bebida** *Refeição* Bill's Bar and Burger *(16 West 51st St com Fifth Ave, 10019; 212 705 8510)* serve hambúrgueres e hot dogs. *Para a família* Rock Center Café *(20 West 50th St, 10020; 212 332 7620)* tem menu italiano.
- **Banheiros** No 1º andar

Preços para família de 4 pessoas

Reservado no Bill's Bar & Burger na Fifth Avenue

Central Park South. Dê uma olhada nos cavalos e carruagens estacionadas na orla do parque. As crianças vão querer ver os animais de perto – e alguns condutores de carruagem permitem que elas afaguem os cavalos.

③ St. Patrick's Cathedral
Uma imponente basílica no coração da cidade

Presença majestosa em estilo gótico acima da glamorosa Fifth Avenue, a St. Patrick é a maior catedral católica do país e uma das mais importantes para várias gerações de imigrantes irlandeses, italianos e outros católicos. Ande ao redor da catedral e observe a imponente fachada de mármore branco e as portas de bronze, que pesam 9 toneladas e são decoradas com figuras religiosas. Para se isolar um pouco das multidões agitadas, vá à serena Lady Chapel, nos fundos da catedral.

Para relaxar
Vá à **LEGO Store** *(p. 113)*, nas imediações, que do teto ao chão é repleta dos produtos de exportação mais famosos da Dinamarca. A loja tem um muro alto de tijolinhos e o popular Master Builder Bar, onde fãs da LEGO podem brincar com games, construir modelos e participar de concursos de conhecimento.

Informações
- **Mapa** 12 H5
- **Endereço** Fifth Ave, entre 50th St e 51st St, 10022; 212 753 2261; www.saintpatrickscathedral.org
- **Metrô** E e M p/ Fifth Ave-53rd St **Ônibus** M1-M5, M27 e M50
- **Aberto** 6h30-20h45 diariam
- **Preço** Grátis
- **Passeios guiados** Para grupos de dez ou mais 10h; ligue antes
- **Idade** A partir de 5 anos
- **Atividades** Shows e apresentações durante o ano todo; acesse o site para mais informações
- **Duração** 1h
- **Cadeira de rodas** Sim
- **Comida e bebida** *Lanches* Karam II Restaurant *(24 West 45th St, perto da Fifth Ave, 10036; 212 354 7400; www.karam2restaurant.com)* tem boa cozinha do Oriente Médio, com homus e carneiro. *Para a família* Oceana *(120 West 49th St, perto da Sixth Ave, 10020; 212 759 5941; www.oceanarestaurant.com)* serve os melhores frutos do mar de Midtown.
- **Banheiros** Na capela principal

Missa dominical na St. Patrick's Cathedral

Rockefeller Center e arredores | 115

Fontes diante do Radio City Music Hall, Rockefeller Center

④ Paley Center for Media
Crônicas na telinha

Não há lugar melhor em Manhattan para telemaníacos do que o Paley Center for Media, que documenta toda a história da TV americana. O arquivo do centro tem mais de 150 mil programas de TV e de rádio e comerciais, desde o seriado *I Love Lucy*, da década de 1950, até dramas contemporâneos, a maioria dos quais pode ser vista em consoles de TV individuais. A programação televisiva infantil também está bem representada. As crianças podem assistir a diversos programas do passado e do presente, incluindo *Vila Sésamo*, assim como sessões televisionadas de perguntas e respostas com crianças, apresentadas por antigos presidentes dos EUA.

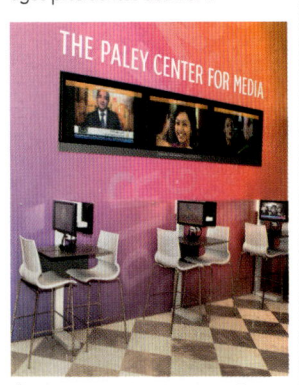

Área no saguão do Paley Center for Media

Informações
🌐 **Mapa** 12 H5
Endereço 25 West 52nd St, entre Fifth Ave e Sixth Ave, 10019; 212 621 6600; www.paleycenter.org

🚇 **Metrô** E e M p/ Fifth Ave-53rd St **Ônibus** M1-M5 e M7

💲 **Aberto** 12h-18h qua-dom, até as 20h qui

💲 **Preço** $30-40

👫 **Idade** A partir de 4 anos

🎭 **Atividades** O centro sedia muitos eventos, de palestras sobre mídia a gravações de sitcoms; O site interativo tem vídeos e um quiz diário de TV. Crianças antenadas podem enviar perguntas para serem selecionadas no site.

⏱ **Duração** 1h; ou mais, se incluir evento ou apresentação

♿ **Cadeira de rodas** Sim

☕ **Comida e bebida** *Refeição* Cosi (1633 Broadway, com 51st St, 10036; 212 397 9838; www.getcosi.com) serve sopas e sanduíches criativos. *Para a família* Ellen's Stardust Diner (1650 Broadway com 51st St, 10019; 212 956 5151; www.ellensstardustdiner.com) oferece comfort food, como torta de frango, em um ambiente de diner antigo.

🚻 **Banheiros** No 1º andar

Para relaxar
Refresque-se com os respingos da grande fonte diante do Radio City Music Hall, na esquina da Avenue of the Americas (Sixth Ave) com a 50th St. O lugar, em um dos cruzamentos mais movimentados de Nova York, é ótimo para observar o movimento.

CRIANÇADA!
Fique de olho
1 Os produtos da LEGO são vendidos em mais de 130 países. Você sabe que país os lançou?
2 O Paley Center for Media tem um acervo imenso de programas. Qual é o programa infantil mais assistido no mundo?
3 Veja de perto o imponente órgão da St. Patrick's Cathedral. Você consegue adivinhar quantos tubos ele tem?

Respostas no fim do quadro.

FATO FASCINANTE
Em 1850, quando o arcebispo Hughes decidiu construir a St. Patrick's Cathedral no terreno atual, as pessoas acharam loucura uma igreja ficar tão longe dos limites da cidade. Hoje, ela está bem no meio de Nova York, o que mostra o quanto a cidade cresceu.

Será que parece?
O Paley Center for Media fica em um estupendo edifício de calcário de dezesseis andares projetado pelo arquiteto Philip Johnson em 1989. Muitos acham a fachada parecida com um rádio antigo. O que você acha?

Respostas: 1 Dinamarca. **2** *Vila Sésamo* – transmitido em mais de 120 países. **3** Mais de 7 mil.

Piquenique até US$20; **Lanches** US$20-35; **Refeição** US$35-70; **Para a família** mais de US$70 (base para 4 pessoas)

Midtown

Times Square e arredores

Cruzamento mais agitado de Nova York, a Times Square fervilha dia e noite, ininterruptamente. Bem no centro da "cidade que nunca dorme", não há lugar melhor para observar a movimentação das pessoas. A Broadway, rua mais longa da cidade, também é chamada de "Great White Way" (Grande Via Branca) porque foi uma das primeiras áreas iluminadas por anúncios publicitários eletrônicos no país. É fácil chegar aqui de metrô, e pode-se ir a pé ou de ônibus às atrações no rio Hudson.

Informações

- **Metrô** B, D, F e M p/ 42nd St-Bryant Park; 1, 2 e 3 p/ Times Sq-42nd St; A, C e E p/ 42nd St-Port Auth **Ônibus** M5, M7, M11; M42 cruza a cidade
- **Informação turística** Times Square Visitor Center, 1560 Broadway, entre 46th St e 47th St, 10036; 212 869 1890; www.timessquarenyc.org; 8h-20h diariam
- **Supermercado** Food Emporium, 810 Eighth Ave com 49th St, 10019; 212 977 1710
- **Festivais** A Times Square abriga a maior celebração de Ano-Novo dos EUA, quando ferve de gente reunida para ver a famosa bola de cristal descer de um poste iluminado no bater da meia-noite
- **Farmácia** Rite Aid, 301 West 50th St, 10019; 212 247 8384; 24h diariam
- **Playground** De Witt Clinton Park, entre West 52nd St sentido West 54th St e Eleventh Ave sentido Twelfth Ave

Escadaria acima do guichê da TKTS, Times Square

Times Square e arredores | 117

Hora do jantar no restaurante Angus McIndoe

Locais de interesse

ATRAÇÕES
1. Times Square
2. Intrepid Sea, Air & Space Museum
3. Circle Line Cruise
4. International Center of Photography

● COMIDA E BEBIDA
1. Carve
2. Virgil's Real Barbecue
3. Angus McIndoe
4. Aureole
5. Five Napkin Burger
6. Joe Allen
7. West Bank Café
8. Becco
9. Le Pain Quotidien

Veja também International Center of Photography (p. 121)

● COMPRAS
1. Toys"R"Us
2. Sanrio
3. Hershey's
4. M&M's World

● HOSPEDAGEM
1. 414 Hotel
2. Algonquin Hotel
3. Belvedere Hotel
4. Best Western President Hotel
5. Edison Hotel
6. Hilton Garden Inn Times Square
7. Hilton Times Square
8. Intercontinental New York Times Square
9. Skyline Hotel
10. The Hotel @ Times Square
11. The Westin New York at Times Square

Shaw Lowell Memorial Fountain, no Bryant Park

118 | Midtown

① Times Square
Luzes brilhantes e muita diversão

Coração iluminado de néon de Nova York, a Times Square é um vórtice de movimento constante, sempre abarrotado de multidões, táxis, ônibus de turismo de dois andares e vendedores ambulantes. Estendendo-se entre a 42nd Street e a 47th Street, é um dos cruzamentos mais animados do mundo. Com o playground fabuloso da Toys"R"Us, lojas de doces como a cheirosa Hershey's e a colorida M&M's, o estonteante museu Ripley's Believe it or Not! e o New Victory Theater, a praça oferece diversão para crianças de todas as idades.

Destaques

Museu Ripley's Believe It or Not! Esse museu de curiosidades exibe coisas estranhas e maravilhosas, de uma girafa albina a uma coleção de cabeças encolhidas.

Times Tower Na orla sudeste fica a Times Tower, de 25 andares, que era a sede do jornal *New York Times*.

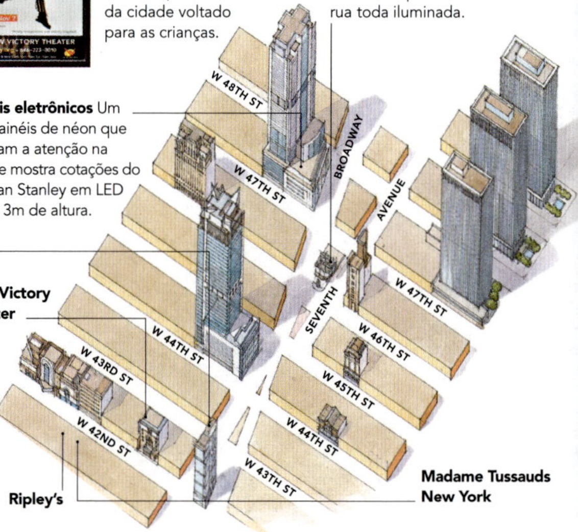

Madame Tussauds New York Tem estátuas de cera de astros, desde Beyoncé e os Beatles até Muhammad Ali, assim como conhecidos personagens de gibis, como O Incrível Hulk.

New Victory Theater A Times Square fica no meio do distrito de teatros, que tem muitos palcos históricos como o do New Victory Theater (p. 41), o melhor da cidade voltado para as crianças.

Painéis eletrônicos Um dos painéis de néon que chamam a atenção na Square mostra cotações do Morgan Stanley em LED e tem 3m de altura.

Degraus cor de rubi Partindo do guichê da TKTS na Duffy Square, 27 degraus cor de rubi ficam apinhados de centenas de pessoas devido à sua vista panorâmica da rua toda iluminada.

Informações

Mapa 8 G1
Endereço Entre 42nd St e 47th St, onde a Seventh Ave e a Broadway convergem. Ripley's Believe it or Not!, 234 West 42nd St, 10036; 212 398 3133; www.ripleysnewyork.com. Madame Tussauds, 234 W 42nd St, entre Seventh e Eighth Ave, 10036; 866 841 3505; www.madametussauds.com

Metrô B, D, F e M p/ 42nd St-Bryant Park; 1, 2, 3 p/ Times Sq-42nd St; 7, N, Q, R e S p/ Times Sq-42nd St; A, C e E p/ 42nd St-Port Auth. Terminal de ônibus

Aberto Ripley's Believe it or Not!: 9h-1h diariam. Madame Tussauds: 10h-20h seg-qui e dom, 10h-22h sex-sáb

Preço Ripley's Believe it or Not! $115-125 (descontos on-line). Madame Tussauds $130-140

Para evitar fila O guichê da TKTS, na Father Duffy Square, embaixo dos "degraus vermelhos" (entre Broadway e 47th St, 10036; 212 912 9770; 15h-20h seg, qui e sex, 14h-20h ter, 10h-14h e 15h-20h qua e sáb, 11h-19h dom; www.tdf.org) vende ingressos com desconto, e por isso tem as filas mais longas da Times Square. O melhor horário para chegar é logo após abrir ou pouco antes de fechar.

Idade A partir de 3 anos
Duração 1h ou mais
Cadeira de rodas Sim
Café No local
Lojas A Times Square abriga inúmeros endereços, da Toys"R"Us a lojas de suvenires.
Banheiros Em várias das atrações, lojas e restaurantes ao redor da praça, incluindo a Toys"R"Us

Bom para a família
Apesar de cara, supercomercial e lotada, a Times Square oferece bastante diversão e entretenimento para as crianças.

Preços para família de 4 pessoas

Times Square e arredores | 119

Crianças na roda-gigante dentro da Toys"R"US

Se chover...
Crianças e adultos se divertem na **Toys"R"Us**, a maior loja de brinquedos do mundo, onde há uma roda-gigante de 18m de altura, um dinossauro robotizado e, para alegria das meninas, uma casa da Barbie em escala natural.

Comida e bebida
Piquenique: até US$20; Lanches: US$20-35; Refeição: US$35-70; Para a família: mais de US$70 (base para 4 pessoas)

PIQUENIQUE Carve (760 Eighth Ave com 47th St, 10036; 212 730 4949; aberto 24h) tem diversos sanduíches com fatias de carne, frutas e barras de chocolate orgânico, que você pode comer depois nos degraus cor de rubi ou nas mesas e cadeiras na área de pedestres da Times Square.
LANCHES Virgil's Real Barbecue (152 West 44th St, 10036; 212 921 9494; 11h30-23h seg, 11h30-24h ter-sex, 11h-24h sáb, 11h-23h dom) é um bom lugar para se reabastecer com churrasco texano. Livros de colorir ficam à mão para distrair os pequenos.
REFEIÇÃO Angus' Café Bistro (258 West 44th St, perto da Eighth Ave, 10036; 212 221 9222; www.anguscafebistro.com; 12h-23h seg-ter, até 22h30 qua-qui, 24h sex-sáb e 22h30 dom) oferece comida americana caprichada, de contrafilé a mexilhões ao vapor com bacon defumado. As crianças vão gostar das batatas fritas.
PARA A FAMÍLIA Aureole (135 West 42nd St, entre Sixth Ave e Broadway, 10036; 212 319 1660; 11h45-14h15 e 17h-22h seg-qui, até 23h sex, 17h-23h sáb, 17h-22h dom) serve comida americana com toque mediterrâneo, como fatias de barriga de porco e gazpacho gelado.

Compras
Os vários andares da **Toys"R"Us** (1514 Broadway, 10036; 646 366 8800; www.toysrus.com) se erguem acima da praça, junto com a reluzente **Sanrio** (233 West 42nd St, 10036; 212 840 6011; www.sanrio.com), especializada em Hello Kitty. A **Hershey's** (1593 Broadway, 10036; 212 581 9100; www.hersheys.com) seduz com o aroma de chocolate, assim como a **M&M's World** (1600 Broadway, 10019; 212 295 3850; www.mymms.com), onde se pode comprar doces por cor e há uma área lúdica interativa.

Saiba mais
INTERNET O site oficial da Times Square, www.timessquarenyc.org, é uma fonte excelente para eventos em cartaz, fatos divertidos e curiosidades.

Próxima parada...
NEW VICTORY THEATER Tenha uma noite animada vendo uma peça no New Victory Theater (209 West 42nd St, 10036; 646 223 3010; www.newvictory.org), o primeiro e único teatro da cidade dedicado ao público infantil. Em um edifício histórico datado de 1900, o teatro apresenta peças, dança, vaudeville, marionetes e música do mundo inteiro.

Entrada do restaurante Angus' Café Bistro, na Times Square

CRIANÇADA!

Fique de olho
1 No meio da Times Square existem degraus famosos. Quantos são no total?
2 Ache a Times Tower, de 25 andares. Que evento acontece aqui todos os anos?
3 Todo Ano-Novo uma bola enorme desce brilhando do alto do One Times Square. Você sabe que jornal tinha sede nesse edifício?
4 A praça é famosa pelos outdoors luminosos que piscam 24 horas por dia. Qual é o nome em inglês desses outdoors?
5 A Toys"R"Us é a maior loja de brinquedos do mundo. Dê o nome de três personagens infantis presentes na loja.

Respostas no fim do quadro.

O EFEITO RIPLEY
Ao expor pela primeira vez sua coleção ao público na Feira Mundial em Chicago em 1933, Robert LeRoy Ripley, criador do Ripley's Believe it or Not!, providenciou camas para as pessoas que desmaiavam diante de seus itens esquisitos.

Viagem no tempo
Essa área era um emaranhado de ruas agitadas e casas sofisticadas, conhecida como Longcare Square. Tudo mudou em 1904, quando a nova sede do *New York Times* foi inaugurada no número 1, dando origem à Times Square.

Respostas: 1 27. **2** A maior festa de Ano-Novo do país. **3** O *New York Times*. **4** The Spectaculars. **5** Dora, a Exploradora, Meu Pequeno Pônei e Bob, o Construtor, são três dos personagens mais populares.

② Intrepid Sea, Air & Space Museum

Naves espaciais e aviões espiões

No Pier 86 no rio Hudson, o grande navio *Intrepid* abriga o Intrepid Sea, Air & Space Museum. Esse velho porta-aviões tem uma história notável, em que se destaca a retirada de cápsulas espaciais do oceano após as missões espaciais Mercury e Gemini (1956-63). Dentro dele há uma coleção de aviões e navios, incluindo um A-12 Blackbird, o avião espião mais veloz do mundo. As crianças vão gostar dos filmes em 3-D que fazem o público "voar" no espaço sideral e dos simuladores como o "G-force". Em 2012, o museu acrescentou a nave original da Nasa Space Ship Enterprise à sua exposição permanente. Conheça os aposentos da tripulação e veja engenhocas de navegação nos pisos inferiores. Na Fleet Week (p. 14), navios grandes de todas as partes do mundo e suas tripulações se reúnem aqui.

Para relaxar
Nos píeres 40 e 96, a **Downtown Boathouse** (www.downtownboathouse.org; meados mai-meados out) oferece aulas grátis de canoagem no rio Hudson. A única exigência para participar é saber nadar. As pessoas saem de caiaque e dão uma volta na baía protegida em frente à casa de barcos, apreciando o rio e vendo Nova York por outra perspectiva.

Informações
- **Mapa** 11 B6
- **Endereço** Pier 86, Twelfth Ave e 46th St, 10036; 212 245 0072; www.intrepidmuseum.org
- **Metrô** A, C e E p/ 42nd St-Port Auth. Terminal de ônibus. **Ônibus** M42 e M50
- **Aberto** Abr-out: 10h-17h seg-sex, 10h-18h sáb, dom e feriados; nov-mar: 10h-17h diariam
- **Preço** $86-96; crianças 3-6 anos $12; abaixo de 3 anos grátis
- **Passeios guiados** Com áudio $5; ingressos disponíveis na entrada
- **Idade** A partir de 3 anos
- **Duração** 1h
- **Cadeira de rodas** Sim
- **Comida e bebida** *Lanches* Five Napkin Burger (630 Ninth Ave, entre 44th St e 45th St, 10036; 212 757 2277) oferece bons hambúrgueres. *Refeição* Joe Allen (326 West 46th St, perto da Ninth Ave, 10036; 212 581 6464) serve comida italiana e sanduíches.
- **Banheiros** Em todos os andares, exceto no deque de pouso

Fachada da conhecida lanchonete Five Napkin Burger

③ Cruzeiro Circle Line

Navegando pela costa

É da água que se tem as melhores vistas de Manhattan. Embarque no popular cruzeiro Circle Line ao longo da costa de Manhattan, aprecie o skyline da cidade e passe pela magnífica Estátua da Liberdade (pp. 58-9). Passeios turísticos completos incluem os pontos mais belos no porto de Nova York, desde a elegante Brooklyn Bridge (pp. 196-7) até vistas da verdejante Staten Island. A Circle Line também oferece animados cruzeiros musicais e passeios ao entardecer.

Quem gosta de adrenalina deve embarcar na "Beast" (4 mai-29 set), uma lancha de corrida pintada com dentes de tubarão, que faz um passeio intrépido pelo rio Hudson.

Informações
- **Mapa** 7 B1
- **Endereço** Pier 83, West 42nd St e Twelfth Ave, 10036; 212 563 3200; www.circleline42.com
- **Metrô** 1, 2, 3, 7, N, Q e R p/ Times Sq-42nd St; B, D e F p/ Fifth Ave e 42nd St **Ônibus** M42
- **Aberto** Diariam; horários do The Beast & Harbor Lights variam
- **Passeios guiados** Horários variam; verifique detalhes no site
- **Preço** Cruzeiro completo $126-136; Beast $92-102
- **Para evitar fila** Reserve ingressos on-line na temporada de verão. Os visitantes precisam esperar em pé numa fila para embarcar.
- **Idade** A partir de 3 anos; **Beast**: Crianças com pelo menos 1m de altura para andar no barco rápido
- **Duração** Viagem completa: 3h; passeios mais curtos: 1-2h
- **Cadeira de rodas** Sim
- **Comida e bebida** *Refeição* West Bank Café (407 West 42nd St, p. da Ninth Ave, 10036; 212 695 6909) serve pratos norte-americanos e franceses. *Para a família* Becco (355 West 46th St, p. da Ninth Ave, 10036; 212 397 7597) prepara especialidades italianas.
- **Banheiros** No deque inferior do barco

Para relaxar
Ande para o sul seguindo a margem do rio Hudson e fique de olho em pessoas voando pelos ares. Trata-se da **Trapeze School of New York** (518 West 30th St, 10001; 212 242 8769), que oferece aulas de trapézio voador nas margens do rio. Propiciando horas de uma inusitada diversão, a escola é aberta para maiores de 4 anos.

Cruzeiro turístico da Circle Line com vistas de Manhattan

Preços para família de 4 pessoas

Mesas ao ar livre com ombrelones, Le Pain Quotidien

④ International Center of Photography
Através das lentes

Veja relances da vida cotidiana nos EUA e no resto do mundo no fabuloso International Center of Photography. Fundado em 1974 por Cornell Capa, irmão do lendário fotógrafo de guerra Robert Capa, o centro destaca fotógrafos internacionais e expõe desde instantâneos históricos de Nova York até festas populares atuais no Caribe. Seu acervo permanente de 12.500 fotografias inclui muitas mundialmente conhecidas, a exemplo de imagens do fotógrafo francês Henri Cartier-Bresson e do fotojornalista americano Arthur Fellig. Sob o pseudônimo de "Weegee", Fellig era famoso (e odiado) nas décadas de 1930 e 40 por seus flagrantes de celebridades e fotos de cenas de crimes.

O centro também programa eventos, projeções de filmes e cursos semanais, incluindo oficinas para adolescentes aspirantes a fotógrafos.

Para relaxar
Vá para oeste até o **rio Hudson** e caminhe relaxadamente ao longo da margem sentindo a brisa fluvial e observando o movimento. O caminho é repleto de patinadores e ciclistas, mas também tem bancos sombreados, trechos de vegetação e até quadras de tênis. Observe também o tráfego intenso no rio.

Informações
- **Mapa** 8 G1
- **Endereço** 1133 Ave of the Americas com 43rd St, 10036; 212 857 0000; www.icp.org
- **Metrô** B, D, F e M p/ 42nd St-Bryant Park; 7, N, Q, R e S p/ Times Sq-42nd St; A, C e E p/ 42nd St-Port Auth; Terminal de ônibus **Ônibus** M5, M6 e M7
- **Aberto** 10h-18h ter-qui, sáb-dom, 10h-18h sex
- **Preço** $40-50; até 12 anos grátis; contribuição voluntária sex 17h-20h
- **Idade** A partir de 7 anos
- **Duração** 1-2h
- **Cadeira de rodas** Sim
- **Comida e bebida** *Lanches* Catherine K. Café (no local) oferece bons sanduíches e sopas. *Refeição* Le Pain Quotidien (70 West 40th St, com Sixth Ave, 10018; 212 354 5224) tem pratos mediterrâneos, sanduíches e saladas.
- **Banheiros** No 1º andar

O calçadão ao longo do rio Hudson atrai skatistas

CRIANÇADA!

Você sabia?

1 Suba no *Intrepid* e veja as mostras, incluindo aviões de caça. Você sabe o nome do avião espião mais veloz do mundo?

2 O *Intrepid* tem muitos simuladores, incluindo o "G-force", no qual você sobe em uma cabine e "pilota" seu próprio avião. Você sabe o que quer dizer "G-force"?

3 Pelo menos cinco pontes podem ser vistas no passeio turístico da Circle Line. Você pode identificá-las?

4 Em um passeio eletrizante na "Beast", que estátua célebre pode ser vista?

Respostas no fim do quadro.

PENSE NISSO
O International Center of Photography expõe 100 mil itens. Que tal você criar uma exposição com as fotos que tirou nas suas férias em Nova York?

Instinto forte
Arthur Fellig, um dos fotógrafos expostos no International Center of Photography, usava o pseudônimo "Weegee", uma brincadeira com a palavra "Ouija" (do popular jogo de tabuleiro Ouija, no qual os participantes receberiam mensagens dos espíritos), pois parecia ter o dom de "ver o futuro". Muitas vezes Fellig chegava nos locais minutos após um crime. Tinha um laboratório completo no porta-malas do carro para revelar suas fotos e enviá-las a tempo para a imprensa.

Respostas: 1 A-12 Blackbird. **2** "G-force" significa "força da gravidade". **3** Brooklyn, Manhattan, Williamsburg, George Washington e Verrazano. **4** Estátua da Liberdade.

Piquenique até US$20; **Lanches** US$20-35; **Refeição** US$35-70; **Para a família** mais de US$70 (base para 4 pessoas)

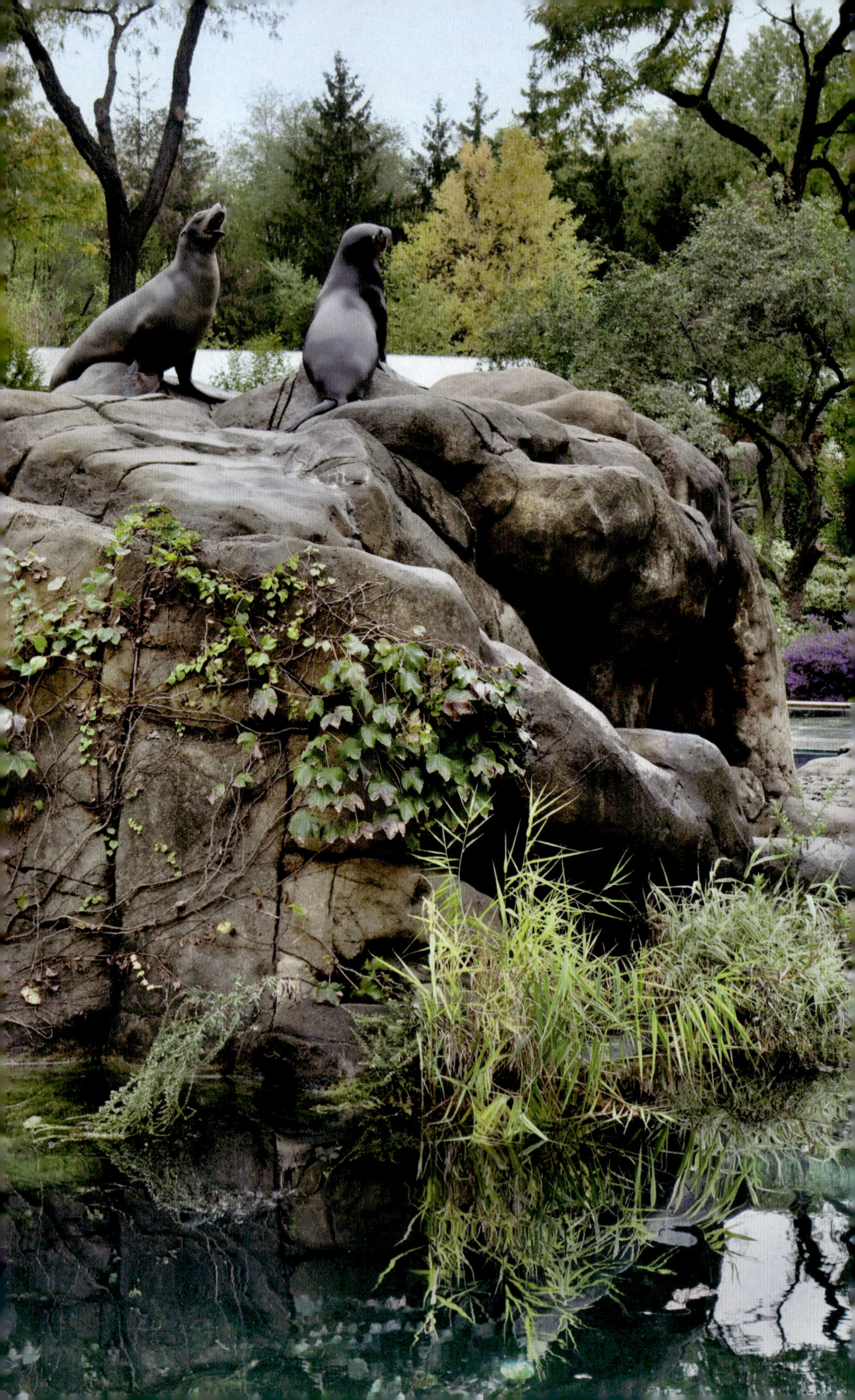

Central Park

Estendendo-se por 50 quadras, as enormes faixas com colinas, matas, lagos e regatos do Central Park o tornam a área verde mais preciosa de Nova York. Aberto em 1860, foi o primeiro parque público grande da cidade, e é o quintal de todos os nova-iorquinos. Há muitas coisas para explorar em meio à vegetação, incluindo o Belvedere Castle e o Bethesda Terrace, assim como um zoo e vários playgrounds excelentes.

Principais atrações

Central Park Zoo
Maravilhe-se com pinguins ágeis, ursos-polares nadando e furtivos leopardos-das-neves do Himalaia nesse zoo perfeito para crianças (pp. 128-9).

Friedsam Memorial Carousel
Gire montado em cavalos coloridos, ao som de canções alegres, nesse carrossel datado de 1908 (pp. 130-1).

Bethesda Fountain
Admire a joia da coroa do parque, a elegante fonte *Angel of the Waters*, a partir do Bethesda Terrace ou de um barco a remo no lago por perto (pp. 134-5).

Belvedere Castle
Explore um castelo digno de contos de fadas. Em estilo medieval, o Belvedere não só é bonito de olhar, como oferece vistas espetaculares (pp. 140-1).

Swedish Cottage
Esse charmoso chalé de madeira, trazido da Suécia para cá em 1876, tem lindos shows de marionetes para crianças (p. 142).

Conservatory Water
Alugue minibarcos com controle remoto para brincar no lago que ganhou fama com o livro *Stuart Little* (p. 136).

À esq. *Leões-marinhos em uma floração rochosa em seu cercado, Central Garden e Sea Lion Pool, Central Park Zoo*
Acima, à esq. *A encantadora fachada do Belvedere Castle, Central Park*

O Melhor do Central Park

Tão essencial para a identidade de Nova York quanto o skyline, o Central Park alia beleza natural idílica e atrações culturais. Quase todos os recantos do parque têm algo a oferecer. Faça uma caminhada, aviste animais silvestres e vá a atrações boas para famílias, como o zoo. As crianças vão gostar de dar uma volta no rinque de patinação, que vira um parque de diversões no verão. Há também um teatro de marionetes que encanta pais e filhos.

Passeios ecológicos

Comece pelo Henry Luce Nature Observatory, dentro do **Belvedere Castle** *(pp. 140-1)*, para aprender sobre a flora e a fauna do parque. Depois, alugue um kit e vá observar aves no Turtle Pond, por perto. A seguir, faça uma caminhada no **Ramble** *(p. 136)*, uma mata preservada com trilhas que passam por arvoredos, clareiras e ao longo de um regato. Faça uma pausa e compre um cachorro-quente de alguns dos carrinhos espalhados pelo parque, depois siga até o Tisch Children's Zoo *(p. 128)* e dê comida a porcos, lhamas e cabras. Por fim, ande pelo **Central Park Zoo** *(pp. 128-9)*, cujos habitantes incluem leões-marinhos, ursos-polares, macacos-das-neves e pinguins.

À esq. Pinguins-gentoo no Central Park Zoo
Abaixo Bethesda Terrace, com sua fonte famosa

Acima A elegante Bow Bridge sobre o Central Park Lake, no qual se pode passear com barcos a remo

Marcos monumentais

Por todo o parque se veem tributos a eventos, culturas, pessoas e até um cão heroico. Visite o **Bethesda Terrace** (pp. 134-5), uma linda esplanada com uma fonte coroada pela encantadora escultura *Angel of the Waters*. Rume para o sudoeste até **Strawberry Fields** (p. 135), um pequeno recanto dedicado ao ex-Beatle John Lennon. Ande para o leste até a **Literary Walk** (p. 131), depois vá para o sul até a estátua de **Balto** (p. 131), o líder da matilha de um trenó que em 1925, sob intensa nevasca, concluiu a etapa final de uma travessia para levar o soro que salvaria da difteria as crianças de uma cidadezinha do Alasca. A seguir, ande para o norte até o **Obelisco** (p. 143). Esse monumento com 22m de altura foi construído no Egito em 1450 a.C., e seus hieróglifos elogiam os feitos de um faraó. O governo egípcio deu o monumento de presente para Nova York em 1880.

Mundos aquáticos

Tendo em mente que a água dá um efeito relaxante a qualquer paisagem, Frederick Law Olmsted, um dos projetistas do Central Park, posicionou criteriosamente lagos e regatos pelo parque. Para explorar o maior deles, o Central Park Lake, alugue um barco a remo na Loeb Boathouse. A seguir, ande para o leste até o **Conservatory Water** (p. 136) e alugue um veleiro com controle remoto ou fique apenas vendo as proezas náuticas alheias. Depois siga para o norte até o **Jacqueline Kennedy Onassis Reservoir** (p. 143), a partir do qual há vistas deslumbrantes. Aprecie os animais e as aves que vivem no lago.

Diversão teatral

Embarque no lado dramatúrgico do parque. Comece assistindo a um show de marionetes no **Swedish Cottage Marionette Theatre** (p. 142). Por perto, o Belvedere Castle, em estilo medieval, é perfeito para as crianças inventarem seus próprios enredos; o castelo era a casa do conde Von Count em *Vila Sésamo* e realiza uma grande festa de Halloween no outono. Fãs de teatro que vêm à cidade no verão não devem deixar de ver uma peça de Shakespeare no **Delacorte Theater** (p. 141), ao ar livre, o que requer entrar numa fila bem cedinho para obter ingressos grátis, que são distribuídos às 13h do dia da apresentação.

À dir. Visitante passando pelo rústico Swedish Cottage Marionette Theatre

Central Park Zoo e arredores

A área no extremo sul do Central Park é a mais movimentada, devido a atrações como o zoo, o Wollman Rink e o carrossel e a encantos naturais como o Sheep Meadow e a Literary Walk. Seus espaços abertos são bons para piqueniques, embora a maioria não tenha sombra e possa ficar muito quente em dias de sol. No fim de semana, venha cedo para escapar das multidões, e evite dias de grandes desfiles, quando o trecho ao longo da Fifth Avenue fica lotado. As ruas são fechadas ao trânsito fora dos horários de pico, mas tenha cuidado com ciclistas e skatistas.

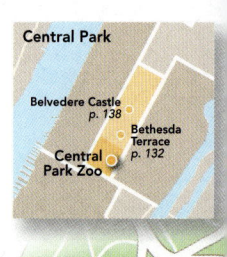

Trecho amplo e arborizado para pedestres na Literary Walk, Central Park

Locais de interesse

ATRAÇÕES
1. Central Park Zoo
2. Trump Rink
3. Friedsam Memorial Carousel
4. Balto Statue and Literary Walk

● COMIDA E BEBIDA
1. Carnegie Deli
2. Dancing Crane Café
3. Viand Coffee Shop
4. Bistro Chat Noir
5. Trattoria Dell'Arte
6. Le Pain Quotidien
7. Mitchel London Foods

Veja também Wollman Rink (p. 130)

● COMPRAS
1. Zootique

● HOSPEDAGEM
1. Loews Regency
2. Le Parker Meridien
3. Plaza Hotel
4. Salisbury Hotel

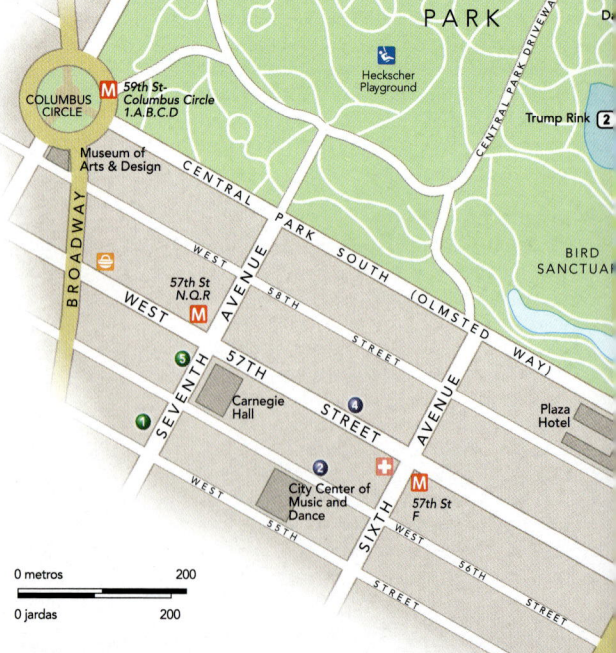

Central Park Zoo e arredores | 127

Crianças no habitat de floresta tropical, Central Park Zoo

Informações

🚗 **Metrô** N, Q e R p/ Fifth Ave-59th St; F p/ 57th St
Ônibus M1, M2, M3, M4, M5 e M66

ℹ️ **Informação turística** The Dairy Visitor Center, no meio do parque, na 65th St, Central Park, 10022; 212 794 6564; 10h-17h seg-dom; www.centralparknyc.org

🧺 **Supermercado** Morton Williams Supermarket, 140 West 57th St, 10019; 212 586 7750 **Mercado** 57th St Greenmarket, Ninth Ave, entre 56th St e 57th St, 10019; abr/mai-dez: 8h-17h qua e sáb

✚ **Farmácia** Duane Reade, 100 West 57th St, 10019; 212 956 0464; 7h30-20h seg-sex, 9h-18h sáb, 10h-17h dom

🧒 **Playgrounds** Billy Johnson Playground, Fifth Ave com 67th St, 10065 (p. 129); Heckscher Playground (p. 131)

Patinação no gelo no Trump Rink, um bom programa de inverno no parque

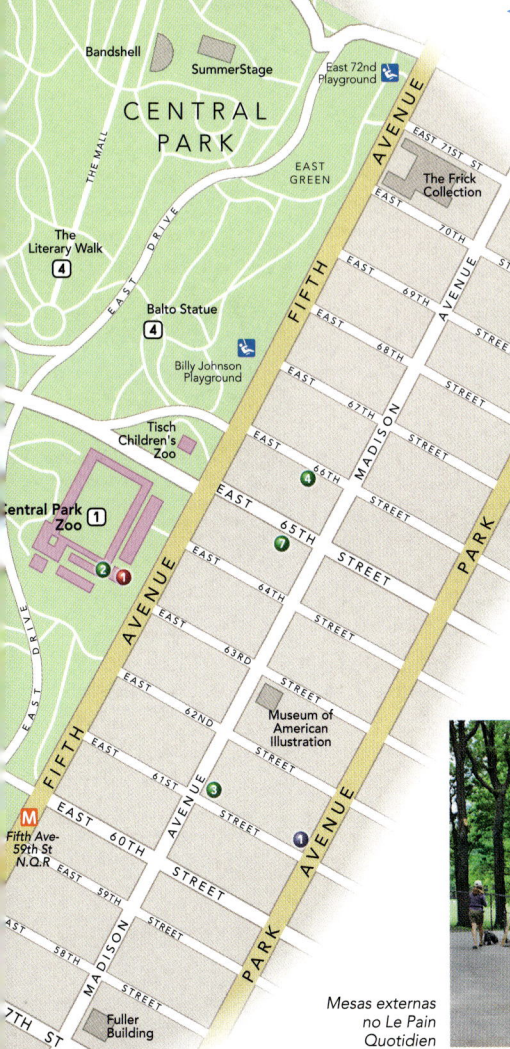

Mesas externas no Le Pain Quotidien

① Central Park Zoo
Pinguins e filhotes de macacos-das-neves

Administrado pela Wildlife Conservation Society, o Central Park Zoo é um paraíso para crianças. Primeiro zoo da cidade, começou como um abrigo informal para animais doados nos anos 1860 e, mesmo após duas reformas, em 1934 e meados de 1980, mantém um clima intimista. O zoo tem mais de cem espécies agrupadas em três zonas climáticas – a Zona Tropical, o Território Temperado e o Círculo Polar.

Tecedor-dourado fazendo ninho

Atrações

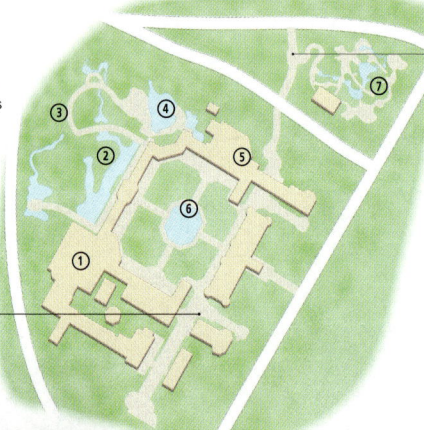

Entrada do Tisch Children's Zoo

① **Tropics House** Veja cágados enormes, aves coloridas, macacos colobus e minúsculos saguis nessa zona tropical abafada, repleta de flora e fauna da África e da América do Sul.

Entrada do Central Park Zoo

④ **Ursos-polares** Observe esses gigantes árticos ameaçados de extinção tomando sol nas rochas, brincando com bolas e tubos e farreando na água.

⑤ **Pinguins** A seção Círculo Polar tem três espécies de pinguim: gentoo, de barbela e rei. Veja essas aves da Antártida sendo alimentadas com peixes ou brincando graciosamente na água.

③ **Leopardos-das-neves** Ocupando um habitat acidentado e sempre verde que recria seu ambiente original na Ásia Central, esses felinos ficam mais ativos no início da manhã e no fim da tarde.

⑥ **Central Garden e Sea Lion Pool** Veja leões-marinhos da Califórnia nadando com elegância em seu habitat envidraçado. Na hora de comer eles mostram suas habilidades de mergulhar e catar peixes.

② **Macacos-das-neves** Nativos do Japão, aqui eles vivem em uma ilha rochosa em grupos de 40 a 200. O zoológico tem uma banheira e um lago aquecidos, como parte de sua mostra da espécie.

⑦ **Tisch Children's Zoo** Integrante do Central Park Zoo, o laguinho daqui é cheio de tartarugas, carpas koi e patos. Na parte leste do zoo, as crianças podem afagar e alimentar ovelhas e lhamas mansas.

Informações

- 🌐 **Mapa** 12 H2
  Endereço East 64th St com Fifth Ave, 10065; 212 439 6500; www.centralparkzoo.com
- 🚇 **Metrô** N, Q e R p/ Fifth Ave-59th St; F p/ 57th St **Ônibus** M57 (cruza a cidade), M1, M2, M3, M4 e M5
- 🕐 **Aberto** Nov-mar: 10h-16h30 diariam; abr-out: 10h-17h seg-sex, 10h-17h30 sáb e dom
- 💲 **Preço** $38-48
- 👥 **Para evitar fila** Ingressos podem ser comprados on-line; não se esqueça de imprimi-los
- 🪧 **Passeios guiados** Para programas familiares e passeios guiados, acesse o site do parque
- 👫 **Idade** Livre
- 👪 **Atividades** A alimentação dos leões-marinhos, das focas-comuns e dos pinguins acontece três vezes por dia. Cheque os horários no site, já que a programação está sujeita a mudanças.
- ⏱ **Duração** 2h
- ♿ **Cadeira de rodas** Sim
- ☕ **Café** O Dancing Crane Café oferece itens básicos para o almoço, a preços razoáveis

Preços para família de 4 pessoas

Central Park Zoo e arredores | 129

Escorregador de mármore, Billy Johnson Playground

Para relaxar
O **Billy Johnson Playground** *(perto da Fifth Ave com 67th St, Central Park, 10022)* é muito apreciado pelos nova-iorquinos. Seu grande chamariz é um belo escorregador de mármore em uma colina. Não se acanhe em pegar um pedaço de papelão no chão para se sentar, pois ele acelera na descida no escorregador. O parque também tem muitos balanços e um pequeno anfiteatro.

Comida e bebida
Piquenique: até US$20; Lanches: US$20-35; Refeição: US$35-70; Para a família: mais de US$70 (base para 4 pessoas)

PIQUENIQUE Carnegie Deli *(854 Seventh Ave com 55th St, 10019; 212 759 2245; www.carnegiedeli.com)* é uma delicatéssen judaica clássica. Seu sanduíche mais famoso é o "Broadway Danny Rose", de corned beef com pastrami. Coma numa mesinha fora, no café Central Park Zoo.
LANCHES Dancing Crane Café *(East 64th St com Fifth Ave, 10065; 212 439 6500)*, aberto o ano todo, é prático para almoçar no zoo. Pizzas, cachorro-quente, sopas e saladas; mesas internas e externas.

- **Lojas** A grande loja de presentes fica fora do zoológico; não é preciso ter ingresso para entrar
- **Banheiros** Perto do café

Bom para a família
Apesar do preço um pouco alto do ingresso, o zoológico é ideal para crianças. Tem tamanho relativamente pequeno, mas a grande variedade de animais compensa.

REFEIÇÃO Viand Coffee Shop *(673 Madison Ave com 61st St, 10021; 212 751 6622)* é uma velha lanchonete que serve o dia todo café da manhã, hambúrgueres e o milkshake espumante "egg cream", feito com água gasosa, leite e xarope de chocolate, presente no menu há cem anos.
PARA A FAMÍLIA Bistro Chat Noir *(22 East 66th St, 10065; 212 794 2428)* oferece clássicos franceses, a exemplo de sopa de cebola, suflê de queijo de cabra e pratos caprichados com peixe, carne e cordeiro.

Compras
A loja de presentes **Zootique**, no zoo, tem camisetas e novidades ao gosto das crianças, como máscaras de animais, miniaturas de bichos e anfíbios de brinquedo.

Saiba mais
INTERNET O site do zoo, www.centralparkzoo.com, tem informações úteis, perfis de animais e vídeos para baixar.
FILME E SÉRIE O zoo aparece nos três filmes *Madagascar* (2005, 2008 e 2012) e também na série televisiva de animação *Os pinguins de Madagascar* (2008).

Crianças indo ao Dancing Crane Café, Central Park Zoo

Próxima parada...
AMERICAN MUSEUM OF NATURAL HISTORY As crianças vão conhecer a riqueza de espécies animais do mundo todo indo ao Museu de História Natural (pp. 174-5). Seus dioramas mostram desde elefantes africanos até imensos ursos do Alasca.

CRIANÇADA!

Descubra mais
1 Ursos-polares e pinguins vivem em lados opostos da Terra, mas seus ambientes são bem semelhantes. Por quê?
2 O zoo tem focas e leões-marinhos da Califórnia, ambos provenientes dos oceanos no hemisfério Norte. Qual desses animais corresponde às descrições abaixo:
a Chegam a ter cerca de 1,85m de comprimento.
b Têm pelo marrom denso.
c São encontrados apenas nas águas do Pacífico, ao longo da costa oeste da América do Norte.
d Têm pequenos canais auditivos atrás dos olhos.

Respostas no fim do quadro.

Grandes mergulhadores
Pinguins-gentoo mergulham até 400 vezes por dia para se alimentar de crustáceos, krill, lulas e peixes pequenos.

CAMUFLAGEM
Ursos-polares têm pelo branco-amarelado – que se confunde com banquisas de gelo e os ajuda a caçar focas –, mas sua pele é preta, o que lhes permite absorver bastante calor solar durante o dia.

Trajes de inverno
Devido a seu habitat de grande altitude, os leopardos-das-neves são os felinos mais peludos. O revestimento grosso na base de suas patas os protege contra o frio, como botas para neve.

Respostas: 1 Ambos vivem em ambientes polares: a Antártida e os ursos-polares no Ártico. **2 a** As focas. **b** Os leões-marinhos da Califórnia. **c** Os leões-marinhos da Califórnia. **d** As focas.

Trump Rink no inverno, com o skyline da Central Park South ao fundo

② Trump Rink
Patinação, brinquedos e jogos

No fim do outono e no inverno, o Trump Rink é o melhor lugar da cidade para patinar, pois é maior, menos lotado e mais barato do que o rinque no Rockefeller Center (pp. 112-3). A mescla campestre e urbana do Trump Rink também o distingue dos outros rinques da cidade – e as vistas dos arranha-céus na Central Park South são imbatíveis.

A partir do Memorial Day, no último fim de semana de maio, o rinque se transforma no parque de diversões Victorian Gardens, com brinquedos, um escorregador gigante, jogos e diversão ao vivo, incluindo palhaços e mágicos. Embora menos estruturado do que o parque em Coney Island (p. 214) – não há montanha-russa nem roda-gigante –, esse parque cai no gosto de crianças de até 12 anos oferecendo uma corrida maluca e jogos tradicionais como Whac-A-Mole, que envolve bater com um martelo no máximo de toupeiras (falsas) no menor tempo possível.

Para relaxar
A sudeste do rinque há um lago encantador cercado de árvores. Caminhe à beira d'água e peça às crianças para contar os patos, cisnes e tartarugas que conseguem avistar.

Informações
- **Mapa** 12 G3
- **Endereço** Canto sudeste do Central Park, entre 62nd St e 63rd St, 10065; 212 439 6900; www.wollmanskatingrink.com
- **Metrô** N, Q e R p/ Fifth Ave-59th St; F p/ 57th St **Ônibus** M5, M7 e M31
- **Aberto** Patinação: fim out-início abr 10h-14h30 seg e ter; 10h-22h qua e qui; 10h-23h sex e sáb; 10h-21h dom. Parque de diversões: fim mai-meados set diariam, mas o horário varia; cheque antes a programação no site.
- **Preço** Patinação: seg-qui $34-44, sex-dom $46-56; aluguel de patins $6,75. Victorian Gardens: seg-sex $28-38, sáb e dom $32-42; mais $3 por volta em brinquedo e $4 por jogo; acesso ilimitado: seg-sex $21, sáb e dom $24. Crianças com menos de 1,07m de altura devem estar acompanhadas de um adulto.
- **Atividades** Aulas particulares de patinação ($65 por 30min), se houver instrutor disponível; pesquise on-line
- **Idade** A partir de 2 anos
- **Duração** Patinação: 1-2h; Victorian Gardens: 2-3h
- **Comida e bebida** *Lanches* A oferta no local é de hambúrgueres, lanches e bebidas; os visitantes podem sentar e observar os patinadores ($5) enquanto comem. *Para a família* Trattoria Dell'Arte (900 Seventh Ave, entre 56th St e 57 Fifth St, 10106; 212 245 9800) serve antepastos, risoto, macarrão e pizzas de massa fina com boas coberturas.
- **Banheiros** No prédio principal

Preços para família de 4 pessoas

③ Friedsam Memorial Carousel
Velocidade, música e barulho

Entre as grandes atrações para crianças nesse parque, o carrossel encantador, alto e veloz é um dos maiores do país. Feito em 1908 em uma oficina de carrosséis no Brooklyn, ele só foi para o parque em 1950, quando seu antecessor sofreu um incêndio. Com quase 15m de diâmetro, essa maravilha giratória tem 58 cavalos e duas carruagens entalhados e pintados à mão pelos artistas Sol Stein e Harry Goldstein. Alguns cavalos sobem e descem durante a volta, enquanto outros são fixos; portanto,

Informações
- **Mapa** 12 G2
- **Endereço** Meio do parque, ao sul da 65th St, 10065
- **Metrô** F p/ 57th St; N e R p/ Fifth Ave-59th St **Ônibus** M10 e M20
- **Aberto** Jan-mar: 10h-pôr do sol sáb e dom; abr-out: 10h-18h seg-sex, 10h-19h sáb-dom; nov-dez: 10h-pôr do sol diariam
- **Preço** $10-15
- **Idade** Livre
- **Duração** 30min
- **Comida e bebida** *Refeição* Le Pain Quotidien (Mineral Springs Pavilion, norte de Sheep Meadow na 69th St, 10082) tem saladas, sanduíches e ótima tábua de queijos. *Para a família* Trattoria Dell'Arte (veja Trump Rink).
- **Banheiros** No Heckscher Playground

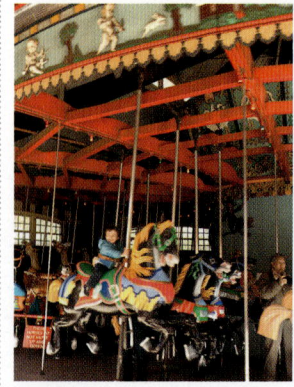

Coloridos cavalos esculpidos à mão no Friedsam Memorial Carousel

Central Park Zoo e arredores | 131

escolha a seu gosto. Canções populares tocadas em um órgão dão um toque dos velhos tempos a essa volta de carrossel.

Para relaxar

O **Heckscher Playground** *(61st St até 63rd St, 10022)* é ideal para as crianças gastarem energia. A maioria de seu piso é de borracha, o que torna mais seguras as brincadeiras de correr. Um velho escorregador alto e uma grande rocha de escalada chamada Umpire Rock são atrações especialmente populares.

Crianças se divertindo no amplo Sheep Meadow

④ Estátua de Balto e Literary Walk

Tributos a um husky heroico, a poetas e a escritores

No alto de uma pequena colina no noroeste do Central Park Zoo *(pp. 128-9)*, vê-se a estátua de Balto, um husky siberiano. Em janeiro de 1925 ele concluiu a etapa final de uma corrida heroica sob uma nevasca para levar medicamentos até Nome, no Alasca. Um surto fatal de difteria começara várias semanas antes, e surgiu a ideia de que trenós puxados por cães seriam o meio mais rápido e confiável de a cidade remota receber o lote de soro necessário. Obviamente, Balto não foi o único responsável pela façanha, mas como era o cão líder da matilha que levou os medicamentos até seu destino final, ele e seu condutor norueguês, Gunnar Kaasen, ganharam mais atenção. Quando a estátua de Balto, feita por Frederick Roth, foi inaugurada no parque em dezembro de 1925, o cão e Kaasen estavam presentes na homenagem. A partir de Balto, um caminho passa

por um túnel sob a Park Drive East e sai no Mall, o largo calçadão de pedestres na direção norte-sul do parque. A ponta sul do caminho tranquilo, conhecida como Literary Walk, é ladeada por quatro fileiras de belos olmos americanos e algumas estátuas de poetas e escritores, assim como de Cristóvão Colombo. Essas árvores extraordinárias estão entre as maiores e mais antigas dessa espécie que restam na América do Norte.

Siga o caminho para o norte até a Central Park Bandshell e dê uma olhada nas estátuas dos compositores Ludwig van Beethoven e Victor Herbert, assim como em *The Indian Hunter*, de John Quincy Adams Ward, e *Eagles and Prey*, de Christopher Fratin.

Para relaxar

O **Sheep Meadow** *(lado oeste, entre 66th St e 69th St, 10023)* é ótimo para jogar futebol e empinar pipas. Desde o começo do parque em 1864 até 1934, o gramado cercado de árvores daqui era um prado onde ovelhas pastavam ("sheep" é ovelha, em inglês).

Informações

🌐 **Mapa** 12 H2
📍 **Endereço** Balto: Leste da East Drive, na 67th St; Literary Walk, The Mall: a oeste da East Drive, desde 67th St até 72nd St
🚇 **Metrô** N e R p/ Fifth Ave-59th St; F p/ 57th St **Ônibus** M1-M5; M66 e M72 cruzam a cidade
👥 **Idade** Livre
⏱ **Duração** 1h
🍴 **Comida e bebida** *Lanches* Mitchel London Foods *(22A East 65th St, 10065; 212 737 2850)* tem saladas, cuscuz e caranguejo. *Refeição* Le Pain Quotidien *(veja Friedsam Memorial Carousel)*
🚻 **Banheiros** Dairy Visitors' Center

Posando com a estátua de Balto, Central Park

CRIANÇADA!

Descubra mais

1 Veja a casa de pedra laranja, amarela e vermelha ao norte do Trump Rink. Qual é o nome dela? (Dica: o nome está ligado a sua finalidade original – servir leite fresco).

2 O Friedsam Memorial Carousel foi achado em uma estação de bondes abandonada em Coney Island em 1940. Por que ele foi levado para o Central Park em 1950?

3 As belas árvores ao longo do Mall do Central Park são olmos americanos, alguns dos quais foram plantados quando o parque foi projetado nos anos 1860. Qual é a idade atual dessas árvores?

Respostas no fim do quadro.

TRIBUTO FLORAL

Na ponta sul do Mall fica o memorial a Frederick Law Olmsted – coprojetista do parque. O canteiro de flores ali tem amores-perfeitos e é cercado por olmos americanos.

Rivalidade canina

O dono de Balto, Leonhard Seppala, também estava na equipe que foi levar soro. Seppala ficou irritado com a atenção dada a Balto, pois achava que merecia a fama, juntamente com seu cão principal, Togo, por terem cumprido a mais longa e penosa etapa na viagem. Na realidade, cerca de 150 cães e 20 condutores percorreram 1.085km em cerca de cinco dias e meio para entregar o soro que salvaria vidas.

Respostas: 1 The Dairy ("Dairy" é leiteria, em inglês). **2** Para substituir o carrossel que havia sido queimado. **3** Entre 140 e 150 anos.

Piquenique até US$20; **Lanches** US$20-35; **Refeição** US$35-70; **Para a família** mais de US$70 (base para 4 pessoas)

132 | Central Park

Bethesda Terrace e arredores

O ponto focal do Central Park é a grandiosa esplanada ao ar livre junto ao Central Park Lake, a qual tem a Bethesda Fountain. Seja descendo a escadaria da 72nd Street Transverse Road ou entrando na esplanada pelo túnel em arco vindo da Bandshell, a vista é magnífica. Os dois lados do parque dão fácil acesso ao terraço, que fica equidistante entre a Fifth Avenue e a Central Park West. As vias são fechadas ao trânsito nos fins de semana e, em dias de semana, de 10h-15h e 19h-7h.

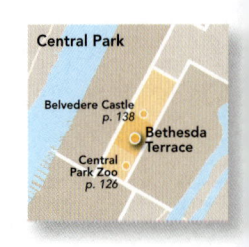

Visitantes relaxando em torno da Bethesda Fountain

Informações

- **Metrô** B e C p/ 72nd St; 6 p/ 68th St **Ônibus** M10, M66, M72 e M79
- **Informação turística** Tavern on the Green Visitor Center, West Side, entre 66th St e 67th St, Central Park, 10023; 212 310 6600; 10h-17h diariam
- **Supermercado** Pioneer Supermarket, 289 Columbus Ave, 10023; 212 874 9506
  Mercado 79th Street Greenmarket, Columbus Ave, entre 78th St e 81st St 10023; 8h-17h dom
- **Festival** SummerStage: shows de dança, teatro e música acontecem no Palco Principal, perto do Rumsey Playfield (www.summerstage.org).
- **Farmácia** Duane Reade, 325 Columbus Ave, 10023; 212 580 2017; 9h-21h seg-sáb, 9h-17h dom
- **Playgrounds** East 72nd Street Playground, entre 71st St e 72nd St, 10065 (p. 136). James Michael Levin Playground, East 77th St, 10075 (p. 137). Billy Johnson Playground, Fifth Ave com 67th St, 10065

Parte do Central Park Lake vista da Bow Bridge

Bethesda Terrace e arredores | 133

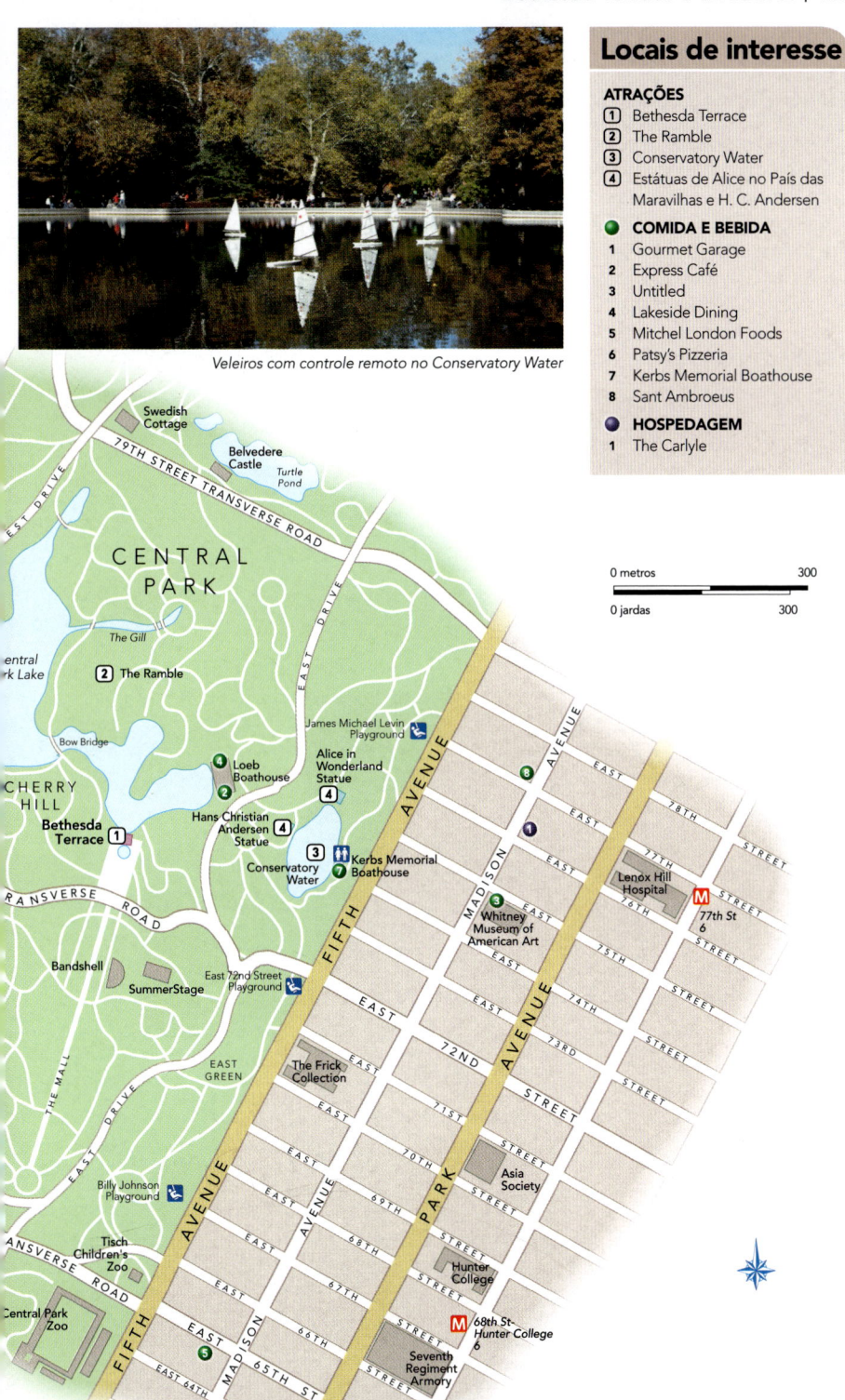

Veleiros com controle remoto no Conservatory Water

Locais de interesse

ATRAÇÕES
1. Bethesda Terrace
2. The Ramble
3. Conservatory Water
4. Estátuas de Alice no País das Maravilhas e H. C. Andersen

🟢 COMIDA E BEBIDA
1. Gourmet Garage
2. Express Café
3. Untitled
4. Lakeside Dining
5. Mitchel London Foods
6. Patsy's Pizzeria
7. Kerbs Memorial Boathouse
8. Sant Ambroeus

🔵 HOSPEDAGEM
1. The Carlyle

① Bethesda Terrace
Anjo aquático e barcos a remo

Uma obra-prima arquitetônica, o Bethesda Terrace também é um animado ponto de encontro. No meio da esplanada há uma escultura estupenda de um anjo alado no topo de uma fonte grandiosa. Seu nome é *Angel of the Waters*, embora os nova-iorquinos a chamem simplesmente de Bethesda Fountain. Vistas amplas do lago, cobrindo desde a Bow Bridge até as matas do outro lado, dão um ar mágico a essa área.

Mosaico colorido no teto da Bethesda Arcade

Destaques

① **Central Park Lake** Criado em um charco e escavado manualmente, esse lago foi projetado para parecer natural e rende ótimos passeios de barco.

Informações

- **Mapa** 12 G1
  Endereço Mid-Park, na 72nd St, 10024; 212 310 6600; www.centralparknyc.org
- **Metrô** B e C p/ 72nd St; 6 p/ 68th St-Hunter College. **Ônibus** M1, M2, M3, M4 e M72
- **Aberto** 6h-1h diariam
- **Preço** Grátis
- **Passeios guiados** A Central Park Conservancy oferece o passeio grátis Cross Park Promenade; ligue 212 772 0210 para mais informações
- **Idade** Livre
- **Atividades** Barcos a remo e bicicletas podem ser alugados na Loeb Boathouse
- **Duração** 2-3h
- **Café** Express Café na Loeb Boathouse
- **Banheiros** Na Loeb Boathouse

Bom para a família
O Terrace é ideal para famílias, graças a suas paisagens idílicas e às muitas maneiras de aproveitar a praça, a fonte, o lago e a passagem mourisca: de barco, de bicicleta ou a pé.

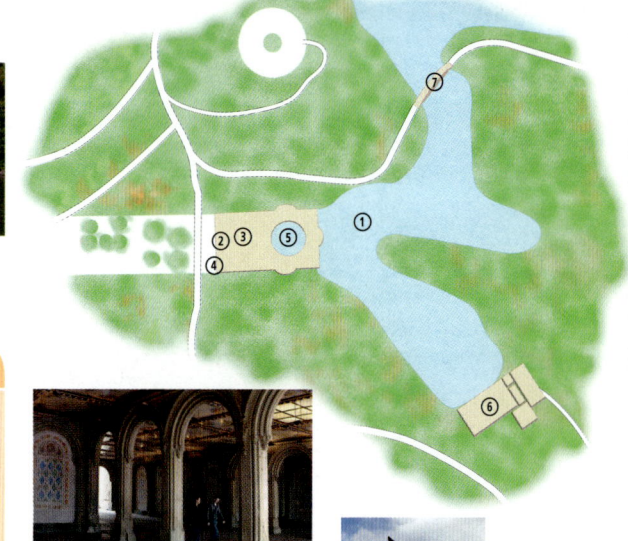

Preços para família de 4 pessoas

② **Bethesda Arcade** Decorada em estilo mourisco e com um belo teto azulejado, essa galeria coberta, que passa sob a 72nd Street Transverse Road, liga o terraço inferior com o Mall.

③ **Terraço inferior** O calçamento da esplanada é de tijolos em estilo romano com padrão de espinha de peixe.

④ **Terraço superior** Ladeando a 72nd Street Transverse, esse terraço tem lindas vistas da esplanada e da fonte abaixo.

⑤ **Angel of the Waters** O anjo das águas foi inaugurado em 1873. O lago tem papiros, ninfeias e lótus no verão.

⑥ **Doca da Loeb Boathouse** Atrás da casa de barcos há um longo deque de madeira com barcos a remo de aluguel.

⑦ **Bow Bridge** Projetada por Jacob Wrey Mould e Calvert Vaux, a majestosa ponte de ferro sobre o Central Park Lake foi concluída em 1862. Ela liga Cherry Hill às matas do Ramble.

Imagine, o mosaico dedicado a John Lennon em Strawberry Fields, Central Park

Para relaxar
Passear em um barquinho com remos de madeira pelo lago é uma maneira perfeita de saciar a ânsia de aventura das crianças. Remar é cansativo, mas dar uma parada e apreciar a vista da margem é muito gratificante.

Comida e bebida
Piquenique: até US$20; Lanches: US$20-35; Refeição: US$35-70; Para a família: mais de US$70 (base para 4 pessoas)

PIQUENIQUE Gourmet Garage *(155 West 66th St, entre Broadway e Amsterdam Ave, 10023; 212 595 5850)* oferece saladas, carnes frias, baguetes e queijos excelentes. Faça uma boa compra e depois vá a Cherry Hill, uma encosta suave voltada para o lago.
LANCHES Express Café *(Loeb Boathouse, East 72nd St e Park Drive North, 10021; 212 517 2233; www.thecentralparkboathouse.com)* serve hambúrgueres, hot dogs, sopas, saladas, bebidas e sorvete.
REFEIÇÃO Untitled *(945 Madison Ave com 75th St, The Whitney Museum of American Art, 10021; 212 570 3670; www.untitledatthewhitney.com)*, localizado no subsolo do Whitney Art Museum, oferece sanduíches, hambúrgueres e entradas. Seu brunch é bem concorrido.
PARA A FAMÍLIA Lakeside Dining *(Loeb Boathouse, East 72nd St e Park Drive North, 10021; 212 517 2233; www.thecentralparkboathouse.com)* é um lugar chique aberto o ano todo. O brunch nos fins de semana inclui bolos de caranguejo, waffles e omeletes. O menu de almoço tem salmão curado com beterraba, rocambole de lagosta e peito de frango salteado. O jantar com ofertas sazonais pode oferecer salmão escocês, lombo de porco e costeleta de cordeiro grelhada.

Saiba mais
FILMES O Bethesda Terrace aparece em vários filmes infantis, como *Encantada* (2007), *Um duende em Nova York* (2003), *Stuart Little 2* (2002) e *Esqueceram de mim 2* (1992).

Se chover...
Se uma tempestade estiver se formando, vá para o sudoeste até o **Tavern on the Green Visitor Center** *(lado oeste, entre 66th St e 67th St, Central Park, 10023)*. Você pode ver a maquete do parque, obter informações e visitar a loja de presentes.

Próxima parada...
STRAWBERRY FIELDS A memória de John Lennon é mantida em Strawberry Fields *(lado oeste, entre 71st St e 74th St, 10024)*, do outro lado da rua do Dakota Building, o edifício onde ele morava e em frente ao qual foi assassinado. Há um mosaico com a palavra "Imagine" no centro.

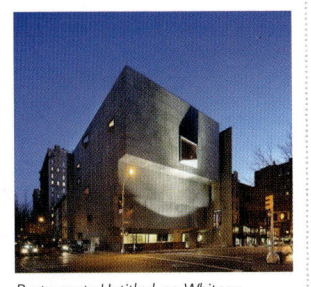

Restaurante Untitled, no Whitney Museum of American Art

CRIANÇADA!

Descubra mais
1 O lago junto à Bethesda Fountain foi criado para os nova-iorquinos remarem no verão e patinarem no inverno. Qual dessas atividades não é mais permitida?
2 Conhecida pelos arcos e mosaicos de azulejo, a arquitetura mourisca tem origem no Norte da África, mas alguns de seus melhores exemplos estão na Espanha. Qual parte do Bethesda Terrace tem aspecto mourisco?
3 O Central Park é dotado de todos os tipos de escultura e estátua. Qual foi a primeira a ser construída?

Respostas no fim do quadro.

FIGURA NA FONTE
O *Angel of the Waters* segura um lírio, que simboliza pureza – uma referência à água limpa que passou a abastecer a cidade em 1842 com a conclusão do aqueduto Croton. A fonte foi construída para comemorar o evento.

Disputa por pontes
Os encarregados da construção do parque queriam uma ponte pênsil com torres e cabos – como a Brooklyn Bridge – sobre o Central Park Lake. Por fim, Calvert Vaux conseguiu derrubar essa ideia e pôde construir a Bow Bridge ("bow" é arco, em inglês).

Respostas: 1 Por questão de segurança, é proibido patinar. **2** A Bethesda Arcade. **3** A fonte no Bethesda Terrace.

② The Ramble
Trilhas urbanas em matas

No lado norte do Central Park Lake, em frente à elegante Bow Bridge, existe outro universo – uma faixa imensa de matas chamada The Ramble, com árvores altas, um emaranhado de trilhas de caminhada, rochedos e clareiras tranquilas que lembram o filme *Bambi*. Na realidade, essas matas selvagens, plantadas criteriosamente na época da formação do parque graças à visão de Olmsted, foram um dos primeiros elementos a tomar forma. Trata-se de um lugar ótimo para caminhar levando água e lanches, mas deve ser evitado à noite. Devido ao lago por perto, essa área isolada de 15ha é praticamente uma reserva de aves, sobretudo perto da água. Cerca de 250 espécies vivem aqui, incluindo peixes, garças e egretas. Muitas são aves migratórias que param a caminho do norte para o verão ou do sul para o inverno. Entre as melhores partes do Ramble estão o regato Gill, que flui por ele até chegar ao lago, o Point – um pedaço de terra em forma de bico de corvo que se projeta no lago –, e o Azalea Pond, bem no meio do Ramble. Fique de olho nas azaleias em flor e nos numerosos pássaros canoros aqui na primavera.

Se chover…
Tente ir a uma matinê do teatro de marionetes no **Swedish Cottage** (p. 142), na orla noroeste do Ramble. É preciso fazer reserva (www.cityparksfoundation.org/swedish-cottage.html).

Família brinca com barquinhos no Conservatory Water

Caminhada à sombra das árvores no Ramble, Central Park

Informações
- **Mapa** 15 D6
- **Endereço** Mid-Park, desde 74th St até 79th St, 10021
- **Metrô** B e C p/ 72nd St; 6 p/ 77th St **Ônibus** M10, M72 e M79
- **Aberto** 6h-1h diariam
- **Passeios guiados** A Central Park Conservancy oferece passeios grátis pela área chamada Amble Through the Ramble; ligue 212 772 0210 para informações
- **Idade** A partir de 4 anos
- **Duração** 1h
- **Comida e bebida** *Lanches* Mitchel London Foods (*22A East 65th St, 10065; 212 737 2850*) tem hambúrgueres, cupcakes e pizzas. *Refeição* Patsy's Pizzeria (*61 West 74th St, 10023; 212 579 3000*) serve antepastos, massas, saladas e pizzas.
- **Banheiros** Ramble Shed, no meio do parque (com 79th St)

③ Conservatory Water
Barquinhos e um minilago

Uma das cenas mais memoráveis do livro infantil clássico *Stuart Little*, de E. B. White, é quando o ratinho destemido se oferece para comandar um barco de brinquedo chamado Wasp em uma corrida de veleiros. O lugar dessa cena foi baseado no lago oval Conservatory Water, às vezes chamado de Boat Basin, cuja inspiração foi um lago semelhante no Jardin du Luxembourg em Paris. Em meses mais quentes, o lago é tomado por corridas de barcos de brinquedo grandes e pequenos, em sua maioria controlados remotamente por pessoas que ficam nas margens.

Embora haja muitos frequentadores regulares nas margens do lago, eles não formam um clube, e qualquer um pode alugar barcos com controle remoto no fim de semana. Leva um tempo para aprender a usá-los, mas eles são bem divertidos. Muitos aficionados guardam seus minibarcos na casa de barcos e os pegam para a corrida semanal.

Para relaxar
Um dos espaços mais bem equipados no Central Park, o espaçoso **East 72nd Street Playground** (*Fifth Ave com 72nd St, 10021*) é perfeito para gastar energia. Há estruturas de escalada,

Informações
- **Mapa** 16 E6
- **Endereço** East Side, desde 72nd St até 75th St, 10021
- **Metrô** 6 p/ 77th St **Ônibus** M1, M2, M3, M4, M79
- **Aberto** 6h-1h diariam
- **Preço** Aluguel de barco: $11/h
- **Passeios guiados** Passeios Cross Park Promenade grátis; ligue 212 772 0210 para detalhes
- **Idade** A partir de 3 anos
- **Atividades** Corrida de barco: 10h sáb; 212 874 0656 p/ informação
- **Duração** 1h
- **Comida e bebida** *Lanches* Kerbs Memorial Boathouse (*East Side na 74th St, Central Park, 10022*) oferece sanduíches e hambúrgueres. *Refeição* Patsy's Pizzeria (*veja The Ramble*).
- **Banheiros** Na Kerbs Memorial Boathouse

Preços para família de 4 pessoas

Bethesda Terrace e arredores | 137

como a enorme teia de aranha, e uma pirâmide, além de balanços e uma caixa de areia.

④ Estátuas de Alice no País das Maravilhas e Hans Christian Andersen
Escalada e narração de histórias

Na margem norte do Conservatory Water há uma escultura em latão do querido quarteto de *Alice no País das Maravilhas*, de Lewis Carroll: o Coelho Branco, o Gato Risonho, o Chapeleiro Maluco e, obviamente, Alice. O filantropo George Delacorte Jr. teve a ideia de homenagear sua esposa, que adorava crianças e a obra de Carroll, e contratou o artista hispano-americano José de Creeft para criar a estátua. De Creeft montou os personagens de acordo com as ilustrações na primeira edição do livro de Carroll e concluiu a escultura em 1959. Sua superfície reluzente é resultado de todas as mãos e corpos que subiram na estátua ao longo do tempo. Isso prova que o desejo de Delacorte se realizou, pois a estátua, um presente para as crianças da cidade, foi feita para ser escalada.

Do outro lado do lago e defronte à casa de barcos há outro clássico infantil: a escultura do grande autor Hans Christian Andersen, que escreveu histórias inesquecíveis como *O patinho feio*, *A pequena sereia* e *A princesa e a ervilha*. Obra de Georg Lober, a estátua foi encomendada para comemorar o 150º aniversário do dinamarquês e, desde sua inauguração em 1954, tem uma hora dedicada à narração de histórias.

Crianças e seus pais se divertem no East 72nd Street Playground

Para relaxar
O **James Michael Levin Playground** (*East 77th St, 10021*) tem outra estátua de *Alice no País das Maravilhas* que as crianças adoram. Aqui, Alice é menor do que o Chapeleiro Maluco e a Duquesa.

Informações
- **Mapa** 16 E6
- **Endereço** Ponta leste do parque, entre 74th St e 75th St, 10021
- **Metrô** 6 p/ 68th St-Hunter College **Ônibus** M1, M2 e M72
- **Aberto** 6h-1h diariam
- **Idade** Livre
- **Atividades** Sandbox Stories nos playgrounds 11h e 14h seg-sex
- **Duração** 1h
- **Comida e bebida** *Lanches* Mitchel London Foods (veja The Ramble). *Para a família* Sant Ambroeus (1000 Madison Ave, 10021; 212 570 2211) tem massas, risoto, tiramisù e cheesecake.
- **Banheiros** Na Kerbs Memorial Boathouse

CRIANÇADA!

Descubra mais
1 O Ramble atrai aves migratórias. Por que essa área é tão perfeita para essas aves?
2 Uma das duas estátuas de escritores em torno do Conservatory Water tem um poema maluco chamado *Jabberwocky*. Você sabe quem o escreveu?
3 Qual é o nome da história que a estátua de Hans Christian Andersen está lendo?

Respostas no fim do quadro.

Perdido e achado
Em 1973, o "patinho feio" que fica na base da estátua de Hans Christian Andersen foi roubado. O morador de um apartamento na Fifth Avenue com vista para a estátua se ofereceu para doar outra que custaria US$75 mil, mas antes que isso acontecesse o filhote de cisne, de bronze, foi achado nas imediações de um ferro-velho próximo ao Shea Stadium, no Queens.

PONTE ROCHOSA
Com 2m de largura, o Ramble Arch é a ponte mais estreita e bonita no Central Park. Ela fica em uma fenda entre duas florações rochosas.

Respostas: 1 Porque oferece isolamento e um lago de água doce cheio de peixes para as aves se alimentarem. **2** Lewis Carroll. **3** *O patinho feio*, a história de uma ave feiosa que se transforma em um belo cisne.

Estátua de bronze de Hans Christian Andersen e do patinho feio

Piquenique até US$20; **Lanches** US$20-35; **Refeição** US$35-70; **Para a família** mais de US$70 (base para 4 pessoas)

Central Park

Belvedere Castle e arredores

O meio do Central Park oferece faixas amplas de grande beleza natural, como o Turtle Pond e o Great Lawn, além de um habitat repleto de animais silvestres: o Jacqueline Kennedy Onassis Reservoir, onde as crianças contam com muitas atrações. O Belvedere Castle abriga o Henry Luce Nature Observatory, onde a garotada empresta kits ecológicos e aprecia vistas maravilhosas do parque, ao passo que o Swedish Marionette Theater apresenta peças infantis o ano todo. Não é essencial trazer água e lanches, mas isso pode ser útil para quem pretende andar bastante pelo parque.

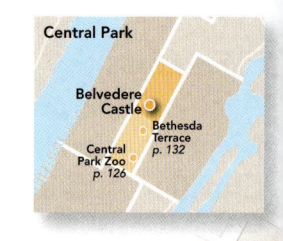

Central Park
- Belvedere Castle
- Bethesda Terrace p. 132
- Central Park Zoo p. 126

Locais de interesse

ATRAÇÕES
1. Belvedere Castle
2. Swedish Cottage
3. Shakespeare Garden
4. Great Lawn e Jacqueline Kennedy Onassis Reservoir

COMIDA E BEBIDA
1. Zingone Brothers
2. Shake Shack
3. Celeste
4. Nice Matin
5. Cafe Blossom
6. Calle Ocho
7. Café Frida
8. Kefi Restaurant
9. Three Star Coffee Shop
10. La Mirabelle

COMPRAS
1. Greenstones

HOSPEDAGEM
1. Hotel Wales
2. The Lucerne

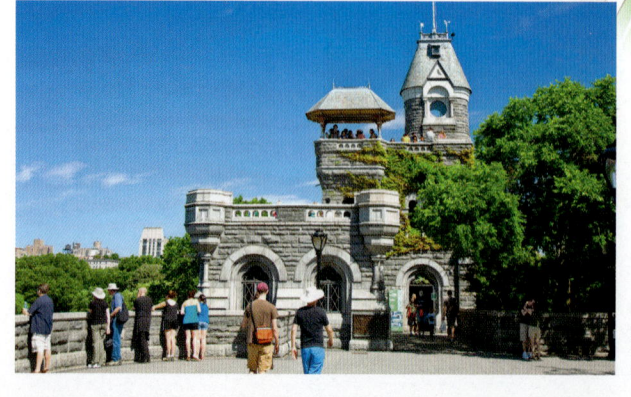

Visitantes diante do Belvedere Castle, Central Park

Belvedere Castle e arredores | 139

Pista de corrida em torno do Jacqueline Kennedy Onassis Reservoir

Informações

🚗 **Metrô** B e C p/ 81st St-Museum of Natural History ou 86th St **Ônibus** M10, M11, M72, M79 e M86

ℹ️ **Informação turística** Belvedere Castle, meio do parque, 79th St, 10024; 212 772 0210

🧺 **Mercado** 79th Street Greenmarket, Columbus Ave, entre 78th St e 81st St; 8h-17h dom

🎪 **Festival** Ice Festival at Central Park (jan; www.centralparknyc.org)

➕ **Farmácia** Duane Reade, 380 Amsterdam Ave, 10024; 212 579 7246; 8h-22h seg-sex, 9h-21h sáb, 9h30-19h30 dom

👶 **Playgrounds** Diana Ross Playground, 81st St, Central Park West, 10024 (p. 142). Ancient Playground, East 85th Street, 10028 (p. 143). James Michael Levin Playground, East 77th St, 10021 (p. 137).

Crianças no Great Lawn do Central Park

① Belvedere Castle
Mirante marcante

Criação arquitetônica mais majestosa de Calvert Vaux, o Belvedere Castle foi erigido no segundo ponto mais alto do parque e concluído em 1869. Originalmente ele era visível das matas distantes a partir da Bethesda Fountain, mas as árvores do Ramble cresceram tanto que o encobriram. Até hoje o castelo tem um ar de conto de fadas, e de suas plataformas de observação descortinam-se vistas estupendas.

Passeio no Turtle Pond

Destaques

Pavilhões de madeira Vaux queria criar outra torre no castelo, mas a falta de dinheiro o levou a fazer esses pavilhões, que servem de mirantes. Os originais ficaram em mau estado e foram substituídos em 1983.

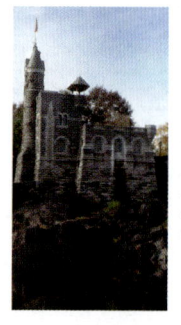

Vídeo da meteorologia Durante décadas, a estação meteorológica do Central Park ficava dentro do castelo. Hoje, um vídeo no 2º andar divulga dados atualizados coletados por um novo sistema automático, por perto.

Aves de papel machê No 2º andar do Henry Luce Nature Observatory há uma coleção de aves de papel machê representando todas as espécies encontradas no parque.

Fachada O castelo foi construído em estilo gótico vitoriano com uma pedra conhecida como xisto Manhattan, a mesma da Vista Rock, onde fica o castelo. O acabamento em cores suaves é de granito.

Vista Rock Vaux escolheu essa floração rochosa de 10m de altura, a segunda elevação natural mais alta no Central Park, como local do castelo, para que ele pudesse ser visto de vários mirantes.

Turtle Pond Cercado de plantas como íris, junco e magnólia, esse lago artificial tem patos, sapos e muitos cágados, os quais botam ovos na Turtle Island.

Deque de observação Com lindas vistas do parque, essa plataforma ao ar livre é um dos melhores lugares para ver a migração de aves de rapina no outono, entre setembro e novembro.

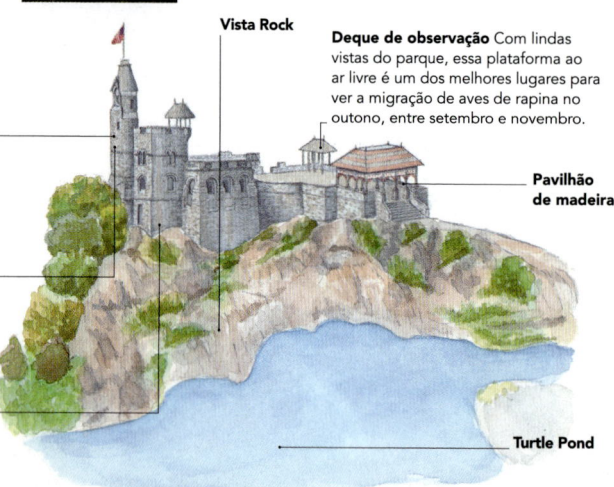

Vista Rock
Pavilhão de madeira
Turtle Pond

Informações

Mapa 15 D5
Endereço Meio do parque, perto da 79th St, 10024; 212 772 0210; www.centralparknyc.org
Metrô B e C p/ 81st St-Museum of Natural History; 6 p/ 77th St
Ônibus M1, M10 e M79
Aberto 10h-17h diariam; fechado 25 dez, 1º jan e Ação de Graças

Preço Grátis
Passeios guiados A Central Park Conservancy oferece a caminhada "Castle and its Kingdom" pelo Belvedere Castle e arredores; acesse o site do parque para mais informações
Idade Livre

Atividades O programa On a Wing para observação de pássaros (mai) inclui workshops e palestras; não faz reserva; lugares limitados
Duração 1-2h
Cadeira de rodas Apenas no andar térreo
Café Não

Preços para família de 4 pessoas

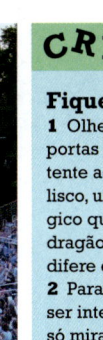

Belvedere Castle e arredores | 141

Apresentação de peça teatral no Delacorte Theater

Para relaxar
Pegue emprestada uma mochila de explorador no **Henry Luce Nature Observatory**, com um guia de aves, bússola e binóculos, e peça às crianças para contarem quantos tipos de aves conseguem avistar.

Comida e bebida
Piquenique: até US$20; Lanches: US$20-35; Refeição: US$35-70; Para a família: mais de US$70 (base para 4 pessoas)

PIQUENIQUE Zingone Brothers *(471 Columbus Ave, entre 82nd St e 83rd St, 10024)* tem pães, queijos e frutas. Faça uma boa compra e depois ache um lugar perto do Turtle Pond, aos pés do castelo.
LANCHES Shake Shack *(366 Columbus Ave com 77th St, 10024; 646 747 8770)* oferece hambúrgueres, incluindo o vegetariano Shroom (com cogumelo portobello), fritas e excelentes milkshakes.
REFEIÇÃO Celeste *(502 Amsterdam Ave, perto da 84th St, 10024; 212 874 4559)* serve bons antepastos, saladas, massas e pizzas feitos em forno à lenha.
PARA A FAMÍLIA Nice Matin *(201 West 79th St, 10024; 212 873 6423;* www.nicematinnyc.com*)* é um aconchegante restaurante francês com porções e entradas como bacalhau do Atlântico com crosta de rábano picante. Oferece também sanduíches, hambúrgueres e pizza, sendo perfeito para agradar toda a família.

Compras
A **Greenstones** *(454 Columbus Ave, 10024; 212 580 4322; 10h-19h)* tem uma seleção criteriosa de roupas para a faixa desde recém-nascidos até 14 anos, sobretudo de marcas europeias, além de sapatos Naturino e acessórios como chapéus, guarda-chuvas e mochilas.

Saiba mais
SÉRIE O castelo teve papel importante na série infantil de TV *Vila Sésamo*, na qual era a casa do conde de Von Count (no Brasil, Conde).

Próxima parada...
DELACORTE THEATER Um típico programa nova-iorquino é ver uma peça do Shakespeare in the Park no Delacorte Theater, ao ar livre *(meio do parque, com 80th St, 10024;* www.centralparknyc.com*)*, aos pés do Belvedere Castle. O elenco inclui atores famosos e as peças são excelentes. Os ingressos, gratuitos, são distribuídos às 13h (só dois ingressos por pessoa) no dia da apresentação, mas sempre há uma fila longa. Chegue às 8h30 em dia de semana ou às 6h45 no fim de semana. Outra opção é testar a sorte se inscrevendo na Virtual Line, uma loteria de ingressos, em www.publictheater.org.

Banheiros
Não, mas perto, no Delacorte Theater

Bom para a família
O visual de contos de fadas do castelo, somado a suas incríveis vistas e às exposições no Henry Luce Nature Observatory, faz desta uma parada ideal para famílias.

CRIANÇADA!
Fique de olho 
1 Olhe acima das portas do castelo e tente achar o basilisco, um ser mitológico que parece um dragão. Em que ele difere dos dragões?
2 Para parecer natural e não ser inteiramente visível numa só mirada, o Turtle Pond foi projetado em forma circular. Qual é o único ponto em que ele pode ser visto por inteiro?
3 O castelo parece brotar da rocha em que se encontra. Qual é a razão desse efeito?

Respostas no fim do quadro.

PENAS EM PROFUSÃO
Dez mil aves de rapina de quinze espécies diferentes passam pelo Central Park no outono, a caminho do sul para o inverno. Em um só dia de setembro, observadores de uma missão organizada registraram milhares de gaviões-de-asa-larga, falcões-europeus, águias-pescadoras e águias-americanas.

Espie os animais
No lado do Turtle Pond mais próximo do Delacorte Theater há um lugar discreto onde as pessoas podem observar os animais silvestres sem ser vistas. Os cágados-de-ouvido-vermelho são os mais comuns entre as cinco espécies de cágado do lago.

Respostas: 1 Ele tem dois pés, em vez dos quatro de praxe. **2** Da torre **3** É que o castelo é feito de xisto de Manhattan, igual ao da Vista Rock.

A fachada rústica do Swedish Cottage, construído em 1876

② Swedish Cottage
A magia das marionetes

A casa rústica de madeira escura com as bandeiras sueca e americana no topo é sueca, ou melhor, sueco-americana. A estrutura foi construída na Suécia, com abeto do Báltico, como protótipo de uma escola, e despachada para os EUA para mostrar a melhor arquitetura nativa da Suécia na Centennial Exposition, realizada na Filadélfia em 1876 pelo centenário do país. Ao vê-la na exposição, Frederick Law Olmsted pensou em um local permanente para ela no Central Park e pagou US$1.500 pelo seu transporte até lá após o término da exposição. Desde que chegou ao parque, a casa teve muitas funções – barracão de ferramentas, cafeteria e centro de estudo de insetos –, até assumir seu papel mais importante: em 1947, tornou-se um teatro de marionetes para crianças, cuja trupe supercriativa se apresenta nas escolas por toda a cidade. Essa é uma das raras companhias de marionetes no país que faz os próprios bonecos e escreve e produz suas peças, em geral contos de fadas que combinam perfeitamente com essa casinha nas matas.

Informações
- 🌐 **Mapa** 15 D5
- **Endereço** Lado oeste, na 79th St, Central Park, 10024; 212 988 9093; www.centralparknyc.org
- 🚇 **Metrô** B e C p/ 81st St-Museum of Natural History. **Ônibus** M10 e M79
- 🕐 **Aberto** Apresentações: 13h sáb e dom; ligue 212 988 9093 para horários
- 💲 **Preço** $34-44
- 👪 **Idade** Apresentações voltadas para crianças de 3-9 anos
- ⏱ **Duração** 1h
- ♿ **Cadeira de rodas** Sim
- 🍽 **Comida e bebida** *Refeição* Cafe Blossom (466 Columbus Ave com 82nd St, 10024; 212 875 2600) serve pratos veganos frescos e preparados com cuidado, assim como crostini e polenta com molho de tomate e manjericão. *Para a família* Calle Ocho (45 West 81st St, 10024; 212 873 5025; www.calleochonyc.com) oferece uma variedade de ceviches (peixe cru marinado em sucos cítricos e chili), tapas, pratos caribenhos e acompanhamentos como fritas e espinafre com alho.
- 🚻 **Banheiros** No Swedish Cottage

Para relaxar
Vá ao **Diana Ross Playground** (81st St, Central Park West, 10024), financiado pela cantora após um show de grande sucesso em 1983 no Great Lawn. As crianças podem brincar nas enormes estruturas de madeira, escorregar em um mastro, subir na rede de escalada e, no verão, se refrescar com os aspersores de água.

③ Shakespeare Garden
Poesia verde

O bardo fez muitas menções a plantas, ervas e flores em suas poesias e peças e, a exemplo de outros locais semelhantes no mundo, esse Shakespeare Garden de 2ha é um oásis sereno com bastante vegetação. As fontes de verde são sazonais – bulbos na primavera, plantas anuais no verão – e variam de ano para ano. No entanto, o canteiro Red Riding Hood, com as tulipas homônimas, se mantém sempre igual. Outras plantas mencionadas por Shakespeare que se encontram aqui são alho, cebola, alecrim, tomilho, batata, lavanda, ruibarbo e camomila. Placas de bronze marcam plantas dignas de nota, e há bancos convidativos nos caminhos. Citado em *Hamlet*, o aromático funcho é um ímã para borboletas.

Para relaxar
Cruze o Great Lawn no rumo leste e

Informações
- 🌐 **Mapa** 15 D5
- **Endereço** Lado oeste, entre 79th St e 80th St, Central Park
- 🚇 **Metrô** B e C p/ 81st St-Museum of Natural History **Ônibus** M10 e M79
- 🕐 **Aberto** 6h-1h diariam
- 💲 **Preço** Grátis
- 👪 **Idade** Livre
- ⏱ **Duração** 30min
- 🍽 **Comida e bebida** *Refeição* Café Frida (368 Columbus Ave, entre 77th St e 78th St, 10024; 212 712 2929) oferece comida mexicana fresca, como por exemplo enchiladas e fajitas. *Para a família* Kefi Restaurant (505 Columbus Ave, entre 84th St e 85th St, 10024; 212 873 0200; www.kefirestaurant.com) serve especialidades rústicas gregas, entre elas mezzes, que incluem lulas, moluscos e polvo grelhado, por preços razoáveis.
- 🚻 **Banheiros** Não, mas encontram-se banheiros no Delacorte Theater (p. 141), perto do Belvedere Castle

Árvores frondosas e plantas sazonais no Shakespeare Garden

Preços para família de 4 pessoas

procure o **Ancient Playground** (lado leste, com 85th St, perto da Fifth Ave, 10028; 8h até o pôr do sol diariam). Essa é uma das áreas lúdicas mais novas do parque e foi inspirada em obras de arte egípcias no Met (pp. 150-3). Equipamentos de escalada em forma de pirâmide, escorregadores e túneis são ligados por estruturas de concreto, e no verão jatos d'água ativados pelos usuários refrescam as crianças. O playground também tem balanços feitos de cordas e pneus.

④ Great Lawn e Jacqueline Kennedy Onassis Reservoir
Obeliscos e ópera

O Great Lawn parece curiosamente simétrico porque abrigava originalmente o Lower Reservoir, um dos principais reservatórios de água da cidade. Quando o aqueduto Croton foi inaugurado fora da cidade em 1842, o Lower Reservoir perdeu a função. Em 1930 foi drenado, aterrado e, por fim, revestido de grama em 1936. Hoje, o gramado serve para muitas coisas, como piqueniques, banhos de sol e concertos da Metropolitan Opera e da New York Philharmonic no verão. No lado leste do gramado fica a Cleopatra's Needle, um obelisco egípcio de 22m de altura feito com uma só haste de granito vermelho e provavelmente datado de 1450 a.C.

Ao norte da 86th Street Transverse há outro reservatório que não foi esvaziado. Planejadores urbanos desativaram o imenso lago artificial em 1993 e no ano seguinte o rebatizaram de Jacqueline Kennedy Onassis Reservoir, em homenagem à ex-primeira-dama. O caminho encantador de 3km ao redor do lago é usado para corridas e tem vistas singulares da cidade. O lago também abriga aves como patos, mergulhões-do-norte, cormorões, egretas e garças.

Para relaxar
O **North Meadow Recreation Center** (meio do parque com 97th St, 10028; 212 348 4867) permite que os visitantes, apresentando documento com foto, emprestem frisbees, bastões e bolas variadas para jogar nos campos espalhados pelo gramado.

Informações
- **Mapa** 15 D5
- **Endereço** Great Lawn: meio do parque, entre 79th St e 85th St. JKO Reservoir: meio do parque, entre 85th St e 96th St
- **Metrô** B e C p/ 81st St-Museum of Natural History **Ônibus** M1-M4, M10, M79 e M86
- **Aberto** Great Lawn: meados abr-meados nov, diariam
- **Preço** Grátis
- **Idade** Livre
- **Atividades** Great Lawn: pipas e beisebol (é preciso ter permissão)
- **Duração** 2h
- **Comida e bebida** Refeição Three Star Coffee Shop (541 Columbus Ave c/ 86th St, 10024; 212 874 6780) tem café da manhã o dia todo e o básico dos diners. Para a família La Mirabelle (102 West 86th St c/ Columbus Ave, 10024; 212 496 0458) serve comida de bistrô, com crepes e sole meunière (peixe no molho de manteiga).
- **Banheiros** No Ancient Playground

CRIANÇADA!

Descubra mais
1 O Swedish Cottage foi construído para crianças, mas não como teatro. Qual era seu propósito original?
2 Os jardineiros do Shakespeare Garden plantam funcho para atrair um certo inseto que o acha delicioso. Que inseto é esse?
3 Que monumento foi trazido em um navio a vapor da cidade egípcia de Alexandria para os EUA em 1880?

Respostas no fim do quadro.

Carga pesada!
Foram precisos 32 cavalos para transportar o Obelisco, que pesa 198 toneladas, do rio Hudson até seu local no Central Park.

ESCRITO EM HIERÓGLIFOS
O topo do Obelisco tem três falcões que representam o deus egípcio Hórus. Os hieróglifos nas laterais da antiga coluna começam louvando-o.

Escrito na pedra
O Obelisco no Central Park é um dos dois erigidos em 12 a.C. em Alexandria, no Egito, para decorar um templo construído por Cleópatra em homenagem a Marco Antônio. Logo depois eles foram derrubados e ficaram soterrados por séculos, razão pela qual seus hieróglifos permaneceram intactos.

Respostas: 1 Uma escola. **2** Borboleta papilionídea. **3** O Obelisco, também conhecido como Cleopatra's Needle.

Ampla área verde e quadras de beisebol no Great Lawn

Piquenique até US$20; **Lanches** US$20-35; **Refeição** US$35-70; **Para a família** mais de US$70 (base para 4 pessoas)

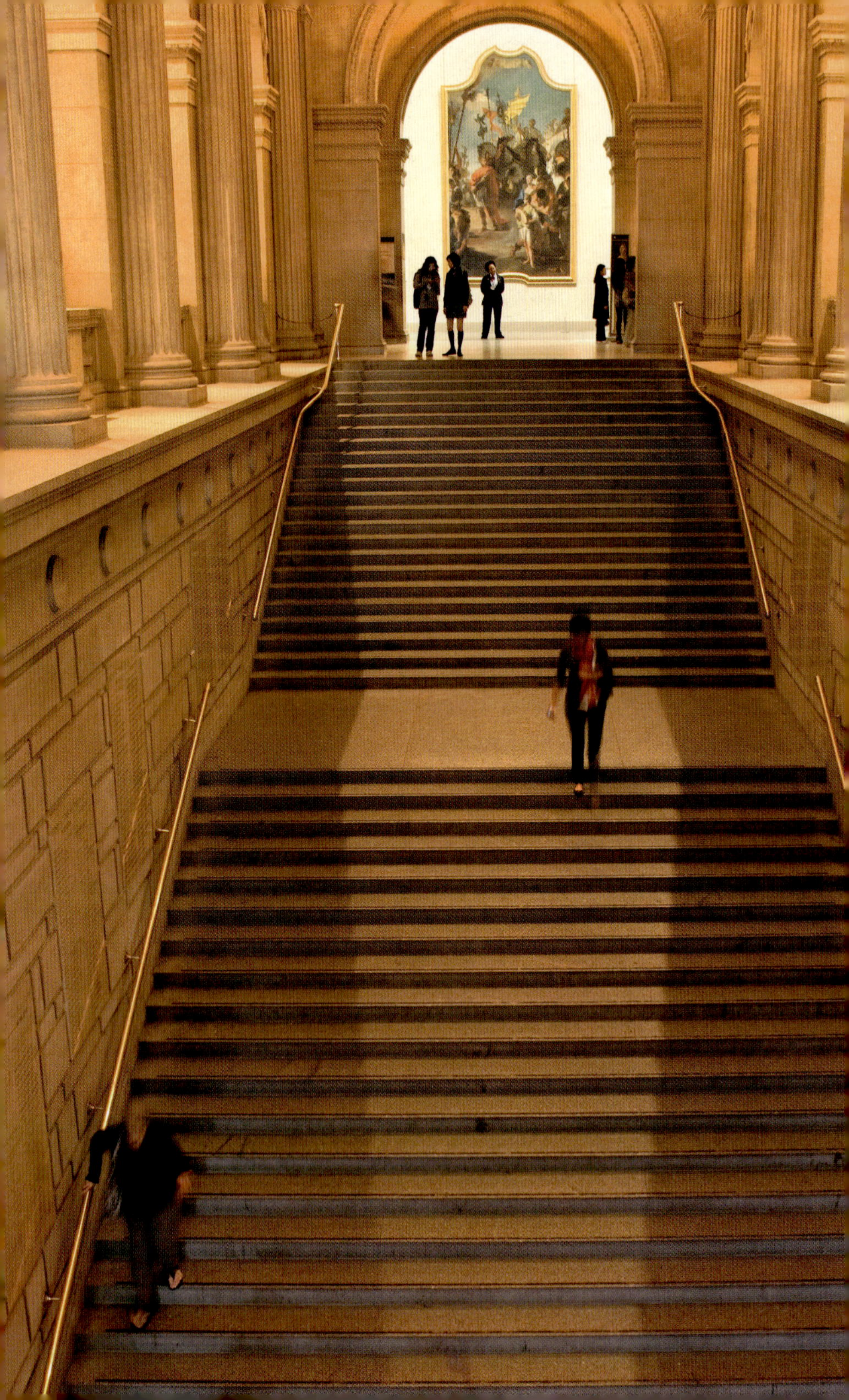

Upper East Side

Uma das áreas mais sofisticadas de Nova York, o Upper East Side reúne vários museus maravilhosos, principalmente em um trecho compacto na Fifth Avenue, a Museum Mile. O imenso Metropolitan Museum of Art ("Met") expõe magníficas esculturas gregas e romanas, ao passo que o Guggenheim ocupa um edifício estupendo de Frank Lloyd Wright. O Met fica perto do Central Park, o que permite ir a ambos no mesmo dia.

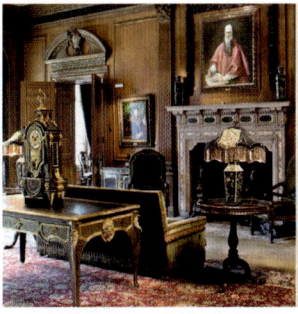

Principais atrações

Metropolitan Museum of Art
Visite esse grande museu e se maravilhe com sua vasta coleção de arte, escultura, peças têxteis, armaduras e muito mais (pp. 150-3).

Frick Collection
Circule pela magnífica mansão que abriga essa coleção estupenda e aprecie as pinturas, esculturas e outras obras em exposição (p. 154).

Solomon R. Guggenheim Museum
Observe bem a criação arquitetônica mais célebre de Frank Lloyd Wright e depois visite as galerias para conhecer a excelente arte moderna colecionada por seu fundador (pp. 158-9).

Jewish Museum
Descubra uma variedade impressionante de pinturas, esculturas, fotografias e artefatos arqueológicos, assim como filmes relacionados aos judeus no Jewish Museum (p. 160).

El Museo del Barrio
Confira a arte e o folclore da América Latina e do Caribe, e sua influência sobre Nova York desde a época pré-colombiana até a atualidade, no Museo del Barrio (p. 161).

À esq. Escadaria monumental no Metropolitan Museum of Art
Acima, à esq. Pinturas, móveis e itens decorativos à mostra no Living Hall da Frick Collection

O Melhor do
Upper East Side

Arte, arquitetura, residências suntuosas e avenidas arborizadas definem o Upper East Side, a área mais opulenta da cidade. Famílias vão gostar dos vários museus por aqui, desde o impressionante Metropolitan Museum of Art até o fascinante Museum of the City of New York. Ao longo da orla oeste do bairro, o Central Park é perfeito para relaxar em um piquenique e se refrescar com os borrifos de fontes imponentes.

Arte em profusão

Essa área tem a maior concentração de arte na cidade. Veja uma das melhores coleções do mundo de pinturas europeias, assim como antigos templos e esculturas egípcios, no **Metropolitan Museum of Art** *(pp. 150-3)*. Para um panorama de arte contemporânea, percorra as rampas circulares do **Solomon R. Guggenheim Museum** *(pp. 158-9)*. O **Whitney Museum of American Art** *(p. 154)* tem o melhor acervo da cidade de obras de artistas americanos, incluindo Jackson Pollock e Georgia O'Keefe. Por fim, conheça o estilo de vida da elite de Nova York em meio aos móveis antigos e aos Velhos Mestres da **Frick Collection** *(p. 154)*.

À dir. *Templo de Dendur no Metropolitan Museum of Art*
Abaixo *Mosaico no piso do Jewish Museum*

Acima As colunas estriadas e os arcos graciosos do Metropolitan Museum of Art

Miscelânea multicultural

As diversas culturas de Nova York estão espelhadas em vários museus no Upper East Side, incluindo **El Museo del Barrio** *(p. 161)*, que enfoca a cultura latina – desde os índios tainos, os habitantes originais de Porto Rico e da República Dominicana, até arte mexicana e porto-riquenha contemporânea. O renomado **Jewish Museum** *(p. 160)*, em um castelo gótico francês na Fifth Avenue, documenta a evolução da cultura judaica ao longo dos séculos. O **Metropolitan Museum of Art** expõe elegantes cerâmicas e caligrafia da Ásia e máscaras e joias vibrantes da África e Oceania. Aqui também é possível ver a rica cronologia da cultura europeia por meio de pinturas daquele continente, da Espanha à Escandinávia.

Contrastes sazonais

Cada estação revela um aspecto singular do Upper East Side. Na primavera, o Central Park ganha mais vida com flores e borboletas. No verão, os museus abrem seus bares e restaurantes ao ar livre – incluindo o jardim de esculturas no topo do **Metropolitan Museum of Art**, onde se pode tomar um drinque sob o céu estrelado. No verão, muitos museus também oferecem concertos ao ar livre e vernissages noturnos às sextas-feiras. No outono e no inverno, galerias e museus inauguram novas exposições, e o bairro todo vira uma terra encantada nevada, com muitos espaços ao ar livre para as crianças fazerem bonecos de neve e andarem de trenó.

Mergulho na história

Para um mergulho fascinante na história da cidade e de seus habitantes, visite o **Museum of the City of New York** *(p. 160)*, que fica em um grandioso edifício neogeorgiano. Vários outros museus no Upper East Side, como a **Frick Collection** e o **Museo del Barrio**, também têm grande diversidade de artefatos históricos, tanto de Nova York como de outras partes do mundo. O Central Park também conta com tesouros históricos, incluindo o **Obelisco** *(p. 143)*, a estrutura mais antiga do parque.

À esq. A fachada do Solomon R. Guggenheim Museum, um marco arquitetônico de Frank Lloyd Wright

Upper East Side

Metropolitan Museum of Art e arredores

Com fácil acesso de metrô e bom para caminhar, a área em torno do Metropolitan Museum of Art tem museus, restaurantes e ruas tranquilas com residências sofisticadas, além de incluir a parte leste do Central Park. O movimento aumenta nos fins de semana, quando turistas e nova-iorquinos vêm em peso visitar os museus. As multidões são menores durante a semana, especialmente no fim da manhã e no meio da tarde.

Engelhard Court, no Metropolitan Museum of Art

Informações

- **Metrô** 4, 5 e 6 p/ 86th St; 6 p/ 68th St-Hunter College **Ônibus** M1, M2, M3, M4, M15, M72, M79, M101 e M102
- **Informação turística** Times Square Visitor Center, 1560 Broadway, entre 46th St e 47th St, 10036; 212 768 1560; www.timessquarenyc.org; 9h-19h seg-sex, 8h-20h sáb e dom
- **Supermercado** D'Agostino, 1233 Lexington Ave com 83rd St, 10028; 212 570 6803
- **Farmácias** Duane Reade, 1524 Second Ave, 10021; 646 422 1023; 8h-21h seg-sex, 8h-19h sáb, 9h-17h dom. CVS/pharmacy, 1241 Lexington Ave, 10028; 212 535 3438; 8h-21h seg-sex, 9h-18h sáb e dom
- **Playground** Ancient Playground, East Side c/ 85th St, p. da Fifth Ave, 10028

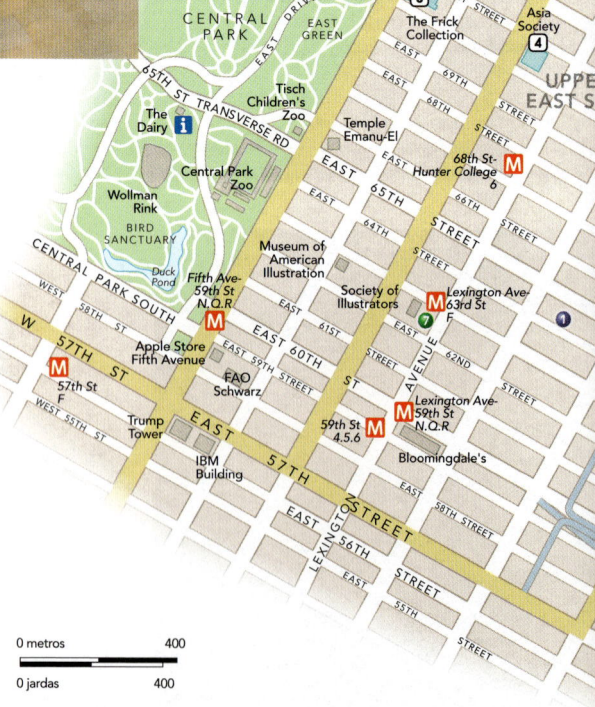

Metropolitan Museum of Art e arredores | 149

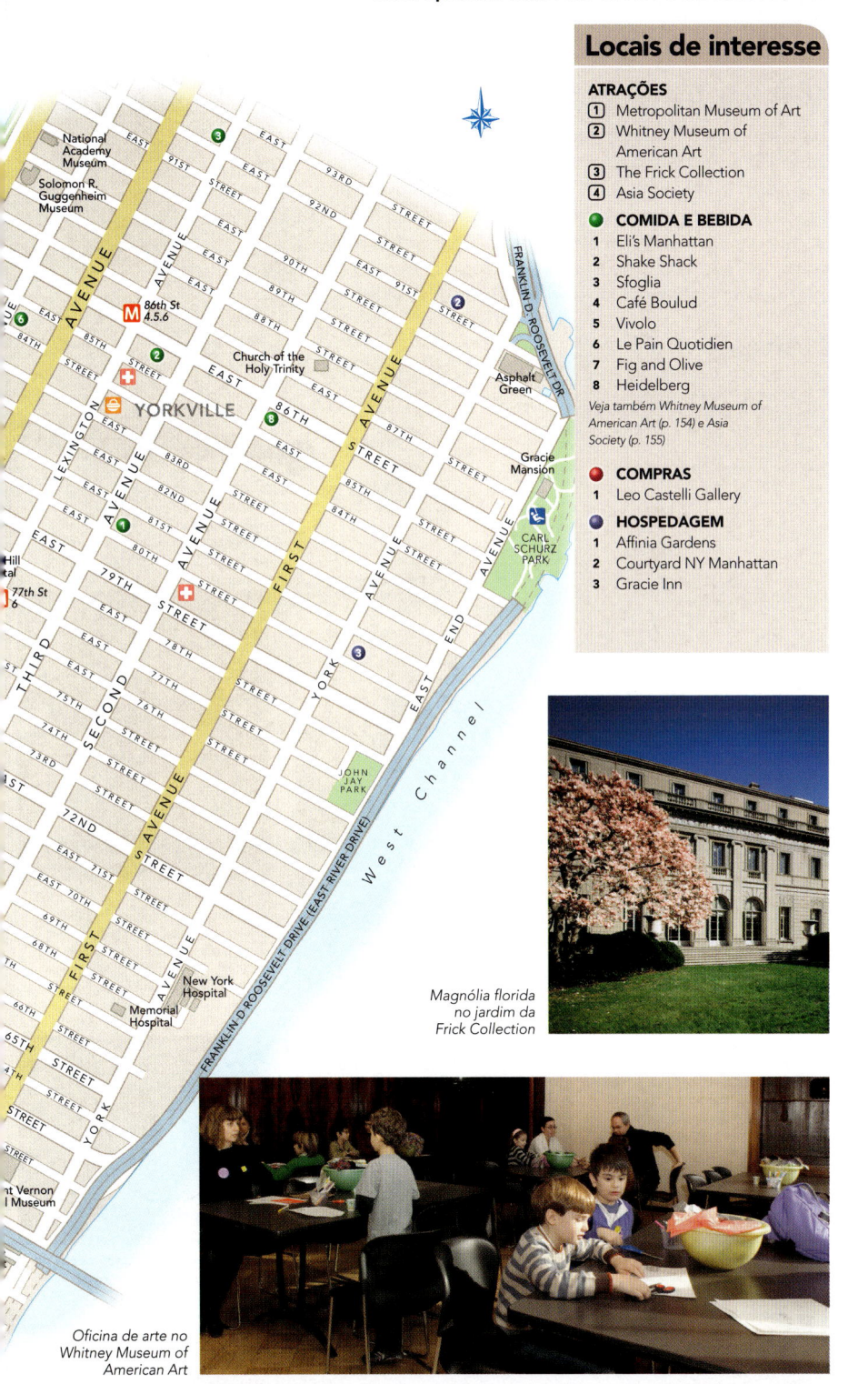

Locais de interesse

ATRAÇÕES
1. Metropolitan Museum of Art
2. Whitney Museum of American Art
3. The Frick Collection
4. Asia Society

🟢 COMIDA E BEBIDA
1. Eli's Manhattan
2. Shake Shack
3. Sfoglia
4. Café Boulud
5. Vivolo
6. Le Pain Quotidien
7. Fig and Olive
8. Heidelberg

Veja também Whitney Museum of American Art (p. 154) e Asia Society (p. 155)

🔴 COMPRAS
1. Leo Castelli Gallery

🟣 HOSPEDAGEM
1. Affinia Gardens
2. Courtyard NY Manhattan
3. Gracie Inn

Magnólia florida no jardim da Frick Collection

Oficina de arte no Whitney Museum of American Art

① Metropolitan Museum of Art
Pinturas, esculturas e muito mais

Os tesouros do Met abrangem milênios e mais de 2 milhões de obras de arte das Américas, Europa, África e Extremo Oriente, assim como a Antiguidade e o mundo clássico. A entrada principal conduz os visitantes ao impressionante Great Hall neoclássico. Daqui, a Grand Staircase leva à maior atração do museu, as galerias de Pinturas Europeias. No entanto, o favorito da garotada é o misterioso Templo de Dendur, de pedra, do antigo Egito.

Estátua egípcia ao lado do Templo de Dendur

Destaques

1º andar

■ **1º andar** O 1º andar do museu tem oito galerias: Arte Egípcia; Ala Americana; Armas e Armaduras; Arte Medieval; Escultura e Artes Decorativas da Europa; Arte Moderna; Artes da África, Oceania e Américas; e Arte Romana e Grega.

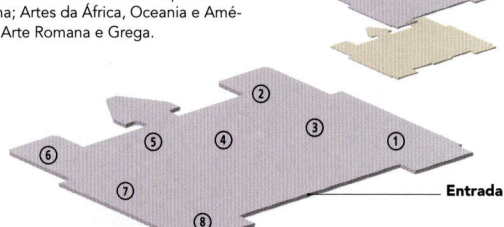

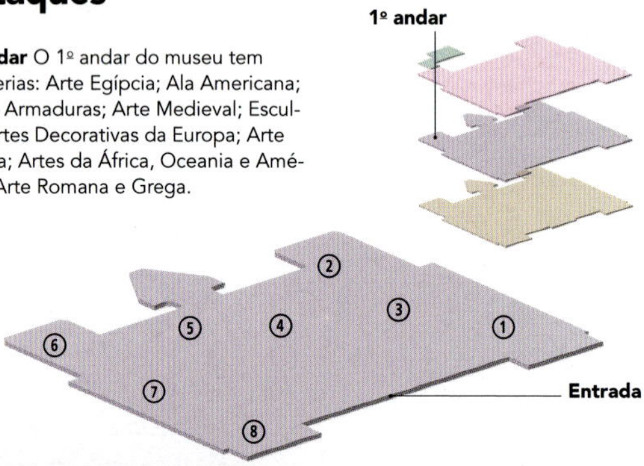

Entrada

③ **Armas e Armaduras** A pistola de rodete finamente cinzelada do poderoso imperador romano Carlos V (1519-56), que deu origem à pistola automática, pode ser vista nessa ala.

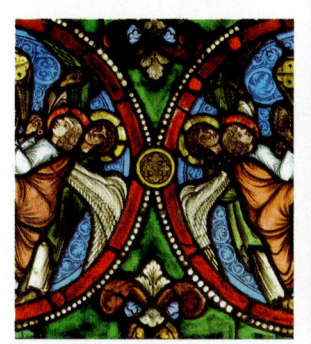

④ **Arte Medieval** Esse vitral de cores vivas intitulado *Angels Swinging Censers* mostra anjos voando e um complexo pano de fundo. Datado de cerca de 1170, ele foi criado para a Igreja de Saint-Étienne em Troyes, França.

① **Arte Egípcia** Essa coleção com 36 mil peças inclui o Templo de Dendur, do século XV a.C., que fica iluminado à noite. Ele foi trazido do Egito para cá, peça por peça, durante a construção da barragem de Assuã em 1965. Estão também à mostra joias esplêndidas e figuras de tumbas, incluindo o hipopótamo azul que se tornou o mascote do museu.

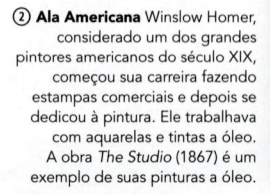

② **Ala Americana** Winslow Homer, considerado um dos grandes pintores americanos do século XIX, começou sua carreira fazendo estampas comerciais e depois se dedicou à pintura. Ele trabalhava com aquarelas e tintas a óleo. A obra *The Studio* (1867) é um exemplo de suas pinturas a óleo.

⑤ **Escultura e Artes Decorativas da Europa** Aqui se vê uma coleção de 50 mil objetos, incluindo estátuas de Rodin, tapeçarias francesas e flamengas e salas de época como a Boiserie, do século XVIII, do Hotel de Cabris, França, que tem painéis esculpidos dourados.

Preços para família de 4 pessoas

Metropolitan Museum of Art e arredores | 151

Informações

- **Mapa** 16 E5
- **Endereço** 1000 Fifth Ave, perto da 82nd St, 10028; 212 535 7710; www.metmuseum.org
- **Metrô** 4, 5 e 6 p/ 86th St
- **Ônibus** M1, M2, M3 e M4
- **Aberto** 10h-21h sex-sáb, 10h-17h30 dom-qui
- **Preço** Valor sugerido: $25; até 12 anos grátis
- **Para evitar fila** Ingressos disponíveis on-line
- **Passeios guiados** Grátis, diariam; passeios com áudio para as maiores coleções: adultos $7, até 12 anos $5
- **Idade** A partir de 5 anos
- **Atividades** O museu oferece várias atividades para a família, incluindo os workshops "How Did They do That" e "Start with Art" e narração de histórias na Children's Reading Room, na Nolen Library (ter-sex)
- **Duração** Um dia inteiro
- **Cadeira de rodas** Sim
- **Cafés** A cafeteria do museu no 1º andar serve sanduíches, pizza e saladas; fecha seg. O Petrie Court Café no Carroll and Milton Petrie European Sculpture Court tem um menu de refeições leves e sobremesas, desde salada de frango até substanciosos sundaes de brownie; fechado seg.
- **Loja** A Met Store tem de tudo, desde joalheria contemporânea até quebra-cabeças exclusivos
- **Banheiros** Em vários andares, incluindo o 1º andar

Bom para a família
Um acervo que inclui alguns dos quadros mais famosos do mundo, a incrível seção egípcia e diversas atividades e workshops para crianças proporcionam um passeio maravilhoso para a família.

⑥ **Arte Moderna** Desde sua fundação, em 1870, o museu vem adquirindo obras de arte contemporânea, mas só em 1987 foi construída uma sede permanente para a arte do século XX – a Lila Acheson Wallace Wing. O acervo inclui obras famosas, como *I Saw the Figure 5 in Gold*, de Charles Demuth.

⑦ **Artes da África, Oceania e Américas** Os destaques dessa coleção são esculturas pré-colombianas de bronze e ouro, além de cerâmica e tambores do Peru. Essa estatueta tem uma serpente e orcas pintadas.

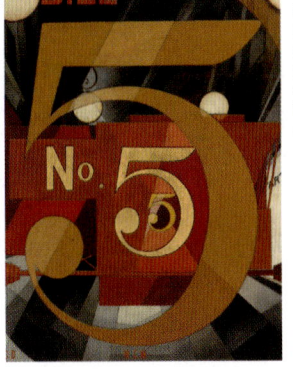

⑧ **Arte Romana** O *Sarcófago de Badminton* (260-70 d.C.) mostra o deus Dionísio sentado em uma pantera e cercado por devotos, o deus Pan com chifres e quatro jovens representando o inverno, a primavera, o verão e o outono.

CRIANÇADA!

Descubra mais
1 Uma das galerias mais interessantes do museu é a de Arte Egípcia, que expõe desde joias de ouro reluzentes até o famoso Templo de Dendur. Você sabe o nome do hipopótamo azul?
2 Na parte de Arte Romana e Grega Antiga, procure o *Sarcófago de Badminton*, com entalhes do deus Dionísio sentado em uma pantera e cercado por várias figuras, incluindo quatro rapazes. O que eles representam?

....

Respostas no fim do quadro.

Arma antiga
Pistola de rodete é uma denominação engraçada, mas foi uma arma amplamente usada na Antiguidade e a primeira pistola de ignição automática do mundo. Uma roda de aço giratória gerava a ignição.

IMPRESSIONANTE
Os blocos de pedra do Templo de Dendur pesavam 726 toneladas no total. Eles foram postos em 661 engradados e levados de navio para os EUA.

Bocarras e olhos intensos
A coleção de arte da Oceania tem itens curiosos das ilhas no oceano Pacífico. Veja as impressionantes máscaras esculpidas, algumas das quais feitas com materiais como casca de árvore, conchas, cera de abelha e até cabelo humano.

....

Respostas: 1 O hipopótamo azul ganhou o nome de William. **2** As quatro estações – primavera, verão, outono e inverno.

① Metropolitan Museum of Art (cont.) ▶

Upper East Side

Metropolitan Museum of Art (cont.)

Destaques

2º andar O 2º andar do Metropolitan Museum of Art abrange Pinturas Europeias; Arte Moderna; Desenhos, Gravuras e Fotografias; Instrumentos Musicais; Ala Americana; Arte Asiática; e o Cantor Roof Garden.

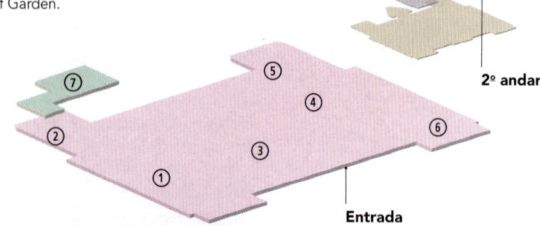

2º andar

A imponente fachada do Metropolitan Museum of Art

Entrada

① Pinturas Europeias As galerias europeias são um conjunto notável de arte impressionista e pós-impressionista, incluindo 34 Monets e 18 Cézannes. O tema favorito do artista francês Edgar Degas era balé, conforme denotam muitas pinturas de dançarinas, incluindo *Ensaio no palco* (1874), que mostra mocinhas dançando.

② Arte Moderna A coleção de arte moderna do Met não é a maior em Nova York, mas é considerada um dos melhores apanhados de arte europeia e americana a partir do século XX. Ela inclui *Retrato de Gertrude Stein* (1906), de Picasso, e *A refeição do cego* (1903), de sua fase azul. Há uma seção dedicada às grandes obras abstratas de Mark Rothko e Jackson Pollock, que tem também *Mao* (1972), de Andy Warhol, um retrato em silk-screen do líder chinês.

③ Desenhos, Gravuras e Fotografias Essa seção inclui fotos, anúncios publicitários históricos e livros ilustrados, e é especialmente rica em arte italiana e francesa dos séculos XV a XIX. A obra abaixo é *Lady Lilith* (1867), do pintor inglês Dante Gabriel Rossetti.

④ Instrumentos Musicais Entre os instrumentos musicais históricos do museu há um violão (1937) que foi de Andres Segovia (1893-1987), um violonista clássico da Andaluzia, Espanha, considerado um dos melhores do século XX.

⑤ Ala Americana Essa seção tem obras do início do Impressionismo como *A xícara de chá* (1880-1), de Mary Cassatt. Representações da vida cotidiana, em especial de mulheres, são típicas dessa artista.

⑥ Arte Asiática Essas galerias mostram esculturas, pinturas, tecidos e cerâmicas da China, Japão, Índia e Sudeste Asiático.

⑦ Cantor Roof Garden O Iris and B. Gerald Cantor Roof Garden (aberto mai-out) expõe esculturas que mudam regularmente. O jardim proporciona a ótima oportunidade de saborear uma bebida apreciando a linda vista do Central Park e dos edifícios em volta.

Preços para família de 4 pessoas

Para relaxar

Suba em pirâmides e descubra um relógio de sol no charmoso **Ancient Playground** (p. 143) no Central Park, ao norte do Metropolitan Museum of Art. Apesar do nome, esse é um dos playgrounds mais recentes do parque e foi inspirado na coleção de arte egípcia do Met. Há atividades aquáticas divertidas: observe como a água flui de um obelisco central, cruza duas pontes e depois despenca como uma minicascata. As crianças também vão gostar dos balanços com pneus.

Cena de Percy Jackson e o ladrão de raios

Comida e bebida

Piquenique: até US$20; Lanches: US$20-35; Refeição: US$35-70; Para a família: mais de US$70 (base para 4 pessoas)

PIQUENIQUE Eli's Manhattan *(1411 Third Ave com 80th St, 10028; 212 717 8100; www.elizabar.com; 7h-21h diariam)* vende pães especiais, queijos importados e saladas frescas que podem ser saboreados no Great Lawn do Central Park.
LANCHES Shake Shack *(154 East 86th St, 10128; 646 237 5035; www.shakeshack.com; 11h-23h diariam)* é o lugar certo para hambúrgueres, fritas e pudins gelados.
REFEIÇÃO Sfoglia *(135 East 92nd St, 10128; 212 831 1402; www.sfogliarestaurant.com; 17h-22h30 seg, 12h-14h30, 17h30-22h30 ter-sáb)* serve saborosa cozinha italiana, incluindo massas, calabresa apimentada e tiramisù cremoso.
PARA A FAMÍLIA Café Boulud *(20 East 76th St com Madison Ave, 10021; 212 772 2600; www.danielnyc.com; 7h-10h, 12h-14h30 e 17h45-22h30 seg-qui [até 23h sex-sáb], 8h-11h, 12h-15h e 17h45-22h30 dom)* tem a deliciosa cozinha francesa do famoso chef Daniel Boulud, que faz desde o clássico foie gras até pato assado com cuscuz marroquino e especiarias.

Compras

O trecho da Madison Avenue, nas imediações, tem várias galerias de arte, incluindo a famosa **Leo Castelli Gallery** *(18 East 77th St, 10075; 212 249 4470)*, butiques com roupas sofisticadas para crianças e adultos, cafés que servem espresso e floriculturas.

Saiba mais

INTERNET O site do museu, *www.metmuseum.org*, tem uma ótima seção infantil, com curiosidades e fatos sobre as obras no museu e pacotes de atividades para baixar.
FILME *Percy Jackson e o ladrão de raios* (2010) foi filmado no Metropolitan Museum of Art e mostra as galerias gregas e outras partes do museu.

Próxima parada...

OBELISCO Vá ao Central Park para ver o Obelisco (p. 143), o objeto mais antigo do parque. Um dos dois construídos nas margens do rio Nilo no Egito em 1450 a.C., ele foi trazido para cá em 1881.

Crianças patinando em volta do Obelisco no Central Park

CRIANÇADA!

Descubra mais

1 Ache a escultura *A pequena dançarina de 14 anos*, de Edgar Degas. Você sabe o nome da posição que ela está fazendo?
2 Além de pinturas e esculturas, o museu tem uma coleção sensacional de instrumentos musicais, incluindo o piano mais antigo do mundo. Quando ele foi feito?
3 Paul Cézanne fez uma série de pinturas famosas de maçãs. Olhe bem e veja se consegue identificar as diferentes cores das maçãs.

Respostas no fim do quadro.

TALENTO NATURAL

Vincent van Gogh foi um grande artista autodidata que teve pouco treinamento formal. Sua memória assombrosa o ajudava a criar muitas pinturas surpreendentes.

Gênio pós-impressionista

Uma das técnicas do artista Paul Cézanne era observar atentamente tudo ao seu redor, como maçãs, vasos de flores, toalhas de mesa e banquetas, e extrair as formas básicas: esferas, cubos, cilindros e cones. Os objetos em suas pinturas se baseiam nessas formas simples.

Respostas: 1 Quarta postição. **2** Em 1720. **3** Laranja, vermelho, amarelo e um pouco de verde-claro, todas em matizes variados.

Upper East Side

Oficina de arte para famílias no Whitney Museum of American Art

② Whitney Museum of American Art
Arte extravagante

O Whitney Museum of American Art tem uma coleção estupenda de obras dos séculos XX e XXI de artistas americanos. São mais de 18 mil pinturas, esculturas, fotografias e filmes de quase 2.800 artistas, incluindo Georgia O'Keeffe, Edward Hopper e Robert Rauschenberg. Não deixe de ver *Brooklyn Bridge*, de Joseph Stella, e *Three Flags*, de Jasper Johns.

O Whitney, porém, é mais famoso por sua Bienal, cuja primeira edição foi em 1932 e desde então é realizada entre março e junho em anos pares. Sua intenção é dar uma visão provocativa do que está acontecendo na arte americana contemporânea. A Bienal sempre apresenta obras inusitadas, como *Annotated Plans for an Evacuation* (2009), na qual o artista Alex Hubbard muda continuamente a aparência de um velho carro Ford, seja equilibrando um jarro d'água no motor, seja pintando as janelas com spray.

Para relaxar
Uma ótima maneira de conhecer o Upper East Side é caminhar no rumo sul pela elegante **Park Avenue**, que é a epítome do bairro e tem vistas encantadoras no caminho para o MetLife Building.

Informações
- **Mapa** 16 E6
- **Endereço** 945 Madison Ave com 75th St, 10021; 212 570 3600; www.whitney.org
- **Metrô** 6 p/ 77th St **Ônibus** M1, M2, M3 e M4
- **Aberto** 11h-18h qua, qui, sáb e dom, 13h-21h sex
- **Preço** $36-46; apenas doação 18h-21h sex; até 18 anos, grátis
- **Para evitar fila** Há em geral filas mais curtas durante a semana, de manhã, assim que o museu abre
- **Passeios guiados** Grátis de hora em hora, horários variáveis
- **Idade** A partir de 6 anos
- **Atividades** O museu oferece workshops de arte, visitas especiais e eventos para crianças e jovens; acesse o site para detalhes
- **Duração** 2h
- **Cadeira de rodas** Sim
- **Comida e bebida** *Refeição* O café do museu, conhecido como Untitled, serve um café preto forte, waffles, panquecas, bons sanduíches e produtos assados. *Para a família* Vivolo (140 East 74th St, 10021; 212 737 3533; www.vivolo.vivolonyc.com) oferece massas substanciosas em uma townhouse de 1875.
- **Banheiros** No 1º andar

③ The Frick Collection
Móveis de época, pinturas e esculturas

À medida que mais condomínios e prédios altos brotam na cidade, é fácil esquecer suas magníficas mansões antigas. Uma visita à esplêndida residência do industrial americano Henry Clay Frick (1849-1919) dá ideia da velha Nova York.

A mansão fica na Fifth Avenue e é precedida por um verdejante jardim com magnólias. No interior, a impressionante coleção de Frick é apresentada em dezesseis galerias e inclui móveis franceses do século XVIII, vasos de porcelana chineses, relógios de parede e bolso de ouro dos séculos XVI a XVIII e pinturas de mestres como El Greco, Goya, Degas, Rembrandt, Velázquez e Vermeer. O Garden Court, a céu aberto, tem uma fonte e é ótimo para quem quer relaxar.

Informações
- **Mapa** 13 A1
- **Endereço** 1 East 70th St, perto da Madison Ave, 10021; 212 288 0700; www.frick.org
- **Metrô** 6 p/ 68th St-Hunter College **Ônibus** M1, M2, M3 e M4
- **Aberto** 10h-18h ter-sáb, 11h-17h dom
- **Preço** $72-82; apenas doação 11h-13h dom
- **Para evitar fila** As filas são curtas de manhã, durante a semana, logo após o museu abrir
- **Passeios guiados** Com áudio e em grupo; detalhes no site
- **Idade** A partir de 10 anos
- **Atividades** Sessões "Sunday Sketch" ocorrem nas tardes de dom, para crianças a partir de 10 anos
- **Duração** 2h
- **Cadeira de rodas** Sim
- **Comida e bebida** *Refeição* Le Pain Quotidien (1131 Madison Ave, 10028; 212 327 4900) serve sopas, queijos importados e saladas mediterrâneas. *Para a família* Fig and Olive (808 Lexington Ave, 10021; 212 207 4555) oferece costeletas de carneiro grelhadas com alecrim e bolo morno de marzipã com sorvete de azeite de oliva.
- **Banheiros** No 1º andar

Pinturas e móveis do século XVIII no Fragonard Room, Frick Collection

Preços para família de 4 pessoas

Para relaxar

Nade, faça ginástica e pratique artes marciais no impecável **Asphalt Green** (www.asphaltgreen.org), espaço que também é bom para crianças, no meio do Upper East Side.

④ Asia Society
Tradições pitorescas e tesouros orientais

Descubra as artes e culturas vibrantes da Ásia nesse museu elegante fundado por John D. Rockefeller III em 1956. Aqui se tem um belo panorama da arte asiática, desde o Japão até o Irã. A coleção pessoal de Rockefeller e sua mulher é especialmente notável. Embora tenha apenas 300 objetos, é considerada uma das melhores do gênero nos EUA e inclui delicadas cerâmicas chinesas dos períodos Song e Ming (960-1279 e 1368-1644) e uma estátua nepalesa de cobre de Bodhisattva, incrustada de pedras preciosas. O museu também oferece outras atrações culturais fascinantes, incluindo filmes asiáticos – tente ver os animados filmes de Bollywood –, shows, apresentações de dança e teatro.

Para relaxar

Explore o bairro de Yorkville, a única parte de Manhattan que ainda tem vestígios da história dos imigrantes alemães e austro-húngaros na cidade. Por volta de 1900, essa era uma localidade animada que se estendia da East 79th Street até a 89th Street entre a Lexington Ave e o rio East. Hoje, a área tem vários cafés alemães tradicionais e delicatessens que servem *Wiener schnitzel* (escalopes de vitela com salada de batata) e doces deliciosos.

Banner vermelho marcando a entrada da Asia Society

Informações

- **Mapa** 13 B1
- **Endereço** 725 Park Ave com 70th St, 10021; 212 288 6400; www.asiasociety.org
- **Metrô** 6 p/ 68th St-Hunter College **Ônibus** M1, M2, M3, M4, M30, M66, M101, M102 e M103
- **Aberto** 11h-18h ter-dom, até 21h sex (exceto jul-set)
- **Preço** $40-50; 18h-21h sex grátis; até 16 anos grátis
- **Idade** A partir de 6 anos
- **Atividades** O museu organiza dias familiares que incluem artes e artesanato, narração de histórias e workshops educacionais, para ensinar crianças e pais sobre tradições e feriados da Ásia
- **Duração** 1h
- **Cadeira de rodas** Sim
- **Comida e bebida** *Refeição* Heidelberg (1648 Second Ave, 10028; 212 628 2332) oferece especialidades alemãs, como sopa com bolinhos e suculentas linguiças. *Para a família* O agradável Garden Court Café, no local, serve ótima comida no estilo asiático, desde salmão temperado com ervas e capim-santo até frango assado com arroz de jasmim.
- **Banheiros** Na galeria do 3º andar

CRIANÇADA!

Descubra mais

1 Ache a coleção de relógios antigos na Frick Collection. Você sabe em que século foram inventados os relógios de bolso e quando eles saíram de moda?

2 No Whitney Museum, dê uma olhada na famosa pintura *Early Sunday Morning* de Edward Hopper. Você sabe que rua de Nova York lhe serviu de inspiração?

3 A Asia Society enfoca a história da Ásia, incluindo invenções famosas como as pipas. Qual país deu origem às pipas?

Respostas no fim do quadro.

O FABULOSO FRICK

Henry Frick fez fortuna como industrial em Pittsburgh, mas arte era sua grande paixão. Comprou todos os tipos de arte imagináveis: esculturas, desenhos, gravuras, móveis, tapetes, peças esmaltadas e de prata e 131 pinturas.

À frente de seu tempo

O Whitney Museum of American Art inicialmente ficava no estúdio de sua fundadora, Gertrude Whitney, no West Village. Ela ofereceu sua coleção de 700 obras ao Metropolitan Museum of Art em 1929, a qual foi recusada por ser demasiado "moderna". Assim, Whitney resolveu abrir seu próprio museu em 1931.

Respostas: 1 Os modelos de bolso eram o tipo mais comum de relógio desde sua invenção no século XVI até a Primeira Guerra Mundial (1914-8). **2** A Seventh Avenue. **3** A China, no IV e V séculos a.C.

Porcelanas e cerâmicas chinesas à mostra na Asia Society

Piquenique até US$20; **Lanches** US$20-35; **Refeição** US$35-70; **Para a família** mais de US$70 (base para 4 pessoas)

156 | Upper East Side

Solomon R. Guggenheim Museum e arredores

É fácil localizar o Guggenheim Museum devido às linhas espiraladas do prédio, que se destaca na Fifth Avenue. A área ao redor é uma mescla convidativa de butiques elegantes, ruas residenciais arborizadas, restaurantes e cafés. A maior atração infantil é o Central Park, que fica a curta caminhada do museu e propicia muitas atividades ao ar livre. O Conservatory Garden é perfeito para uma caminhada entre flores e fontes. É melhor conhecer essa área a pé, mas para ganhar tempo entre as atrações pode-se pegar táxis.

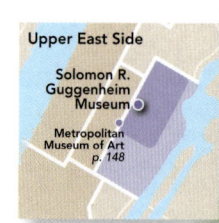

Upper East Side
- Solomon R. Guggenheim Museum
- Metropolitan Museum of Art *p. 148*

Locais de interesse

ATRAÇÕES
1. Solomon R. Guggenheim Museum
2. Jewish Museum
3. Museum of the City of New York
4. El Museo del Barrio
5. Barking Dog Luncheonette
6. Jackson Hole
7. Paola's Restaurant
8. Joy Burger Bar

Veja também Jewish Museum (p. 160) e El Museo del Barrio (p. 161)

COMIDA/BEBIDA
1. Sarabeth's
2. Lexington Candy Shop
3. Ithaka
4. Demarchelier

COMPRAS
1. H&M
2. Planet Kids

HOSPEDAGEM
1. The Carlyle
2. Hotel Wales

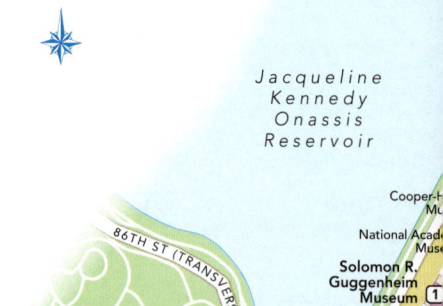

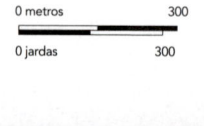

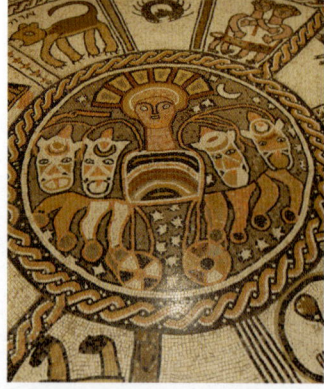

0 metros 300
0 jardas 300

Detalhe de mosaico no Jewish Museum

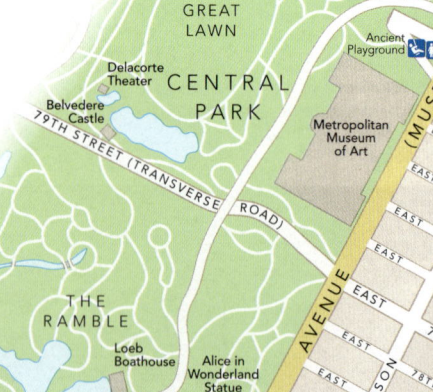

Solomon R. Guggenheim Museum e arredores | 157

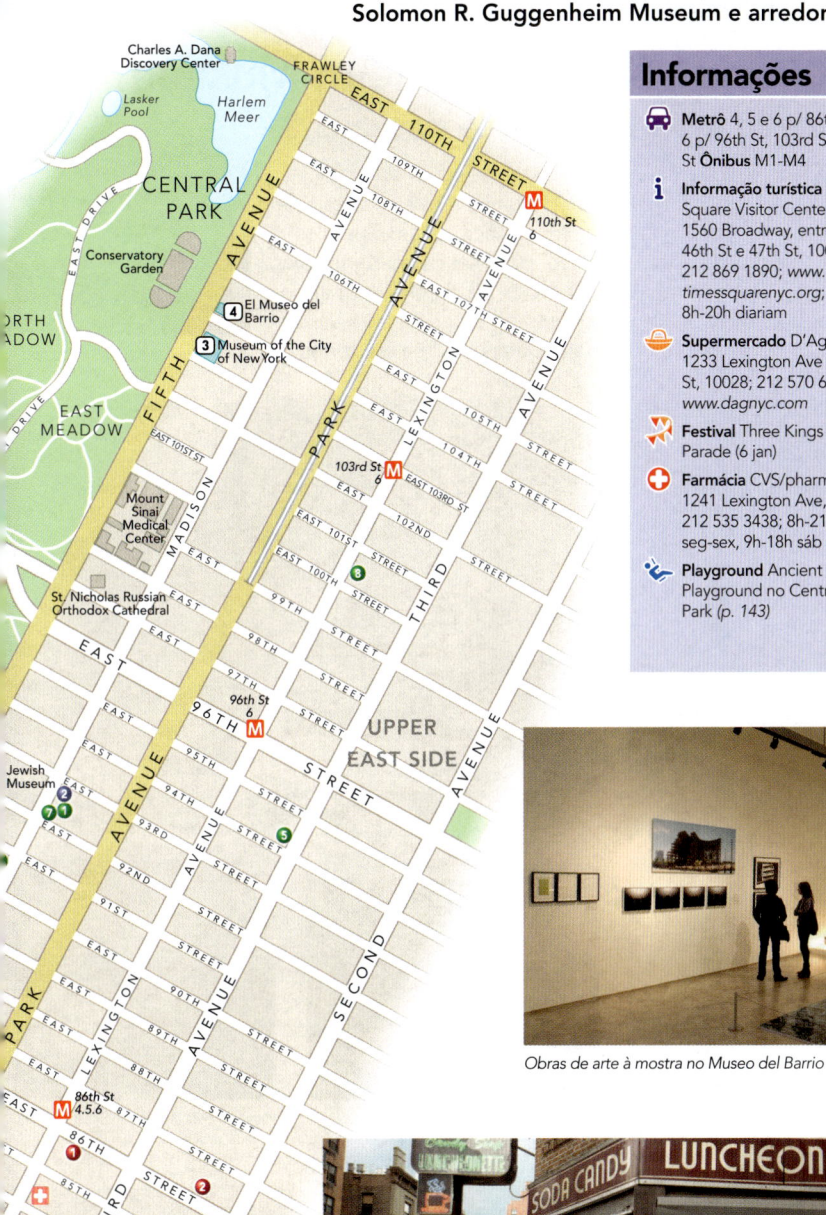

Informações

🚗 **Metrô** 4, 5 e 6 p/ 86th St; 6 p/ 96th St, 103rd St e 110th St **Ônibus** M1-M4

ℹ️ **Informação turística** Times Square Visitor Center, 1560 Broadway, entre 46th St e 47th St, 10036; 212 869 1890; www.timessquarenyc.org; 8h-20h diariam

🛒 **Supermercado** D'Agostino, 1233 Lexington Ave com 83rd St, 10028; 212 570 6803; www.dagnyc.com

🎉 **Festival** Three Kings Day Parade (6 jan)

➕ **Farmácia** CVS/pharmacy, 1241 Lexington Ave, 10028; 212 535 3438; 8h-21h seg-sex, 9h-18h sáb e dom

🛝 **Playground** Ancient Playground no Central Park (p. 143)

Obras de arte à mostra no Museo del Barrio

Vitrine da Lexington Candy Shop, Upper East Side

① Solomon R. Guggenheim Museum
Arquitetura esplêndida e arte inspiradora

Instalado em uma espécie de concha em espiral invertida projetada por Frank Lloyd Wright nos anos 1950, o Guggenheim Museum é tão famoso por seu edifício quanto pela estupenda coleção de arte, que inclui pintores como Kandinsky, Picasso e Chagall. Para explorar ambos, vá de elevador até o topo e depois desça a rampa em espiral parando para ver as exposições temporárias e a vista espetacular do piso térreo.

A rampa em espiral do museu

Acervo permanente

GUIA DO MUSEU
O Guggenheim expõe seu acervo permanente e mostras temporárias em todos os seus espaços. A Great Rotunda é muito usada para excelentes exposições temporárias e mostras de partes do acervo permanente, enquanto galerias menores também mostram obras do acervo, que variam de esplêndidos exemplos impressionistas a pinturas contemporâneas.

Torre
Grande Rotunda
Pequena Rotunda

Diante do espelho (1876) Edouard Manet mostra uma cortesã do século XIX se vendo no espelho.

Vaca amarela (1911) Franz Marc adorava animais, conforme se vê nessa pintura de uma vaca cabriolando alegremente.

Paris através da janela (1913) Marc Chagall retrata Paris como uma paisagem iluminada com figuras misteriosas.

Informações

🌐 **Mapa** 16 E4
Endereço 1071 Fifth Ave com 89th St, 10128; 212 423 3500; www.guggenheim.org

🚗 **Metrô** 4, 5 e 6 p/ 86th St
Ônibus M1, M2, M3 e M4

🕙 **Aberto** 10h-17h45 seg-qua, sex e dom, 10h-19h45 sáb

💲 **Preço** $80-90; até 12 anos grátis; apenas doações 17h45-19h45 sáb, venda de ingresso até 19h15

👥 **Para evitar fila** O museu é mais movimentado sáb e dom; então, venha durante a semana para evitar multidões. Os visitantes que compram ingressos on-line não pegam fila.

🪧 **Passeios guiados** Visitas interativas grátis, passeios familiares e workshops quase todo dom; grátis: 11h e 13h diariam

👫 **Idade** A partir de 5 anos

🏃 **Atividades** O museu abriga workshops de arte, atividades teatrais e narração de histórias; www.guggenheim.org

⏱ **Duração** 2h

♿ **Cadeira de rodas** Sim

☕ **Cafés** O Wright Restaurant, diante da Great Rotunda, tem menu sazonal, assim como lanches leves; o Café 3, no 3º andar do anexo, oferece sanduíches e doces.

Preços para família de 4 pessoas

Para relaxar

Em homenagem à coleção egípcia do Met *(pp. 150-3)*, o **Ancient Playground** *(p. 143)*, no Central Park, tem pontes sobre colunas, estruturas piramidais e balanços com cordas para a garotada.

Balcão na Lexington Candy Shop, uma velha lanchonete

Comida e bebida

Piquenique: até US$20; Lanches: US$20-35; Refeição: US$35-70; Para a família: mais de US$70 (base para 4 pessoas)

PIQUENIQUE Sarabeth's *(1295 Madison Ave, perto da 92nd St, 10128; 212 410 7335; www.sara bethseast.com; 8h-22h30 seg-sáb, 8h-22h dom)* tem delícias de forno como tortas de pecã, muffins de vacínio e cookies; ache um banco no Central Park, nas cercanias, para degustá-los.

LANCHES Lexington Candy Shop *(1226 Lexington Ave com 83rd St, 10028; 212 288 0057; www.lexingtoncandyshop.net; 7h-19h seg-sáb, 8h-18h dom)* é uma lanchonete encantadora que oferece opções clássicas, incluindo panquecas, hambúrgueres e os tradicionais egg creams *(p. 31)*.

REFEIÇÃO Ithaka *(308 East 86th St,10028; 212 628 9100; 16h-23h seg-sex, 12h30-23h sáb e dom)* serve autêntica comida grega no Upper East Side. O menu tem especialidades gostosas como almôndegas condimentadas, polvo grelhado, berinjela recheada e baclava.

PARA A FAMÍLIA Demarchelier *(50 East 86th St, perto da Madison Ave, 10028; 212 249 6300; www.demarchelierrestaurant.com; 12h-22h seg, ter e dom, 12h-22h30 qua-sáb)* é um bistrô francês com menu clássico: peça sopa de cebola e pato assado, e encerre com a deliciosa musse de chocolate.

Compras

O bairro do Upper East Side abriga muitas lojas excelentes. A poucas quadras do Guggenheim, a **H&M** *(150 East 86th St, 10028; 212 289 1724; www.hm.com)* tem boa variedade de roupas para adultos e crianças, e a **Planet Kids** *(247 East 86th St, perto da Second Ave, 10028; 212 426 2040; www.planetkidsny.com)* vende livros para colorir e brinquedos da LEGO, assim como carrinhos de bebê e mantas para viagem.

A entrada da loja de brinquedos e livros infantis Planet Kids

Saiba mais

INTERNET O site www.guggenheim.org apresenta informações sobre oficinas de arte, visitas e cursos para crianças. Veja também em http://tinyurl.com/3umusvt sugestões úteis para as crianças se divertirem no museu.

Próxima parada...

LITTLE SHOP OF CRAFTS As crianças ficarão encantadas com o centro de artesanato da Little Shop of Crafts *(431 East 73rd St, 10021; 212 717 6636; www.littleshopny.com)*, no qual podem pintar cerâmicas, fazer colares de contas e montar mosaicos. Podem, ainda, fazer modelos de gesso de seus personagens favoritos e criar bichos de pelúcia.

Loja A ótima loja de presentes do museu vende livros e vários artigos divertidos para crianças

Banheiros Em vários andares

Bom para a família
Com seu exclusivo prédio em espiral e suas icônicas pinturas contemporâneas, esse museu deslumbra tanto crianças quanto adultos.

CRIANÇADA!

Fique de olho

1 Ao andar em volta do famoso edifício em espiral de Frank Lloyd Wright, que criatura marinha lhe vem à mente?

2 Observe a famosa pintura *Paris através da janela*, de Marc Chagall. Que edifício célebre aparece na pintura? E você sabe onde está o coração?

3 Observe o edifício do Guggenheim Museum por fora e por dentro. Que formas você distingue?

Respostas no fim do quadro.

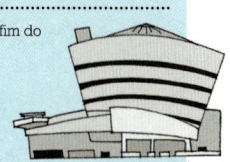

FLUIDEZ NO PINCEL

Preste atenção na famosa pintura *Mulher de cabelo amarelo*, de Picasso. Ele usou linhas fluidas contínuas em muitas partes da pintura, sobretudo da testa até o queixo da mulher.

Questão de mérito

Frank Lloyd Wright inicialmente não queria projetar o Guggenheim em Nova York e até escreveu: "Penso em vários lugares mais desejáveis no mundo para construir esse grande museu, mas teremos que fazê-lo em Nova York". Para Wright, a cidade já tinha construções demais – mas, no final, acabou sendo o cenário ideal para o museu.

Respostas: 1 O desenho em espiral é semelhante ao da concha de um náutilo, espécie de molusco. **2** A Torre Eiffel; o homem de dupla face tem a forma de um coração impressa em sua mão. **3** Há formas ovais, triângulos, arcos, círculos e quadrados.

Upper East Side

Crianças em projeto de arte no Jewish Museum

② Jewish Museum
Arte judaica do mundo inteiro

Com um rico legado judaico, Nova York tem, apropriadamente, o renomado Jewish Museum. Fundado em 1904, foi transferido em 1947 para seu endereço atual, um encantador castelo gótico francês no meio da famosa "Museum Mile" em Manhattan. Além de sua coleção de mais de 28 mil peças, que inclui pinturas, esculturas, artes decorativas, fotografias e artefatos arqueológicos, o museu dispõe de salas de aula, um auditório e um café convidativo.

A exposição principal, Culture and Continuity: The Jewish Journey, explora vários aspectos da evolução da cultura judaica ao longo dos séculos. O museu também é uma das sedes do conhecido Jewish Film Festival, em janeiro, com filmes variados ligados à experiência judaica.

Na Archaeology Zone, as crianças se vestem com traje de época e conhecem o trabalho de um arqueólogo explorando métodos usados para preservar artefatos após uma escavação.

Para relaxar
Ande no terreno amplo do **Jacqueline Kennedy Onassis Reservoir** (p. 143). Deixe as crianças correrem, caminharem na trilha ao redor do reservatório e olharem as aves, a exemplo de garças e mergulhões-do-norte.

③ Museum of the City of New York
Tudo sobre Nova York

Pequeno, porém interessante, o Museum of the City of New York fica em um edifício neogeorgiano de 1930. Sua mistura eclética de mostras inclui a New York Toy Stories, com casas de boneca e equipamentos esportivos do início do século XIX. Há várias exposições, sobre história da cidade, moda, fotografia e belas-artes, ao passo que a mostra Trade enfoca o papel de Nova York como porto do século XVII. As galerias do lado norte ficarão fechadas para reforma até 2015.

Para relaxar
Ande na margem arborizada do **Harlem Meer** (lado leste da 106th St até a 110th St, 10029), nas proximidades, no Central Park, e veja aves como garças-noturnas.

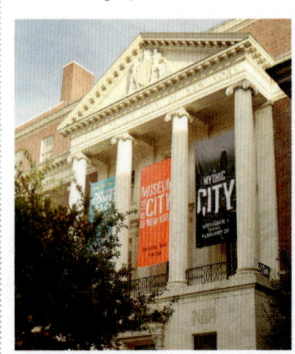

A grandiosa fachada do Museum of the City of New York

Informações (Jewish Museum)

- **Mapa** 16 E3
- **Endereço** 1109 Fifth Ave com 92nd St, 10128; 212 423 3200; www.thejewishmuseum.org
- **Metrô** 6 p/ 96th St **Ônib.** M1-M4
- **Aberto** 11h-17h45 seg-ter e sex-dom, 11h-20h qui
- **Preço** $48-58; até 12 anos grátis; sáb grátis, qui doação
- **Passeios guiados** Seg, ter, qui e sex, incluídos no ingresso; acesse o site para mais informações
- **Idade** A partir de 5 anos
- **Atividades** Para workshops de arte, performances teatrais e narração de histórias infantis, acesse o site; Seção Arqueológica: 11h-17h45, fechada sáb
- **Duração** 2h
- **Cadeira de rodas** Sim
- **Comida e bebida** *Piquenique* O café do local, Lox at Cafe Weissman, serve sopas, saladas e sanduíches. *Refeição* Barking Dog Luncheonette (1678 Third Ave c/ 94th St, 10128; 212 831 1800) tem sanduíches, saladas e massas.
- **Banheiros** Na saída do lobby do 4º andar

Preços para família de 4 pessoas

Informações (Museum of the City of New York)

- **Mapa** 16 E2
- **Endereço** 1220 Fifth Ave com 103rd St, 10029; www.mcny.org
- **Metrô** 6 p/ 103rd St **Ônibus** M1-M4 e M106
- **Aberto** 10h-18h diariam; até mais tarde no verão
- **Preço** $20 (família)
- **Para evitar fila** Apesar de o museu ter mais movimento nos fins de semana, as filas nunca ficam muito longas e raramente é preciso esperar para entrar
- **Idade** A partir de 5 anos
- **Atividades** Uma apresentação audiovisual de 25min no 2º andar (a cada 30min) oferece uma visão geral da história da cidade, desde quando era território dos índios até os ataques de 11 set.
- **Duração** 2h
- **Cadeira de rodas** Sim
- **Comida e bebida** *Refeição* Jackson Hole (1270 Madison Ave, perto da 91st St, 10128; 212 427 2820) tem tema de caubói e oferece bons hambúrgueres. *Para a família* Paola's Restaurant (1295 Madison Ave, 10028; 212 794 1890) serve comida clássica romana e do resto da Itália, com massas frescas todo dia.
- **Banheiros** Na saída do lobby

Solomon R. Guggenheim Museum e arredores | 161

④ El Museo del Barrio

Arte e cultura latino-americanas

Refletindo a origem de seu bairro, o Harlem Espanhol, El Museo del Barrio foi aberto aqui em 1969 e cobre mais de 800 anos de arte e cultura latina, caribenha e latino-americana. Siga a colorida cronologia visual, que começa com objetos pré-colombianos dos índios tainos, os habitantes originais de Porto Rico e da República Dominicana. Há artefatos antigos como amuletos figurativos esculpidos que supostamente dão sorte e proteção a seus donos.

Também estão à mostra arte moderna e fotografia, com muitas obras que revelam a forte ligação entre artistas latinos e Nova York, onde vivem. Fique de olho nas fotos que Roger Cabán fez em 1970 de cenas de rua em Nova York, nas quais se veem ambulantes e barbearias. A mostra The Nexus New York destaca artistas caribenhos e latino-americanos que participaram do movimento vanguardista nas décadas de 1920 e 1930, com obras vibrantes de muralistas mexicanos como Diego Rivera e pinturas de Frida Kahlo.

Para relaxar
Cercado de árvores, o lago artificial **Harlem Meer** (p. 160) é perfeito para brincadeiras ao ar livre. No verão, as crianças nadam na **Lasker Pool** (11h-15h e 16h-19h diariam).

Informações

- 🌐 **Mapa** 16 E1
  Endereço 1230 Fifth Ave com 104th St, 10029; 212 831 7272; www.elmuseo.org
- 🚇 **Metrô** 6 p/ 103rd St **Ônibus** M1
- 🕐 **Aberto** 11h-18h ter-sáb; fechado dom
- 💲 **Preço** Doação sugerida $9; grátis até 12 anos; grátis todo 3º sáb do mês
- 👥 **Para evitar fila** É melhor fazer a visita durante a semana (ter-sex) para evitar multidões
- 👪 **Idade** A partir de 5 anos
- 🎨 **Atividades** Todo 3º sáb do mês (11h-18h) é chamado de "Super Sabado!", com muitas atividades voltadas para crianças, incluindo shows, visitas às galerias, workshops de arte, projeção de filmes e recitais
- ⏱ **Duração** 2h
- ♿ **Cadeira de rodas** Sim
- ☕ **Comida e bebida** Lanches El Café (no local) oferece boa comida latina e de rua, desde quentes empanadas até fresco e picante ceviche (frutos do mar marinados em molho cítrico). Refeição Joy Burger Bar (1567 Lexington Ave, 10029; 212 289 6222) serve hambúrgueres com molhos especiais, como pesto e maionese de alho.
- 🚻 **Banheiros** Perto do café

Acima Família passando pelo Museo del Barrio na Fifth Avenue
Abaixo Programa infantil Super Sabado! no Museo del Barrio

CRIANÇADA!

Fique de olho

1 Durante o Hanukkah, a festa judaica das luzes, um candelabro especial é aceso. O Jewish Museum tem um exemplar que comporta oito velas. Você sabe onde ele está?

2 No Museum of the City of New York você acha tudo sobre a história da cidade, incluindo as primeiras pessoas que se fixaram aqui. Você sabe quem elas eram?

3 Veja as pinturas do artista mexicano Diego Rivera no Museo del Barrio. Ele ganhou fama por qual tipo de trabalho?

Respostas no fim do quadro.

LEGADO JUDAICO

O Jewish Museum tem obras de arte e objetos do mundo inteiro que cobrem quatro milênios. Cada um conta uma história sobre o que significa ser judeu.

No menu

No café do Museo del Barrio, você pode saborear muitas delícias latinas, incluindo empanadas com diversos recheios, como frango e carne moída. O menu também oferece sopa de *plátano verde* (banana verde), da República Dominicana, almôndegas do Brasil e *aguacate relleno con ensalada de atún* (abacate recheado com salada de atum), da Bolívia.

Respostas: 1 "Miss Liberty", de Mae Rockland Tupa, fica na parte de Ceremonial Art. **2** Os índios iroqueses, que supostamente chegaram por volta de 800 a.C. **3** Por grandes murais de cores vivas mostrando figuras simples.

Piquenique até US$20; **Lanches** US$20-35; **Refeição** US$35-70; **Para a família** mais de US$70 (base para 4 pessoas)

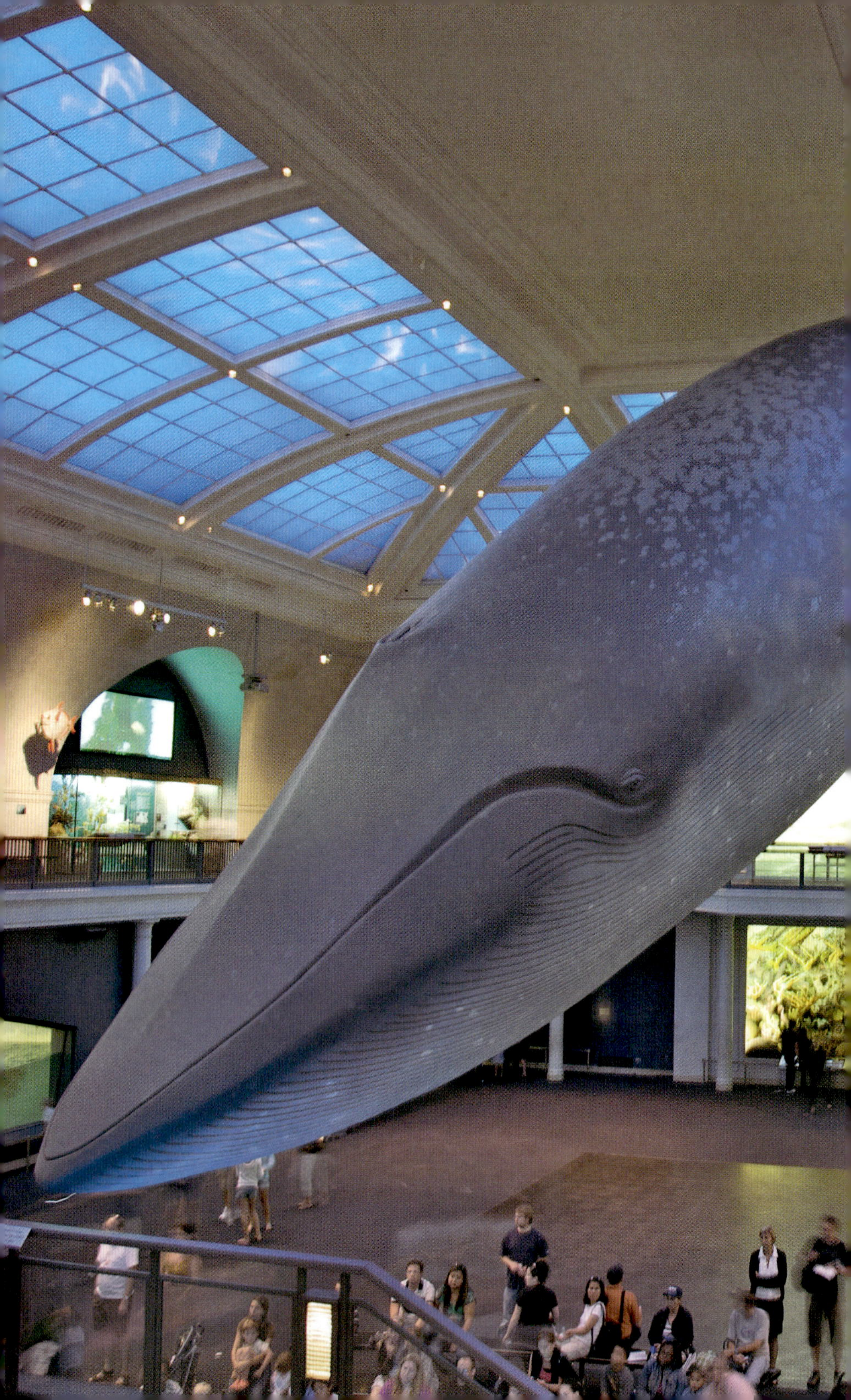

Upper West
Side e Harlem

O simpático bairro de Upper West Side é repleto de graciosas quadras residenciais antigas, fascinantes museus para crianças, centros culturais com diversão para famílias e um parque fabuloso voltado para o rio Hudson. Tem também a St. John the Divine, uma das maiores catedrais do mundo, e um renomado campus universitário. Mais ao norte fica o vibrante distrito afro-americano do Harlem.

Upper West Side e Harlem
Central Park
Upper East Side
Midtown
Downtown

Principais atrações

Museum of Arts and Design
Admire mais de 2 mil obras inovadoras e veja artistas trabalhando nesse museu singular, que oferece ótimas oficinas *(pp. 168-9)*.

American Museum of Natural History
Veja dinossauros e dioramas de animais em tamanho real, e viaje no espaço sideral nesse incrível museu *(pp. 174-5)*.

Riverside Park
Divirta-se em playgrounds temáticos com elefantes, hipopótamos e dinossauros, e caminhe sem pressa ao longo do belo rio Hudson *(p. 176)*.

Children's Museum of Manhattan
Entre em um universo divertido nesse maravilhoso museu para crianças, que oferece a elas atividades criativas e aulas de arte *(p. 176)*.

Cathedral Church of St. John the Divine
Encante-se com essa catedral inspiradora que mistura os estilos arquitetônicos românico e gótico *(pp. 176-7)*.

Cloisters
Aprecie diversos tesouros medievais nesse museu mundialmente renomado *(pp. 186-7)*.

À esq. *Baleia-azul em tamanho real suspensa no teto do Milstein Hall of Ocean Life, no American Museum of Natural History*
Acima, à esq. *Criança entretida no Children's Museum of Manhattan*

O Melhor de
Upper West Side e Harlem

A começar pelo Columbus Circle, o Upper West Side é repleto de atrações para famílias, incluindo dois museus para crianças e o formidável Riverside Park. Além da 96th, Morningside Heights abriga a Columbia University e a Cathedral Church of St. John the Divine. O animado Harlem fervilha em torno da 125th Street e, no alto da Manhattan Island, The Cloisters seduz com dois parques encantadores.

Encantos culturais

Um dos maiores centros de artes cênicas do mundo, o **Lincoln Center** *(pp. 170-1)* oferece ópera, balé, sinfônicas, música de câmara, teatro e filmes. *O Quebra-Nozes*, sempre encenado pelo **New York City Ballet** *(pp. 170-1)* em dezembro, é uma tradição mantida pelas famílias. O **Jazz at Lincoln Center** tem shows para jovens, e fãs de rock veem seus ídolos tocando no Beacon Theatre. O **Symphony Space** *(p. 38)*, um centro cultural menor, tem diversos programas para crianças, como narração de histórias e clubes do livro. Na maior parte do ano, a **Vital Theater Company** *(p. 41)* oferece musicais e teatro para a garotada nos fins de semana.

À esq. Gigantes jurássicos no American Museum of Natural History **Abaixo** *Apresentação de balé no Lincoln Center*

Acima Vistos do Riverside Park, navios da Marinha americana chegam a Nova York para a Fleet Week

Parques fabulosos

Estendendo-se por 6km ao longo do rio Hudson, da 72nd Street até a 158th Street, o espetacular **Riverside Park** *(p. 176)* foi projetado por Frederick Law Olmsted em 1875 e oferece surpresas encantadoras: precipícios rochosos, gramados verdes, bulevares para caminhadas, trilhas ao lado do rio e playgrounds. Há também uma marina repleta de veleiros e um restaurante com vista para a 79th Street. Ainda dentro do parque, a Grant's Tomb, na West 122nd Street, é de fato a maior tumba da América do Norte e um memorial a Ulysses S. Grant, general heroico na Guerra Civil e 18º presidente dos EUA. Outra criação famosa de Olmsted, o **Central Park** *(pp. 122-31)* se estende ao longo da orla leste do bairro, da 59th Street até a 110th Street.

Programas para a garotada

Crianças menores vão se divertir muito no **Children's Museum of Manhattan** *(p. 176)*, enquanto o **American Museum of Natural History** *(pp. 174-5)* é ideal para quem gosta de dinossauros enormes, borboletas vivas, joias e pedras preciosas. Crianças maiores ficam fascinadas com os shows espaciais, as palestras e os programas de astronomia no Hayden Planetarium. Outra ótima pedida é passear de bicicleta no **Riverside Park** apreciando as vistas do rio. Os esportes praticados na **Columbia University** *(p. 177)* podem ser do interesse de adolescentes: futebol no outono, basquete no inverno e beisebol na primavera.

À dir. Crianças com uniformes dos bombeiros no Children's Museum of Manhattan

História e alimentos

O **American Museum of Natural History** é um marco importante da cidade. Ele se estende para o norte até a 81st Street e para o oeste até a Columbus Avenue, que tem muitas lojas e restaurantes tentadores. Por perto, entre as ruas 70th e 89th, a Broadway é conhecida por seus imensos empórios de alimentos, enquanto a 96th Street reúne cafés animados e livrarias interessantes.

As manhãs calmas de domingo são ideais para conhecer o Harlem: cultos religiosos com incríveis coros gospel, uma caminhada para ver belos edifícios e locais históricos – como a **Abyssinian Baptist Church** *(p. 182)* e o **Hamilton Heights Historic District e Sugar Hill** *(p. 183)* – ou um delicioso brunch de soul food com galinha frita e todos os acompanhamentos, muitas vezes ao som de música gospel.

Museum of Arts and Design e arredores

O eclético Museum of Arts and Design (MAD) fica no agitado Columbus Circle. A oeste estão as torres gêmeas de vidro do Time Warner Center, onde há lojas sofisticadas, restaurantes e o popular Jazz at Lincoln Center. A rotatória no Columbus Circle é sempre movimentada, pois várias avenidas se cruzam nela, mas as calçadas ao redor tornam o local seguro e fácil de circular. A área ao norte do Columbus Circle fica mais cheia nos fins de semana, quando as enormes lojas de alimentos da Broadway atraem consumidores de toda a cidade. Nessa área também fica o maior mercado de pulgas de Nova York, o GreenFlea Market, na Columbus Avenue, que costuma lotar de turistas.

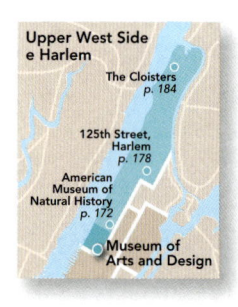

Upper West Side e Harlem
- The Cloisters p. 184
- 125th Street, Harlem p. 178
- American Museum of Natural History p. 172
- Museum of Arts and Design

Locais de interesse

ATRAÇÕES
1. Museum of Arts and Design
2. Time Warner Center
3. Museum of Biblical Art
4. Lincoln Center

COMIDA E BEBIDA
1. Whole Foods Market
2. AQ Kafé
3. Bouchon Bakery
4. Robert
5. 'wichcraft
6. The Coliseum Bar & Restaurant

Veja também Time Warner Center (p. 170) e Lincoln Center (p. 171)

COMPRAS
1. The Store
2. Time Warner Center

HOSPEDAGEM
1. Empire Hotel
2. Hotel Beacon
3. Mandarin Oriental Hotel

Lojas no Time Warner Center

Museum of Arts and Design e arredores | 167

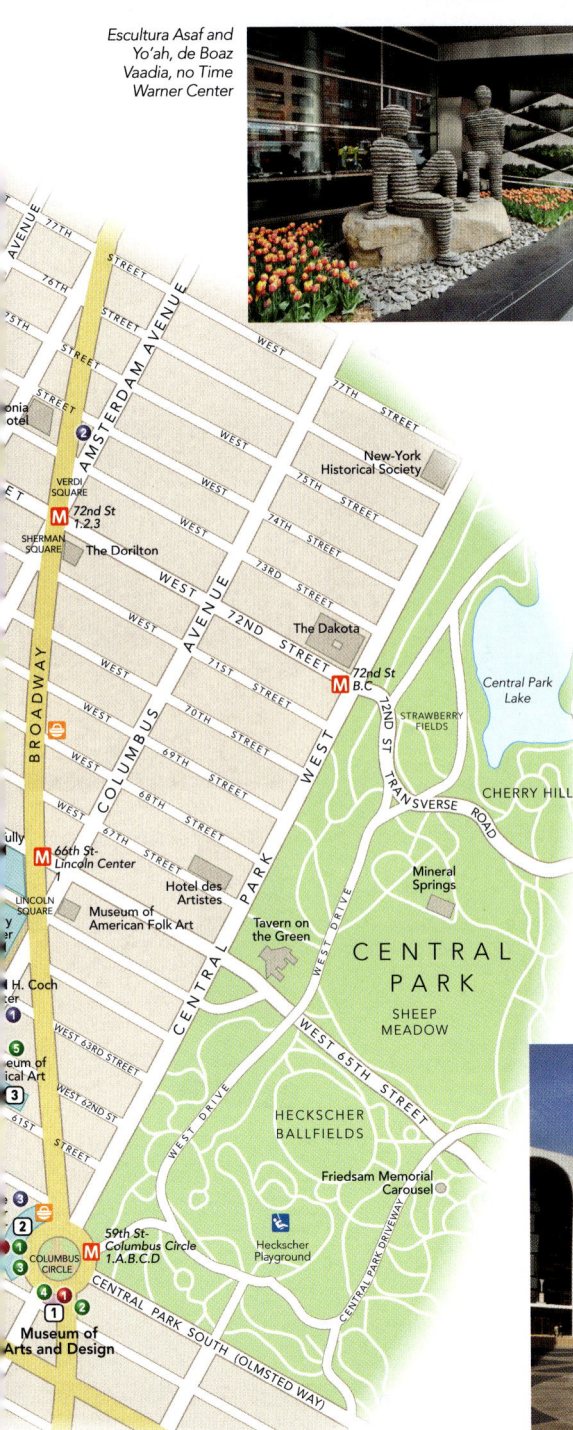

Escultura Asaf and Yo'ah, de Boaz Vaadia, no Time Warner Center

Informações

🚗 **Metrô** 1, A, B, C e D p/ 59th St-Columbus Circle; 1 p/ 66th St-Lincoln Center **Ônibus** M5, M7, M10, M11, M20 e M104

ℹ️ **Informação turística** NYC & Company, na 810 Seventh Ave, 10019; 212 484 1200; www.nycgo.com

🛒 **Supermercados** Whole Foods Market, no Time Warner Center, 10 Columbus Circle, 10019; 212 823 9600. Food Emporium, 2008 Broadway com 68th St, 10023; 866 443 7374 **Mercados** Sheffield Plaza, West 57th St e Ninth Ave; 8h-18h qua e sáb. Tucker Square, West 66th St e Columbus Ave; 8h-17h qui e sáb. GreenFlea Market, 100 West 77th St na Columbus Ave, 10024; 10h-17h30 dom

🎪 **Festivais** Lincoln Center Festival (jul-ago). Lincoln Center Out of Doors (jul-ago)

➕ **Farmácia** Rite Aid, 210-20 Amsterdam Ave, 10023; 212 787 2903; 7h-22h seg-sex, 9h-18h sáb, 10h-17h dom

🛝 **Playgrounds** Little Engine Playground, (p. 171). Classic Playground, West 74th St e Riverside Drive, 10023. Neufeld Playground, West 76th St e Riverside Drive, 10023. Heckscher Playground, Central Park (p. 131)

Fonte diante da Metropolitan Opera House

① Museum of Arts and Design
Artesanatos criativos e artistas em ação

Artesanatos ganham status de arte no Museum of Arts and Design (MAD), que enfoca a criatividade de artistas contemporâneos. Nada é ousado demais para ficar à mostra – fique de olho no realista cavaleiro montado em um cavalo feito com tiras de papel, na colcha em forma de quimono e na garrafa de vinho feita com sopro. A coleção de 2.500 objetos do museu, em suportes como argila, vidro, metal e madeira, é mostrada em recortes que compõem mostras temporárias. Uma exceção é a notável seleção de joias que, em grande parte, fica permanentemente exposta.

Destaques

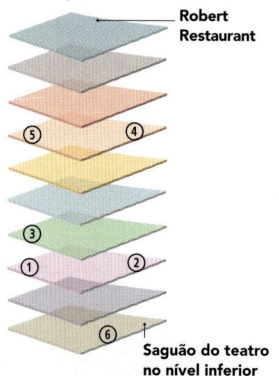

Robert Restaurant

Saguão do teatro no nível inferior

⑤ **Oficinas para crianças** Os profissionais de educação artística do "Studio Sundays" orientam crianças a partir de 6 anos e seus acompanhantes adultos para liberarem a criatividade.

② **Galeria de Joias da Tiffany** Parte do acervo permanente do museu, as joias de Mary Lee Hu primam pelos contrastes. Ela usa a delicada técnica de tecelagem para criar ousadas peças contemporâneas em metal.

③ **Do prosaico ao sublime** Objetos cotidianos, incluindo uma coleção de copos feitos por artistas do mundo inteiro, ficam expostos em uma vitrine na escada do 3º andar para aproveitar a luz natural.

① **Vitral** Com padrões coloridos como um caleidoscópio, *Seeing is Believing* (2008), de Judith Schaechter, embeleza a escada no 3º andar.

④ **Estúdios de artistas** O 6º andar do museu tem três estúdios de artistas, nos quais os visitantes podem acompanhar os processos criativos.

⑥ **Relevo abstrato** Tiras de faiança em diversos tons compõem o relevo em cerâmica *Untitled 1991*, de Ruth Duckworth, no saguão do teatro no nível inferior. A escultora modernista era conhecida por suas cerâmicas com formas esculturais.

Informações

- **Mapa** 12 F4
  Endereço 2 Columbus Circle, 10019; 212 299 7777; www.madmuseum.org
- **Metrô** A, B, C, D e 1 p/ 59th St-Columbus Circle
  Ônibus M5, M7, M10, M20 e M104
- **Aberto** 11h-18h ter-dom, até 21h qui e sex; fechado seg e feriados importantes
- **Preço** $54-64; até 12 anos grátis; doação 18h-21h qui

- **Passeios guiados** Com áudio pelo celular, grátis; visitas guiadas às galerias, grátis: 11h30 e 15h ter-dom, 18h30 qui
- **Idade** A partir de 6 anos
- **Atividades** Studio Sundays: workshops entre gerações; a partir de 6 anos, 14h-16h, $10, primeiro dom do mês. MAD Saturday: atividades interpretativas para crianças e acompanhantes adultos, mais filmes, $30/família. Veja as próximas datas no site.

- **Duração** 2h
- **Cadeira de rodas** Sim
- **Café** Robert, no 9º andar, aberto para almoço, coquetéis, café e jantar
- **Banheiros** No andar inferior

Bom para a família
Obras de arte excêntricas à mostra e a chance de ver artistas trabalhando fazem deste museu um local agradável para se visitar.

Preços para família de 4 pessoas

Museum of Arts and Design e arredores | 169

Fontes no Columbus Circle, com o Time Warner Center ao fundo

Para relaxar

Do lado de fora do museu, o **Columbus Circle**, com modernos bancos de madeira e fontes ao redor da estátua de mármore de Cristóvão Colombo, é ótimo para relaxar com a garotada. O som das águas abafa o ruído do trânsito pesado e é muito agradável em dias quentes de verão.

Comida e bebida

Piquenique: até $20; Lanches: $20-35; Refeição: $35-70; Para a família: mais de $70 (base para 4 pessoas)

PIQUENIQUE Vá ao **Whole Foods Market** *(Time Warner Center, 10 Columbus Circle, 10019; 212 823 9600)* se abastecer para um piquenique. Os bancos perto das fontes no Columbus Circle são ideais para uma refeição ao ar livre.

LANCHES AQ Kafé *(1800 Broadway, entre 58th St e 59th St, 10019; 212 541 6801; www.aqkafe.com)*, defronte ao Museum of Arts and Design, oferece saladas, sanduíches, pratos suecos e um menu infantil que inclui manteiga de amendoim e sanduíches com geleia.

REFEIÇÃO Bouchon Bakery *(3º andar, Time Warner Center, 10 Columbus Circle, 10019; 212 823 9366; www.bouchonbakery.com)* é a melhor pedida por perto para se sentar e comer sanduíches, sopas, saladas e sobremesas gostosas.

PARA A FAMÍLIA Robert *(9º andar do museu)* serve um menu americano sofisticado; entre as opções de almoço há hambúrgueres, sanduíches, massas, saladas e um combo de três pratos a *prix fixe*. Para apreciar a vista, peça uma mesa junto à janela.

Compras

A **Store**, no MAD, vende livros criativos, presentes divertidos e irresistíveis objetos de artesanato e design. O **Time Warner Center** *(p. 170)* tem várias lojas sofisticadas e também a colorida loja C. Wonder. O Godiva Chocolatier, no piso térreo, vende chocolates, biscoitos, cafés e chocolate quente.

Saiba mais

INTERNET No site da loja Jamba Juice, www.jambajuice.com, encontram-se jogos interativos para as crianças.

FILMES O Columbus Circle apareceu nas comédias de Hollywood *Esqueceram de Mim 2* (1992) e *Os Caça-Fantasmas* (1984).

Próxima parada...

MERCHANT'S GATE A entrada do Merchant's Gate no Central Park fica no canto nordeste da 59th Street e da Central Park West, defronte ao Museum of Arts and Design. Próximo ao Columbus Circle, tem bastante espaço para as crianças correrem e brincarem. Há também vários playgrounds por perto. O carrossel antigo com 57 cavalos encantadores fica no meio do parque, na 64th Street.

CRIANÇADA!

Fique de olho

1 Ache as sombras de árvores junto à janela na escada B do 4º andar no Museum of Arts and Design. Elas são reais?

2 Algumas janelas do museu têm uma vista perfeita da estátua de Cristóvão Colombo do lado de fora. Qual a localização delas?

3 O nome do Museum of Arts and Design está escrito na frente do edifício. Você consegue localizá-lo?

4 Um padrão na fachada forma duas letras gigantescas – o que elas dizem?

Respostas no fim do quadro.

ESCADA MÁGICA

O lance de escadas no 1º andar do Museum of Arts and Design é conhecido como "escada flutuante", pois parece pairar no ar. Na realidade, ele é bem firme e escorado por cabos de aço.

Arte cotidiana

As coisas que usamos no dia a dia também podem ser obras de arte. O museu expõe copos e colchas feitos por artistas que transformam objetos comuns em peças de arte maravilhosas para ver e usar.

Respostas: 1 Não. O artista pintou essas sombras realistas a partir de uma foto. **2** Sala dos elevadores no 3º, 4º ou 5º andar e vá até a janela mais distante à esquerda. **3** O nome está escrito no ressalto que serve de abrigo contra a chuva, acima da porta principal. **4** Hi (oi).

Presentes e artesanatos à venda em The Store, Museum of Arts and Design

Upper West Side e Harlem

② Time Warner Center
Vistas da cidade, compras e muito jazz

Esse reluzente arranha-céu, com torres gêmeas de 80 andares acima do Columbus Circle, oferece diversão de graça para pessoas de todas as idades. Vá de escada rolante até o 2º e o 3º andares e aprecie as belíssimas vistas da cidade e do Central Park.

A seguir, vá à Samsung Experience, no 3º andar, e teste os últimos lançamentos em computadores e óculos para TV em 3D, e leia e-mails de graça. Muitas vezes o telão no fundo exibe um evento esportivo ou um programa de TV.

Fique sabendo tudo sobre os grandes músicos de jazz no Jazz at Lincoln Center, um complexo de artes cênicas na 60th Street, ao lado do Time Warner Center. Há mostras de arte e fotografia em sua galeria no 5º andar, e fotos de artistas lendários adornam a Jazz Hall of Fame. O complexo também tem um sofisticado shopping center com dezenas de lojas, vários restaurantes finos e opções mais informais, e o hotel Mandarin Oriental (p. 249).

Para relaxar
Vá às redondezas do **Lincoln Center** (à dir.), com uma agradável encosta gramada chamada Illumination Lawn. Bom para caminhar, fazer piquenique ou relaxar com um livro, esse espaço amplo também fica aberto à noite.

Informações
- 🌐 **Mapa** 12 F3
  Endereço 10 Columbus Circle, 59th St, 10019; 212 823 6300; www.jalc.org, www.theshopsatcolumbuscircle.com
- 🚇 **Metrô** A, B, C, D e 1 p/ 59th St-Columbus Circle **Ônibus** M5, M7, M10, M20 e M104
- ⏰ **Aberto** 10h-21h seg-sáb, 11h-19h dom
- ⏱ **Duração** 1h
- ♿ **Cadeira de rodas** Sim
- 🍴 **Comida e bebida** Refeição Bouchon Bakery (ver p. 169) serve sopas, sanduíches e sobremesas. **Para a família** Landmarc (no local) tem menu americano completo.
- 🚻 **Banheiros** No 2º andar

Preços para família de 4 pessoas

Columbus Circle, com o Time Warner Center ao fundo

③ Museum of Biblical Art
Arte sacra

Inicialmente uma galeria da American Bible Society, esse pequeno museu criado em 2005 mostra a influência profunda da Bíblia sobre a arte. Essa é a primeira instituição no país dedicada à arte histórica e contemporânea de inspiração bíblica. As mostras mudam a cada três meses, mas sempre enfocam o enorme legado da Bíblia na cultura judaico-cristã. As exposições temáticas variam de pinturas medievais e arte popular a pôsteres de filmes e arte moderna; de vitrais de Louis Comfort Tiffany a gravuras do artista alemão Albert Dürer.

O museu também preserva e expõe artigos da Coleção de Bíblias Raras da sociedade. Uma das maiores do mundo, conta com textos escritos em mais de 2 mil línguas, incluindo grande quantidade de manuscritos raros, que abarcam seis séculos. Bíblias de todas as espécies e em inúmeros idiomas estão à venda na loja no piso térreo.

Obras de arte à mostra no Lincoln Center

Informações
- 🌐 **Mapa** 12 E3
  Endereço 1865 Broadway com 61st St, 10023; 212 408 1500; www.mobia.org
- 🚇 **Metrô** A, B, C, D e 1 p/ 59th St-Columbus Circle **Ônibus** M5, M7, M10, M20 e M104
- ⏰ **Aberto** 10h-18h ter-dom, até 20h qui
- 💲 **Preço** Grátis
- ⏱ **Duração** 1h
- ♿ **Cadeira de rodas** Sim
- 🍴 **Comida e bebida** Ver Time Warner Center
- 🚻 **Banheiros** No 1º andar

Para relaxar
A entrada no **Merchant's Gate** (p. 169) para o Central Park tem espaço para correr e escalar, e há playgrounds por perto. O belo carrossel antigo com 57 cavalos fica no meio do parque, na 64th Street.

④ Lincoln Center
Balé, música e uma fonte dançarina

No início dos anos 1960, uma favela foi transformada em um dos maiores centros de artes cênicas do mundo, o qual atrai 5 milhões de pessoas por ano. Várias companhias importantes, incluindo a Metropolitan Opera, o New York City Ballet, a New York Philharmonic Orchestra, o Lincoln Center Theater e a Library for the Performing Arts, estão sediadas aqui. A cada temporada, a Philharmonic faz alguns Young People's Concerts para a faixa etária de 6 a 12, precedidos pela feira de música interativa Kidzone Live!, na qual as crianças testam instrumentos, brincam com jogos musicais e ficam a par do tema do concerto do dia. O New York City Ballet também tem programas regulares para crianças e balés populares como *A bela adormecida* e *O quebra-nozes*. A obra de modernização concluída em 2011 deixou todo o centro mais bonito, incluindo uma estupenda fachada nova de vidro na Alice Tully Hall. As crianças ficarão intrigadas com a fonte central cujas colunas lançam jatos d'água cada vez mais altos.

O Lincoln Center tem muitas obras de arte notáveis. As mais famosas são os enormes murais de Marc Chagall no saguão da Metropolitan Opera House. Criados em 1966, seus títulos são *The Triumph of Music* e *The Sources of Music*. A escultura de aço *Le Guichet* (*A bilheteria*, 1963), de Alexander Calder, perto da entrada da Library for the Performing Arts, lembra uma aranha gigante que pode ser explorada pela garotada. A North Plaza, em frente ao teatro, é ótima para relaxar e tem um lago espelhado e a impressionante escultura *Reclining Figure* (1965), de Henry Moore.

Para relaxar

Além dos espaços ao ar livre do centro, o **Little Engine Playground** (*Riverside Blvd, entre West 67th St e West 68th St, 10023*) agrada em cheio as crianças. Dá também para ir a pé ao Central Park e ao Riverside Park. Se chover, vá à Apple Store (*pp. 108-9*).

Entrada da Alice Tully Hall, no Lincoln Center

Informações

- **Mapa** 12 E2
  Endereço Broadway da 62nd até 66th St, 10023; 212 875 5000; new.lincolncenter.org
- **Metrô** 1 p/ 66th St **Ônibus** M104, M5, M7, M11 e M20
- **Preço** Ingressos com desconto no David Rubenstein Atrium, lado leste da Broadway com 62nd St; Target Free Thursdays grátis
- **Aberto** 8h-22h seg-sex, 9h-22h sáb e dom
- **Cadeira de rodas** Sim
- **Comida e bebida** *Lanches* 'wichcraft (*David Rubenstein Atrium, Broadway com 62nd St, 10023; 212 780 0577*) serve refeições leves e lanches. *Refeição* The Coliseum Bar & Restaurant (*312 West 58th St, 10019*), pub irlandês, serve também várias opções americanas, como hambúrgueres e filés.
- **Banheiros** No Avery Fisher Hall e David Rubenstein Atrium

CRIANÇADA!

Fique de olho

1 O Time Warner Center tem quantos andares?
2 Que famoso balé sobre brinquedos é apresentado todos os anos no Lincoln Center?
3 Olhe os jatos d'água da fonte no Lincoln Center – que altura eles atingem?
4 Você consegue achar a escultura que parece uma aranha no Lincoln Center? Do que ela é feita?

Respostas no fim do quadro.

O balé O quebra-nozes

O balé é uma adaptação do livro *The Nutcracker and the Mouse King*, de E. T. A. Hoffmann. A história é sobre uma jovem, Marie Stahlbaum, cujo brinquedo, um valente quebra-nozes, ganha vida e derrota um rato mau de sete cabeças.

NOTA MUSICAL

Uma orquestra sinfônica típica conta com 90 membros tocando treze tipos de instrumentos, que se dividem em quatro categorias: cordas, sopro, metais e percussão.

Caça à baleia

O Museum of Biblical Art mostra obras de inspiração bíblica, que incluem histórias conhecidas como *A arca de Noé* e *Jonas e a baleia*.

Respostas: 1. 80. 2. *O quebra-nozes*. 3. 4m. 4. De aço.

Degraus na fabulosa entrada do Lincoln Center

Piquenique até US$20; **Lanches** US$20-35; **Refeição** US$35-70; **Para a família** mais de US$70 (base para 4 pessoas)

American Museum of Natural History e arredores

Ao longo da Central Park West, o vasto American Museum of Natural History tem mostras fascinantes. Por perto, a New York Historical Society dispõe de um centro para crianças, ao passo que as menores podem frequentar oficinas de arte no Children's Museum of Manhattan. Mais ao norte ficam o bairro estudantil em torno da Columbia University e a Cathedral Church of St. John the Divine. A Broadway é a artéria dessa área agitada e repleta de lojas e cafés. As arborizadas ruas secundárias, com "brownstones" (casas típicas de arenito), são ideais para andar.

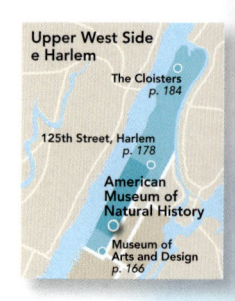

Upper West Side e Harlem
- The Cloisters p. 184
- 125th Street, Harlem p. 178
- American Museum of Natural History
- Museum of Arts and Design p. 166

Informações

🚇 **Metrô** 1 p/ 79th St; B e C p/ 81st St-Museum of Natural History; 1 p/ 110th St-Cathedral Parkway; 1 p/ 116th St-Columbia University **Ônibus** M4, M5, M7, M10, M11, M20, M79, M86 e M104

🛒 **Supermercados** Zabar's, 2245 Broadway com 80th St, 10024; 212 787 2000. Gristedes, 251 West 86th St e Broadway, 10024; 212 721 0745. Gristedes, 504 Columbus Ave e 84th St, 10024; 212 721 3077. Food Emporium, 2415 Broadway com 90th St, 10024; 212 873 4031 **Mercados** Greenmarket, West 77th St e Columbus; 10h-17h dom. West 97th St, entre Amsterdam e Columbus; 8h-14h sex. Columbia Greenmarket, Broadway, entre 114th St e 115th St; 8h-17h qui e dom.

GreenFlea Market, 100 West 77th St com Columbus Ave; 10h-17h30 dom

➕ **Farmácias** CVS/pharmacy, 540 Amsterdam Ave, 10024; 212 712 2821; 24h diariam. Duane Reade, 2522 Broadway com West 94th St, 10025; 212 663 1580; 24h diariam. Duane Reade, 2864 Broadway, 10025; 212 316 5113; 24h diariam.

🛝 **Playgrounds** River Run Playground, West 83rd St e Riverside Drive, 10024. Hippo Playground, West 91st St e Riverside Drive, 10024. Dinosaur Playground, West 97th St e Riverside Drive, 10025. Skate Park, West 109th St e Riverside Drive, 10025. Diana Ross Playground, 81st St e Central Park West, 10024

Esqueleto de barossauro, American Museum of Natural History

American Museum of Natural History e arredores | 173

Atividade divertida no Children's Museum of Manhattan

As vias amplas do Riverside Park, ao longo da margem do rio Hudson

Locais de interesse

ATRAÇÕES
1. American Museum of Natural History
2. New York Historical Society
3. Children's Museum of Manhattan
4. Cathedral Church of St. John the Divine
5. Columbia University

COMIDA/BEBIDA
1. Andy's Deli
2. Caesar's Palace Pizza
3. Popover Café
4. Sarabeth's West
5. Big Nick's Burger and Pizza Joint
6. Alice's Teacup
7. Famous Original Ray's Pizza
8. Artie's Delicatessen
9. Café Lalo Patisserie
10. Tom's Restaurant
11. Nussbaum and Wu
12. Le Monde

COMPRAS
1. HomBom
2. West Side Kids
3. Bank Street Books
4. Book Culture

HOSPEDAGEM
1. Hotel Belleclaire
2. Hotel Newton
3. Marrakech
4. The Excelsior Hotel
5. The Milburn Hotel

① American Museum of Natural History
Ossos de dinossauro, meteoritos enormes e borboletas

Desde a fundação em 1869, o American Museum of Natural History tem incentivado descobertas importantes em expedições ao polo Norte, ao deserto de Gobi e outras, preenchendo suas galerias com tesouros de todo tipo. Uma coleção excepcional de fósseis de dinossauro, uma baleia-azul em tamanho natural suspensa no teto e fabulosos meteoritos e pedras preciosas, bem como dioramas muito realistas de animais, fazem desse museu um favorito das crianças. Aprenda sobre a localização da Terra no sistema solar no Hayden Planetarium e fique de olho na Discovery Room, um centro de atividades para crianças.

Destaques

4º andar Origens dos Vertebrados, Dinossauros e Mamíferos Primitivos

3º andar Sala dos Povos do Pacífico, Primatas, Répteis e Anfíbios

2º andar Aves do Mundo, Povos Africanos e México e América Central

1º andar Origens Humanas, Sala da Vida Marinha e Sala do Planeta Terra

Rose Center for Earth and Space O Big Bang, reconstituição multissensorial dos primeiros momentos do universo, e o Hayden Planetarium

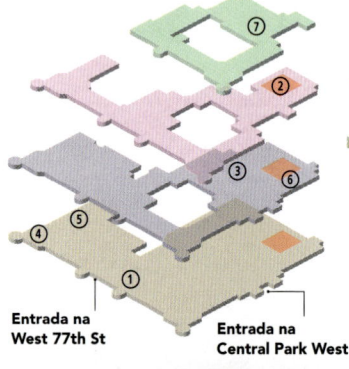

Entrada na West 77th St

Entrada na Central Park West

③ **Akeley Hall of African Mammals** Veja dioramas de animais de florestas tropicais e savanas da África, tudo em tamanho natural e com cenários realistas.

④ **Arthur Ross Hall of Meteorites** Maravilhe-se com o Ahnighito, o maior meteorito do mundo.

⑤ **Morgan Memorial Hall of Gems** Aprecie a maior safira azul do mundo, a Star of India, de 563 quilates, e a esmeralda Patricia, de 632 quilates.

⑥ **Butterfly Conservatory** Aberto de outubro a maio, esse viveiro tem mais de 500 borboletas de três das cinco famílias existentes.

⑦ **Fossil Halls** A maior coleção de fósseis de dinossauro do mundo, incluindo o gigantesco *Tyrannosaurus rex*, é uma grande atração para famílias. Mais de cem espécimens estão à mostra, em sua maioria fósseis, não réplicas.

① **Discovery Room** Cace animais na réplica de um baobá africano ou explore minerais, artrópodes e crânios em armários cheios de espécimens fascinantes.

② **Hayden Planetarium** Viaje da Terra para o espaço sideral no Space Theater, que tem um projetor Zeiss Mark IX Star sob medida e sistema de projeção Digital Dome.

Informações

- **Mapa** 15 C6
- **Endereço** Central Park West com 79th St, 10024; 212 769 5100; www.amnh.org
- **Metrô** B (só fins de semana) e C p/ 81st St-Museum of Natural History; 1 p/ 79th St **Ônibus** M7, M10, M11, M79, M86 e M104
- **Aberto** 10h-17h45 diariam
- **Preço** $59-69
- **Para evitar fila** Compre ingressos on-line (taxa de serviço $4).

Ingressos combinados são ideais para gastos extras como IMAX, exposições especiais ou shows espaciais. Informações no site.

Passeios guiados Spotlight Tours: procure o balcão de informação para horários e temas; Museum Highlights Tours: de hora em hora das 10h15 até 15h15 diariam

Idade A partir de 2 anos

Atividades Crianças podem ir ao IMAX ou a shows espaciais e participar de atividades científicas

- **Duração** 3-4h
- **Cadeira de rodas** Sim
- **Cafés** Praça de alimentação do museu no andar inferior, Café on 1 no 1º andar e Café on 4 no 4º andar
- **Banheiros** Em todos os andares

Bom para a família
Apesar do preço alto, as crianças aqui têm várias atrações, que fazem deste museu uma experiência memorável.

Preços para família de 4 pessoas

American Museum of Natural History e arredores | 175

Passeio no Theodore Roosevelt Park, que circunda o museu

Para relaxar
O Theodore Roosevelt Park do museu é ideal para caminhadas, enquanto as fontes no Arthur Ross Terrace, ao lado do Hayden Planetarium, lançam jatos resfrescantes durante todo o verão. A área lúdica mais próxima é o **Diana Ross Playground** (p. 142), no Central Park (81st Street).

Comida e bebida
Piquenique: até US$20; Lanches: US$20-35; Refeição: US$35-70; Para a família: mais de US$70 (base para 4 pessoas)

PIQUENIQUE Andy's Deli (418 Columbus Ave com 80th St, 10024; 212 799 3355) faz sanduíches e saladas que podem render um piquenique no Riverside Park (p. 176).
LANCHES Caesar's Palace Pizza (493 Amsterdam Ave, entre 82nd St e 84th St, 10024; 212 724 7886; www.caesarspalacepizza.com) tem petiscos, camarão e fatias de pizza.
REFEIÇÃO Popover Café (551 Amsterdam Ave com 86th St, 10024; 212 595 8555; www.popovercafe.com) serve café da manhã, almoço e jantar. Os pratos variam de filé mignon aos famosos popovers – bolinhos leves e fofos que podem ser recheados com geleia ou manteiga.
PARA A FAMÍLIA Sarabeth's West (423 Amsterdam Ave, entre 80th St e 81st St; 10024; 212 496 6280; www.sarabethswest.com) é um restaurante bom para famílias que prepara deliciosas omeletes, sanduíches e pratos inovadores. Oferece também um menu de preço fixo.

Compras
A loja do museu tem maravilhas científicas, brinquedos, livros e roupas. As lojas de brinquedos **HomBom** (412 Columbus Ave, entre 79th St e 80th St, 10024) e **West Side Kids** (498 Amsterdam Ave com 84th St, 10024) são sensacionais. A **Bank Street Books** (2879 Broadway e 112th St, 10025) e a **Book Culture** (2915 Broadway com 114th St, 10025) são as melhores livrarias infantis da cidade.

Brinquedos e jogos à venda na HomBom

Saiba mais
INTERNET Veja www.enchantedlearning.com para informações sobre dinossauros; para vídeos de ação com dinossauros, vá a dsc.discovery.com/video-topics/other/other-topics-dinosaur-videos.htm
FILME Esse foi o cenário do filme *Uma noite no museu* (2006), no qual um segurança descobre que tudo ganha vida à noite, incluindo um esqueleto de *T. rex*.

Próxima parada...
MORNINGSIDE HEIGHTS Rume para o norte pela Broadway até Morningside Heights e conheça os destaques históricos do bairro. Ande pelo campus da **Columbia University** (p. 177) e veja monumentos como a Grant's Tomb e a imensa **Cathedral Church of St. John the Divine** (pp. 176-7).

O Sarabeth's West é ótimo para uma refeição em família

CRIANÇADA!

Tudo sobre os dinos
1 Qual é o maior animal que já existiu? Um modelo dele está exposto em uma das salas do museu. Você consegue achá-lo?
2 Qual era o dinossauro mais apavorante? Ache seu esqueleto.
3 Nem todos os dinossauros eram carnívoros; alguns dos maiores eram herbívoros. Qual era o maior dinossauro vegetariano? Você consegue localizá-lo?

Respostas no fim do quadro.

Siga os garfos
Quando a fome bater, olhe para baixo. Você verá desenhos de colher e garfo no chão indicando o caminho até o restaurante mais próximo.

Grande mistério
Os dinossauros foram os maiores animais da Terra e existiram por milhões de anos. Até hoje os cientistas estão tentando descobrir por que e como eles desapareceram do nosso planeta.

CURIOSIDADE
Uma baleia-azul adulta pode ter cerca de 33m de comprimento e pesar mais de 178 toneladas – aproximadamente o peso de 24 elefantes africanos.

Respostas: 1 A baleia-azul. O modelo no Hall of Ocean Life tem 21m de comprimento. **2** O *Tyrannosaurus rex*, ou *T. rex*, era o mais feroz, e seus dentes tinham até 15cm. **3** O brontossauro, de 25m de altura e cerca de 29 toneladas. Suas pernas pareciam troncos e seu pescoço, longo como o da girafa, permitia que ele apanhasse as melhores folhas no alto das árvores.

Upper West Side e Harlem

② New York Historical Society
Luminárias famosas e aquarelas de aves

Fundado em 1804, o museu mais antigo da cidade passou por uma reforma de US$60 milhões e agora abriga o DiMenna Children's History Museum no nível inferior, com foco na vida das crianças de Nova York no passado. O museu destaca figuras famosas, como o estadista Alexander Hamilton, que, adolescente órfão, veio para Nova York para estudar, e também a história de muitas crianças pobres que vendiam jornais para sobreviver. Há elementos interativos, como telas de toque e um lugar para gravar sua própria história em vídeo. A parte do museu para adultos tem um conjunto completo da série de aquarelas *Aves da América*, de James Audubon, e um dos maiores acervos do mundo de luminárias Tiffany. Obras de arte e mostras em outras salas enfocam a cidade, da fundação à atualidade.

Para relaxar
O **Riverside Park** (*entre West 75th St e West 77th St, 10024*) é ótimo para as crianças empinarem pipas.

Informações
- 🌐 **Mapa** 15 C6
- 📍 **Endereço** 170 Central Park West, entre 76th St e 77th St, 10024; 212 873 3400; www.nyhistory.org
- 🚇 **Metrô** B e C p/ 72nd St; B e C p/ 81st St-Museum of Natural History **Ônibus** M10 e M79
- 🕐 **Aberto** 10h-18h ter-sáb, até 20h sex, 11h-17h dom
- 💲 **Preço** $40-50; doação entre 18h-20h sex; até 5 anos grátis
- 🚩 **Passeios guiados** Grátis, às 14h e 15h30 ter-dom
- 👥 **Idade** 8-13 anos para o DiMenna Children's History Museum
- ⏱ **Duração** 2-3h
- ♿ **Cadeira de rodas** Sim
- 🍽 **Comida e bebida** Lanches Big Nick's Burger and Pizza Joint (*2175 Broadway 77th St, 10024; 212 362 9238*) também oferece saladas e sopas. Refeição Alice's Teacup (*102 West 73rd St com Columbus Ave, 10023; 212 799 3006*) serve café da manhã, almoço e jantar.
- 🚻 **Banheiros** Em todos os andares

Crianças brincando no popular Hippo Playground, Riverside Park

③ Children's Museum of Manhattan
Deuses gregos, lutas e um dragão faminto

O aprendizado de forma lúdica é o objetivo desse museu repleto de atividades divertidas para crianças pequenas. Playworks, a zona no 3º andar para a faixa até 4 anos, inclui Alphie – um dragão falante que engole letras –, a réplica de um ônibus, um caminhão dos bombeiros, jogos na areia e um cercado macio para bebês. Em Gods, Myths and Mortals: Discover Ancient Greece, crianças a partir de 6 anos podem lutar com um atleta grego usando um braço mecânico, construir um templo antigo ou desafiar um Aristóteles robótico no jogo "Twenty Questions". Mostras interativas usam temas de livros, filmes e programas de TV infantis, como *Dora the Explorer*, para entreter a garotada. Quando faz calor, a City Splash ensina as propriedades da água enquanto as crianças lançam barcos em um regato sinuoso e testam o poder de flutuação de objetos em uma banheira d'água.

Para relaxar
O **Hippo Playground** (*West 91st St e Riverside Drive, 10024*) tem balanços e um cercado de areia, ao passo que o **Dinosaur Playground** (*West 97th St e Riverside Drive, 10024*) conta com dinossauros de fibra de vidro que as crianças vão adorar.

Alphie, o dragão falante, Children's Museum of Manhattan

Informações
- 🌐 **Mapa** 15 B5
- 📍 **Endereço** 212 West 83rd St, 10024; 212 721 1223; www.cmom.org
- 🚇 **Metrô** 1 p/ 86th St; 1 p/ 79th St **Ônibus** M11 e M104
- 🕐 **Aberto** 10h-17h ter-dom
- 💲 **Preço** $44-54; grátis 17h-20h na 1ª sex do mês; até 1 ano grátis
- 👥 **Para evitar fila** Vá qua ou qui à tarde para menos multidões
- 👥 **Idade** Livre
- ⏱ **Duração** 2h
- ♿ **Cadeira de rodas** Sim
- 🍽 **Comida e bebida** Lanches Famous Original Ray's Pizza (*462 Columbus Ave, 10024; 212 873 1720*), a clássica pizza de NY. Refeição Artie's Delicatessen (*2290 Broadway com 83rd St, 10024; 212 579 5959*) tem amplo menu.
- 🚻 **Banheiros** No andar inferior e no 3º

④ Cathedral Church of St. John the Divine
Uma catedral inspiradora

Iniciada em 1892, a construção dessa catedral sofreu atrasos devido às guerras mundiais, problemas financeiros e incêndio. Embora ainda

Preços para família de 4 pessoas

American Museum of Natural History e arredores | 177

incompleta, a igreja é muito bonita. Com 183m de extensão, o edifício é mais longo do que dois campos de futebol juntos. Observe a nave gótica, de 38m de altura, e admire a Great Rose Window, de 12m de largura, que, com mais de 10 mil pedaços de vidro, é o maior vitral do país. O jardim adjacente tem o Ring of Freedom, com placas homenageando escritores famosos e 24 pequenas esculturas de animais feitas por crianças em 1985. No meio, fica a escultura *Peace Fountain*, em que o arcanjo Miguel e Satã lutam no alto de uma fonte. As crianças aprendem sobre plantas mencionadas na Bíblia no Biblical Garden, por perto.

Para relaxar
O **Morningside Park** (*Morningside Parkway, da 110th St à 123rd St*) tem rochedos, playgrounds e quadras de basquete.

Informações

- **Mapa** 17 B6
- **Endereço** 1047 Amsterdam Ave com 112th St, 10025; 212 316 7540; www.stjohndivine.org
- **Metrô** 1 p/ 110th St-Cathedral Parkway **Ônib.** M11, M60 e M104
- **Aberto** 7h30-18h diariam
- **Passeios guiados** Highlight Tours de 1h: ter-sáb 11h e 13h, dom 13h; $6 por pessoa
- **Idade** Livre
- **Duração** 1h, sem o jardim
- **Cadeira de rodas** Sim
- **Comida e bebida** *Lanches* Café Lalo Patisserie (*201 West 83rd St, 10024; 212 496 6031*) é famoso por suas sobremesas, especialmente o cheesecake. *Refeição* Tom's Restaurant (*2880 Broadway com 112th St, 10025; 212 864 6137*) tem menu típico dos diners de Nova York.
- **Banheiros** No transepto norte

⑤ Columbia University
Para ir à escola

Uma caminhada pelo campus de uma das universidades mais antigas e prestigiosas dos EUA desenferruja as pernas e interessa a todos. A Columbia foi fundada como King's College por uma concessão do rei Jorge II da Inglaterra em 1754 e teve seu nome mudado em 1784, após a independência dos EUA. O famoso

A Peace Fountain criada por Greg Wyatt, Cathedral Church of St. John the Divine

arquiteto Charles McKim projetou os belos edifícios clássicos, tendo a Low Library como ponto focal. Fique de olho nos três vitrais e no Peace Altar na St. Paul's Chapel. O campus é muito animado, com estudantes se reunindo na vasta esplanada perto da Low Library e participando de atividades e eventos esportivos. Para conhecer melhor o funcionamento da universidade, consulte os horários antes de ir até lá.

Para relaxar
Vá ao **Skate Park** (*West 109th St e Riverside Drive, 10025*) e veja skatistas em ação. Na primavera, relaxe sob cerejeiras japonesas no **Sakura Park** (*Claremont Ave, acima da West 122nd St, 10027*).

Informações

- **Mapa** 17 B5
- **Endereço** 2960 Broadway, 10027; 212 854 4900; www.columbia.edu
- **Metrô** 1 p/ 116th St-Columbia University **Ônibus** M4, M5, M11, M60 e M104
- **Passeios guiados** Visitas grátis de 1h começam na Low Library às 13h seg-sex. Visitas virtuais on-line disponíveis no site
- **Idade** Livre, mas de maior interesse para os adolescentes
- **Duração** 1h, sem incluir passeio
- **Cadeira de rodas** Sim
- **Comida e bebida** *Lanches* Nussbaum and Wu (*2897 Broadway c/ 113th St, 10025; 212 280 5344; www.nussbaumwu.com*) oferece refeições leves, ótimas pizzas e sobremesas. *Refeição* Le Monde (*2885 Broadway, entre 112th St e 113th St, 10025; 212 531 3939*) serve comida francesa e massa ou hambúrgueres para crianças.
- **Banheiros** No andar de baixo, no Visitor Center

CRIANÇADA!

Fique de olho
1 Um aparelho de TV aparece em um dos vitrais na Cathedral Church of St. John the Divine. Onde está ele?
2 Você consegue identificar alguns dos animais que decoram o Ring of Freedom?
3 Quase todas as faculdades dos EUA têm mascotes esportivos. Como se chama o dos times esportivos da Columbia University?
4 Você sabe quais são as cores da Columbia?

Respostas no fim do quadro.

O Prêmio Pulitzer
Todo escritor sonha em ganhar o Prêmio Pulitzer, conferido pela Escola de Jornalismo da Columbia University. O nome do prêmio é uma homenagem ao famoso publisher de jornal Joseph Pulitzer, que em 1912 ajudou a criar a escola ao doar US$2 milhões.

REGRA DA IGREJA
A St. John the Divine foi fundada como catedral da Igreja Episcopal. Para ser catedral, uma igreja precisa ser "sede" de um bispado importante, o que a torna a principal igreja em uma área.

Liga própria
A Columbia é uma das oito universidades privadas que compõem a Ivy League, formada pelas melhores do país.
O termo Ivy League se deve à hera ("ivy", em inglês) que cobria muitos dos edifícios universitários.

Respostas: 1 A janela fica na Communications Bay da catedral. 2 Há nove girafas, um caranguejo, um leão e um cordeiro. 3 Roar-ee, o leão. 4 Azul e branco.

Piquenique até US$20; **Lanches** US$20-35; **Refeição** US$35-70; **Para a família** mais de US$70 (base para 4 pessoas)

125th Street, Harlem e arredores

Estendendo-se da 116th Street à 155th Street, o Harlem oferece um panorama da cultura afro-americana do passado e do presente. Lá se deu o famoso Renascimento do Harlem, quando artistas, escritores e músicos negros geraram uma explosão de criatividade nas décadas de 1920 e 30. A área se recuperou lentamente da Depressão, mas agora está em franco florescimento, que alguns chamam de "novo Renascimento". É melhor ir de dia e com crianças maiores, que podem apreciar a bela arquitetura e as ruas animadas.

Pintura em persiana de metal do grafiteiro Franco Gaskin

Locais de interesse

ATRAÇÕES
1. 125th Street, Harlem
2. Schomburg Center for Research into Black Culture
3. Abyssinian Baptist Church
4. St. Nicholas Historic District
5. Hamilton Heights Historic District & Sugar Hill

COMIDA E BEBIDA
1. Miami Lotto and Grocery
2. Presidential Pizza
3. Amy Ruth's
4. Sylvia's
5. Hadwan Gourmet Deli
6. Miss Maude's Spoonbread Too
7. Manna's Restaurant
8. Londel's
9. Best Yet Supermarket
10. Margie's Red Rose Diner
11. Sunshine Kitchen
12. Charles' Country Pan Fried Chicken

COMPRAS
1. Grandma's Place
2. Malcolm Shabazz Market

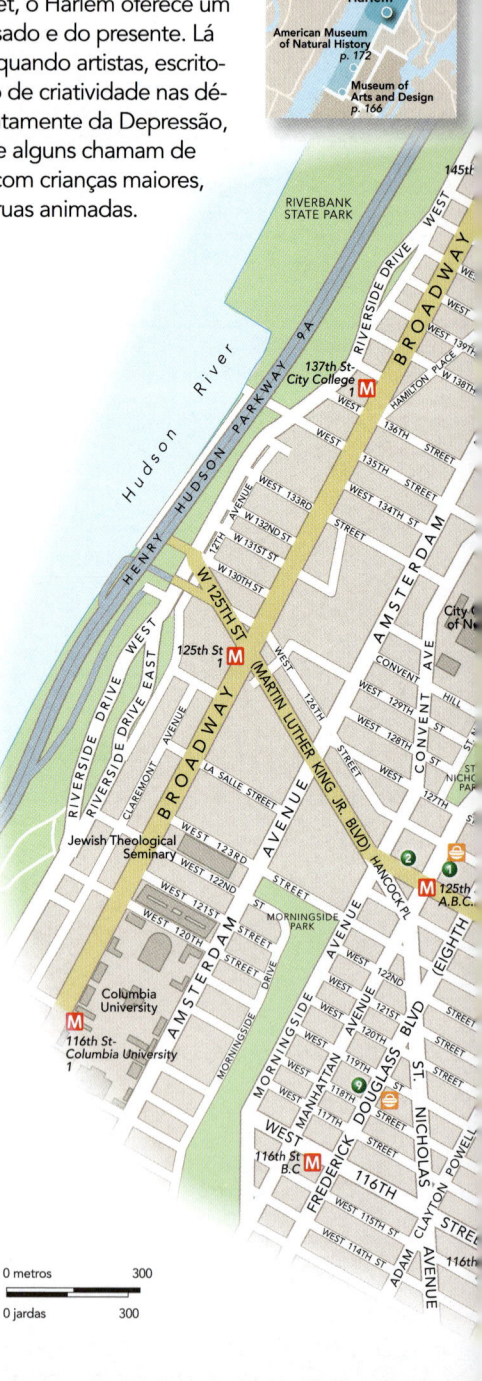

125th Street, Harlem e arredores | 179

Informações

🚗 **Metrô** 2 e 3 p/ 125th St (Lenox Ave); 2 e 3 p/ 135th St (Lenox Ave); A, B, C e D p/ 145th St **Ônib.** M2, M7 e M10

ℹ️ **Informação turística** NYCgo Kiosk, 144 West 125th St, 10027

🛍️ **Supermercados** Best Yet Supermarket, 2187 Frederick Douglass Blvd, entre 118th St e 119th St, 10026; 212 377 2300. Fine Fare, 136 Lenox Ave, entre 116th St e 117th St, 10026; 212 828 9951. Miami Deli and Grocery, 320 St Nicholas Ave com 126th St, 10027; 212 666 5318

Mercado Farmers' Market, Marcus Garvey Park North com 124th St e Fifth Ave, 10027; jul-nov: 8h-16h sáb

🎉 **Festival** Annual Harlem Week/ Harlem Jazz & Music Festival: comida, arte, música e entretenimento de rua (ago)

➕ **Farmácias** CVS/pharmacy, 115 West 125th St, perto da Lenox Ave, 10027; 212 864 5431; 8h-21h seg-sex, 9h-18h sáb-dom. Duane Reade, 300 West 135th St com Frederick Douglass Blvd, 10027; 212 491 6015; 9h-21h seg-sex, 9h-20h sáb, 9h-18h dom

🛝 **Playgrounds** Marcus Garvey Park, Madison Ave, 120th St sentido 124th St, 10035. Três playgrounds no St. Nicholas Park, na 129th St, 133rd St e 140th St

City College of New York, Hamilton Heights Historic District

① 125th Street, Harlem

História, jazz e restaurantes de soul food

O maior e mais famoso bairro afro-americano dos EUA seduz os visitantes com um coquetel inebriante de edifícios históricos, música – de jazz a hip-hop e gospel – e comida deliciosa. Centro do Harlem, a 125th Street, entre a Fifth e Eighth Avenues, é perfeita para sentir a energia e apreciar a cena cultural vibrante. Domingo é o melhor dia para ouvir um coro gospel em um culto de igreja ou durante um saboroso brunch.

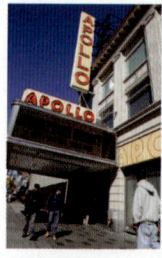

Apollo Theater

Destaques

Apollo Theater A casa de shows mais famosa do Harlem ainda promove a Amateur Night que ajudou a lançar ídolos como Michael Jackson e James Brown.

Grafite Um trabalho do grafiteiro Franco Gaskin adorna os portões de segurança de aço na 125th Street, entre os bulevares Frederick Douglass e Adam Clayton Powell Jr.

Studio Museum Esse pequeno museu promove exposições de artistas negros da atualidade.

Mount Morris Historic District A antiga prosperidade do Harlem é lembrada aqui por igrejas e residências outrora grandiosas.

55 West 125th Street Essa moderna torre de escritórios de quinze andares é onde o ex-presidente Bill Clinton tem seu escritório.

Lenox Lounge Um dos poucos clubes sobreviventes dos anos 1930 que deram fama ao Harlem. Lendas do jazz como Billie Holiday e Miles Davis se apresentaram aqui.

Marcus Garvey Park Com o nome do grande ativista negro (1887-1940), o parque (p. 181) tem vista panorâmica a partir de seu mirante, Acropolis.

Informações

Mapa 17 D4
Endereço Apollo Theater: 253 West 125th St, entre Adam Clayton Powell Blvd e Frederick Douglass Blvd, 10027; www.apollotheater.org. Studio Museum: 144 West 125th St, entre Lenox Ave e Adam Clayton Powell Blvd, 10027; www.studiomuseum.org. Lenox Lounge: 288 Lenox Ave, entre 124th St e 125th St, 10012; www.lenoxlounge.com
Metrô 2 e 3 p/ 125th St (Lenox Ave); A, B, C e D p/ 125th St (Frederick Douglass Blvd) **Ônibus** M2, M7 e M10

Aberto Apollo Theater: Amateur Night 7h30 qua. Studio Museum: 12h-21h qui-sex, 10h-18h sáb, 12h-18h dom. Lenox Lounge: música ao vivo e jantar toda noite; não recomendado a menores de 10 anos

Preço Apollo Theater: Amateur Night $20-45 por pessoa, dependendo do show; Studio Museum: $14; grátis até 12 anos e dom

Idade A partir de 8 anos

Duração Studio Museum 30min-1h

Café Atrium Café, no Studio Museum

Loja A loja do Studio Museum tem interessantes itens de arte

Banheiros No 1º andar do Studio Museum

Bom para a família
Com inúmeros prédios históricos, igrejas, clubes de jazz e blues, além de ótimas opções de comida, aqui há diversão para todos.

Preços para família de 4 pessoas

Amy Ruth's, um dos restaurantes de bairro populares na cidade

Para relaxar
O **Marcus Garvey Park** *(Madison Ave, East 120th St até 124th St, 10035)* tem três playgrounds para crianças, mas às vezes pessoas sem-teto aparecem por aqui. O parque remonta ao início do período colonial, quando colonos holandeses o chamavam de Slangberg, ou Colina das Cobras, devido à grande quantidade de répteis no local. Felizmente, as cobras sumiram. Antes conhecido como Mount Morris Park, foi rebatizado em homenagem a Marcus Garvey, fundador da Universal Negro Improvement Association. Mais a oeste, o St. Nicholas Park tem um playground entre as ruas 128th e 129th.

Comida e bebida
Piquenique: até US$20; Lanches: US$20-35; Refeição: US$35-70; Para a família: mais de US$70 (base para 4 pessoas)

PIQUENIQUE Miami Lotto and Grocery *(320 St Nicholas Ave com 126th St, 10027; 212 666 5218)* vende tudo para um piquenique no St. Nicholas Park, por perto.
LANCHES Presidential Pizza *(357 West 125th St, 10027; 212 222 7744; 11h-22h seg-sáb, até 21h dom)* oferece pizzas saborosas por fatia, assim como wraps, massas e saladas.
REFEIÇÃO Amy Ruth's *(113 West 116th St, entre Lenox Ave e Seventh Ave, 10026; 212 280 8779; www.amyruthsharlem.com)* é uma boa opção para soul food como galinha frita e costelas.
PARA A FAMÍLIA Sylvia's *(328 Lenox Ave/Malcolm X Blvd com 126th St, 10027; 212 996 0660; 8h-22h30 seg-sáb, 11h-20h dom; www.sylviasrestaurant.com)* é o restaurante de soul food mais conhecido do Harlem. Seus brunches com gospel no fim de semana são lendários.

Compras
As lojas de discos na 125th Street são uma grande fonte de rap e música soul. A **Grandma's Place** *(84th West, 120th St, 10027; 212 360 6776)* vende livros e brinquedos educativos, enquanto o lugar mais singular para compras no Harlem é o **Malcolm Shabazz Market** *(veja abaixo)*.

Saiba mais
INTERNET O site *www.biography.com/people/groups/movement/harlem-renaissance* tem dados e jogos sobre o Renascimento do Harlem.

Próxima parada...
MALCOLM SHABAZZ MARKET
A parte islâmica do Harlem fica na 116th Street, onde está a Malcolm Shabazz Mosque, com cúpula verde. Daqui vire, para o leste ao ao **Malcolm Shabazz Market** *(52 West 116th St, entre Lenox e Fifth Ave, 10027; 212 987 8131)*, onde há bancas de máscaras, tecidos e arte.

Entrada do colorido Malcolm Shabazz Market

CRIANÇADA!

Fique de olho
1 O Apollo é uma famosa casa de shows. Você sabe quem ganhou, junto com seus irmãos, o concurso da Amateur Night aqui em 1968?
2 O Harlem é conhecido por quais tipos de música?
3 Que líderes famosos pela defesa dos direitos civis têm ruas com seus nomes no Harlem?

Respostas no fim do quadro.

O NOME DO HARLEM
O Harlem ganhou esse nome há muito tempo. Em 1658, o primeiro governador holandês, Peter Stuyvesant, fundou aqui a vila de Nieuw Haarlem, em homenagem à cidade holandesa de Haarlem.

Trem inspirador
Uma das composições de jazz mais famosas de todos os tempos foi inspirada no metrô para o Harlem. *Take the A Train*, composta por Billy Strayhorn em 1939, se tornou a canção-tema da orquestra de Duke Ellington. Escute-a no YouTube, na voz de Ella Fitzgerald.

Respostas: 1 Michael Jackson com o Jackson 5. **2** Jazz, gospel, soul e rap. **3** Martin Luther King Jr., Malcolm X, Frederick Douglass e Adam Clayton Powell Jr.

Interior alegre do restaurante Miss Maude's Spoonbread Too

② Schomburg Center for Research into Black Culture
A história dos negros em foco

O Schomburg Center foi aberto em 1926 com uma incrível coleção de 5 mil livros, 3 mil manuscritos e 2 mil gravuras e pinturas sobre a vida, a cultura e a história dos negros do mundo inteiro. Tudo isso foi coletado pelo ativista e estudioso porto-riquenho Arturo Schomberg (1874-1938), figura influente no Renascimento do Harlem. A coleção continua crescendo e, hoje, as duas galerias do centro fazem mostras temporárias de arte, livros raros, cartas, ferramentas, entalhes e fotografia. Os quatro murais coloridos, *Aspects of Negro Life* (1934), na sala de leitura principal, são de Aaron Douglas (1899-1979), artista do Renascimento do Harlem. Entre na pequena loja que vende joias bem originais da África, discos, pôsteres e entalhes.

Para relaxar
Há três playgrounds ao longo da St. Nicholas Avenue, no **St. Nicholas Park** (*West 128th St até West 141st St, 10027*). Com formações rochosas naturais, o parque estreito também dispõe de quadras de basquete e handebol.

Informações
- **Mapa** 17 D2 **Endereço** 515 Lenox Ave/Malcolm X Blvd (Sixth Ave), 10037; 212 491 2200
- **Metrô** 2 e 3 p/ 135th St **Ônibus** M7 e M102
- **Aberto** 10h-18h seg, sex e sáb, 12h-20h ter-qui
- **Preço** Grátis
- **Idade** A partir de 10 anos
- **Duração** 1h
- **Cadeira de rodas** Sim
- **Comida e bebida** *Piquenique* Hadwan Gourmet Deli (*2445 Frederick Douglass Blvd com 131st St, 10027; 212 862 3145*) tem artigos para um almoço. *Refeição* Miss Maude's Spoonbread Too (*547 Lenox Ave, entre 137th St e 138th St, 10037; 212 690 3100*) serve um popular frango frito.
- **Banheiros** No térreo

Preços para família de 4 pessoas

③ Abyssinian Baptist Church
Um coro de vozes divinas

A igreja negra mais antiga da cidade foi fundada em 1808 por um grupo de negociantes marítimos afro-americanos e etíopes que não aceitava os lugares separados por raça em outras igrejas. Seu nome deriva de Abissínia, a antiga denominação da Etiópia. Em 1923, a congregação construiu esse belo edifício de pedra neogótico, que tem vitrais importados e um púlpito de mármore. A igreja ganhou destaque quando o carismático pastor Adam Clayton Powell Jr. (1908-72) passou a comandá-la em 1937. Venha ouvir o maravilhoso coro gospel (*9h e 11h dom*). Do lado de fora, vendedores na esquina oferecem produtos agrícolas frescos e bonecas africanas.

Informações
- **Mapa** 17 D2 **Endereço** 132 Odell Clark Place, West 138th St, 10030; 212 862 7474; www.abyssinian.org
- **Metrô** 2, 3, B e C p/ 135th St **Ônibus** M2, M7, M10 e M102
- **Cadeira de rodas** Sim
- **Comida e bebida** *Refeição* Manna's Restaurant (*486 Lenox Ave com 134th St, 10030; 212 234 6114*) serve especialidades do Sul em estilo bufê com boas saladas. *Para a família* Londel's (*2620 Frederick Douglass Blvd, 10030; 212 234 6114*) serve cozinha sulista, europeia e cajun.
- **Banheiros** Em todos os andares

Para relaxar
Os playgrounds do **St. Nicholas Park** (*129th St, 133rd St e 140th St*) são ideais para famílias com crianças pequenas. Outra boa opção é o campus da **City College of New York** (*160 Convent Ave, 10031; 212 650 7000*), na divisa com o lado oeste do parque.

④ St. Nicholas Historic District
Casas dos ricos

Esse enclave bem preservado de casas em duas quadras na 139th e na 138th foi construído em 1891, no auge do Harlem como área residencial sofisticada. Embora projetados por três arquitetos diferentes, os edifícios criam um conjunto harmonioso. Atrás deles há vielas onde carroças puxadas por cavalos entregavam mantimentos. Uma placa nos pilares do portão entre os números 251 e

Vitral no interior da Abyssinian Baptist Church

253 adverte, "Rua Privada. Controle Seus Cavalos.", para que os carroceiros circulassem devagar.

Nos anos 1920 o metrô chegou aqui, tornando todo o Harlem mais acessível, mas o excesso de construções fez com que muitos apartamentos fossem abandonados e, então, alugados para negros. Como advogados e músicos negros bem-sucedidos vieram morar aqui, a área ganhou o apelido de Strivers' Row (strive é "esforçar-se", em inglês).

Para relaxar
As crianças vão gostar da **St. Nick's Dog Run** (St. Nicholas Park, perto da 136th St, 10027), área onde cães pequenos e grandes correm e brincam em espaços separados. Conhecida como "Point of Rocks", a orla sul do parque foi acampamento militar na Batalha de Harlem Heights, durante a Revolução Americana.

Informações
- Mapa 17 C2
  Endereço 138th St e 139th St, entre Adam Clayton Powell Jr. Blvd e Frederick Douglass Blvd
- Metrô B e C p/ 135th St
  Ônibus M2, M7, M102 e M10
- Comida e bebida Piquenique Best Yet Supermarket (2187 Frederick Douglass Blvd, 10026) é bom local para comprar artigos para o almoço. Refeição Margie's Red Rose Diner (275 West 144th St, 10030) serve uma das melhores soul foods dos arredores.

⑤ Hamilton Heights Historic District e Sugar Hill
A doce vida

Algumas das quadras residenciais mais belas de Nova York estão nesse distrito, que era a propriedade rural Hamilton Grange, de 1801, do pai fundador Alexander Hamilton. Da parada de metrô na 145th Street, ande um pouco e vire à direita na Edgecombe Avenue para ver alguns edifícios encantadores. Belas casas de pedra geminadas e elegantes prédios de apartamentos em estilos rainha Ana, romântico e neorrenascentista foram construídos aqui entre as décadas de 1880

e 1920. Quando negros começaram a se mudar para o Harlem, muitos profissionais escolheram essa área, que passou a ser conhecida como Sugar Hill, pois representava a doce vida.

Entre os endereços da elite estavam o nº 409 da Edgecombe, casa de Thurgood Marshall, o primeiro juiz afro-americano da Suprema Corte; e o nº 555 da Edgecombe, que teve inquilinos como o ator Paul Robeson e o músico de jazz Count Basie. Muitas dessas casas agora são ocupadas por professores da City College, por perto.

Para relaxar
Pegue o ônibus BR19 para oeste na 145th Street até o **Riverbank State Park** (679 Riverside Drive, 10031). O parque fica no alto de uma estação de tratamento de águas residuais acima do rio Hudson e tem vista fabulosa, dois playgrounds, uma piscina olímpica e um rinque coberto para patinação no verão e patinação no gelo no inverno.

Casas de pedra no Hamilton Heights Historic District

Informações
- Endereço West 141st St p/ 145th St e Convent Ave
- Metrô 3 p/ 145th St; A, B, C e D p/ 145th St Ônibus M3, M100 e M101
- Comida e bebida Lanches Sunshine Kitchen (695 St Nicholas Ave c/ 145th St, 10031; 212 368 4972) tem famosa comida jamaicana, incluindo frango seco. Refeição Charles' Country Pan Fried Chicken (2839–2841 Frederick Douglass Blvd, 10039; 212 281 1800) serve talvez o melhor frango frito do Harlem.

CRIANÇADA!

Descubra mais
1 Os despojos de um poeta estão enterrados sob um andar de um edifício importante no Harlem. Quem é o poeta e onde estão seus despojos?
2 Alexander Hamilton, que dá nome a um distrito histórico nessa área, teve uma morte incomum. Como ele morreu?
3 Que canção conhecida se inspirou no metrô para o Harlem?

Respostas no fim do quadro.

TORRE NOTÁVEL
A torre de vigia de incêndios de ferro fundido e 14m de altura no Marcus Garvey Park é única no país. Foi construída em 1856, quando a maioria dos edifícios era de madeira e um incêndio poderia destruir a cidade inteira, sendo a última que resta das onze torres de vigia originais de Nova York.

Julgamento histórico
Em 1954, o juiz da Suprema Corte Thurgood Marshall venceu o caso *Brown vs. Board of Education of Topeka*, que afetou milhões de crianças, pois baniu a ideia racista de escolas "separadas, mas iguais". Pela primeira vez, todas as raças podiam estudar juntas e crianças afro-americanas eram livres para frequentar qualquer escola.

Respostas: 1 As cinzas do poeta Langston Hughes estão sob um "cosmograma" no Schomburg Center for Research into Black Culture. 2 Ele morreu devido a ferimentos em um duelo com o vice-presidente Aaron Burr. 3 *Take the A Train*, de Billy Strayhorn.

Piquenique até US$20; **Lanches** US$20-35; **Refeição** US$35-70; **Para a família** mais de US$70 (base para 4 pessoas)

The Cloisters e arredores

Deixe os arranha-céus para trás e faça um percurso de metrô de 30 minutos para ter uma nova visão de Manhattan. Aqui, os bairros mais ao norte da ilha, Washington Heights e Inwood, têm extensas áreas verdes, um castelo repleto de arte, um farol no qual se pode subir, uma casa de fazenda de 1780 e matas com vistas dos New Jersey Palisades, os rochedos verticais do outro lado do rio Hudson.

Dyckman Farmhouse Museum, um vestígio da Nova York do século XVIII

Locais de interesse

ATRAÇÕES
1. The Cloisters
2. Inwood Hill Park
3. Dyckman Farmhouse Museum
4. Little Red Lighthouse

COMIDA E BEBIDA
1. Frank's Market
2. Fivo's Pizza
3. 107 West
4. New Leaf Café
5. Grandpa's Brick Oven Pizza
6. Indian Road Café
7. La Sala 78
8. 809 Bar & Grill
9. Como Pizza
10. Galicia

COMPRAS
1. The Cloisters Gift Shop

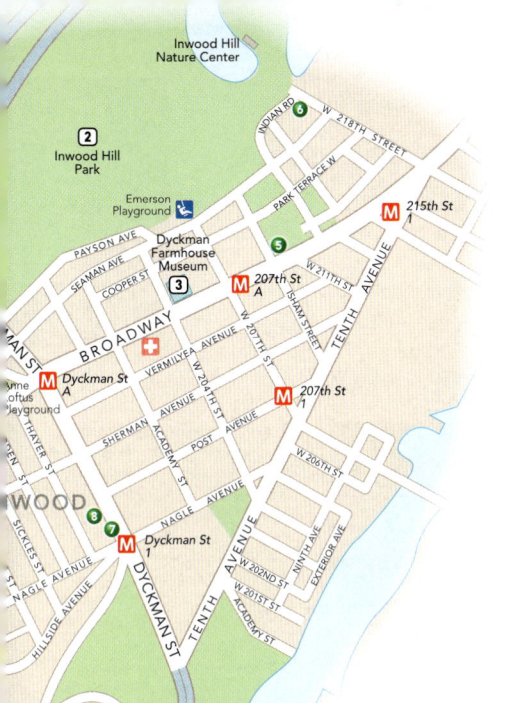

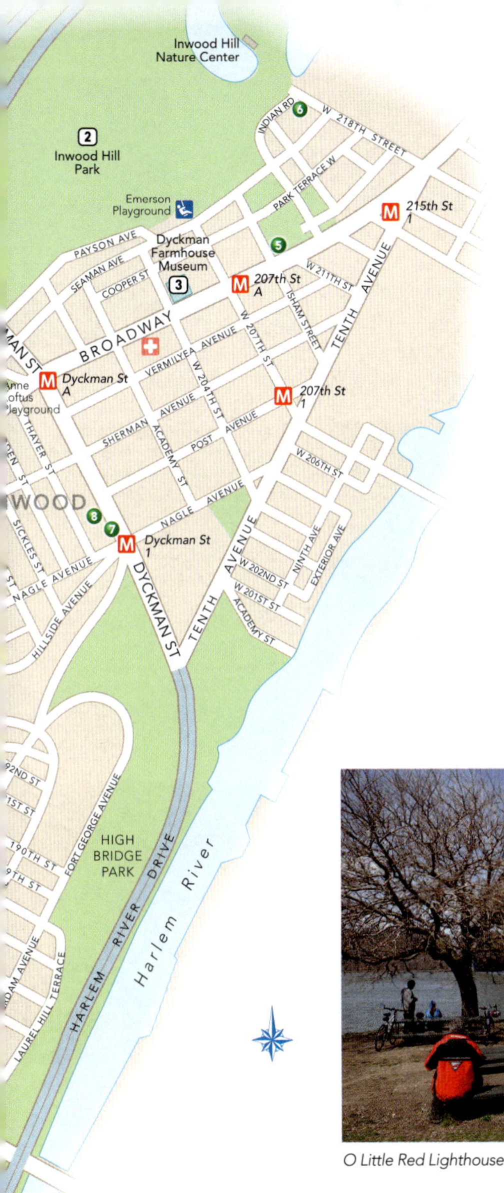

The Cloisters e arredores | 185

O ambiente descontraído do Indian Road Café

O Little Red Lighthouse, com a George Washington Bridge acima

Informações

🚇 **Metrô** A p/ Dyckman St; A p/ 207th St; A p/ 181st St
Ônibus M4, M98, M100 e Bx7

🛒 **Supermercado** Frank's Market, 807-809 West 187th St, perto da Fort Washington Ave, 10040; 212 795 2929
Mercados Fort Washington Greenmarket, 168th St com Fort Washington Ave, 10033; jul-nov: 8h-16h ter. Broadway e 175th St; jun-início nov: 8h-16h qui

🎭 **Festivais** Little Red Lighthouse Festival, Fort Washington Park (set ou out); Medieval Festival, Fort Tryon Park (set ou out); Commemoration of the Battle of Fort Washington, Fort Tryon Park (nov)

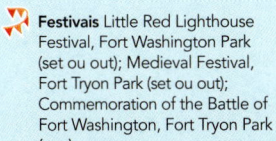

➕ **Farmácias** Hilltop Pharmacy, 593 Fort Washington Ave com 187th St, 10033; 212 923 7176; 8h-20h seg-sex, 9h-19h sáb, 10h-18h dom. Rite Aid, 4910 Broadway, entre 204th St e 207th St, 10034; 212 569 2512; 8h-20h seg-sex, 9h-18h sáb, 10h-17h dom

🛝 **Playgrounds** Jacob K. Javits Playground, Fort Washington Ave e Margaret Corbin Plaza, 10040. Anne Loftus Playground, Broadway e Dyckman St, 10034; Emerson Playground, Seaman Ave, entre Isham St e West 207th St, 10034

① The Cloisters
Unicórnios, jardins e uma viagem ao passado

Com localização privilegiada, voltado para o rio Hudson, The Cloisters parece saído de um conto de fadas. Ligado ao Metropolitan Museum of Art, o museu foi criado por John D. Rockefeller Jr., que comprou o terreno, construiu o edifício – em parte com pedaços de velhos mosteiros franceses – e doou a fabulosa coleção de arte. A inauguração foi em 1938. Volte no tempo entre as pinturas e esculturas medievais, e veja animais reais e mitológicos nas tapeçarias *A dama e o unicórnio*.

Vitral

Destaques

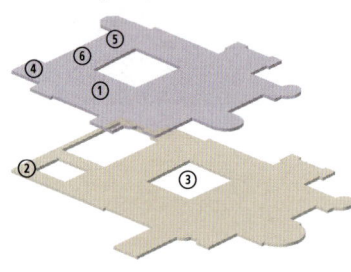

■ **Nível principal** Tapeçarias *A dama e o unicórnio*, Tapeçarias *Nove heróis*, Sala Românica

■ **Nível inferior** Esculturas, vitrais, pinturas e jardins

③ **Cuxa Cloister Garden** O sereno jardim principal tem uma fonte no meio. Suas colunas e capitéis rosados, esculpidos no século XII, mostram estranhas criaturas com dois corpos e uma só cabeça.

④ **A Virgem Maria e cinco santos** Esses vitrais reluzentes (c. 1440-6) vieram de uma antiga igreja carmelita na Alemanha.

⑤ **Tapeçarias *Nove heróis*** Essa série rara de tapeçarias feita no início do século XV mostra heróis da história clássica, hebraica e cristã, todos com trajes medievais.

① **Palmesel** As crianças adoram essa colorida estátua de Cristo em um burrico de madeira, que fica em uma plataforma com rodas. Ela veio da Alemanha, onde integrava procissões no Domingo de Ramos.

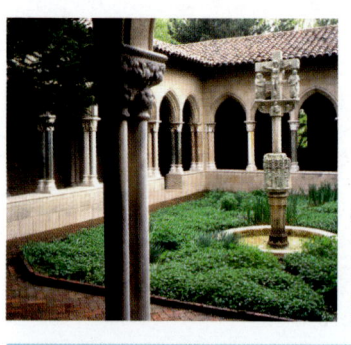

② **The Trie Cloister** Ligado à história francesa, esse claustro de mármore é feito de capitéis provenientes do mosteiro carmelita de Trie-sur-Baïse, perto de Toulouse, que foram reconstruídos aqui.

⑥ **Tapeçarias *A dama e o unicórnio*** Tecidas por volta de 1500, mostram a caça e a captura de um unicórnio. Na época, as pessoas achavam que os unicórnios eram reais e tinham poder mágico.

Informações

- **Endereço** 99 Margaret Corbin Drive, Fort Tryon Park, 10040; 212 923 3700; www.metmuseum.org
- **Metrô** A p/ 190th St **Ônibus** M4
- **Aberto** Mar-out: 10h-17h15 diariam; nov-fev: 10h-16h45 diariam; fechado 1º jan, Dia de Ação de Graças e 25 dez
- **Preço** $50-75 (doação sugerida); até 12 anos grátis; ingresso inclui edifício principal

- **Para evitar fila** Exceto nas manhãs de dias úteis, quando vão grupos de escolas, é raro lotar
- **Passeios guiados** 15h ter-sex e dom; pelo jardim, 13h ter-dom
- **Idade** A partir de 8 anos
- **Atividades** Palestras e programas grátis nas galerias, sáb e 1º dom do mês, 12h e 14h. Workshops grátis para famílias, nos fins de semana; veja no site
- **Duração** Meio dia (passeio de trem e visita ao Fort Tryon Park)

- **Cadeira de rodas** Sim, limitado
- **Café** Trie Café, no andar inferior; aberto abr-out
- **Loja** The Cloisters, loja de presentes no térreo
- **Banheiros** No andar inferior

Bom para a família
Uma viagem ao Cloisters é uma ótima experiência, especialmente se combinada com a exploração do Fort Tryon Park, nos arredores.

Preços para família de 4 pessoas

The Cloisters e arredores | 187

Crianças brincando em fontes, Anne Loftus Playground

Para relaxar
Os playgrounds mais próximos são os do Fort Tryon Park. O **Jacob K. Javits Playground** *(Fort Washington Ave e Margaret Corbin Plaza, 10040)* oferece ótimos equipamentos e jatos d'água para dias quentes. O **Anne Loftus Playground** *(Broadway e Dyckman St, 10034)*, na ponta norte do parque, tem também balanços.

Comida e bebida
Piquenique: até US$20; Lanches: US$20-35; Refeição: US$35-70; Para a família: mais de US$70 (base para 4 pessoas)

PIQUENIQUE Frank's Market *(807-809 West 187th St, perto da Fort Washington Ave, 10040)* tem diversos mantimentos para um piquenique no Fort Tryon Park, com vista para o rio.

LANCHES Fivo's Pizza *(804 West 187th St, perto da Fort Washington Ave, 10033; 212 568 9050)* deixa as crianças felizes com sua variedade de pizzas em fatias.

REFEIÇÃO 107 West *(811 West 187th St, 10033; 212 923 3311; www.107west.com)* é um favorito do bairro por sua mescla de culinárias americanas. Serve desde frutos do mar até soul food e comida cajun, assim como sobremesas tentadoras.

PARA A FAMÍLIA New Leaf Café *(1 Margaret Corbin Drive no Fort Tryon Park, 10040; 212 568 5323)*, em uma casa de pedra dos anos 1930, oferece nova cozinha americana: confit de picadinho de pato, wrap de cogumelos portobello e escalopes envoltos em bacon.

Compras
A loja de presentes no **Cloisters** *(mar-out: 9h30-17h15 ter-dom; nov-fev: 9h30-16h45 ter-dom)* é maravilhosa para crianças. Oferece armaduras, blocos para armar edifícios medievais e canecas com unicórnios.

Saiba mais
INTERNET Veja informações sobre a época medieval de interesse de todas as idades em *www.42explore2.com/medieval.htm*.

Próxima parada...
FORT TRYON PARK Um dos pontos mais altos acima do rio Hudson, o Fort Tryon Park *(Riverside Drive até Broadway e West 192nd St até Dyckman St, 10040)* era um forte que se dividiu em propriedades no século XIX. Em 1917, John D. Rockefeller Jr. comprou a área e a transformou, acrescentando alamedas, terraços, encostas com matas e 13km de trilhas para pedestres. Por fim, ele a deu de presente à cidade em 1935. Na encosta da cadeia rochosa, o Heather Garden do parque foi construído em diversos níveis que ladeiam uma alameda voltada para o Hudson. No Alpine Garden, trilhas em matas sobem e descem pela encosta rochosa leste do parque.

Salão elegante do New Leaf Café

CRIANÇADA!
Fique de olho
1 As tapeçarias *Nove heróis* mostram figuras históricas famosas, porém trajadas de maneira inusitada. Você consegue localizar o imperador romano Júlio César vestido como um rei medieval?

2 Na Idade Média, os mosteiros tinham pátios e jardins cercados por pequenas celas cobertas onde os monges liam e meditavam. Você sabe o nome desses espaços?

3 As tapeçarias *A dama e o unicórnio* no Cloisters têm pelo menos cinco árvores frutíferas conhecidas. Quais delas você reconhece?

Respostas no fim do quadro.

MULHER DE FIBRA
Endereço do Cloisters, a Margaret Corbin Drive homenageia uma mulher conhecida por sua bravura durante a Batalha do Fort Washington na Guerra Revolucionária em 1776. Ela foi ferida quando assumiu o canhão de seu marido abatido.

Herói do passado
O Fort Tryon Park homenageia sir William Tryon, o último governador britânico de Nova York. A honraria foi dada por tropas britânicas, após expulsarem o Exército Colonial em uma batalha da Guerra Revolucionária em 1776. O nome do forte permaneceu, mas os britânicos deixaram Nova York em 1783.

Upper West Side e Harlem

Inwood Hill Park, com a Henry Hudson Bridge ao fundo

Doces e salgados à venda no Indian Road Café Parlor

② Inwood Hill Park
Uma floresta na cidade

Esse parque de 80ha tem árvores nativas, um brejo de água salgada e grutas indígenas. Durante a época colonial essa área era conhecida como Cock ou Cox Hill, provavelmente devido a seu nome em língua indígena, Shorakapok ("a beira do rio"). Grande parte do parque, que foi criado em 1916, ainda tem matas densas com trilhas ecológicas e de caminhada subindo a colina. Explore a pé a Shorakapok Preserve, onde há antigas florestas de carvalhos-vermelhos e grandes tulipeiros.

Informações

- **Endereço** Entradas pela Dyckman St, Seaman Ave com West 207th St e 214th St, Indian Rd com 218th St, 10034;
- **Metrô** A p/ Dyckman St; A p/ 207th St; 1 p/ 215th St **Ônib.** M100
- **Aberto** Diariam, com luz do dia
- **Preço** Grátis
- **Idade** Livre
- **Atividades** Trilhas (a pé/bicicleta)
- **Duração** 1-2h
- **Comida e bebida** *Lanches* Grandpa's Brick Oven Pizza *(4973 Broadway com 211th St, 10034; 212 304 1185)* oferece pizzas com pão sírio, além de saladas, asas de frango e lasanha. *Refeição* Indian Road Café *(600 West 218th St c/ Indian Rd, 10034; 212 942 7451; www.indianroadcafe.com)* serve boa comida americana, como rolinhos de lagosta do Maine.
- **Banheiros** Perto das quadras de basquete no Nature Center

Observe as aves aquáticas que são atraídas para cá pelo brejo e admire as grutas rochosas naturais que serviam de abrigo para os índios.

Se chover...
Caso chova, busque abrigo no **Inwood Hill Nature Center** *(perto da 218th St na entrada da Indian Rd; fechado para reforma)*. Situado no único brejo de água salgada em Manhattan, esse centro interessante tem dioramas de elementos topográficos como prado, floresta e brejo de água salgada. Uma mostra destaca as diversas épocas históricas do parque, de 2000 a.C. à atualidade.

③ Dyckman Farmhouse Museum
Uma casa remanescente da velha Nova York

Em uma casa de fazenda de 1784 que fica em uma colina acima da movimentada Broadway, esse museu é um verdadeiro achado. Construída por William Dyckman em estilo colonial holandês, a casa tem uma varanda, telhado de duas águas e alvenaria decorativa. De posse da mesma família até os anos 1870, depois caiu no abandono. Descendentes de Dyckman a readquiriram em 1915, restaurando-a e doando-a à cidade em 1916. Hoje, oferece uma noção fascinante sobre a vida rural em Manhattan no século XIX.

Os visitantes podem ver quartos de época autênticos, a cozinha de inverno e salas de estar e de refeições. O jardim tem a réplica de um defumadouro e uma cerejeira que representa os

Informações

- **Endereço** 4881 Broadway com 204th St, 10034; 212 304 9422; www.dyckmanfarmhouse.org
- **Metrô** A p/ 207th St **Ônib.** M100
- **Aberto** 11h-17h sex-dom; seg-qui apenas grupos com reserva
- **Preço** $4-8; até 10 anos grátis
- **Idade** A partir de 8 anos
- **Atividades** Artesanatos e shows educativos
- **Duração** 1h
- **Cadeira de rodas** Não
- **Comida e bebida** *Lanches* La Sala 78 *(111 Dyckman St, 10040; 212 304 0667)* tem milkshakes e wraps. *Para a família* 809 Bar & Restaurant *(112 Dyckman St, 10040; 212 304 3800)* serve pratos latino-americanos como empanadas.
- **Banheiros** No térreo

Dyckman Farmhouse Museum

Preços para família de 4 pessoas

The Cloisters e arredores | 189

pomares que existiam aqui. Há também uma cabana militar reconstruída, igual às que serviam de abrigo durante a Guerra Revolucionária Americana (1776-83).

Para relaxar
Vá ao **Emerson Playground** *(Seaman Ave, entre Isham Ave e West 207th St, 10034)*, que homenageia o poeta amante da natureza Ralph Waldo Emerson. Há bastante espaço para a garotada se espalhar, um jato d'água em forma de sapo e uma escultura em ferro com um lobo em baixo-relevo.

④ Little Red Lighthouse
O herói improvável de um livro infantil clássico

O farol de tijolos vermelhos de 12m de altura no Fort Washington Park é envolto em história. Foi erigido em 1880 e transferido para esse local, em um trecho traiçoeiro do Hudson, em 1921. Quando a George Washington Bridge foi inaugurada acima do farol em 1931, as luzes reluzentes das torres de 183m de altura da ponte ofuscaram o pequeno farol. Em 1942 Hildegarde Swift escreveu *The Little Red Lighthouse and the Great Gray Bridge*, no qual, em uma noite nublada, o farol percebe que ainda tem função importante.

Em 1948, quando a Guarda Costeira resolveu desativar o farol, milhares de crianças que gostavam do livro de Swift iniciaram uma campanha nacional para salvá-lo. Atualmente, ele é um Marco Histórico Nacional e um marco literário para crianças. Todo mês de setembro, o Little Red Lighthouse Festival atrai centenas de pessoas que prestam homenagem ao pequeno sobrevivente.

Para relaxar
O **Fort Washington Park** *(Riverside Drive, West 155th St até West 179th St, 10033)* tem dois playgrounds, um na West 162nd Street com Riverside Drive e o outro na West 165th Street com Henry Hudson Parkway. O parque também é ótimo para avistar falcões-peregrinos no céu, os quais fazem ninhos nas torres da George Washington Bridge.

A George Washington Bridge e o Little Red Lighthouse, no rio Hudson

Informações
- 🌐 **Endereço** 1 Fort Washington Park, 181st St e Plaza Lafayette, 10033; 212 304 2365
- 🚇 **Metrô** A p/ 181st St. Siga a oeste do rio; o farol está quase que imediatamente abaixo da George Washington Bridge.
- 🕐 **Aberto** Visita com subida ao topo da torre jun-out: 13h-16h 2º sáb do mês
- 💲 **Preço** Grátis
- 👫 **Idade** 5-10 anos
- ⏱ **Duração** 1-2h (incluindo o Fort Washington Park)
- ☕ **Comida e bebida** *Lanches* Como Pizza *(4035 Broadway com 172nd St, 10032; 212 928 7867)* é uma boa opção. *Refeição* Galicia *(4083 Broadway com 172nd St, 10032; 212 568 0163)* serve autêntica paella espanhola e saborosas tapas.
- 🚻 **Banheiros** Não

CRIANÇADA!

Descubra mais
1 Antigamente, índios americanos usavam as grutas rochosas naturais no Inwood Hill Park como abrigo. Você sabe o nome indígena da área e o que ele significa?
2 Quando a Dyckman Farmhouse foi restaurada em 1916, uma certa árvore foi plantada para representar os pomares originais da fazenda. Que árvore é essa?
3 Qual livro infantil famoso é sobre um certo farol no Fort Washington Park? Você sabe quem o escreveu?

Respostas no fim do quadro.

COZINHAS SAZONAIS
Na época colonial, muitas casas como a Dyckman Farmhouse tinham uma cozinha interna, para aquecê-las no inverno, e uma cozinha externa, para uso no verão.

Uma ninharia
Uma placa no Inwood Hill Park marca a localização da venda lendária de Manhattan. Em 1626, o governador holandês Peter Minuit supostamente comprou toda a ilha de Manhattan dos índios lenapes em troca de contas e artigos que hoje em dia valeriam apenas US$24.

Respostas: 1 Era *Shorakapok*, que significa "a beira do rio". **2** Uma cerejeira. **3** *The Little Red Lighthouse and the Great Gray Bridge*, escrito por Hildegarde Swift e ilustrado por Lynd Ward.

Piquenique até US$20; **Lanches** US$20-35; **Refeição** US$35-70; **Para a família** mais de US$70 (base para 4 pessoas)

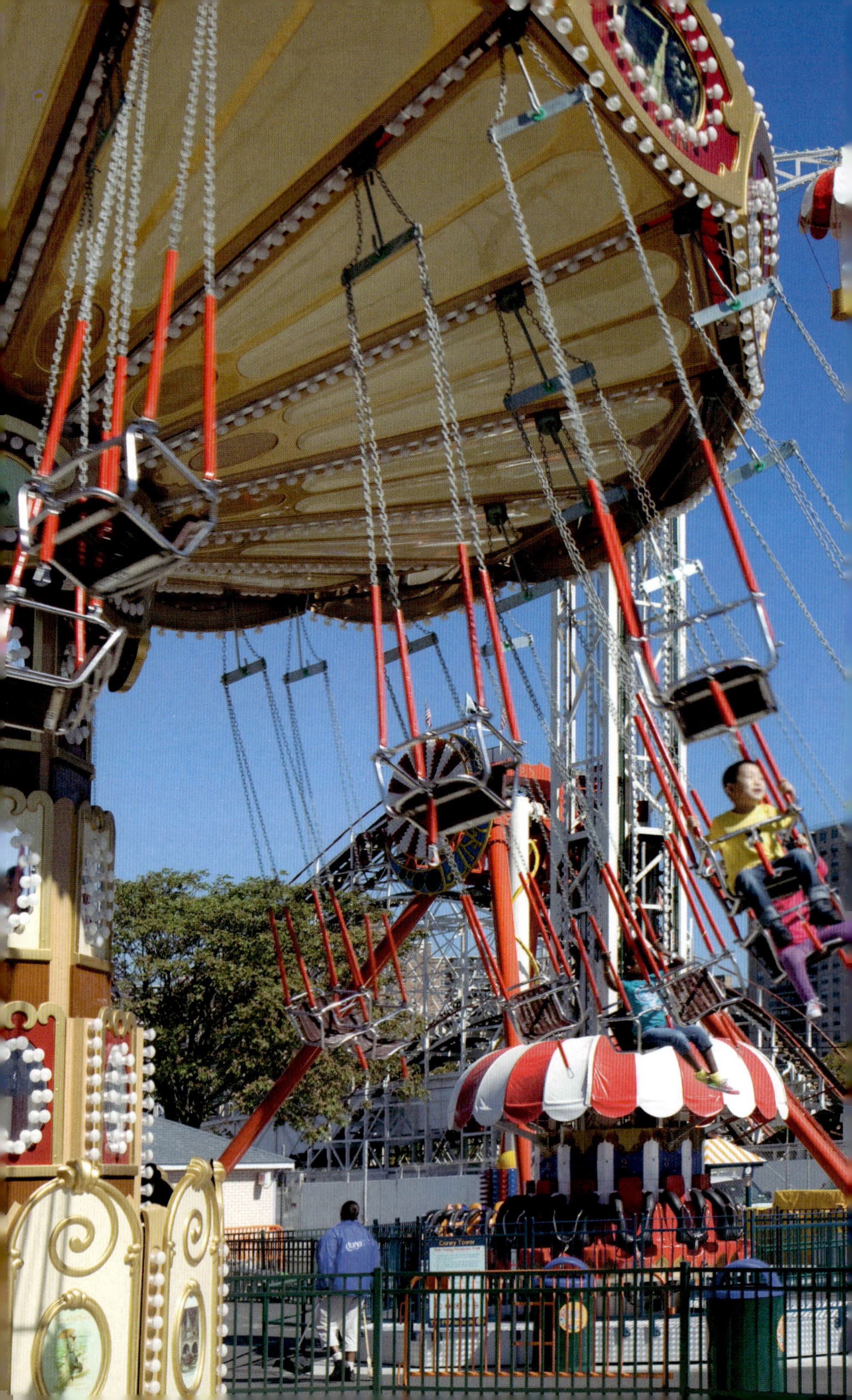
Coney Tower

Arredores de
Manhattan

Nova York foi formada em 1898, quando cinco *boroughs*, ou distritos (Bronx, Brooklyn, Manhattan, Queens e Staten Island), se reuniram formando uma só cidade. Cada um desses distritos tem personalidade e encantos próprios. Enquanto o Queens é um polo emergente de artes, o Bronx é o berço do hip-hop e o Brooklyn oferece um jardim botânico e parques de diversão à beira-mar.

Principais atrações

Brooklyn Museum
Admire uma das melhores coleções egípcias do mundo, assim como arte moderna e asiática, nas galerias desse magnífico museu *(pp. 202-3)*.

Prospect Park
Visite esse espaço arborizado que tem um zoo, um carrossel e trilhas de caminhada e observação de aves – um antídoto instantâneo contra o confinamento urbano *(pp. 204-9)*.

Isamu Noguchi Museum
Esse museu é um mergulho na mente e na obra de Isamu Noguchi, um excepcional escultor do século XX *(p. 220)*.

Long Island City
Conheça a cena emergente de arte contemporânea no MoMA PS1 *(pp. 220-1)*, no sul de Long Island City.

Wave Hill
Aproveite as oficinas de arte para crianças e ande pelo terreno desse jardim público apreciando as vistas espetaculares do rio Hudson *(p. 232)*.

City Island
Cidade litorânea com ar de aldeia pesqueira da Nova Inglaterra, esse é um tesouro oculto no Bronx *(p. 233)*.

À esq. Pai e filho se divertem no carrossel voador em Coney Island, Brooklyn
Acima, à esq. Estátua na Egyptian Gallery, Brooklyn Museum

O Melhor nos
Arredores de Manhattan

Quem se aventura além dos limites de Manhattan é amplamente recompensado. Fora do circuito turístico, os distritos externos são grandes destinos para famílias devido a sua mescla de autenticidade, grandes atrações culturais e parques. Outra vantagem é conhecer famílias locais enquanto se anda pelo zoo do Bronx, pelos museus do Queens e do Brooklyn e pelo polo de arte contemporânea em Long Island City.

Uma dose de cultura

Vá para o norte até o **Bronx Museum of the Arts** (p. 238), onde há mostras urbanas com temas bem atuais como direitos civis e as grandes transformações em curso no Bronx. No Queens, o **Isamu Noguchi Museum** (p. 220), construído pelo escultor Isamu Noguchi para abrigar o conjunto de sua obra, é uma ode à simplicidade, enquanto o **Museum of the Moving Image** (pp. 218-9) é uma aula sobre a história do cinema. Admire arte contemporânea internacional no MoMA PS1 em **Long Island City** (pp. 220-1) ou pegue o trem para Flushing, a fim de ver *The Panorama*, uma maquete impressionante dos cinco distritos, no **Queens Museum of Art** (p. 226).

Passeios ao ar livre

Atravesse a **Brooklyn Bridge** (pp. 196-7), um dos maiores feitos arquitetônicos da época atual. Siga para o **Audubon Center** (p. 209) no Prospect Park e, se o tempo permitir, passeie em um barco elétrico para observar aves. Na sequência, faça uma caminhada na ampla Ravine do parque e visite o **Prospect Park Zoo** (pp. 204-5), onde há uma trilha ecológica e muitas atividades para crianças, ou atravesse a rua para admirar o elegante Japanese Hill-and-Pond Garden no **Brooklyn Botanic Garden** (p. 206). Vá ao Bronx para ver a série de habitats de animais no **Bronx Zoo** (pp. 236-7), o maior jardim zoológico da cidade.

Abaixo Praia de seixos perto da Brooklyn Bridge, com o skyline de Manhattan ao fundo

Acima Vista panorâmica do rio Hudson a partir da Wave Hill no Bronx *Centro* Entrada do Museum of the Moving Image em Astoria, Queens *Abaixo* Vista externa do edifício beaux-arts do Brooklyn Museum

Casas marcantes

As casas históricas de Nova York são portais para o passado, que desvendam como viviam seus antigos habitantes. A **Wave Hill** *(p. 232)*, no Bronx, com vistas espetaculares do rio Hudson, teve Teddy Roosevelt e o escritor Mark Twain entre seus moradores. Mais a leste fica o **Edgar Allan Poe Cottage** *(p. 232)*, onde o escritor passou seus dois últimos anos de vida cuidando da mulher enferma e escrevendo poemas. Mergulhe no século XVII na **Lefferts Historic House** *(p. 208)*, no Prospect Park do Brooklyn, onde as crianças podem se distrair com passatempos antigos, como fazer manteiga. Por fim, vá ao **Brooklyn Museum** *(pp. 202-3)* para ver a Schenck House, uma casa holandesa datada de cerca de 1775.

As estações

Os meses de inverno são ideais para ir ao **New York Hall of Science** *(pp. 224-5)*, no Queens, onde há mostras instigantes voltadas para crianças, a exemplo de Seeing the Light. Em abril e maio, aprecie as cerejeiras em flor no **Brooklyn Botanic Garden**, que são comemoradas no festival Sakura Matsuri, de inspiração japonesa. Quando o clima esquentar, pegue o trem para **Coney Island** *(p. 214)*, cujas atrações são parques de diversões, um calçadão com arcadas e uma genuína praia oceânica. No outono, confira o último bolsão da floresta original da cidade no **New York Botanical Garden** *(pp. 230-1)*, o qual se transforma em um dossel de cores vibrantes.

Brooklyn Bridge e arredores

É um impacto ver de longe a bela Brooklyn Bridge, e atravessá-la a pé é uma aventura ainda mais excitante. Embora às vezes desperte temor, a passarela elevada para pedestres, no meio da ponte, oferece muita segurança. Faz sentido começar pelo lado de Manhattan, caminhar 2km e chegar à ponte, pois no caminho se veem vários lugares interessantes no lado do Brooklyn – como os notáveis parques junto às águas em Dumbo. Se bater um cansaço, dá para fazer o percurso de metrô ou táxi aquático.

Táxi aquático no rio East

Locais de interesse

ATRAÇÕES
1. Brooklyn Bridge
2. Dumbo
3. Jacques Torres Chocolate Shop
4. Brooklyn Ice Cream Factory
5. New York Transit Museum

COMIDA E BEBIDA
1. Peas and Pickles
2. Ignazio's Pizza
3. Grimaldi's Pizzeria
4. River Café
5. Almondine Bakery
6. Rebar
7. AlMar
8. Vinegar Hill House
9. Brooklyn Roasting Company
10. Superfine
11. Pedro's Bar & Restaurant
12. Iris Café

HOSPEDAGEM
1. Best Western Seaport Inn
2. Marriott Brooklyn Bridge

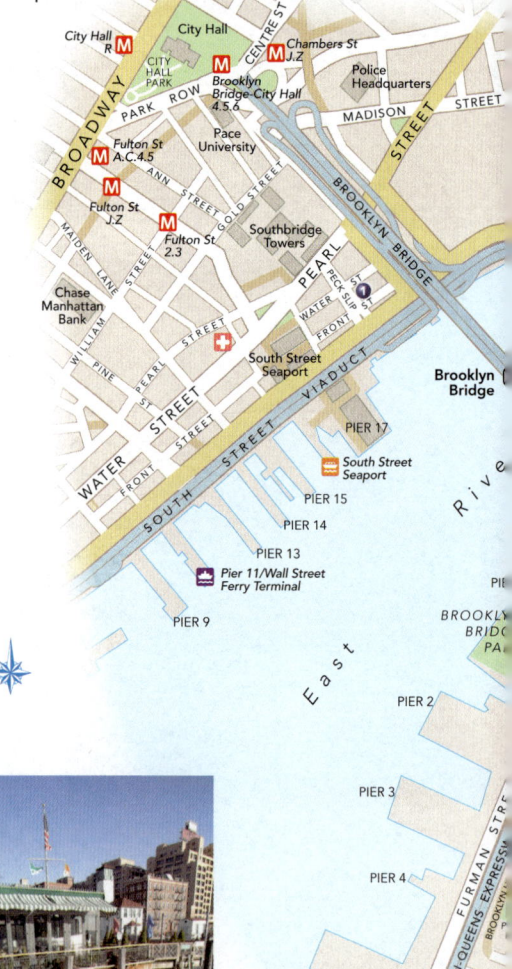

O River Café, à beira d'água, no Brooklyn

Brooklyn Bridge e arredores | 195

Passarela para pedestres na Brooklyn Bridge, com vistas para o Financial District

Informações

🚗 **Metrô** Em Manhattan: R p/ City Hall; 4, 5 e 6 p/ Brooklyn Bridge-City Hall; 2 e 3 p/ Fulton St; no Brooklyn: A e C p/ High St; F p/ York St **Ônibus** M9, M15, M22, B25 e M103 **Táxi aquático** Entre South St Seaport em Manhattan e Fulton Ferry Landing no Brooklyn; New York Water Taxi: www.nywatertaxi.com; 212 742 1969

ℹ️ **Informação turística** Brooklyn Tourism & Visitors Center, 209 Joralemon St, Brooklyn, 11201; 718 802 3846

🛒 **Supermercado** Brooklyn: Peas & Pickles, 55 Washington St, entre Front St e Water St, 11201; 718 488 8336
Mercados Manhattan: City Hall Park Greenmarket, Broadway com Chambers St; abr-dez: 8h-16h. Brooklyn: Brooklyn Borough Hall Greenmarket, Court St com Montague St; 8h-18h (até 16h30 no inverno)

🎉 **Festivais** BKLYN Designs (mai). Brooklyn Hip-Hop Festival (jul). Dumbo Arts Festival (set)

➕ **Farmácias** Manhattan: Duane Reade, 200 Water St, 10038; 212 385 9353; 7h30-20h seg-sex, 9h-18h sáb e dom. Brooklyn: Rite Aid, 168 Montague St, 11201; 718 522 2991; 7h-21h seg-sex, 9h-18h sáb, 9h-17h dom

🛝 **Playgrounds** Brooklyn Bridge Park, no pé da Brooklyn Bridge (pp. 196-7). Pierrepont Park, Pierrepont St, no Promenade, Brooklyn, 11201. Main Street Park, Washington St (p. 198)

Interior da Jacques Torres Chocolate Shop

Arredores de Manhattan

Informações

- **Mapa** 2 G3
- **Metrô** J e Z p/ Fulton St; 4, 5 e 6 p/ Brooklyn Bridge-City Hall; 2 e 3 p/ Fulton St; R p/ City Hall **Ônibus** M9, M15 e M22. O acesso de pedestres à ponte fica perto do City Hall Park com Park Row e Central St.
- **Passeios guiados** Muitas empresas, incluindo a Big Onion Walking Tours, oferecem passeios guiados à ponte; detalhes no site www.bigonion.com. A Bike and Roll tem um passeio de bicicleta de 2-3h que atravessa a ponte; detalhes no site www.bikeandroll.com.
- **Idade** Grupos de todas as idades, mas traga um carrinho para os bebês, que talvez precisem descansar no caminho
- **Duração** 1h
- **Banheiros** Os mais próximos estão no Au Bon Pain (80 Pine St, 10005), em Manhattan, e no Bubby's (p. 198) e na entrada do Pier 1 (veja abaixo), no Brooklyn.

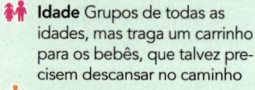

Bom para a família
A bela arquitetura da construção e sua fascinante história, combinadas à emoção da travessia ao ar livre, fazem desta atração uma atração imperdível para as famílias em visita à cidade.

① Brooklyn Bridge
Um vão majestoso

Maravilha arquitetônica, a ponte do Brooklyn foi construída sobre o rio East entre 1870 e 1883 para ligar as duas maiores cidades dos EUA na época, Nova York (atual Manhattan) e Brooklyn. Muitos acreditavam que a ponte pênsil de aço – a primeira do mundo – não era segura. Para provar o contrário, o empresário multimídia P. T. Barnum atravessou-a com um grupo de 21 elefantes cujo líder se chamava Jumbo.

Destaques

Vão central Com 486m de extensão, o vão é suspenso por uma curva graciosa de cabos de aço. Marinheiros realizaram boa parte da ligação dos cabos no próprio local.

Brooklyn Towers Erguendo-se 83m acima do rio, as duas torres neogóticas em arco, feitas de granito, calcário e cimento natural, são os principais suportes da ponte.

Ferrovia Um trem elevado passava nas duas pistas centrais ao lado dos bondes e outros veículos. Hoje em dia, apenas carros são permitidos.

Cabos de aço Quatro cabos de aço, de 1.091m de extensão cada, dão apoio ao vão da ponte.

Brooklyn Bridge Park, um oásis urbano ao longo do rio East

Para relaxar
O Pier 1 do **Brooklyn Bridge Park** (www.brooklynbridgeparknyc.org), com um playground em sua orla norte, dois gramados grandes e um calçadão junto às águas, é perfeito para um piquenique ou uma caminhada agradável.

Preços para família de 4 pessoas

Comida e bebida
Piquenique: até US$20; Lanches: US$20-35; Refeição: US$35-70; Para a família: mais de US$70 (base para 4 pessoas)

PIQUENIQUE Peas & Pickles (55 Washington St, 11201; 718 488 8336; 24h diariam) tem sanduíches, panini e sushi. Compre provisões e vá a um dos gramados do Brooklyn Bridge Park.

LANCHES Ignazio's Pizza (4 Water St, 11201; 718 522 2100; www.ignaziospizza.com) oferece pizza com cobertura de camarão, mexilhões e abacaxi com presunto. O menu também traz saladas e diversas bebidas.

REFEIÇÃO Grimaldi's Pizzeria (1 Front St, 11201; 718 858 4300; www.grimaldis.com) serve deliciosas pizzas de forno de barro, saladas e sobremesas que compensam a espera por uma mesa.

PARA A FAMÍLIA River Café (1 Water St, 11201; 718 522 5200; 12h-15h e 17h30-23h diariam, brunch 11h-13h dom; www.rivercafe.com), um dos cafés com melhor localização na cidade, aos pés da Brooklyn Bridge, serve a nova culinária americana à base de ingredientes frescos.

O River Café tem vistas fantásticas do skyline de Manhattan

Brooklyn Bridge e arredores | 197

Cordão de luzes O cordão de 904 luzes ao longo dos cabos da ponte parece um colar de pérolas. As luzes só são ligadas quando há dinheiro suficiente nos cofres municipais para arcar com essa despesa.

Bandeiras americanas
Cada torre é encimada por uma bandeira, a qual é substituída a cada três meses.

Passarela para pedestres A ponte do Brooklyn foi a primeira no mundo a ter uma passarela exclusiva para pedestres, acima das pistas. Hoje, ela é partilhada por ciclistas e pedestres, separados por uma faixa branca.

Saiba mais
FILMES O aclamado documentarista Ken Burns fez *Brooklyn Bridge* para o Public Broadcasting Service (PBS) em 1981. O filme mostra a construção da ponte e sua importância histórica para Nova York. A ponte também aparece no filme da BBC *Seven Wonders of an Industrial World* (2003). Em *Godzilla* (1998), com Matthew Broderick e Jean Reno, o gigantesco lagarto que aterroriza Nova York finalmente é morto na Brooklyn Bridge.

Se chover...
Vá ao espaçoso centro de artes **Dumbo** (p. 198), para ver as mostras em cartaz, ou à gigantesca Dewey's Candy, no nº 141 da Front Street, repleta de confeitos coloridos.

O Brooklyn Heights Promenade tem um ótimo playground e vistas deslumbrantes

Próxima parada...
BROOKLYN HEIGHTS PROMENADE O Brooklyn Heights Promenade tem vistas incríveis da ponte e o agradável playground Pierrepont. As ruas arborizadas atrás dão ideia de como era essa área um século atrás.

CRIANÇADA!
Fique de olho 
1 Fios de aço foram inseridos nos cabos para suportar o vão da ponte. Você sabe por que a construtora da ponte contratou marinheiros para suspender o cabeamento no ar?
2 Por que há uma faixa branca no meio da passarela para pedestres?
3 Que tipos de transporte não passam mais na ponte?
4 Qual marco de Nova York é visto da Brooklyn Bridge?

Respostas no fim do quadro.

FATO OCULTO
Em 2006, suprimentos secretos foram descobertos dentro de uma das torres da ponte. Eles foram guardados ali em 1957 para que a torre servisse de bunker, caso a União Soviética atacasse Nova York com uma bomba nuclear.

Passado trágico
O engenheiro alemão John Augustus Roebling, que projetou a ponte do Brooklyn, não a viu concluída. Ele se feriu durante a construção e acabou morrendo. Seu filho, Washington Roebling, assumiu o posto, mas também se machucou; a mulher dele, Emily, finalmente assumiu o lugar, encarregando-se da supervisão diária das obras.

Respostas: 1 Porque marinheiros estavam habituados a trabalhar em mastros altos de navios. **2** A faixa separa pedestres de ciclistas. **3** Trens elevados e bondes. **4** O Empire State Building.

Jacques Torres Chocolate Shop, repleta de tentações

② Dumbo
Muita arte e áreas verdes

Outrora uma área industrial repleta de armazéns, essa parte do Brooklyn é um dos bairros mais charmosos da cidade. Dumbo, abreviação de Down Under the Manhattan Bridge Overpass, é o belo trecho do bairro aos pés da ponte do Brooklyn. Sua arquitetura bem preservada e ruas de pedras belgas foram tema de alguns dos maiores fotógrafos da cidade, incluindo Berenice Abbott e André Kertész, assim como do cineasta Sergio Leone, que apreciava seu caráter histórico e atmosfera interessante.

Hoje, Dumbo é conhecido pela proliferação de artistas e estupendos parques à beira d'água, que estão entre os melhores para crianças. Levas de artistas vieram para a área nas décadas de 1970 e 80, e sua influência ainda é perceptível em instituições como o Dumbo Arts Center, sem fins lucrativos, que tem galerias e oficinas para crianças. O Galapagos Art Space mostra instalações em vídeo, performances e teatro, enquanto o St. Ann's Warehouse é renomado por peças de teatro ousadas e shows de rock. A Front Street e a Water Street reúnem galerias, livrarias, ateliês de design e atrações gastronômicas como a Jacques Torres Chocolate Factory.

Para relaxar
O playground de tema náutico, lindas vistas de Manhattan, degraus amplos levando até a água, gramados verdejantes e uma pista para corrida de cães fazem do **Main Street Park**, que é parte do Brooklyn Bridge Park (p. 196), um dos tesouros dessa área.

③ Jacques Torres Chocolate Shop
A fábrica de chocolate

Há somente um homem em Nova York cujo nome é sinônimo do fascínio exercido pelo chocolate – Jacques Torres. Nascido em uma aldeia pesqueira na França, Torres veio para cá movido por sua paixão por doces e ocupou o posto de pâtissier chef do Le Cirque, um dos restaurantes lendários da cidade. Depois, deixou o posto estrelado para transformar um velho armazém de tijolos na beira do rio East nessa fábrica de chocolate de renome mundial. Aqui se encontra uma grande variedade de regalos apetitosos, incluindo trufas ao champanhe, pralinês e barras de chocolate. No interior, uma vidraça permite acompanhar a preparação das delícias.

Para relaxar
Vá ao **Empire-Fulton Ferry Park**, também parte do Brooklyn Bridge Park (p. 196), e dê uma volta no Jane's Carousel, que agora fica permanentemente dentro de uma estrutura de vidro à prova de intempéries. Com 48 cavalos e a plataforma original, o carrossel foi feito na Filadélfia em 1922. Sua restauração durou vinte anos, e ele recebeu o nome de sua dona anterior, que o doou à cidade.

Informações
🌐 **Mapa** 2 H3
📍 **End.** 66 Water St, 11201; 718 875 9772; www.mrchocolate.com
🚇 **Metrô** A e C p/ High St; F p/ York St **Ônibus** B25 e B69
🕐 **Aberto** 9h-20h seg-sáb, 10h-18h dom
⏱ **Duração** 30min
♿ **Cadeira de rodas** Sim
🍴 **Comida e bebida** *Lanches* AlMar (111 Front St, 11201; 718 855 5288) tem sanduíches, panini, saladas e burritos. *Para a família* Vinegar Hill House (72 Hudson Ave, 11201; 718 522 1018), excelente nova cozinha norte-americana, para o brunch ou para jantar, serve clássicos com toque pessoal.
🚻 **Banheiros** No térreo

④ Brooklyn Ice Cream Factory
Delícias cremosas

A decisão da cidade de preservar uma casa flutuante dos bombeiros de 1924 em Fulton Landing foi comprovadamente boa – a arquitetura simples e alegre dessa estrutura, mantida para a posteridade, sedia uma das melhores sorveterias de Nova York. O plano foi posto em ação em 2001 por Mark Thompson, na época gerente do icônico River Café. Sua estratégia de limitar o número de sabores – em geral, há cerca de oito – e usar apenas os ingredientes mais frescos deu certo. A Brooklyn Ice Cream Factory conquistou os nova-iorquinos, que fazem fila

Informações
🌐 **Mapa** 19 A3
🚇 **Metrô** A e C p/ High St; F p/ York St **Ônibus** B25, B67 e B69
👥 **Idade** Livre
⏱ **Duração** 1-2h
🍴 **Comida e bebida** *Refeição* Almondine Bakery (85 Water St, perto da Main St, 11201; 718 797 5026) oferece cookies, pães e produtos clássicos da pâtisserie francesa. *Para a família* Rebar (147 Front St, 11201; 718 766 9110) oferece culinárias americana e italiana e uma extensa carta de vinhos e cervejas.
🚻 **Banheiros** Nos cafés próximos e no 2º andar do Dumbo Arts Center

A Brooklyn Ice Cream Factory atrai grande número de moradores e turistas

Preços para família de 4 pessoas

Brooklyn Bridge e arredores | 199

Informações

- **Mapa** 2 H3
- **Endereço** Corner of Old Fulton e Water St, 11201; 718 246 3963; www.brooklynicecreamfactory.com
- **Metrô** A e C p/ High St; F p/ York St **Ônibus** B25 e B69
- **Aberto** 12h-22h dom-qui, 12h-23h sex e sáb
- **Idade** Livre
- **Duração** 1h
- **Cadeira de rodas** Não
- **Comida e bebida** Lanches Brooklyn Roasting Company (25 Jay St, 11201; 718 522 2664) serve uma enorme variedade de cafés, além de doces e salgadinhos das melhores padarias locais. *Refeição* Superfine (126 Front St, 11201; 718 243 9005) oferece brunch e jantar em que se destacam toques mediterrâneos.
- **Banheiros** Não

o dia todo para poder provar seus sorvetes.

Para relaxar

A partir da fábrica de sorvetes e um pouco além dos muros da ponte do Brooklyn (pp. 196-7) fica a divisa do **Empire-Fulton Ferry Park**. Comece andando até a base da ponte e aprecie as vistas panorâmicas de Manhattan, as quais aparecem em quase todos os filmes ambientados em Nova York. Depois visite o magnífico Tobacco Warehouse. Construído nos anos 1870 como um centro de inspeção aduaneira de tabaco, o edifício de tijolos sem teto, pontuado por janelas em arco, relembra vividamente o passado de Dumbo como eixo de navegação.

5 New York Transit Museum
Bondes, trens e muito mais

Situado na estação de metrô na Court Street que foi desativada em 1946, esse museu enfoca a história do transporte público na cidade. Três exposições de longo prazo ocupam o mezanino: Steel, Stone & Backbone narra a construção do sistema de metrô; On the Streets: New York's Trolleys and Buses trata do transporte de su-

Artigos à venda na loja do New York Transit Museum

perfície e inclui um ônibus de doze lugares e um minibonde nos quais as crianças podem entrar. A Fare Collection destaca diversos dispositivos e equipamentos usados ao longo dos anos. No nível inferior, dois trilhos de metrô abrigam metrôs antigos e trens elevados nos quais se pode entrar. A maioria dos vagões de metrô está em bom estado e ocasionalmente faz os passeios "Nostalgia Train".

Para relaxar

Ao norte do museu, o **Columbus Park** (Cadman Plaza West, Brooklyn, 11201), com grandes trechos pavimentados, tem jardins, esculturas e shows na hora do almoço. O mercado orgânico no Brooklyn District Hall (p. 195) vende todo tipo de produto.

Informações

- **Mapa** 19 A4
- **End.** 130 Livingston St, 11201; www.mta.info/mta/museum
- **Metrô** 2, 3, 4 e 5 p/ Borough Hall **Ônibus** B25, B57, B61 e B103
- **Aberto** 10h-16h ter-sex; 11h-17h sáb e dom
- **Idade** Livre
- **Preço** $24-34
- **Atividades** Programa de visitas p/ crianças entre 2-5 anos, sex 11h; workshops p/ crianças maiores de 5 anos, sáb e dom 13h30
- **Duração** 1h
- **Cadeira de rodas** Sim
- **Comida e bebida** Lanches Pedro's Bar & Restaurant (73 Jay St, 11201; 718 797 2851) serve culinárias dominicana e mexicana tradicionais. *Refeição* Iris Café (20 Columbia Pl, 11201; 718 722 7395) tem sanduíches e café da manhã o dia inteiro.
- **Banheiros** No térreo

CRIANÇADA!

Você sabia?
1 Que tipo de pedra foi usado para pavimentar as ruas de Dumbo?
2 Que meio de transporte você pode pegar em Fulton Landing?
3 O nome Dumbo se refere à localização do bairro na base de uma ponte. Que ponte é essa?
4 Jacques Torres é especialista em chocolates. Por que seus confeitos são tão especiais?
5 A Brooklyn Ice Cream Factory fica em um edifício histórico. Você sabe qual era sua função quando foi inaugurado em 1924?

Respostas no fim do quadro.

MELODIA NAS ÁGUAS
Uma antiga barcaça que transportava grãos de café no rio East pelo lado do Brooklyn agora é cenário da série de música de câmara Barge Music, realiza da várias noites por semana na primavera, verão e outono.

Pontes de Nova York

A Brooklyn Bridge não é a única ponte no rio East com uma passarela para pedestres. A Manhattan Bridge também tem uma, com a diferença de que os pedestres têm de suportar o ruído dos vagões de metrô que passam por ela.

Respostas: 1 Blocos belgas, em geral de granito. 2 Os táxis aquáticos amarelos de Nova York. 3 A Manhattan Bridge. 4 Porque Torres usa os ingredientes mais frescos. 5 Era um posto de bombeiros.

Piquenique até US$20; Lanches US$20-35; Refeição US$35-70; Para a família mais de US$70 (base para 4 pessoas)

Brooklyn Museum e arredores

O Brooklyn era uma cidade importante durante o século XIX, conforme se vê pelo grandioso complexo de atrações na orla do Prospect Park, que é a maior área verde do distrito. O parque oferece muitas opções, e a uma curta caminhada dali fica o Brooklyn Children's Museum, um sonho para a garotada. O Brooklyn Museum e seu vizinho, o idílico Botanic Garden, perto do Prospect Park, também são extremamente acessíveis para famílias. Vá até lá de metrô e depois explore a área a pé.

Locais de interesse

ATRAÇÕES
1. Brooklyn Museum
2. Prospect Park Zoo
3. Grand Army Plaza
4. Brooklyn Botanic Garden
5. Brooklyn Children's Museum
6. Prospect Park
7. Lefferts Historic House
8. Audubon Center

COMIDA E BEBIDA
1. BKLYN Larder
2. Museum Café
3. Tom's Restaurant
4. Flatbush Farm
5. Bark
6. Carlton Park
7. James
8. Open Book Café by Mambo
9. Cheryl's Global Soul
10. Bareburger
11. Breukelen Coffee House
12. Applebees
13. Pony Express Snack Bar
14. Gino's Trattoria & Brick Oven Pizza
15. Scoops Ice Cream Parlor
16. King of Tandoor
17. Sushi Tatsu III

Veja também Brooklyn Botanic Garden (p. 206) e Audubon Center (p. 209).

Brooklyn Museum e arredores | 201

Prospect Park Lake, o único lago de água doce no Brooklyn

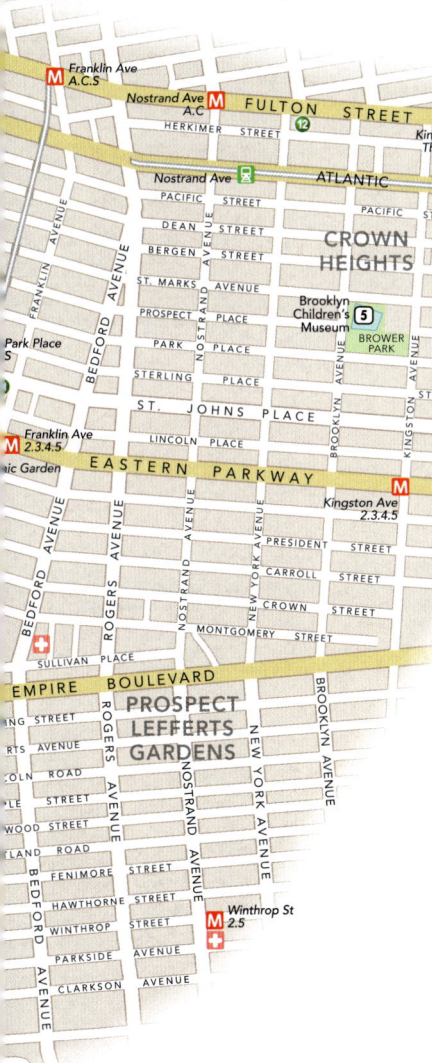

A Lefferts Historic House, no Prospect Park

Informações

🚗 **Metrô** 2 e 3 p/ Eastern Parkway-Brooklyn Museum; B, Q e S p/ Prospect Park **Ônibus** B41, B45 e B69

🛒 **Supermercado** St John's Marketplace, 323 St Johns Place, Brooklyn, 11238; 718 783 6950
Mercado Grand Army Plaza GreenMarket, Grand Army Plaza, Brooklyn, 11238; 8h-16h sáb

🎏 **Festivais** Sakura Matsuri Festival, Brooklyn Botanic Garden (final abril-início mai); Celebrate Brooklyn – shows, dança e filmes, Prospect Park (jun-início ago)

✚ **Farmácias** CVS/pharmacy, 1251 Nostrand Ave, Brooklyn, 11225; 718 282 6614; 8h-20h seg-sex, 9h-18h sáb e dom.
Rite Aid, 1679 Bedford Ave, entre Montgomery Place e Sullivan St, Brooklyn, 11225; 718 282 7476; 9h-21h seg-sex, 9h-18h sáb, 9h-17h dom

🛝 **Playgrounds** Mount Prospect Park Playground, Eastern Parkway, entre Washington Ave e Flatbush Ave, Brooklyn, 11238. Lincoln Road Playground (p. 205). Imagination Playground (p. 209).

① Brooklyn Museum
Arte fantástica e múmias misteriosas

Principal centro cultural do distrito, o Brooklyn Museum foi fundado em 1823 como uma biblioteca para jovens e evoluiu para o Brooklyn Institute of Arts and Sciences em meados do século XIX. Em 1897, o museu foi aberto em um grande edifício beaux-arts projetado pelos arquitetos McKim, Mead e White. Hoje, é conhecido pelas exposições que desafiam a definição de arte, como uma mostra sobre os filmes *Guerras nas estrelas* e outra, fotográfica, sobre a história do rock'n'roll.

Escultura diante do Brooklyn Museum

Destaques

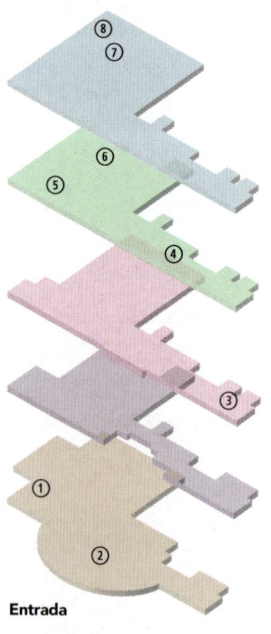

5º andar Luce Center for American Art e Cantor Gallery

4º andar Galerias de Arte Contemporânea e de Artes Decorativas, e Elizabeth A. Sackler Center for Feminist Art

3º andar Galerias Egípcias, Galeria Kevorkian e Beaux-Arts Court

2º andar Galerias Asiáticas e Islâmicas (fechado para reforma até 2015)

1º andar Galerias Africanas, Galeria Robert E. Blum e Steinberg Family Sculpture Garden

① **Coroa com contas** Essa coroa do final do século XIX foi feita por um artífice iorubá para Onijagbo Obasoro Alowolodu, o *oba* (rei) de Ikere (atual Nigéria) que reinou de 1890 a 1928.

② **Monumento a Balzac** A escultura (1898) de Auguste Rodin homenageia o grande romancista e dramaturgo francês. O escultor pesquisou por sete anos o escritor, que morrera havia quase 50 anos.

③ **Múmia de Hor** Por muito tempo se acreditou que essa múmia de 2.700 anos era de uma mulher, mas uma tomografia computadorizada em 2009 revelou que Hor na verdade era um homem.

④ **The Dinner Party** A instalação simbólica (1974-9) de Judy Chicago mostra uma enorme mesa triangular com lugares marcados para 39 mulheres influentes da história e da mitologia.

⑤ **Model T Headquarters** Essa grande foto colorida (2009) é parte da série feita pelo fotógrafo Andrew Moore em Detroit para captar a decadência e o abandono da cidade.

Entrada

Para relaxar

As crianças podem subir e descer as escadas fora do museu e brincar em seu espaçoso pátio frontal. No verão, a fonte dançarina daqui é diversão garantida e permite que a garotada se refresque.

Pessoas admirando as fontes dançarinas diante do Brooklyn Museum

Preços para família de 4 pessoas

Comida e bebida

Piquenique: até US$20; Lanches: US$20-35; Refeição: US$35-70; Para a família: mais de US$70 (base para 4 pessoas)

PIQUENIQUE BKLYN Larder *(228 Flatbush Ave, entre Bergen St e Sixth Ave, 11217)* tem pão fresco, queijos e outros frios, para um belo piquenique no Prospect Park.

LANCHES Museum Café *(1º andar, Brooklyn Museum; 11h-17h qua-dom)* oferece uma boa seleção de sopas, saladas, sanduíches e sobremesas.

REFEIÇÃO Tom's Restaurant *(782 Washington Ave, 11238; 718 636 9738; 6h-16h diariam)* é uma lanchonete no velho estilo que serve ovos, panquecas e waffles de desjejum, e sanduíches, hambúrgueres e saladas de almoço.

PARA A FAMÍLIA Flatbush Farm *(76 St Marks Ave, 11217; 718 622 3276; www.flatbushfarm.com)* usa

A BKLYN Larder, na Park Slope, vende ótimos queijos artesanais

Brooklyn Museum e arredores | 203

Informações

- **Mapa** 19 C5
  Endereço 200 Eastern Parkway, 11238; 718 638 5000; www.brooklynmuseum.org
- **Metrô** 2 e 3 p/ Eastern Parkway-Brooklyn Museum
  Ônibus B41, B48 e B69
- **Aberto** 11h-18h qua, sáb e dom, 11h-22h qui, 11h-23h 1º sáb do mês
- **Preço** $40-50; até 12 anos grátis
- **Passeios guiados** Passeios grátis, com áudio ou interativos frequentemente disponíveis; veja a programação no site do museu
- **Idade** Livre
- **Duração** 2h
- **Cadeira de rodas** Sim
- **Café** O Museum Café no 1º andar
- **Loja** A Brooklyn Museum Shop, no 1º andar, vende joias, artigos de escritório e livros
- **Banheiros** No 1º e no 3º andares

Bom para a família
O museu tem uma mistura eclética de obras de arte, bastante espaço para correr e onde comer. Rende um dia perfeito para famílias.

⑥ Nicholas Schenck House
A casa de fazenda com telhas de cedro é um vestígio notável da história dos EUA. Ela foi construída pelo fazendeiro holandês Nicholas Schenck no final dos anos 1770.

⑦ The Peaceable Kingdom
Produzida por Edward Hicks, que começou como pintor de placas, essa obra mística de 1833-4 enfoca uma passagem do Livro de Isaías na Bíblia.

⑧ Spacelander Bicycle
O protótipo dessa bicicleta extraordinária foi desenvolvido em 1946 por Benjamin B. Bowden, um americano nascido na Inglaterra. A bicicleta armazenava a energia criada em descidas e depois a usava para impulsionar as subidas.

ingredientes locais frescos para criar pratos como confit de pato e cogumelos e costeleta de porco.

Saiba mais
INTERNET Entre em www.brooklynmuseum.org e consulte o excelente arquivo sobre as peças da vasta coleção da instituição. Você encontra uma entrevista e vídeos sobre a Câmara da Múmia em www.archaeology.org/online/interviews/edward_bleiberg.

FILME Em Os quatro picaretas (1972), Robert Redford interpreta um ladrão habilidoso que planeja roubar um diamante raro da coleção do Brooklyn Museum.

Próxima parada...
FIFTH AVENUE Pegue o metrô (linha 2 ou 3) de volta para a Park Slope Fifth Avenue, onde há muitas tentações à venda.

O ator Robert Redford em uma cena do filme Os quatro picaretas

CRIANÇADA!

Fique de olho
1 Qual é o traje da escultura de Balzac feita por Rodin?
2 Observe a Múmia de Hor: como pesquisadores descobriram que Hor era um homem?
3 Ao fundo de The Peaceable Kingdom há dois grupos de pessoas. Quem são elas?

Respostas no fim do quadro.

Diferentes visões
Edward Hicks era um pregador quaker e um artista autodidata que pintou 61 versões de The Peaceable Kingdom.

DA ÁFRICA
Com sua mostra de artefatos do Congo Belga em 1923, o Brooklyn Museum foi um dos primeiros museus a expor objetos de povos africanos como obras de arte.

Arte japonesa
Uma das exposições recentes de maior sucesso foi a retrospectiva do artista pop japonês Takashi Murakami, cujas obras imaginativas têm personagens curiosos que lembram os dos gibis. Dois deles, Kaikai e Kiki, viraram balões gigantescos que estrearam em 2010 no desfile da Macy's no Dia de Ação de Graças.

Respostas: 1 Um cartisolão de dormir, a roupa favorita de Balzac quando estava escrevendo. **2** Por meio de uma tomografia computadorizada. **3** Índios americanos à esquerda e colonizadores europeus à direita.

② Prospect Park Zoo
Um pequeno reino animal

Para alegria das crianças, os 5ha do Prospect Park Zoo são repletos de animais como wallabies (pequenos cangurus), bodes-pigmeus e porcos-espinhos. Gerido pela Wildlife Conservation Society, o zoo foi remodelado na década de 1980 e ganhou cunho educativo. Há muito entretenimento infantil, como alimentar animais mansos, afagar alpacas fofas e rir das travessuras de lontras-do-rio e babuínos brincalhões.

Pavão com cauda de penas longas, Discovery Trail

Atrações

① **Sea Lion Court** Os leões-marinhos da Califórnia são sempre um show, mas é imperdível vê-los comendo, devido aos movimentos ágeis desses nadadores.

② **Animals in Art** Essa é uma das partes mais apreciadas do zoo, pois tem corujas e suricatos. As crianças podem desenhá-los e fazer artesanatos inspirados em animais.

③ **Barn & Garden** O barracão semicercado tem alpacas, bodes-pigmeus, uma simpática vaca leiteira e gansos. As crianças podem alimentar e afagar os bichos.

④ **Gatos-de-pallas** Esses seres selvagens e misteriosos vivem em regiões montanhosas e desérticas do Tibete à Sibéria.

⑤ **Babuínos-de-hamadryas** Eles brincam em um cercado natural a céu aberto. Fique de olho nos filhotes.

⑥ **Discovery Trail** Visite um habitat de marmotas, um charco com sapos-boi e tartarugas e uma área de gramíneas para os dingos.

⑦ **Lontras-do-rio-norte-americanas** Divirta-se vendo as estripolias das lontras-do-rio, conhecidas por usar mais de uma dúzia de cantos para se comunicar.

Informações

Mapa 19 D5
Endereço 450 Flatbush Ave, perto do Empire Blvd, 11225; www.prospectparkzoo.com
Metrô B, Q e S p/ Prospect Park **Ônibus** B41
Aberto Abr-out: 10h-17h seg-sex, 10h-17h30 sáb, dom e feriados; nov-mar: 10h-16h30 diariam
Preço $26-36; até 3 anos grátis
Passeios guiados Zoo Highlight Tours nos fins de semana
Idade Livre
Atividades Animal Encounters ensinam as crianças a cuidar dos animais, nos fins de semana às 12h30, 13h, 14h30 e 15h. Alimente um leão-marinho às 11h30, 14h ou 16h.
Duração 2-3h
Cadeira de rodas Sim
Café Não, mas há máquinas de distribuição automática no local
Banheiros Na ponta norte do zoológico, atrás da Sea Lion Court

Bom para a família
A trilha na natureza, a exposição no celeiro, o show do leão-marinho e as sessões interativas fazem deste um passeio ideal para famílias.

Preços para família de 4 pessoas

Brooklyn Museum e arredores | 205

Crianças brincando no cercado de areia, Lincoln Road Playground

Para relaxar
O grande **Lincoln Road Playground** no Prospect Park, na entrada da Lincoln Road/Ocean Avenue, tem balanços de vários tipos e tamanhos e diversas estruturas de escalada. Há também mesas de xadrez e dama e sapos de bronze que jorram água nos meses mais quentes.

Comida e bebida
Piquenique: até US$20; Lanches: US$20-35; Refeição: US$35-70; Para a família: mais de US$70 (base para 4 pessoas)

PIQUENIQUE Bark *(474 Bergen St, 11217; 718 789 1939; www.barkdogs.com)* serve cachorros-quentes, hambúrgueres, fritas e diversos sanduíches feitos com ingredientes locais e orgânicos. Almoce na área de piqueniques do zoo.
REFEIÇÃO Carlton Park *(636 Carlton Park Ave, 11238; 347 915 2222)* tem design ecomoderno de inspiração asiática, com madeira nas paredes e nas mesas, e um bar moderno e elegante. Oferece um cardápio limitado mas excelente, com pratos americanos contemporâneos.
PARA A FAMÍLIA James *(605 Carlton Ave, 11238; 718 942 4255; www.jamesrestaurantny.com)* serve pratos à base de ingredientes locais sazonais como hambúrgueres de carne com cheddar de Vermont e crème brulée de lavanda.

Saiba mais
INTERNET Entre em *www.prospectparkzoo.com* para detalhes de mostras atuais, nascimentos recentes no zoo e programas infantis com animais e seus treinadores. O site apresenta slides, podcasts e vídeos sobre os habitantes do zoo. A página Live Green dá dicas para apoiar iniciativas visando salvar animais da extinção.

Se chover...
Com muitas mostras cobertas, o zoo é um refúgio perfeito se o tempo mudar. A 10 minutos de caminhada do zoo, o **Brooklyn Museum** *(pp. 202-3)* também é uma boa alternativa em um dia chuvoso.

Próxima parada...
WATERFALL TRAIL A 5 minutos de caminhada do zoo fica a Waterfall Trail, cujo início é no Audubon Center *(p. 209)*. Nela os visitantes podem rastrear a fonte do Prospect Park Lake. Fallkill Falls é a primeira das seis cascatas ao longo da trilha.

Cascata na Waterfall Trail, Prospect Park

CRIANÇADA!

Fique de olho...
1 Um simpático animal sul-americano de pescoço longo vive em um cercado ao lado da mostra Barn & Garden. Qual é o nome dele e por que é tão peludo?
2 Um pequeno mamífero divide seu habitat com os cangurus-cinza-ocidentais. Você sabe quem é ele?
3 Onde é provável ver filhotes de macacos?
4 Pandas gigantes, porcos-espinhos ou ursos: qual desses animais vive no Prospect Park Zoo?

Respostas no fim do quadro.

FELINOS DIFERENTES
Entre todos os felinos, os gatos-de-pallas são os que têm pelo mais denso e longo, que ajuda a aquecê-los na neve. Os olhos têm pupilas redondas, não de fenda, e as orelhas são baixas e destacadas.

Início exótico
O zoo começou informalmente em 1890 como a coleção Menagerie de animais exóticos doados por empresários e políticos de destaque. Três ursos-pardos cor de canela foram os primeiros moradores. O zoo foi oficializado nos anos 1930.

Respostas: 1 Uma alpaca; ela é peluda porque vive nas frias montanhas andinas do Peru. **2** O wallaby **3** Na mostra de babuínos-de-hamadryas. **4** Porcos-espinhos.

Arredores de Manhattan

O Memorial Arch, na Grand Army Plaza

③ Grand Army Plaza

Um arco esplêndido e uma carruagem com cavalo

Marco Histórico Nacional, essa esplanada oval foi projetada pelos criadores do Prospect Park, Olmstead e Vaux, em 1867. Ela é conhecida por seu Soldiers and Sailors Arch, construído em 1892 para celebrar a vitória do Exército da União sobre os Confederados do Sul na Guerra Civil Americana (1861-5). Esse arco intricadamente esculpido, provavelmente inspirado no Arco do Triunfo em Paris, é encimado pela *Quadriga*, uma escultura em bronze de Columbia, a personificação feminina dos EUA, em uma carruagem.

Hoje, a esplanada sedia o segundo maior mercado de agricultores ao ar livre da cidade, assim como a festa de Ano-Novo dos moradores do Brooklyn, com direito a fogos de artifício.

Se chover...

Vá à **Central Library** (10 Grand Army Plaza, 11238; 718 230 2100), um grande edifício em forma de livro aberto. Observe as figuras douradas incrustadas na entrada, depois confira a vasta coleção de livros infantis em muitos idiomas e os numerosos computadores "só para crianças".

④ Brooklyn Botanic Garden

Jardim mágico e miniárvores

Concluído em 1910, esse oásis urbano tem coleções botânicas fascinantes e jardins de vários tamanhos. A missão original de mostrar os encantos da natureza a crianças urbanas ainda vigora no Children's Garden, onde elas podem plantar e colher flores, ervas e legumes.

Outro destaque é o apreciado Japanese Hill-and-Pond Garden, projetado pelo paisagista Takeo Shiota em 1915. Uma colina artificial contorna o encantador lago do jardim, que é embelezado por uma pequena ilha e repleto de patos e tartarugas, atraindo também garças-azuis e egretas. Um caminho rústico revela várias cenas de beleza natural: vistas súbitas de lanternas de pedra, uma cascata, um santuário xintoísta, pontes de madeira e o maravilhoso portal Torii cor de laranja. Cerejeiras Kanzan em flor

Informações

- 🗺 **Mapa** 19 C5
- 📍 **Endereço** 1000 Washington Ave, Brooklyn, 11225; 718 623 7200; www.bbg.org
- 🚇 **Metrô** B, Q e S p/ Prospect Park; 2, 3 e 4 p/ Eastern Parkway-Brooklyn Museum; S p/ Botanic Garden **Ônibus** B16, B41, B43 e B45
- 🕐 **Aberto** Mar-out: 8h-18h ter-sex, 10h-18h sáb-dom; nov-fev: 8h-16h30 ter-sex, 10h-16h30 sáb-dom; fechado 25 dez, 1º jan e Dia de Ação de Graças
- 💲 **Preço** $20-30; até 12 anos grátis
- 🚶 **Passeios guiados** Grátis nos fins de semana; visite o site para detalhes
- 👪 **Idade** Livre
- 🎨 **Atividades** Atualmente no Discovery Garden em abr-out e durante alguns feriados escolares
- ⏱ **Duração** 1-2h
- 🍴 **Comida e bebida** *Lanches* Terrace Café (no local) serve sanduíches, saladas e assados. *Refeição* Na Bareburger (170 Seventh ave, 11215; 718 768 2273; www.bareburger.com) há hambúrgueres de carne de bois locais e ótimos milkshakes feitos com leite orgânico, sem hormônios, além de saladas e outros sanduíches.
- 🚻 **Banheiros** No Conservatory

Informações

- 🗺 **Mapa** 19 C5
- 📍 **Endereço** Cruzamento de Flatbush Ave, Eastern Parkway e Prospect Park West
- 🚇 **Metrô** 2, 3 e 4 p/ Grand Army Plaza; B e Q p/ Seventh Ave **Ônibus** B41, B69 e B71
- 👪 **Idade** Livre
- 🎨 **Atividades** GreenMarket, Grand Army Plaza; 8h-16h sáb
- ⏱ **Duração** 30min
- 🍴 **Comida e bebida** *Lanches* Open Book Café by Mambo (Brooklyn Public Library, 10 Grand Army Plaza, 11238) tem menu para crianças, tacos e sanduíches. *Refeição* Cheryl's Global Soul (235 Underhill Ave, 11238; 347 529 2855) serve pratos com ingredientes locais e da estação.
- 🚻 **Banheiros** Não

O estupendo portal Torii no Brooklyn Botanic Garden

Preços para família de 4 pessoas

podem ser vistas no final de abril, quando o Sakura Matsuri Festival é realizado aqui. O Shakespeare Garden tem mais de 80 espécies botânicas mencionadas nos sonetos e peças do bardo inglês. O Steinhardt Conservatory abrange três ambientes de climas diversos – deserto, subtropical e temperado –, ao passo que o Bonsai Museum apresenta mais de 350 árvores em miniatura.

Se chover...
No nível inferior do **Steinhardt Conservatory**, que é um ótimo refúgio quando chove, há uma galeria com exposições variadas de arte botânica, incluindo obras bidimensionais, tridimensionais e multimídia.

⑤ Brooklyn Children's Museum
Tesouro interativo

Fundado em 1899, o Brooklyn Children's Museum foi o primeiro feito exclusivamente para crianças. Uma grande reforma em 2010 dobrou seu espaço expositivo e criou a área Collections Central, que mostra em rodízio os 30 mil objetos do acervo. Aqui, os pequenos ficarão fascinados com os artefatos étnicos – máscaras, bonecas, esculturas e objetos de uso cotidiano, como utensílios de cozinha – e espécimens da natureza, incluindo animais empalhados, fósseis e minerais.

Estações interativas instigam as crianças a explorarem os objetos através de desenhos, charadas, jogos e interpretação de papéis – uma abordagem também adotada pelo excelente site do museu. A exposição principal, Neighborhood Nature, recria uma praia, matas urbanas, um lago de água doce e um jardim comunitário. Aqui, a garotada pode desenvolver seus dons científicos em campo com câmeras e equipamentos auditivos especiais, e tocar animais como caranguejos e estrelas-do-mar em seções de caráter prático. World Brooklyn é uma área urbana em escala reduzida onde os pequenos ficam a par da diversidade cultural do distrito visitando várias lojas, como a Mexican Bakery e a West African Import Store, onde há atividades ligadas às suas respectivas raízes culturais.

Clientes no colorido Kids Café, Brooklyn Children's Museum

Para relaxar
Tome ar fresco no jardim ao ar livre e na estufa perto da mostra Neighborhood Nature, que é repleta de plantas comuns e exóticas, insetos e animais.

Informações
- **Mapa** 19 D4
- **Endereço** 145 Brooklyn Ave, 11213; 718 735 4400; www.brooklynkids.org
- **Metrô** A e C p/ Nostrand Ave; A e C p/ Kingston Ave-Throop Ave; 2, 3, 4 e 5 p/ Kingston Ave
- **Ônibus** B43, B45 e B65
- **Aberto** 10h-17h ter-dom
- **Preço** $36-46
- **Idade** Livre
- **Atividades** Há mostras interativas por todo o museu
- **Duração** 1-2h
- **Cadeira de rodas** Sim
- **Comida e bebida** *Lanches* Breukelen Coffee House *(764a Franklin Ave, 11238)* oferece bagels e doces acompanhados de uma grande variedade de cafés. *Refeição* Applebees *(1360 Fulton St na Restoration Plaza, 11216)* tem menu infantil e opções para o jantar, como fish and chips, hambúrgueres e wraps.
- **Banheiros** No 1º e no 2º andares

CRIANÇADA!
Fique de olho
1 O arco na Grand Army Plaza é inspirado em outro arco famoso. Você sabe qual é esse monumento e onde ele fica?
2 A União do Norte e os Confederados do Sul se enfrentaram na Guerra Civil Americana. Qual exército é homenageado na Grand Army Plaza?
3 Que animais podem ser vistos no Japanese Hill-and-Pond Garden?
4 Em qual museu há uma praia?

Respostas no fim do quadro.

REFERÊNCIAS DO JAPÃO
Realizado no fim de abril, o Sakura Matsuri Festival no Botanic Garden é ótimo para ver cerejeiras em flor, assim como para conferir as roupas das crianças japonesas e seus jogos favoritos.

Fora do comum
O paisagista do Japanese Hill-and-Pond Garden veio para os EUA em 1907 com o intuito de criar, em suas próprias palavras, "um jardim mais belo do que todos os outros no mundo". O resultado foi o primeiro jardim público japonês no país.

Respostas: 1 O Arco do Triunfo, em Paris. 2 A União do Norte. 3 Patos, tartarugas, egretas e garças. 4 No Brooklyn Children's Museum.

Piquenique até US$20; Lanches US$20-35; Refeição US$35-70; Para a família mais de US$70 (base para 4 pessoas)

Volta no carrossel do Prospect Park

⑥ Prospect Park
Prados ondulados e cavalos rodopiantes

Esse enorme oásis verde no meio do Brooklyn tem um lago artificial, uma floresta e o primeiro Audubon Center urbano do país, uma iniciativa da Audubon Wildlife Conservation Society. Aqui há uma diversificada paisagem campestre: os campos abertos do Long Meadow, as trilhas de caminhada nas matas da Ravine, cascatas e duas massas de água – o Lullwater e o Prospect Park Lake –, que rendem voltas de pedalinho e caminhadas nas margens.

O parque tem também um carrossel antigo na orla leste, perto do Prospect Park Zoo (pp. 204-5). Seus cavalos e os outros animais foram esculpidos em 1912 pelo imigrante russo Charles Carmel, considerado um dos melhores artífices do gênero na cidade, e seu órgão Wurlitzer é notável pelas canções alegres. O carrossel foi reformado em 1990, e a remoção de vinte camadas de tinta revelou as belas cores originais.

Se chover...
O **Steinhardt Conservatory** no Brooklyn Botanic Garden (pp. 206-7) é um refúgio perfeito. Fique de olho nas mostras de botânica bidimensionais, tridimensionais e multimídia.

⑦ Lefferts Historic House
Um sopro do passado

Essa casa do final do século XVIII foi construída por Pieter Lefferts. Em 1917, seu descendente John Lefferts ofereceu a casa à cidade para que ela pudesse ser preservada. Hoje, esse museu é uma cápsula do tempo colonial, com mostras sobre a história do Brooklyn através do olhar dos habitantes nos últimos 500 anos: índios; holandeses que colonizaram a área no século XVII; e afro-americanos, muitos dos quais eram escravos.

Participe de atividades agrícolas na horta, divirta-se com brinquedos e jogos tradicionais e aprenda a fazer velas e manteiga e a costurar. Festivais sazonais são realizados em vários fins de semana ao longo do ano, entre eles a Flax & Fleece Fest na primavera, os Harvest Days no outono e o Annual Quilt Show.

Para relaxar
Perto do centro do Prospect Park, o **Nethermead** é uma clareira remota em meio a colinas, água e floresta. Lugar perfeito para fazer piquenique, caminhar, jogar bola ou atirar frisbee.

Informações (Prospect Park)
- **Mapa** 19 C5
- **Endereço** Entre Prospect Park West e Flatbush Ave ou Eastern Parkway e Parkside Ave, 11215; www.prospectpark.org
- **Metrô** B, Q e S p/ Prospect Park **Ônibus** B41, B68 e B71
- **Aberto** Varia com a estação; fechado nov-mar; acesse o site do parque para horários
- **Preço** Parque, grátis; $8-12 por volta no carrossel
- **Idade** A partir de 2 anos para o carrossel; crianças pequenas só com acompanhante
- **Duração** 1h
- **Cadeira de rodas** Sim
- **Comida e bebida** *Piquenique* Pony Express Snack Bar (na frente do carrossel) vende pipoca, sorvete e outras guloseimas. *Refeição* Gino's Trattoria & Brick Oven Pizza (548 Flatbush Ave, 11225; 718 287 1277) serve pizzas, massas e um delicioso tiramisù.
- **Banheiros** Em vários pontos do parque

Preços para família de 4 pessoas

Informações (Lefferts Historic House)
- **Mapa** 19 D5
- **Endereço** Children's Corner, perto da Willink Entrance do parque; 718 789 2822; www.prospectpark.org/visit/places/lefferts
- **Metrô** B, Q e S p/ Prospect Park **Ônibus** B41 e B48
- **Aberto** Acesse o site do Prospect Park para o horário atual
- **Preço** Grátis para crianças
- **Pass. guiados** Lefferts 2nd Floor Tours; 13h-15h30 sáb-dom, fers.
- **Idade** A partir de 4 anos
- **Atividades** Artesanato e atividades de fazenda, fins de semana
- **Duração** 1h
- **Cadeira de rodas** Sim
- **Comida e bebida** *Lanches* Scoops Ice Cream Parlor (624 Flatbush Ave, 11225; 718 282 5904) serve pratos do Caribe e sorvetes, todos veganos. *Refeição* King of Tandoor (600 Flatbush Ave, 11225; 347 533 6811) tem ótima comida indiana e atendimento muito simpático.
- **Banheiros** No Lincoln Road Playground

Crianças brincam no terreno da Lefferts Historic House

Brooklyn Museum e arredores | 209

Meninos com brinquedos e aves de pano no Audubon Center

⑧ Audubon Center

Aves exóticas e caracóis enormes

Quase destruída pela Prefeitura em 1964, a elegante Boathouse, inspirada na Biblioteca de São Marcos, do século XVI, em Veneza, Itália, hoje é a joia arquitetônica do Prospect Park. Em 1992, o edifício belamente restaurado recebeu um novo agregado: a primeira filial urbana da famosa Audubon Society, um grupo de preservação e educação ambiental cuja meta é despertar o interesse das crianças pela natureza.

No 1º andar, a garotada pode se aconchegar em um ninho em escala humana e usar uma engenhoca de ampliação para estudar insetos e plantas. No andar de cima, monitores no teatro Discover Nature apresentam os animais que vivem no centro, como cobras, por meio de demonstrações ao vivo. Em outro recanto, a meninada pode vestir asas de tecido e brincar como morcegos ou cisnes. Ocasionalmente os monitores deixam até a molecada "pescar" caracóis enormes de água doce no Lullwater – os quais, obviamente, depois são lançados de volta à água.

Outra opção no Audubon são os passeios de barco elétrico no verão para ver aves no Lullwater e no Prospect Park Lake. O motor silencioso do barco não perturba as aves migratórias – garças verdes e azuis, egretas e dezoito espécies de pato – que vivem nas ilhas do lago, às quais o público não tem acesso a não ser nesses passeios.

Para relaxar

O **Imagination Playground** *(170 Ocean Ave, Brooklyn, 11225)* não tem balanços ou gangorras nem equipamentos de escalada, pois sua proposta é outra. Um palco em vários níveis para encenação de histórias, nichos para leitura de livros ou narrações de histórias e faces recortadas de animais estimulam as crianças a soltar a imaginação.

Informações

🌐 **Mapa** 19 D5
Endereço Localizado dentro da entrada do parque pela Lincoln Rd/Ocean Ave; 718 287 3400; www.prospectpark.org/visit/places/audubon
🚇 **Metrô** B, Q e S p/ Prospect Park **Ônibus** B41 e B43
🕐 **Aberto** Acesse o site do Prospect Park para o horário atual
💲 **Preço** Grátis; passeios de barco elétrico: $8 acima de 13 anos, $4 entre 3-12 anos; grátis até 2 anos
🚶 **Idade** Livre
🎯 **Atividades** Passeios para observação de pássaros, apresentações com animais e uma lupa gigante
⏱ **Duração** 1-2h
♿ **Cadeira de rodas** Sim
🍴 **Comida e bebida** Lanches Songbird Café *(no local)* serve wraps, hot dogs, chips, assados e sobremesas. *Refeição* Sushi Tatsu III *(644 Flatbush Ave, 11225; 718 282 8890)* oferece sushi e outros pratos tradicionais japoneses, como caixas de bentô.
🚻 **Banheiros** No térreo

CRIANÇADA!

Fique de olho

1 Veem-se todos os tipos de animais, não só cavalos, no Prospect Park Carousel. Quais são os mitológicos?
2 O Audubon Center tem um barco elétrico para observação de aves. Por que esse tipo de barco foi escolhido?
3 Que cidade italiana tem uma estrutura semelhante à Audubon Center Boathouse?

Respostas no fim do quadro.

Era uma vez...
Quando o Prospect Park foi construído, o Brooklyn era a segunda maior cidade dos EUA; só perdia para Nova York, também conhecida como Manhattan.

PARADA PARA COMER

O Prospect Park Lake é um importante ponto de alimentação para milhares de aves migratórias no Eastern Seaboard. Muitas nidificam em ilhas bem próximas à cidade.

Respostas: 1 Os dragões. **2** Porque barcos elétricos são os mais silenciosos e não assustam as aves. **3** Veneza.

Piquenique até US$20; **Lanches** US$20-35; **Refeição** US$35-70; **Para a família** mais de US$70 (base para 4 pessoas)

New York Aquarium, Coney Island e arredores

Com fascinantes mostras marinhas no New York Aquarium e atmosfera festiva no calçadão à beira-mar, Coney Island é um verdadeiro playground. No entanto, as multidões incomodam nos fins de semana. O verão é a melhor época para visitar a área, pois a maioria das atrações, incluindo o Luna Park, a Wonder Wheel e a Coney Island Beach, fica ao ar livre. O aquário, porém, merece uma visita mesmo no inverno.

Brooklyn Museum p. 200

Brooklyn

New York Aquarium

Há tartarugas-verdes do Atlântico, tubarões e vários tipos de peixe no New York Aquarium

Locais de interesse

ATRAÇÕES
1. New York Aquarium
2. Coney Island
3. Brighton Beach

● **COMIDA E BEBIDA**
1. Coney Island Bagels
2. Seaside Café
3. Gargiulo's Restaurant
4. Nathan's Famous
5. Totonno's Pizzeria Napolitano
6. Kiev Bakery
7. Café Glechik

● **COMPRAS**
1. Williams Candy

Construir castelos de areia é um dos passatempos na praia em Coney Island

New York Aquarium, Coney Island e arredores | 211

O Café Glechik, especializado em cozinha ucraniana, Brighton Beach

Calçadão em Brighton Beach ladeado de lojas e restaurantes

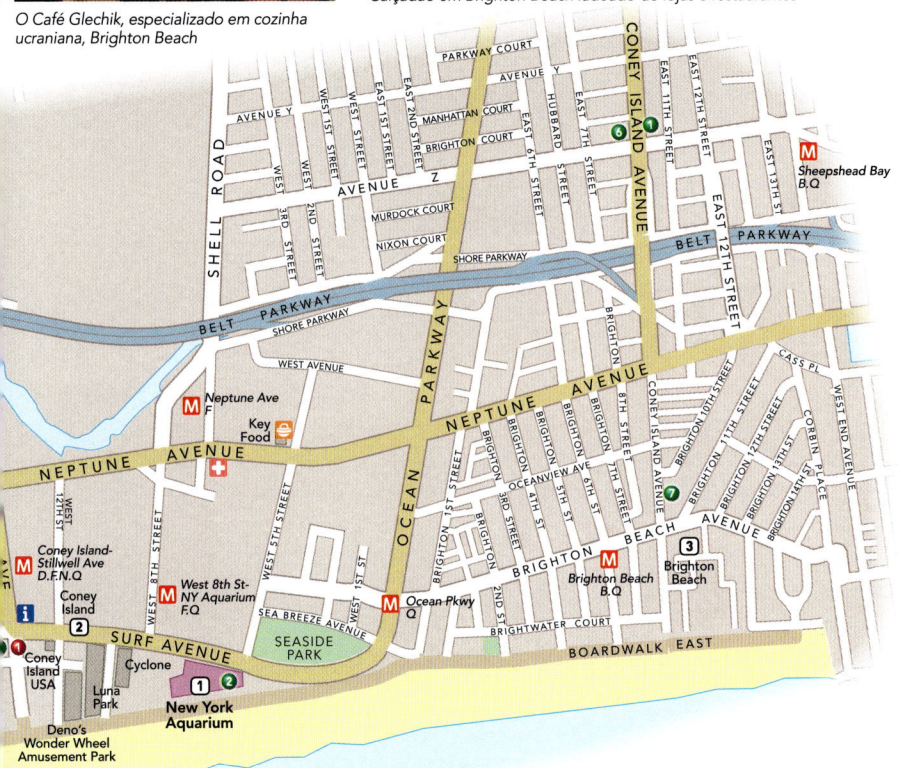

Informações

🚗 **Metrô** F e Q p/ West 8th St-NY Aquarium; D, F, N e Q p/ Coney Island-Stillwell Ave
Ônibus B36, B68, B74, B82, X28 e X38

ℹ️ **Informação turística** Coney Island Cultural Center: Coney Island USA, 1208 Surf Ave, Brooklyn, 11224; www.coneyisland.com

🛒 **Supermercado** Key Food, 505 Neptune Ave, Brooklyn, 11224; 718 714 6049; www.keyfood.com
Mercado Coney Island Farmers' Market, Surf Ave e West 16th St, no MCU Park, Brooklyn, 11224; jul-nov: dom

🎉 **Festivais** Mermaid Parade (meados-fim de jun). Nathan's Famous Hot Dog Eating Contest (4 jul)

➕ **Farmácias** CVS/pharmacy, 512 Neptune Ave, Brooklyn, 11224; 718 996 2233; 8h-20h seg-sáb, 9h-18h dom

🛝 **Playground** Poseidon Playground, Surf Ave, entre West 25th St e West 27th St, Brooklyn, 11224

① New York Aquarium
Venha ver o mar

Situado em Coney Island (pp. 214-5), o New York Aquarium foi aberto em 1896 e é o aquário há mais tempo em funcionamento nos EUA. Aqui, morsas praticam balé aquático, pinguins se jogam na água e reluzentes águas-vivas flutuam como alienígenas no espaço sideral. A aparência do aquário carece de inspiração, mas isso é compensado pela chance de ver o excelente recife de coral, tubarões e medusas.

Entrada do New York Aquarium, Coney Island

Atrações

① **Glover's Reef** Essa mostra tem arraias-lixa, que ficam perto da superfície do tanque, cardumes de peixes exóticos e moreias, que circulam entre os corais no fundo.

② **Sea Lion Show** Quatro leões-marinhos – Diego, Duke, Osborne e Nav – encantam o público no Aquatheater ao ar livre com saltos e danças ao som de música.

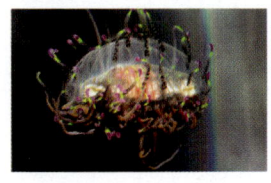

③ **Explore the Shore** Aqui, crianças e adultos podem afagar estrelas-do-mar e caranguejos em um lago raso (ao ar livre no verão e coberto no inverno) e sentir a emoção das ondas batendo.

④ **Alien Stingers** Um edifício escuro e silencioso abriga vários tanques com elegantes águas-vivas, urtigas-do-mar e outros invertebrados com ferrão que captam a luz de tal maneira que parecem brilhar.

⑤ **Tubarões e tartarugas** Tubarões-tigre, tubarões-lixa e tubarões-de-arrecife – que, como cães de caça, podem detectar a presença de quantidades ínfimas de sangue – dividem um tanque no fundo do oceano com arraias-lixas e tartarugas marinhas sob risco de extinção.

⑥ **Sea Cliffs** As três mostras do noroeste do Pacífico têm lontras-marinhas, morsas e pinguins-africanos. Todos esses ágeis nadadores podem ser vistos abaixo e acima da água.

Shallow Seas 4-D Experience — **Entrada**

Informações

Endereço 602 Surf Ave, Brooklyn, 11224; 718 265 3474; www.nyaquarium.com

Metrô F e Q p/ West 8th St-NY Aquarium; D, F, N e Q p/ Coney Island-Stillwell Ave
Ônibus B36 e B68

Aberto Diariam; o horário varia de acordo com a estação

Preço $44-54; até 3 anos grátis

Para evitar fila Veja a programação no site ou compre com antecedência ingressos on-line

Passeios guiados Sim

Idade Livre

Atividades Veja um polvo resolver quebra-cabeças diariam nos Octopus Chats. Crianças podem alimentar pinguins, focas e tubarões. Informe-se no site sobre programas e workshops familiares, grátis ou pagos.

Duração 2h

Cadeira de rodas Sim

Café Seaside Café, perto da exibição Alien Stingers

Lojas O aquário tem duas lojas de presentes: uma perto da entrada e outra perto da exibição Explore the Shore

Banheiros Na Explore the Shore, no Seaside Café e na Sea Cliffs Underwater Viewing

Bom para a família
Com mais de 12 mil espécies de peixes e mamíferos, exibições internas e externas o aquário é um programa ideal para famílias.

Preços para família de 4 pessoas

New York Aquarium, Coney Island e arredores | 213

Visitantes na entrada do zoológico do Central Park

Se chover...
As famílias podem entrar no aquário e assistir – ou melhor, vivenciar – o *Happy Feet: O pinguim*, um filme "4-D" sobre uma colônia de pinguins-imperadores na Antártida.

Defronte ao tanque do Glover's Reef no Conservation Hall há uma série de cercados com anfíbios ameaçados de extinção. Tente avistar o curioso sapo noturno malgaxe, que incha e fica parecendo um tomate quando se sente ameaçado, e o sapo oriental de ventre vermelho.

Comida e bebida
Piquenique: até US$20; Lanches: US$20-35; Refeição: US$35-70; Para a família: mais de US$70 (base para 4 pessoas)

PIQUENIQUE Coney Island Bagels (2829 Coney Island Ave, 11235; 718 332 1906) é um ótimo lugar para um café da manhã ou almoço. Escolha seu sanduíche, wrap ou salada e vá comer nas mesas ao ar livre do Aquarium.
REFEIÇÃO Seaside Café (602 Surf Ave, 11224; 718 265 3474) oferece hambúrgueres, cachorros-quentes e fish and chips para crianças, e sanduíches e saladas para adultos.
PARA A FAMÍLIA Gargiulo's Restaurant (2911 West 15th St, 11224; 718 266 4891) oferece comida napolitana clássica. Prove os moluscos e calamares assados. O restaurante tem um código de vestuário rigoroso, por isso evite ir de shorts ou sandálias.

Compras
Ótima parada por seus extraordinários doces, a **Williams Candy** (1318 Surf Ave, 11224; 718 372 0302; www.candytreats.com) é especializada em doces à moda antiga, como maçã do amor, pipoca, algodão doce e balas puxa-puxa.

Saiba mais
INTERNET O site do aquário apresenta listas das mostras e dos animais, fotos, vídeos e curiosidades. A World Conservation Society, que dirige o aquário, tem um posto de pesquisa no Glover's Reef, que fica na costa de Belize, na América Central: www.wcsgloversreef.org. A garotada também conta com videogames em Wii – *Endless Ocean: Blue World* e *Endless Ocean 2*.
FILMES Crianças interessadas em peixes vão adorar os seguintes filmes: *Popular Mechanics for Kids: Super Sea Creatures and Awesome Ocean Adventures* (2004) e *Procurando Nemo* (2003).

Cena de Procurando Nemo, o conhecido filme da Pixar sobre um peixe-palhaço

Próxima parada...
CENTRAL PARK ZOO Para ver animais marinhos num ambiente urbano, vá ao Central Park Zoo (pp. 128-9), onde há muitos parentes das espécies que vivem no aquário de Coney Island, como pinguins-gentoo, pinguins-reais e uma comunidade de leões-marinhos da Califórnia.

CRIANÇADA!

Descubra mais
1 Que tipo de enguia se esconde nos corais na mostra Glover's Reef?
2 Qual é o nome do sapo ameaçado de extinção que fica parecido com um alimento quando se sente nervoso?
3 A mostra Glover's Reef imita um verdadeiro recife de coral que tem o mesmo nome. Onde fica o verdadeiro Glover's Reef?
4 Que tipo de cão tem o mesmo talento que os tubarões, e que talento é esse?

Respostas no fim do quadro.

Sobreviventes ferrenhos
Caranguejos-ferradura são uma das espécies mais antigas da Terra e pouco mudaram desde seu surgimento há 250 milhões de anos. Embora pareçam crustáceos, na verdade eles são quelicerados, parte do grupo que também inclui aranhas e escorpiões.

DONOS DO HARÉM
Leões-marinhos sempre têm muitas parceiras. O macho dominante vive com várias fêmeas em um grupo chamado de harém.

Digestão facilitada
Águas-vivas não têm um órgão específico para eliminar suas excreções; portanto, os alimentos entram e saem pelo mesmo lugar: a boca!

Respostas: **1** Moreias. **2** O sapo noturno malgaxe, que fica parecendo um tomate. **3** Na costa de Belize. **4** Cães de caça, que, como os tubarões, detectam quantidades ínfimas de sangue.

214 | Arredores de Manhattan

Acima O brinquedo Air Race no Luna Park, Coney Island
Abaixo, à dir. O estande de cachorro-quente Nathan's Famous, Coney Island

② Coney Island
Truques de circo e adrenalina

À margem do oceano Atlântico, a língua de terra conhecida como Coney Island é um dos ícones da cidade. Esse balneário ganhou evidência no início do século XX e tinha fama de ser a Atlantic City dos pobres. Coney Island é famosa pelo amplo calçadão pontuado por mosaicos marinhos, atrações de parque de diversão, barracas de suvenires e prêmios e shows excêntricos.

Quem gosta de adrenalina deve ir à roda-gigante **Deno's**, de 46m de altura, construída em 1918, e à montanha-russa **Cyclone**, de 1927, um dos exemplares de madeira mais antigos do país (é preciso ter no mínimo 1,37m para subir). Para mais diversões desse tipo, visite o **Luna Park**, que foi inaugurado com muita pompa em 2010. O parque oferece diversas atrações, desde algumas calmas, como Happy Swing e Mermaid Parade, até outras eletrizantes, como Tickler, composta por enormes xícaras de chá rodopiantes, e Brooklyn Flyer, um balanço de alta velocidade com quase 30m de altura. Em sua maioria, os brinquedos ficam entre os extremos, sendo perfeitos para todas as idades, mas prepare-se para enfrentar filas longas.

Para uma noção do passado pitoresco de Coney Island, visite o Coney Island Circus Sideshow, instalado em um edifício de 1917 e gerido pela **Coney Island, USA**. No 2º andar situa-se o pequeno Coney Island Museum, que enfoca a história e a cultura da área (veja *Se chover...*).

Fãs de beisebol devem reservar uma tarde para o **MCU Park**, sede dos Brooklyn Cyclones, uma equipe da segunda liga trazida para Coney Island em 2000 e ligada aos New York Mets. Com jogos de alta qualidade, ingressos acessíveis (a partir de US$10), boa visibilidade e multidões suportáveis, trata-se de uma ótima alternativa a um dia com os Yankees ou os Mets.

Entre os eventos sazonais mais apreciados de Coney Island, estão o Nathan's Famous Hot Dog Eating Contest, concurso realizado todo 4 de julho na meca de fast-food de 1916, e a Mermaid Parade, de tema marítimo, em junho, que anuncia o início da temporada de verão. Para o deleite de adultos e crianças, no verão fogos de artifício iluminam o céu noturno todas as sextas-feiras.

Se chover...
Como há poucas opções cobertas por aqui, vá à **Coney Island, USA**, no centro *(1208 Surf Ave, 11224; 718 372 5159)*, e visite o Circus Sideshow e o museu. O circo tem números com artistas engolindo espadas, comendo fogo, encantando cobras, mágica e outros. No pequeno museu há exposições variadas sobre a história de Coney Island, além do acervo permanente de objetos his-

Crianças na montanha-russa Cyclone no Luna Park, Coney Island

Preços para família de 4 pessoas

Informações

🌐 **Endereço** Luna Park, 1000 Surf Ave, Brooklyn, 11224; 718 373 5862; www.lunaparknyc.com. Coney Island Circus Sideshow e Coney Island Museum, 1208 Surf Ave, Brooklyn, 11224; 718 372 5159; www.coneyisland.com

🚗 **Metrô** F e Q p/ West 8th St-NY Aquarium; D, F, N e Q p/ Coney Island-Stillwell Ave **Ônibus** B36, B68, X28 e X38

🕐 **Aberto** Horários variam, verifique no site a programação completa; Coney Island Circus Sideshow e Coney Island Museum: horários variam, verifique no site a programação completa

💲 **Preço** Luna Park: preços variam, visite o site para detalhes e promoções; Coney Island Circus Sideshow: $120-$60, menores de 12 anos $5; Coney Island Museum: $20-$30

🚶 **Passeios guiados** Passeios periódicos oferecidos pela Save Coney Island; www.saveconeyisland.net.

👫 **Idade** Livre

🏃 **Atividades** Parque de diversões, jogos arcade e nado

⏱ **Duração** 4-5h

🍴 **Comida e bebida** *Lanches* Nathan's Famous (1310 Surf Ave, 11224; 718 946 2202) oferece hot dogs deliciosos o ano todo. *Refeição* Totonno's Pizzeria Napolitano (1524 Neptune Ave, 11224) serve pizzas de forno a carvão.

🚻 **Banheiros** Na praia e no Coney Island Museum

New York Aquarium, Coney Island e arredores | 215

Livros à venda na St. Petersburg Bookstore, Brighton Beach

tóricos que inclui partes de antigos brinquedos de parques de diversão. Esse ótimo eixo de atividades mantém a família seca e entretida.

③ Brighton Beach
O Leste Europeu em Nova York

Vizinha de Coney Island, Brighton Beach é um enclave multiétnico cujo apelido é Little Odessa, evocando a cidade ucraniana de onde vieram muitos imigrantes na década de 1970. Várias ondas de imigrantes do Leste Europeu se radicaram nessa área, desde judeus fugindo do Holocausto até toda uma geração pós--União Soviética na década de 1990. Explore o calçadão, onde você pode relaxar em um café saboreando delícias do Leste Europeu como *pierogi* (pastéis fritos ou cozidos com recheio) e *blintzes* (panquecas).

Outro local interessante é a Brighton Beach Avenue. Com caramanchões, essa avenida reúne uma mescla fascinante de delicatessens, restaurantes e lojas. Para saber como era o bairro em meados de 1930, veja Brighton Beach Memoirs (1986).

Se chover...
Vá à **St. Petersburg Bookstore** *(230 Brighton Beach Ave, 11235; 718 368 4128)*, que apregoa ser a maior livraria russa fora da Rússia. Obviamente, a livraria atende à imensa comunidade imigrante de Brighton Beach, com prateleiras de livros, CDs e DVDs russos. As crianças vão gostar de brinquedos como as bonecas que se encaixam umas nas outras e os ovos decorativos. Há também artesanato russo.

Informações
- **Endereço** Entre Ocean Parkway e Corbin Place, 11235
- **Metrô** B e Q p/ Brighton Beach; Q p/ Ocean Parkway
- **Ônibus** B1, B36 e B68
- **Idade** Livre
- **Atividades** Construir castelos de areia e nadar
- **Duração** 2h
- **Comida e bebida** *Piquenique* Kiev Bakery (2666 Coney Island Ave, 11229; 718 648 1905) oferece bolos, doces e pães do Leste Europeu. *Refeição* Café Glechik (3159 Coney Island Ave, 11235; 646 495 9759; www.glechik.com) tem bolinhos ucranianos, cozidos e kebabs.
- **Banheiros** No calçadão

CRIANÇADA!

Descubra mais
1 No calçadão de Coney Island há um mosaico com seres marinhos. Qual é a localização exata dele?
2 Brighton Beach tem um apelido que remete a um lugar na Ucrânia. Que apelido é esse?
3 Calcule quanto tempo leva para comer confortavelmente um cachorro-quente da Nathan's, depois imagine quanto tempo levaria para comer 62 deles. Foi essa quantidade que Joey Chestnut ingeriu em 10 minutos em 2011, ganhando o concurso pela quinta vez seguida.

Respostas no fim do quadro.

Ilha só no nome
Você sabia que Coney Island não é mais uma ilha, e sim uma península? Ela ficava separada do Brooklyn por um riacho, mas ele foi aterrado para uma obra antes da Segunda Guerra Mundial.

PROVA ARREPIANTE
Todo Ano-Novo, o Coney Island Polar Bear Club convida o público para se juntar a seus sócios em uma prova de natação no gelado oceano Atlântico. Nessa época a temperatura da água pode ser de 1°C.

Respostas: 1 Na parede externa do New York Aquarium. **2** Little Odessa, evocando a cidade de Odessa, na Ucrânia. **3** Multiplique o tempo que levou para comer um cachorro-quente por 62 e você vai saber quantos minutos levaria para comer 62.

Família em férias relaxa na Brighton Beach

Piquenique até US$20; **Lanches** US$20-35; **Refeição** US$35-70; **Para a família** mais de US$70 (base para 4 pessoas)

Arredores de Manhattan

Museum of the Moving Image e arredores

Astoria e Long Island City, os dois bairros do Queens mais próximos a Manhattan, parecem um mundo à parte. Seu passado industrial é evidente nas ruas calmas ladeadas por armazéns, mas uma cena florescente de arte e gastronomia e áreas verdes revitalizadas estão trazendo popularidade a esses bairros. A área é meio fora de mão, portanto, planeje a ida com antecedência e leve um mapa. Comece pelo multifacetado Museum of the Moving Image. Além da vasta coleção de artefatos de cinema, o museu também projeta filmes para crianças nos fins de semana.

Informações

- **Metrô** N e Q p/ 36th Avenue; M e R p/ Steinway St; N e Q p/ Broadway; 7 p/ Vernon Blvd-Jackson Ave
  Ônibus Q69 e Q102
- **Informação turística** Discover Queens Visitor's Center, www.discoverqueens.info
- **Supermercado** Bravo Supermarket, 34-12 34th Ave, entre 34th St e 35th St, 11106; 718 784 8420
  Mercado Brooklyn Grange Market, 37-18 Northern Blvd com 38th St, 11101; www.brooklyngrangefarm.com/markets; meados mai-out: 13h-18h qua
- **Festival** 2 dias de Czech and Slovak Festival no Bohemian Hall and Beer Garden (www.bohemianhall.com; mai)
- **Farmácia** Rite Aid, 32-87 Steinway St, Astoria, 11103; 718 278 2100; 8h30-21h seg-sex, 9h-18h sáb, 9h-17h dom
- **Playgrounds** Thirty-five Playground (p. 219) e Sean's Place (p. 219)

Visitantes examinando itens na Moving Image Store

Crianças criando filmes de animação no museu

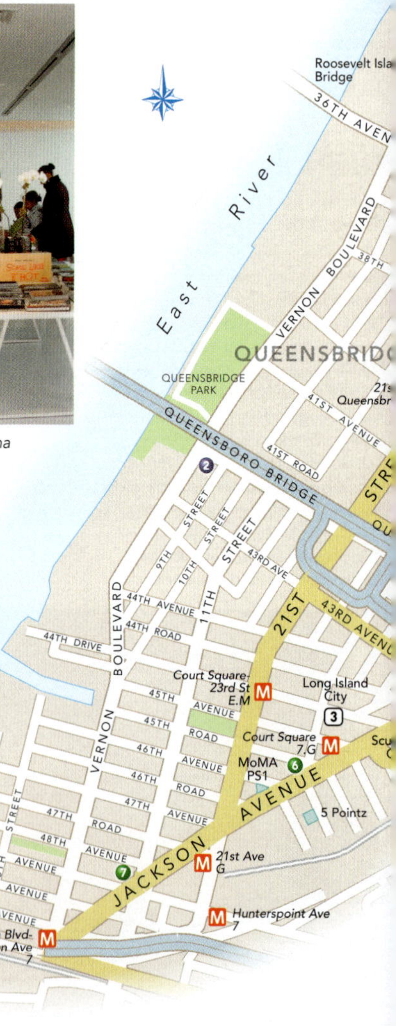

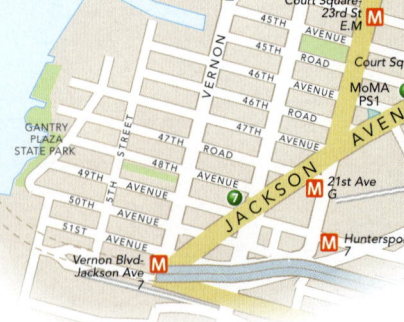

Museum of the Moving Image e arredores | 217

O café no Museum of the Moving Image

A beira-mar de Long Island City vista de Manhattan

Locais de interesse

ATRAÇÕES
1. Museum of the Moving Image
2. Isamu Noguchi Foundation and Garden Museum
3. Long Island City

COMIDA E BEBIDA
1. Bravo Supermarket
2. Moving Image Café
3. Five Napkin Burger
4. Uncle George's Greek Tavern
5. The Bel Aire Diner
6. Court Square Diner
7. The Creek and the Cave

Veja também Isamu Noguchi Foundation e Garden Museum (p. 220)

COMPRAS
1. The Moving Image Store

Veja também Isamu Noguchi Foundation and Garden Museum (p. 220)

HOSPEDAGEM
1. Holiday Inn Long Island City
2. Ravel Hotel

① Museum of the Moving Image
Cineastas e livretos com movimento

Escondido em Astoria, no Queens, o Museum of the Moving Image é bem high-tech e um dos mais interessantes da cidade. Instalado em um antigo estúdio de cinema e TV, enfoca a arte cinematográfica e as maravilhas do vídeo, da televisão e das novas mídias digitais. Mostras temporárias no 3º andar salientam a interface entre arte e tecnologia, enquanto a exibição permanente Behind the Screen, repleta de ação, encanta com a coleção de objetos ligados ao cinema. Há também um cinema que parece uma nave espacial, no qual as famílias podem pegar uma matinê.

Entrada do Museum of the Moving Image

Destaques

■ **3º andar** Exposições e instalações em rodízio, e parte da mostra Behind the Screen

■ **2º andar** Parte da mostra permanente Behind the Screen e anfiteatro para projeção de vídeos

■ **1º andar** Saguão, café, loja do museu e cinema com 267 lugares

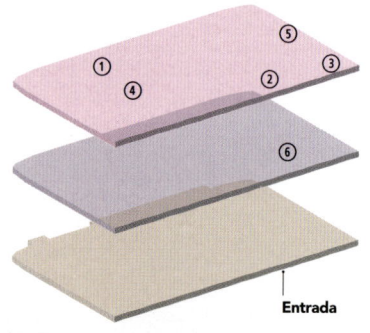

Entrada

① **Optical Toys** Não perca o caleidoscópio vitoriano, um cilindro com fendas verticais que, ao ser girado, dá a impressão de que as figuras internas se movem.

② **Automated Dialogue Replacement Studio** As crianças podem escolher um trecho de filme, treinar e depois gravar com sua própria voz os diálogos de personagens como Dorothy, de *O mágico de Oz*.

③ **Sound Effects Display** Aqui a garotada aprende tudo sobre efeitos sonoros e testa sons pré-gravados e um trecho de *Os Simpsons* para ver seu impacto em uma cena.

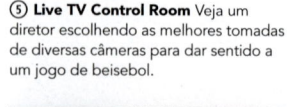

④ **Flip-book Station** Dance ou faça uma imitação diante de uma câmera que capta movimentos como uma sequência de fotos. Depois compre o livreto.

⑤ **Live TV Control Room** Veja um diretor escolhendo as melhores tomadas de diversas câmeras para dar sentido a um jogo de beisebol.

⑥ **Merchandising Exhibit** Prateleiras de merchandise – de bonecos de *Guerra nas estrelas* a lancheiras de *Batman* – para entender como os filmes são vendidos.

Preços para família de 4 pessoas

Informações

Endereço 35th Ave com 37th St, Astoria, 11106; 718 777 6888; www.movingimage.us

Metrô M e R p/ Steinway St; N e Q p/ 36th Ave **Ônibus** Q101 parte da Second Ave, entre 60th St e 61st St

Aberto 10h30-17h qua e qui; 10h30-19h sex; 11h30-19h sáb e dom

Preço $36-46; até 3 anos grátis (ingresso inclui projeção de filmes); 16h-20h sex grátis (não inclui projeção de filmes)

Para evitar fila Não há venda on-line de ingressos

Passeios guiados $48-58, visitas de à exposição permanente

Idade A partir de 4 anos

Atividades Além de várias mostras interativas, os visitantes podem assistir a uma sessão no estúdio de mídia (para maiores de 7 anos) 12h-17h sáb

Duração 2h; ou 3-4h se incluir a sessão de um filme

Cadeira de rodas Sim

Café O Museum Café

Lojas A Moving Image Store tem ótima coleção de livros, DVDs, camisetas, brinquedos e presentes relacionados a cinema. Os livretos (*veja à esq.*) também são vendidos aqui.

Banheiros Na chapelaria

Bom para a família
Com exposições excelentes, teatro de última geração e muitas atividades, esse museu atrai tanto adultos quanto crianças.

Para relaxar

Vá ao playground da **Sean's Place** *(38th St, entre Broadway e 31st Ave, 11103)* e deixe a garotada à vontade nos cercados de areia, aspersores de água, estruturas de escalada e balanços. O pequeno **Thirty-five Playground** *(35th Ave, entre Steinway St e 41st St, 11101)* fica mais perto do museu.

Comida e bebida

Piquenique: até US$20; Lanches: US$20-35; Refeição: US$35-70; Para a família: mais de US$70 (base para 4 pessoas)

PIQUENIQUE Bravo Supermarket *(34-12 34th St, entre 34th St e 35th St, Astoria, 11106; 718 784 8420; www.bravosupermarkets.com)* vende queijos, salsichas, pães e frutas – devore-os no Thirty-five Playground.
LANCHES Moving Image Café *(36-01 35th Ave at 37th St, Astoria, 11106; 718 777 6888)*, no 1º andar do museu, oferece petiscos de forno, sopas, saladas e diversos sanduíches.
REFEIÇÃO Five Napkin Burger *(35-01 36th St com 35th Ave, Astoria, 11106; 718 433 2727; www.5napkinburger.com)*, do outro lado da rua do museu, tem hambúrgueres criativos, entradas ecléticas, sushi e pratos como salmão e fish and chips.
PARA A FAMÍLIA Uncle George's Greek Tavern *(3319 Broadway, Astoria, 11106; 718 626 0593; 24h diariam)* é um lugar aconchegante com cozinha mediterrânea. O menu apresenta especialidades deliciosas como batatas assadas ao limão, lula frita, pernil de cordeiro assado e costeletas de porco, além de pratos do dia.

Visitante garimpando o arquivo do Moving Image Store

Compras

A **Moving Image Store** *(718 777 6800; www.movingimage.us/visit/shop)* vende camisetas e blocos de anotações interessantes, e uma grande variedade de livros para fãs de cinema e de videogames. Fique de olho em DVDs raros, como *The Little Fugitive*, de Ruth Orkin e Morris Engel, um curta em estilo de documentário que conta a história de um menino que foge para Coney Island.

Saiba mais

INTERNET O site *www.movingimage.us/families* dá informações sobre oficinas, filmes e outros eventos no museu.

Próxima parada...
PALEY CENTER FOR MEDIA

Situado em Midtown, o Paley Center for Media *(p. 115)* tem consoles individuais nos quais crianças e adultos escolhem programas de rádio e episódios de seriados de TV como *The Pilot (Seinfeld)* em meio a um arquivo imenso.

A popular lanchonete Five Napkin Burger em Astoria, Queens

CRIANÇADA!

Descubra mais

1 Muitas câmeras são usadas simultaneamente para captar eventos ao vivo como jogos esportivos. Por que o espectador de TV vê apenas uma cena de cada vez?
2 O edifício do museu era parte do histórico Astoria Studio. O que os estúdios faziam nos anos 1920, quando foram abertos?
3 Jack Foley foi um pioneiro na criação de efeitos sonoros para filmes em 1927. Como essa arte se chama hoje em dia?
4 A estação na qual os visitantes podem inserir suas vozes em cenas de filmes famosos se chama ADR. O que essa sigla significa?

Respostas no fim do quadro.

A ORIGEM DO NOME

Originalmente chamado Hallet's Cove, o bairro de Astoria foi rebatizado em homenagem a John Jacob Astor. O milionário deu US$500 para o desenvolvimento da área, mas jamais pôs os pés no local.

Atitude pioneira

A Video Arcade, no 2º andar do museu, é repleta de todos os tipos de consoles imagináveis e foi a primeira mostra museológica do mundo a incluir videogames.

Respostas: 1 Porque a função de um diretor é decidir a sequência das imagens captadas pelas câmeras. **2** Faziam filmes. **3** Foley art. **4** A sigla ADR significa Substituição de Diálogos Automatizada (Automated Dialogue Replacement).

Fachada vermelha do Isamu Noguchi Foundation and Garden Museum

② Isamu Noguchi Foundation and Garden Museum
Natureza transformada

Filho de uma jornalista americana e de um poeta japonês, Isamu Noguchi (1904-88) nasceu em Los Angeles e foi um dos grandes escultores do século XX. Ele passou a vida entre o Japão e os EUA quebrando muitas barreiras: entre o natural e o criado pelo homem, entre o mundano e o espiritual, e entre diversas disciplinas artísticas. Embora basicamente escultor (seus materiais principais eram pedra, madeira e mármore), Noguchi fez muitas parcerias. Desenhou cenários para os coreógrafos Martha Graham, George Balanchine e Merce Cunningham, criou móveis para a empresa Herman Miller e projetou playgrounds com o renomado arquiteto americano Louis Kahn.

Uma de suas criações mais duradouras é o Noguchi Museum, que ele construiu para abrigar seus trabalhos e também como uma obra de arte. O jardim de esculturas ao ar livre é tão mágico que parece ter vida própria. As sete galerias no piso térreo são ocupadas pela exposição permanente, na qual predominam obras monumentais em pedra e mármore do artista. Lá estão as poderosas esculturas *Void* e *Walking Void 2*, que exploram formas e ausência de formas, e *Slide Mantra*, a maquete de uma obra que ele desenhou para um parque em Miami. Sua elegante laje de mármore tem um escorregador em espiral para crianças ao redor de uma escadaria central.

Mostras com diferentes curadorias da obra de Noguchi são montadas nas galerias do 2º andar. O destaque para crianças é o jardim de esculturas a céu aberto sob o dossel de árvores. Obras volumosas como *Sea Stone* e *Helix of the Endless*, que abordam destruição e criação, instigam uma exploração detalhada.

Para relaxar
Continue vendo arte no **Socrates Sculpture Park** *(Broadway com Vernon Blvd, 11106; 718 956 1819; www.socratessculpturepark.org; 10h até o pôr do sol)*, que foi um aterro abandonado e um depósito de lixo ilegal. Uma aliança entre artistas e membros da comunidade transformou o local em um museu e espaço recreativo público ao ar livre em 1986. A maioria das esculturas e instalações multimídia presentes é criada no local, o que possibilita ver artistas trabalhando. A meninada é estimulada a explorar e até a tocar as obras à mostra. Exposições coletivas e instalações temporárias são montadas regularmente.

Informações

Endereço 9-01 33rd Rd, entre Vernon Blvd e 10th St, Long Island City, 11106; 718 204 7088; www.noguchi.org

Metrô N e Q p/ Broadway, depois pegue o ônibus Q104 p/ 11th St; 7 p/ Vernon Blvd-Jackson Ave, depois pegue o ônibus Q103 p/ 10th St

Ônibus Uma van opera entre a Asia Society (p. 155) e o museu durante o dia, sáb-dom; $20-30 só ida, $40-50 ida e volta.

Aberto 10h-17h qua-sex; 11h-18h sáb e dom

Preço $30-40; até 12 anos grátis; pague quanto quiser na 1ª sex do mês

Passeios guiados Visitas de 1h para grupos de dez ou mais pessoas, desde que agendadas antes; ligue 718 204 7088, ramal 203

Atividades Open Studio: 1º dom do mês; 11h-13h; $5 por família, inclui visita ao museu; não exige inscrição. Workshops temáticos para famílias na maioria dos fins de semana; exige inscrição; voltados a crianças entre 2-4 anos (Art for Tots) e 5-11 anos (Art for Families); $5 por família

Duração 2h

Cadeira de rodas Sim

Comida e bebida *Lanches* O Noguchi Café oferece sanduíches, lanches e bebidas. *Refeição* The Bel Aire Diner *(31-91 21st St, Astoria, 11101; 718 721 3160)* serve peixe fresco, hambúrgueres e saladas.

Loja A Noguchi Museum Shop vende esculturas de luz Akari dos anos 1950, pôsteres Akari e mobiliário Noguchi.

Banheiros No térreo

Intruder, de Lauren Ewing, à mostra no Socrates Sculpture Park

③ Long Island City
Arte ousada e grafites

A duas paradas de metrô após o Grand Central Terminal *(pp. 100-1)*, o Hunters Point em Long Island City (LIC), no Queens, se tornou um destino imperdível para fãs

Preços para família de 4 pessoas

Museum of the Moving Image e arredores | 221

Gantry Plaza State Park ao longo do rio East, Long Island City

de arte contemporânea, pois reúne galerias e centros de arte de nível internacional. A estrela é o **MoMA PS1** (*22-25 Jackson Ave, 11101; 718 784 2084; www.ps1.org*), um espaço expositivo ligado ao MoMA (*pp. 106-7*) em Manhattan. Especializado em arte contemporânea, promove artistas inovadores e experimentais por meio de retrospectivas individuais e instalações feitas para o local. Vale a pena conferir várias instalações de longo prazo, entre elas *Crayola Square*, de Sol LeWitt, e *Meeting*, de James Turrell, um espaço ao ar livre que muda radicalmente a percepção que os visitantes têm do céu (abre durante uma hora antes do pôr do sol, sempre que as condições meteorológicas permitem).

Nas imediações há mais dois lugares inspiradores com arte ousada – o **Sculpture Center** (*44-19 Purves St, 11101; 718 361 1750; doação sugerida: $5*), instalado em uma antiga oficina de bondes, e o **Fisher Landau Center for Art** (*38-27 30th St, 11101; 718 937 0727; grátis*), em uma antiga fábrica de componentes de paraquedas.

Fundado por um grupo de artistas em 1928, o Sculpture Center mudou do Upper East Side para o atual endereço em 2001. Seus incríveis espaços expositivos são ideais para a missão do grupo de promover a escultura moderna.

O Fisher Landau, um espaço expositivo e centro de estudos mais refinado, é dedicado à significativa coleção de arte moderna e contemporânea reunida por Emily Fisher Landau, incluindo obras de Kiki Smith, John Baldessari, Robert Rauschenberg e Cy Twombly.

Outro eixo artístico nessa área é o interessante **5 Pointz** (*www.5ptz.com*), um armazém adaptado repleto de estúdios de artistas, que se tornou uma vitrine para grafiteiros internacionais. Mais de 350 obras vibrantes feitas com tinta em spray adornam as paredes do edifício. O metrô (rota 7) descortina a melhor vista; a arte fica visível quando o vagão se aproxima da parada de metrô na 45 Rd-Court Sq.

Para relaxar
Vá ao rio East rumo ao **Gantry Plaza State Park** (*Center Blvd, entre 47th Rd e 49th Ave, Long Island City, 11101*), onde você encontrará espreguiçadeiras para apreciar as vistas fabulosas de Manhattan.

Informações
- **Endereço** Newtown Creek p/ East River Waterfront e Queensboro Brd p/ pátios ferroviários, 11101
- **Metrô** E e G p/ 23rd St-Ely Ave; 7 p/ 45 Rd-Court House Sq **Ônib.** M60, Q32, Q67, Q69 e Q103
- **Idade** Livre
- **Atividades** MoMA PS1: Warm Up, uma série experimental de música e dança para todas as idades, no pátio; tardes de sáb, no verão; $15 (inclui a visita ao museu)
- **Duração** 3h
- **Comida e bebida** *Lanches* Court Square Diner (*45–30 23rd St, 11101; 718 392 1222*) serve boa comida de diner; refeições para crianças custam $7,45. *Refeição* The Creek and the Cave (*10-93 Jackson Ave, 11101; 718 706 8783; www.creeklic.com/home*) é um Tex-Mex que oferece vários tipos de burritos, tacos e pratos.
- **Banheiros** Em vários restaurantes e cafés no caminho

CRIANÇADA!

Descubra mais
1 Uma das criações de Isamu Noguchi era para as crianças subirem e escorregarem, e foi construída nas cidades de Miami e Sapporo. Qual é o nome dela?
2 O Sculpture Center fica em um velho edifício industrial. Qual era a função do prédio em 1924?
3 O tom das paredes em *Meeting*, de James Turrell, no MoMA PS1, intensifica a cor do céu. Que tom é esse?

Respostas no fim do quadro.

PAPEL DUPLO
Com temas e cenas dos cinco distritos de Nova York, o projeto do 5 Pointz foi iniciado em meados de 1990 por um homem chamado Pat DeLillo – cujo trabalho era remover grafites.

Perpetuando-se pelas luminárias
Talvez a maior influência de Noguchi sobre a cultura popular tenha sido através de suas luminárias – afinal de contas, qualquer pessoa com uma luminária de papel em casa possui algo inspirado em Noguchi. Descubra o que há por trás dessas obras de arte funcionais em *http://shop.noguchi.org/*.

Respostas: 1 *Slide Mantra.* **2** Uma oficina de bondes. **3** Laranja.

Piquenique até US$20 | Lanches US$20-35 | Refeição US$35-70 | Para a família mais de US$70 (base para 4 pessoas)

New York Hall of Science e arredores

Duas Feiras Mundiais e uma constelação de atrações culturais ao agrado de famílias colocaram o Flushing Meadows-Corona Park no mapa turístico. Há muito o que descobrir nesse complexo, desde o New York Hall of Science, com seu incrível playground científico ao ar livre, até o Panorama of the City of New York, no Queens Museum of Art, uma maquete arquitetônica em escala dos cinco distritos. De Midtown até o parque são cerca de 40 minutos na linha 7 do metrô; chegando lá, prepare-se para andar um bocado até as atrações.

Locais de interesse

ATRAÇÕES
1. New York Hall of Science
2. Queens Zoo
3. Queens Museum of Art
4. Queens Botanical Garden

COMIDA E BEBIDA
1. Pollo Campero
2. Park Side Restaurant
3. Asian Jewels Seafood Restaurant
4. Empanadas Café
5. Leo's Latticini Mama's
6. Tortillería Nixtamal
7. Nan Xiang Dumpling House
8. New Bodai Vegetarian

Veja também Queens Museum of Art (p. 226)

Urso andino raro no Queens Zoo

New York Hall of Science e arredores | 223

Minicampo de golfe que demonstra os princípios das viagens espaciais, New York Hall of Science

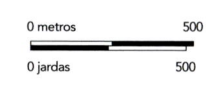

Informações

🚇 **Metrô** 7 p/ 111th St, Mets-Willets Point e Flushing-Main St **Ônibus** Q23, Q44 e Q58

ℹ️ **Informação turística** Discover Queens; www.discoverqueens.info

🧺 **Supermercado** Fine Fare Supermarket, 10802 Otis Ave, Corona, 11368; 718 271 8600
Mercados Queens Botanical Garden Farmers' Market, Dahlia Ave na saída da Main St, Queens, 11355; jul-meados nov: 8h30-16h sex. Corona Greenmarket, Roosevelt Ave com 103rd St; jul-nov: 8h-17h sex; www.grownyc.org/coronagreenmarket

🎉 **Festivais** Cinco de Mayo Festival (início mai). Colombian Independence Day Festival (meados jul). Dragon Boat Festival (início ago)

➕ **Farmácia** Duane Reade, 136-06 Roosevelt Ave, Flushing, 11354; 718 886 3212; 24h diariam

🛝 **Playground** Playground for All Children (PAC), 111-01 Corona Ave, Flushing, 11368; 718 699 8283

① New York Hall of Science
Foguetes e ilusões ópticas

O único de ciências em Nova York, esse museu por si só justifica uma ida ao Queens. Começou como uma sala de exposição na Feira Mundial de 1964, realizada no Flushing Meadows-Corona Park. Surpreendentemente, a sala continuou atraindo multidões após o encerramento da feira, o que estimulou outras cidades a construírem museus de ciências. Em 1979, a sala foi oficialmente transformada em museu, o qual foi ampliado e modernizado ao longo do tempo. As melhores exposições originais permanecem, incluindo Mathematica e o divertido Science Playground. O Great Hall ficará fechado para reforma até 2014.

Atrações

2º andar Ala Norte: Sports Challenge

1º andar Ala Norte: Search for Life Beyond Earth; Pavilhão Central: Hidden Kingdoms, Mathematica e Seeing the Light

Rocket Park Naves espaciais, foguetes

① **Search for Life Beyond Earth** Diversas mostras examinam os lugares mais prováveis onde pode haver vida além da Terra, incluindo Marte e Europa, uma das luas de Júpiter.

② **Marvelous Molecules** Computadores e modelos ensinam sobre a variedade de moléculas existente em todas as formas de vida.

③ **Hidden Kingdoms** Veja micróbios vivos através de microscópios especiais chamados Wentzscopes e aprenda mais sobre a vida de espécies como amebas e paramécios.

④ **Mathematica** Criada pelos famosos designers Charles e Ray Eames, Mathematica mostra essa disciplina com exemplos práticos como um cubo de luzes que atua como máquina de multiplicação.

⑤ **Seeing the Light** Nessa parte, a garotada pode descobrir os segredos por trás das ilusões ópticas como hologramas e ver como as sombras influenciam a percepção.

⑥ **Sports Challenge** Série de mostras, enfoca os princípios da física – equilíbrio, tempo de reação, trajetórias – com atividades esportivas como escalada e simulações de surfe e corrida de cadeira de rodas.

⑦ **Rocket Park** Aqui há naves espaciais e foguetes autênticos. Pode-se entrar em uma réplica da cápsula *Mercury Atlas D* que levou o astronauta John Glenn ao espaço em 1962.

Informações

Endereço 47th Ave e 111th St Flushing Meadows-Corona Park, 11368; 718 699 0005; www.nysci.org

Metrô 7 p/ 111th St, depois ande três quarteirões p/ o sul **Ônibus** Q23, Q48 e Q58

Aberto Diariam, horário varia

Preço $38-48; ingresso para o Science Playground tem taxa extra de $4 por pessoa; ingresso para o Rocket Park Mini Golf tem taxa extra de $6; ingressos combinados $68. Entrada grátis set-jun: 14h-17h sex, 10h-11h dom

Para evitar fila Ingressos combinados incluem o Rocket Park e o Science Playground

Idade A partir de 3 anos

Duração 2h

Cadeira de rodas Sim

Café O café New York Hall of Science oferece saladas, sanduíches e pizzas

Loja A Science Shop, no local, vende kits científicos, jogos e livros, entre outras utilidades

Banheiros No 1º e 2º andares

Bom para a família
A mistura de diversão com atividades educativas faz deste museu de ciência uma opção excelente em qualquer época do ano.

Preços para família de 4 pessoas

New York Hall of Science e arredores | 225

Equipamento lúdico de cunho científico no Science Playground

Para relaxar
Com o intuito de estimular as crianças a entenderem aspectos da ciência com seus corpos e mentes, o **Science Playground** ao ar livre é um enorme espaço com divertidas estações interativas, onde se pode correr e brincar à vontade. Há uma mesa d'água com o parafuso de Arquimedes, um longo escorregador, um cone de hélice, uma gangorra imensa e uma teia de aranha em 3-D para escalar.

Comida e bebida
Piquenique: até US$20; Lanches: US$20-35; Refeição: US$35-70; Para a família: mais de US$70 (base para 4 pessoas)

PIQUENIQUE O **Pollo Campero** *(10326 Roosevelt ave, Corona, 11368; 718 205 6943)* oferece delicioso frango grelhado e frito em estilo latino; compre e vá ao Flushing Meadows-Corona Park fazer um piquenique.
REFEIÇÃO Park Side Restaurant *(107-01 Corona Ave, Corona, 11368; 718 271 9871)* é um restaurante italiano que serve diversas massas, frutos do mar e entradas com carne.
PARA A FAMÍLIA Asian Jewels Seafood Restaurant *(13330 39th ave, 11354; 718 359 8600)* é um enorme restaurante chinês de dim sum cujo cardápio extenso inclui especialidades como macarrão com carne de porco desfiada e bolinhos de cebolinha fritos.

Saiba mais
INTERNET O New York Hall of Science tem um site bem aprofundado, www.nysci.org, sobre suas mostras. Em www.learningscience.org há jogos interativos ligados à ciência e atividades para despertar a curiosidade após uma visita.

Próxima parada...
UNISPHERE Outra relíquia autêntica da Feira Mundial de 1964 é a icônica Unisphere no Flushing Meadows-Corona Park, entre a Grand Central Parkway e a Van Wyck Expressway. Com 43m de altura, essa representação de aço inoxidável da Terra foi criada para marcar a Era Espacial. Quem viu o filme *Homens de preto* (1997) reconhecerá essa imensa bola oca de aço verde cercada por fontes e as três torres do observatório que se localiza atrás dela.

A Unisphere, no Flushing Meadows-Corona Park

CRIANÇADA!

Você sabia?
1 Europa é uma lua na qual pode haver vida. Você sabe a qual planeta ela pertence?
2 Veja a prancha de surfe na mostra Sports Challenge. Qual é a propriedade física necessária para surfar bem?
3 Como se chamam os microscópios especiais da mostra Hidden Kingdoms?
4 Quem foi o primeiro astronauta americano a entrar em órbita na nave espacial *Mercury Atlas D*?

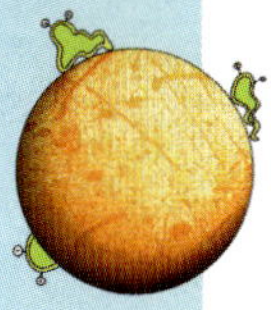

Respostas no fim do quadro.

ADEQUADA PARA HUMANOS
A cápsula *Mercury*, que agora fica suspensa no teto do museu, subiu 762m no céu em um teste em maio de 1960. Ela flutuou de volta com um paraquedas e caiu no oceano, provando que um humano poderia viajar seguramente dentro dela.

Ciência em jogo
O parafuso de Arquimedes no Science Playground retém água na parte inferior a cada volta e a faz subir cada vez mais alto enquanto alguém gira a manivela. Embora a água percorra uma distância maior do que se fosse carregada em um balde, isso requer menos esforço, já que ela sobe de modo gradual.

Respostas: 1 Júpiter; 2 Equilíbrio; 3 Wentizcopes; 4 John Glenn.

② Queens Zoo
Jacarés, coelhos gigantes e leões-marinhos acrobatas

Ao lado do New York Hall of Science, o pequeno e convidativo Queens Zoo é o único na cidade dedicado à vida selvagem das Américas do Norte e do Sul. Ele foi construído após a Feira Mundial de 1964 a fim de ampliar o público do Flushing Meadows-Corona Park, já bastante popular. Caminhos serpenteiam por seus diversos habitats, incluindo as Grandes Planícies, com bisões e antílopes com chifres, e a Woodland Trail, com pumas, corujas e alces.

Não perca a South American Trail, com ursos-de-óculos, ameaçados de extinção. O Waterfowl Marsh contém patos, grous e aligátores (jacarés americanos). O edifício mais histórico do zoo abriga uma das melhores mostras, a aviária, que ocupa o imenso domo geodésico construído para a Feira Mundial. Ali, um caminho íngreme leva os visitantes do solo da floresta até o alto das árvores, onde há egretas e porcos-espinhos (sim, eles vivem em árvores!). No recanto de animais domésticos, as crianças podem comprar um punhado de grãos para alimentar os habitantes, os quais incluem coelhos da raça Flemish Giant, lhamas e um porco. É imperdível ver os leões-marinhos da Califórnia se alimentando (consulte o site), pois eles fazem várias acrobacias.

Para relaxar
O **Playground for All Children** (111-01 Corona Ave, Flushing, 11368) tem encostas para descer escorregando, balanços, uma quadra de basquete e uma parte de encenação com objetos de cena.

③ Queens Museum of Art
Minicidade e outros tesouros

O Queens Museum of Art é um centro cultural muito ligado à comunidade multiétnica em seu entorno. Ele está instalado no New York City Building, que foi inicialmente o pavilhão de Nova York na Feira Mundial de 1939. Por ocasião da Feira Mundial seguinte, em 1964, o edifício foi adaptado para a mesma finalidade, mas desta vez tinha algo fenomenal para mostrar: o *Panorama of the City of New York* – uma maquete arquitetônica de 868m² da cidade reproduzindo todos os edifícios nos cinco distritos. Atualizado diversas vezes, agora o Panorama inclui todos os edifícios construídos até 1992, incluindo o World Trade Center.

Para relaxar
A ampla área do **Flushing Meadows-Corona Park** (pp. 222-3) é repleta de atividades para entreter a garotada, como minigolfe e ciclovias.

Periquitos-verdes fazendo peripécias no Queens Zoo

A maquete Panorama of the City of New York *no Queens Museum of Art*

Informações (Queens Zoo)

- **Endereço** 53-51 111th St, Flushing, Queens, 11368; 718 271 1500; www.queenszoo.com
- **Metrô** 7 p/ 111th St **Ônibus** Q58, Q23 e Q88
- **Aberto** Nov-mar: 10h-17h seg-sex, 10h-17h30 sáb, dom e feriados; mar-nov: 10h-16h30 diariam;
- **Preço** $26-36; até 3 anos grátis
- **Passeios guiados** $150 para grupos com mais de 30 pessoas
- **Idade** Livre
- **Duração** 2h
- **Cadeira de rodas** Sim
- **Comida e bebida** *Lanches* Empanadas Café (56-27 Van Doren St, 11368; 718 592 7288; www.empanadascafe.com) oferece sua especialidade como prato ou sobremesa. *Refeição* Leo's Latticini Mama's (4602 104th St, Corona, 11368, 718 898 6069) vende sanduíches que podem ser comidos na área de piquenique do zoo.
- **Banheiros** No Discovery Center

Preços para famílias de 4 pessoas

Informações (Queens Museum of Art)

- **Endereço** New York City Building, Flushing Meadows-Corona Park, 11368; 718 592 9700; www.queensmuseum.org
- **Metrô** 7 p/ 111th St **Ônibus** Q23 e Q58
- **Aberto** 12h-18h qua-dom
- **Preço** $24-34; até 5 anos grátis
- **Passeios guiados** Visitas grátis ao museu às 14h, 15h e 16h dom; recomenda-se a partir de 12 anos
- **Idade** Livre
- **Atividades** Workshops para crianças a partir de 5 anos, das 13h30 às 16h30 dom; dia com eventos especiais, visita ao museu e música ao vivo, 2º dom de cada mês
- **Duração** 1h
- **Cadeira de rodas** Sim
- **Comida e bebida** *Lanches* Unisphere Café (no local, somente sáb-dom) serve sushi, sobremesas e bebidas. *Refeição* Tortillería Nixtamal (104-105 47th Ave, Corona, 11368; 718 699 2434) oferece tacos deliciosos.
- **Banheiros** No 1º andar

O Herb Garden em uma tarde ensolarada de inverno, Queens Botanical Garden

④ Queens Botanical Garden
Rosas vermelhas e projeto ecológico

Originalmente uma mostra de 2ha na Feira Mundial de 1939 e depois transferido para um pouco mais longe na Feira Mundial seguinte, esse jardim botânico é um oásis urbano de 16ha. Entre seus destaques estão o maior jardim de rosas no nordeste dos EUA, os Bee and Herb Gardens, o Fragrance Walk, o Cherry Circle e diversos habitats, incluindo os jardins Woodland e Wetland, o Pinetum (de espécies coníferas) e o Meadow. No entanto, o que mais atrai as atenções é o Visitors & Administration Building, que foi aberto em 2007. Trata-se da primeira estrutura ecológica certificada construída em Nova York. O edifício tem telhado verde que minimiza o desperdício de água e painéis solares; a água, purificada após o uso em pias, chuveiros e lavadoras de louça, é reutilizada nos banheiros.

Perto do Flushing Meadows–Corona Park, veja as esculturas *Rocket Thrower*, de Donald Delue, e *Freedom of the Human Spirit*, de Marshall M. Fredericks, ambas feitas para a Feira Mundial de 1964.

Se chover...
A QBG Store, no jardim, tem itens interessantes para todos os gostos: brinquedos e livros para crianças, e artesanatos, joias e artigos de papelaria para adultos.

Informações
- **Endereço** 43-50 Main St, 11355, Flushing, Queens; 718 886 3800; www.queensbotanical.org
- **Metrô** 7 p/ Flushing-Main St **Ônibus** Q44, Q58 e Q20
- **Aberto** Abr-out: 8h-18h ter-dom; nov-mar: 8h-16h30 ter-dom
- **Preço** Abr-out: $12-22; grátis 15h-18h qua, 16h-18h dom; nov-mar: grátis
- **Passeios guiados** Para visitas ao jardim, ligue 718 886 3800, r. 230
- **Idade** Livre
- **Duração** 1-2h
- **Cadeira de rodas** Sim
- **Comida e bebida** *Lanches* Nan Xiang Dumpling House (3812 Prince St, Flushing, 11354; 718 261 3838) é especializada em bolinhos de porco e de caranguejo. *Refeição* New Bodai Vegetarian (59-08 Main St, Flushing, 11355; 718 939 1188) serve refeições chinesas vegetarianas (e kosher).
- **Banheiros** No Visitors' Center

O paisagístico Rose Garden no Queens Botanical Garden

CRIANÇADA!

Descubra mais
1 Queens Zoo: os porcos-espinhos são mais propensos a viver perto da água, no solo ou no alto das árvores?
2 No Queens Museum of Art, onde se veem as torres gêmeas do World Trade Center ainda intactas?
3 Quantas pessoas trabalharam na montagem do *Panorama of the City of New York*?
4 De onde vem a água que o Queens Botanical Garden recicla?

Respostas no fim do quadro.

EM GRANDE ESCALA
A equipe que construiu o *Panorama* no Queens Museum of Art usou fotos e mapas para que a maquete tivesse a escala correta.

Enterradas para a posteridade
Duas cápsulas do tempo foram enterradas no Flushing Meadows–Corona Park, em 1938 e em 1965, para servir de registros da vida no século XX. A cápsula enterrada em 1965 contém cartões de crédito, alimentos desidratados congelados, uma escova de dentes elétrica e um biquíni xadrez.

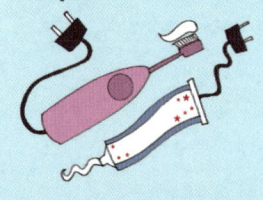

Respostas: 1 No alto das árvores. 2 No *Panorama of the City of New York* exposto no museu. 3 Cem. 4 Vem de pias, lavadoras de louça e chuveiros do Visitors & Administration Building.

Piquenique até US$20; *Lanches* US$20-35; *Refeição* US$35-70; *Para a família* mais de US$70 (base para 4 pessoas)

New York Botanical Garden e arredores

Embora um pouco fora de mão, o Bronx tem algumas das atrações culturais mais encantadoras e divertidas da cidade, com a vantagem de não atrair multidões. É fácil ir a esse distrito, o mais populoso da cidade, com o trem Metro-North, que o liga a Wave Hill, um centro ecológico com vistas estupendas do rio Hudson, e ao fantástico New York Botanical Garden, entre outros pontos. Visite a casa na qual o escritor Edgar Allan Poe passou seus últimos anos e a City Island, uma pequena localidade litorânea. As crianças vão sentir que descobriram verdadeiras joias ocultas.

Entrada da conhecida padaria Sugar and Spice

Locais de interesse

ATRAÇÕES
1. New York Botanical Garden
2. Edgar Allan Poe Cottage
3. Wave Hill
4. City Island

● COMIDA E BEBIDA
1. Pioneer Supermarket
2. Webster Café
3. Great Wall Chinese Restaurant
4. Garden Café
5. Roma Luncheonette
6. Mario's
7. Riverdale Greentree
8. Sugar and Spice
9. Sammy's Fish Box

Veja também Wave Hill (p. 232)

● COMPRAS
1. NYBG Shop in the Garden

Veja também Wave Hill (p. 232)

Parte do terreno da Wave Hill, com o rio Hudson ao fundo

New York Botanical Garden e arredores | 229

Informações

Trem Metro-North Harlem, linha local do Grand Central Terminal p/ Botanical Garden **Metrô** B e D p/ Bedford Park Blvd; 4 p/ Bedford Park Blvd-Lehman College, depois pegue o ônibus Bx26 sentido leste p/ a entrada Mosholu Gate; B e D p/ Kingsbridge Rd; 1 p/ Van Cortlandt Park-242nd St; 6 p/ Pelham Bay Park

Informação turística Leon Levy Visitors' Center no NYBG, Bronx River Parkway com Fordham Rd, Bronx, 10458; 718 817 8700

Supermercado Pioneer Supermarket, 2870 Webster Ave, 10458; 718 364 0101
Mercado NYBG Farmers' Market diante da Library Allée, Bronx, 10458; meados jun-meados nov: 9h-15h qua

Festivais Annual Orchid Show (mar-meados abr). Scarecrow and Harvest Weekend (meados out).

Holiday Train Show (meados nov-início jan)

Farmácia Walgreens, 5564-68 Broadway, Bronx, 10463; 718 548 5884; 24h diariam

Playgrounds Bronx Park-French Charley Playground, East 204th St no lado oeste do Bronx Park, 10467. Poe Park, East Kingsbridge Rd e Grand Concourse, 10468. P. S. 175 Playground, com tema náutico, 200 City Island Ave, 10464

A última casa do escritor Edgar Allan Poe

NYBG Shop in the Garden, Leon Levy Visitors' Center

① New York Botanical Garden
Floresta antiga e flores tropicais

Repleto de flores, prados e matas, o New York Botanical Garden (NYBG) é um mundo isolado, claramente à parte do centro do Bronx. Suas paisagens ao ar livre são magníficas nos meses mais quentes, e a estufa é linda em qualquer época. No inverno, o jardim abriga o famoso Holiday Train Show, que apresenta um surpreendente mundo em miniatura feito de materiais vegetais. No Everett Children's Adventure Garden, a garotada se diverte botando a mão na massa.

Peggy Rockefeller Rose Garden

Destaques

① **Enid A. Haupt Conservatory** Essa estufa de vidro vitoriana dá um panorama de onze ecossistemas do mundo, desde desertos africanos até dois tipos de floresta tropical.

② **Rock Garden** Com habitat alpino, o jardim tem rochas pontuadas por plantas que florescem, um regato e uma cascata que cai em um lago cercado de flores.

③ **Ruth Rea Howell Family Garden** Aberta de abril a novembro, essa horta ensina muitas coisas para a garotada, desde cavar a terra atrás de minhocas até plantar sementes.

④ **Cherry Valley** Imperdível em abril e maio, essa área tem a maioria das 200 cerejeiras floridas do jardim.

⑤ **Peggy Rockefeller Rose Garden** Entre suas 3.500 variedades estão rosas EarthKind, flores híbridas que sobrevivem com pouco ou nenhum pesticida.

⑥ **Benenson Ornamental Conifers** Essa zona é só de árvores coníferas, como pinheiros, e outras com folhas escamadas, como cedros.

⑦ **Everett Children's Adventure Garden** Destinado a crianças entre 2 e 12 anos, tem atrações cobertas e ao ar livre, como um tanque de plantas aquáticas.

Entrada pelo Mosholu Gate
Garden Café
Entrada

Para relaxar
O maior tesouro do New York Botanical Garden é também o mais antigo: a Thain Family Forest, de 20ha, a maior área remanescente das matas originais de Nova York que eram habitadas pelos índios da tribo lenape.

Trilhas extensas adentram as matas, compostas por carvalhos, faias, vidoeiros, tulipeiros, freixos e cerejeiras – alguns com mais de 200 anos. Os caminhos ficam abertos o ano todo, e as crianças podem andar por eles e descobrir as novidades surgidas em cada estação.

Comida e bebida
Piquenique: até US$20; Lanches: US$20-35; Refeição: US$35-70; Para a família: mais de US$70 (base para 4 pessoas)

PIQUENIQUE Pioneer Supermarket (2870 Webster Ave, 10458; 718 364 0101) é indicado para comprar suprimentos antes de ir à área de piquenique perto do Everett Children's Adventure Garden.

LANCHES Webster Café (2873 Webster Ave, Bronx, 10458; 718 733 9634) é um lugar popular no bairro, ideal para comer cachorro-quente, saladas ou sanduíches após um passeio no jardim.

REFEIÇÃO Great Wall Chinese Restaurant (3003 Webster Ave, 10458; 718 584 5488; 11h30-17h ter-dom) oferece saborosa cozinha chinesa autêntica a bom preço.

Preços para família de 4 pessoas

New York Botanical Garden e arredores

Informações

- **Endereço** 2900 Southern Blvd, Bronx, 10458; 718 817 8700; www.nybg.org
- **Trem** Metro-North Harlem, linha local do Grand Central Terminal p/ Botanical Garden **Metrô** B, D e 4 p/ estação Bedford Park-Lehman Blvd, depois o ônibus Bx26 p/ Mosholu Gate
- **Aberto** 10h-18h ter-dom, 10h-17h no inverno
- **Preço** $24-34 (somente jardins) $56-80; grátis até 2 anos e qua
- **Para evitar fila** Reserve ingressos on-line para o Holiday Train Show.
- **Passeios guiados** "Experts" nos fins de semana; volta de bonde; observação de aves (sáb, sazonal); com guia e áudio, diariam
- **Idade** A partir de 2 anos
- **Atividades** Atualmente no Everett Children's Adventure Garden e no Family Garden; informe-se no site
- **Duração** 2-3h
- **Cadeira de rodas** Sim
- **Cafés** Garden Café e no Leon Levy Visitors' Center
- **Loja** Logo à direita na entrada da estufa
- **Banheiros** No Leon Levy Visitors' Center

Bom para a família
Jardins exuberantes, onde crianças podem aprender sobre jardinagem, e estufas tropicais fizeram do local um favorito entre famílias.

Café no Leon Levy Visitors' Center, New York Botanical Garden

PARA A FAMÍLIA Garden Café (2900 Southern Blvd, 10458; 718 817 8700; 10h-16h ter-dom) tem várias opções grelhadas e vegetarianas.

Compras
Bem mais que uma loja de presentes, a **NYBG Shop in the Garden,** ao lado do Leon Levy Visitors' Center, tem uma variedade eclética de produtos de temática ecológica, desde artigos para casa e ferramentas de jardinagem até gravuras botânicas, joias e alimentos.

Saiba mais
INTERNET O site do jardim, www.nybg.org, tem informações sobre suas coleções botânicas e eventos especiais, além de destacar as plantas que atualmente estão floridas.

Próxima parada...
BROOKLYN BOTANIC GARDEN Menor que o NYBG, o Brooklyn Botanic Garden (pp. 206-7) tem um conjunto mais intimista de jardins. Um dos destaques é o sereno Japanese Hill-and-Pond Garden, com carpas japonesas e patos. Às vezes também se veem aves migratórias raras, que param ali para pescar.

Plantas e vasos coloridos à venda na NYBG Shop in the Garden

CRIANÇADA!

Você sabia?
1 No Everett Children's Adventure Garden há uma enorme escultura de um animal do qual brotam flores roxas e amarelas. Que animal é esse?
2 O jardim botânico contém a última floresta original de Nova York. Qual é o nome dos índios que moravam nela?
3 Flores alpinas brotam em todos os cantos e frestas no Rock Garden. Por que essas flores são chamadas de alpinas?
4 Localize a árvore *Theobroma cacao* na estufa. Seus frutos são matéria-prima de qual alimento?
5 No Peggy Rockeller Rose Garden há algumas touceiras de rosas especiais, que não precisam de pesticidas. Como se chamam essas rosas?

Respostas no fim do quadro.

TUDO MINI
O Holiday Train Show apresenta trenzinhos, feitos de nozes, casca de árvore e pinhas, que passam por marcos em miniatura da cidade como o Empire State Building (nov-início jan).

Estudioso de plantas
Fundador do NYBG, o nova-iorquino Nathaniel Lord Britton (1859-1934) era um botânico que viajava pelo mundo, às vezes com sua mulher, para estudar plantas, incluindo cactos do México e flores tropicais de Porto Rico.

Respostas: 1 Uma minhoca. **2** Lenapes. **3** Porque crescem no alto das montanhas, onde há muitos ambientes rochosos. **4** Chocolate. **5** Earthkind.

Arredores de Manhattan

Fachada da casa de Edgar Allan Poe

② Edgar Allan Poe Cottage
A casa de uma alma sofrida

O escritor Edgar Allan Poe teve uma vida bem itinerante no litoral do Atlântico, com escalas em Richmond, Virginia, Baltimore, Filadélfia e Nova York em busca de fama e fortuna. Um dos primeiros escritores dos EUA a sobreviver só de seu ofício, ele sempre enfrentou dificuldades financeiras. Em 1835, então com 26 anos, casou-se com sua prima Virginia Clemm, que tinha apenas 13 anos. Onze anos depois, quando uma tuberculose já a deixara muito debilitada, Poe se mudou com ela para essa casa, na esperança de que o ar do campo a ajudasse a recuperar a saúde.

Nas então bucólicas colinas onduladas do Bronx, com vista para a costa de Long Island, a casa seria a última de Poe e de sua jovem esposa. Virginia morreu aqui em 1847, menos de um ano após a mudança. Poe continuou no Bronx por mais dois anos e depois foi para Baltimore, sua última viagem, onde morreu de forma misteriosa aos 40 anos. O escritor escreveu algumas de suas melhores obras nessa casa, entre elas *Os sinos* e *Annabel Lee*, seu último poema completo, sobre a morte trágica de um ser amado.

Para relaxar

A casa fica no **Poe Park**, que homenageia o escritor, e tem um ótimo playground e um gazebo que funciona como um forte no qual se pode brincar. O lugar também é bom para piqueniques.

③ Wave Hill
Vistas deslumbrantes

A melhor coisa nesse jardim público e centro cultural de 11ha são suas vistas para o rio Hudson e os Palisades, uma linha escarpada de rochedos no lado de New Jersey. Um bom lugar para apreciá-los é a pérgula florida com balaústres no meio do terreno.

Edifício mais antigo no terreno, a Wave Hill House foi construída em 1843 como a casa de campo de um jurista e tem um rol impressionante de antigos moradores. O futuro presidente Teddy Roosevelt (então com 12-13 anos) morou aqui com sua família nos verões de 1870 e 1871, quando surgiu seu apreço pela natureza. Isso por certo influenciou seu empenho posterior para preservar o meio ambiente dos EUA através da criação de um sistema de parques nacionais. Outro morador ilustre foi o escritor Mark Twain, que construiu uma casinha em um castanheiro no gramado.

O centro visa integrar os visitantes com a natureza não só pelas vistas estupendas, como também com

---

Informações

- **Endereço** 2640 Grand Concourse com 192nd St, Bronx, 10458; 718 881 8900; www.bronxhistoricalsociety.org
- **Metrô** B, D (na Grand Concourse) e 4 (na Jerome Ave) p/ Kingsbridge Rd
- **Aberto** 10h-16h sáb, 13h-17h dom
- **Preço** $16-26
- **Passeios guiados** Sim
- **Idade** A partir de 4 anos
- **Duração** 1h
- **Cadeira de rodas** Sim
- **Comida e bebida** *Lanches* Roma Luncheonette (636 East 187th St com Belmont Ave, Bronx, 10458; 718 367 9189) serve comida italiana. *Refeição* Mario's (2342 Arthur Ave, entre 184th St e 186th St, Bronx, 10458; 718 584 1188) tem cozinha italiana tradicional.
- **Banheiros** Na casa

Informações

- **Endereço** West 249th St com Independence Ave, Bronx, 10471; 718 549 3200; www.wavehill.org
- **Trem** Metro-North p/ Riverdale Station, depois a van grátis p/ Wave Hill; 9h45-15h45 de hora em hora. **Metrô** 1 p/ Van Cortlandt Park-242nd St, depois van grátis p/ Wave Hill
- **Aberto** Mar-meados out: 9h-17h30 ter-dom; nov-meados abr: 9h-16h30 ter-dom
- **Preço** $20-30, até 6 anos grátis; nov-abr, jul e ago: grátis ter; mai, jun, set e out: grátis 9h-12h ter; grátis 9h-12h sáb durante o ano inteiro
- **Passeios guiados** Visitas grátis ao jardim e à estufa: 14h dom. Passeios em grupo para ao jardim e à estufa devem ser agendados com antecedência
- **Idade** Livre
- **Atividades** Workshops de arte (para adultos) sáb e dom
- **Duração** 2h
- **Comida e bebida** *Lanches* The Wave Hill Café *(no local)* oferece pratos leves e bebidas. *Refeição* Riverdale Greentree (5693 Riverdale Ave, Bronx, 10471; 718 601 2572) tem pratos diversos.
- **Banheiros** No Perkins Visitor Center e na Wave Hill House

Pai e filho participando de workshop de arte e artesanato na Wave Hill House

Preços para família de 4 pessoas

New York Botanical Garden e arredores | 233

Vista de Long Island Sound a partir de City Island

diferentes jardins, um trio de estufas de plantas e mostras temáticas de cunho ecológico. Wave Hill também oferece ótimas oficinas de arte ao longo do ano, principalmente voltadas a crianças.

Para relaxar
Pare no **Perkins Visitor Center** (www.wavehill.org) e entre na Shop at Wave Hill, que vende brinquedos educativos, livros, joias e acessórios. Há também artes e artesanatos, cerâmicas, produtos de jardinagem e até mel das colmeias de Wave Hill. Estando lá, não deixe de observar o colorido mural da artista Maira Kalman.

④ City Island
Marinas e restaurantes de frutos do mar

Parte do Bronx, essa pequena ilha é uma agradável surpresa. Seu charme interiorano, frutos do mar frescos e aromas do oceano são totalmente diferentes do resto de Nova York. Ocupada por estaleiros, fabricantes de velas, catadores de ostras e pescadores, a ilha tem papel importante na defesa naval da cidade desde que foi colonizada por europeus em 1761.

Visite o City Island Historical Society and Nautical Museum *(190 Fordham St, 10464; www.cityislandmuseum.org)* para conhecer o passado da ilha. Para observá-la na atualidade, circule a pé pela City Island Avenue, a principal via, onde há lojas, restaurantes de frutos do mar e marinas, além de uma série de casas fascinantes. Outra opção é fazer um passeio turístico em um barco pesqueiro ou alugar um exclusivo para sua família e navegar pela costa.

Para relaxar
Faça uma pausa no playground de tema náutico **P. S. 175** *(200 City Island Ave, Bronx, 10464; 718 885 1093)*, onde a garotada pode se refrescar em um aspersor de água em forma de âncora ou pilotar um navio de brinquedo; crianças menores vão gostar dos balanços.

Informações
- **Metrô** 6 p/ Pelham Bay Park, depois ônibus Bx29 p/ City Island
- **Idade** Livre
- **Atividades** Alugue um barco de pesca na Jack's Bait and Tackle; $70 por 10h no fim de semana; www.jacksbaitandtackle.com
- **Duração** 4h
- **Comida e bebida** *Lanches* Sugar and Spice *(536 City Island Ave, City Island, Bronx, 10464; 718 885 9229)* oferece café da manhã e brunch. *Refeição* Sammy's Fish Box *(41 City Island Ave, City Island, Bronx, 10464; 718 885 0920)* serve frutos do mar e refeições grátis para crianças.
- **Banheiros** Em vários restaurantes

A City Island Avenue tem lojas e restaurantes interessantes

CRIANÇADA!

Descubra mais
1 Dizem que o escritor americano Edgar Allan Poe criou o primeiro romance com um detetive. Em que história Auguste Dupin apareceu pela primeira vez?
2 Poe passou boa parte da vida como editor de jornal em cidades grandes como Filadélfia, Baltimore e Nova York. Por que ele foi parar no Bronx?
3 Um conhecido escritor construiu uma casa em uma árvore no gramado da Wave Hill House. Você sabe o nome dele?
4 Teddy Roosevelt foi o 26º presidente dos EUA. Você sabe que brinquedo tem o nome dele?

Respostas no fim do quadro.

AVE ADAPTÁVEL
Tente ver a caturrita em City Island. Originalmente importadas da América do Sul como bichos de estimação, essas aves se adaptaram ao clima e agora se reproduzem nas matas.

Estaleiro de campeões
Muitos barcos que competem nas famosas regatas da Americas Cup foram construídos em City Island, no Minneford Boat Yard, agora sede de uma marina em esquema de cooperativa.

Respostas: 1 *Os assassinatos da rua Morgue.* **2** Ele foi para o Bronx com sua mulher, na esperança de que ela sarasse da tuberculose. **3** Mark Twain. **4** O *teddy bear* (ursinho de pelúcia).

Piquenique até US$20; **Lanches** US$20-35; **Refeição** US$35-70; **Para a família** mais de US$70 (base para 4 pessoas)

Bronx Zoo e arredores

Há um grande contraste entre a vastidão natural do Bronx Zoo e o bairro sobretudo residencial que o cerca, mas isso não é motivo de preocupação. No entanto, é recomendável planejar bem uma ida ao zoo ou a qualquer outro destino no South Bronx, pois há poucos táxis nessa parte da cidade e raras opções para refeições no zoo e em seus arredores. Uma boa opção para refeições é a Little Italy do Bronx, que não é distante e reúne excelentes restaurantes nos quais se pode almoçar ou jantar.

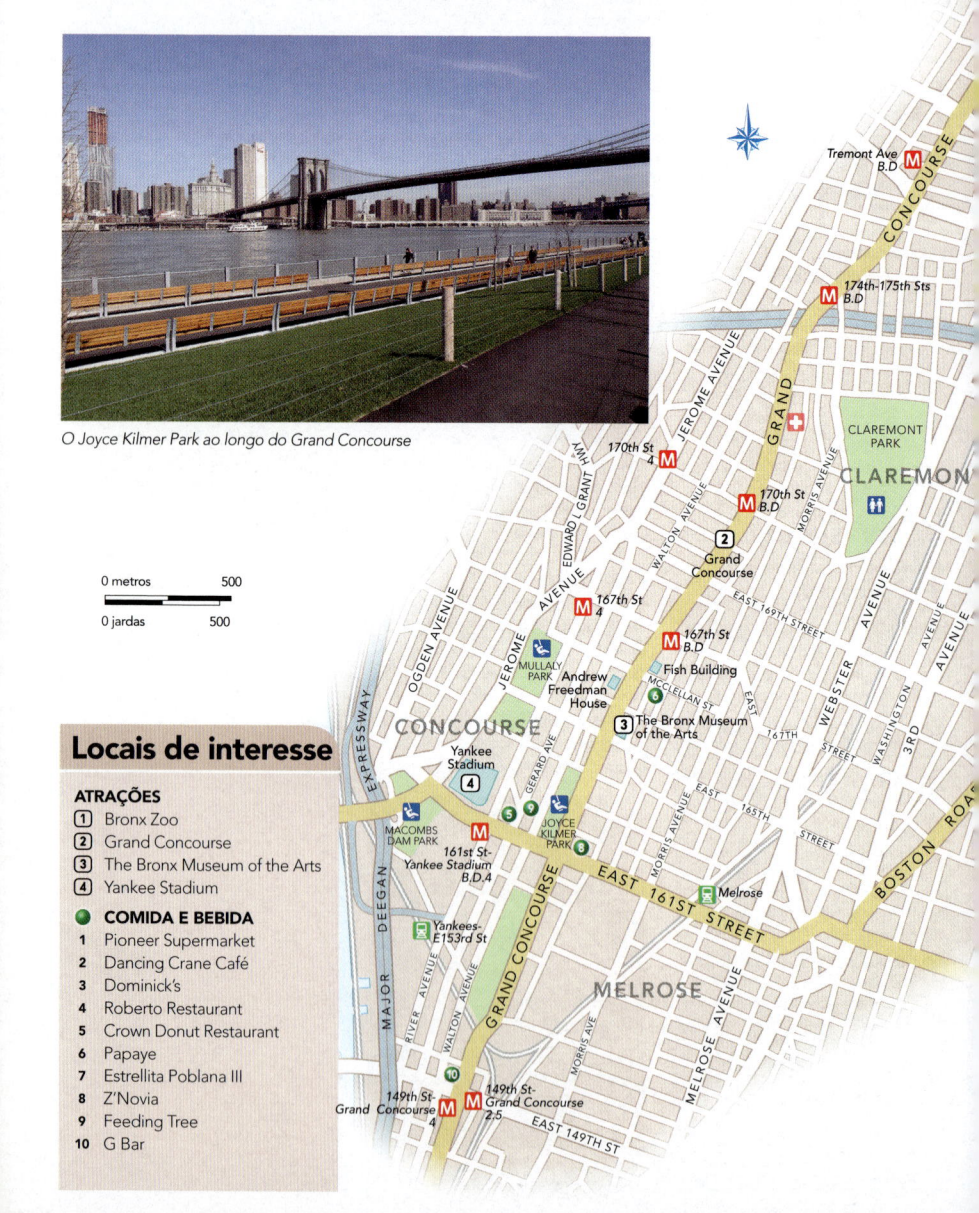

O Joyce Kilmer Park ao longo do Grand Concourse

Locais de interesse

ATRAÇÕES
1. Bronx Zoo
2. Grand Concourse
3. The Bronx Museum of the Arts
4. Yankee Stadium

COMIDA E BEBIDA
1. Pioneer Supermarket
2. Dancing Crane Café
3. Dominick's
4. Roberto Restaurant
5. Crown Donut Restaurant
6. Papaye
7. Estrellita Poblana III
8. Z'Novia
9. Feeding Tree
10. G Bar

Bronx Zoo e arredores | 235

Informações

🚗 **Metrô** B, D e 4 para paradas ao longo da Grand Concourse; 2 e 5 p/ Bronx Zoo **Ônibus** BxM11, Bx1, Bx2 e BxM4A

ℹ️ **Informação turística** NYC & Company, 810 Seventh Ave, 10019; 212 484 1200; www.nycgo.com

🛒 **Supermercado** Pioneer Supermarket, 2044 Boston Rd, Bronx,10460; 718 378 5007
Mercados Poe Park, entre Grand Concourse e 192nd St, Bronx, 10462; jul-nov: 8h-15h ter. Bronx Borough Hall Greenmarket, entre Grand Concourse e 161st St, Bronx, 10451; jun-nov: 8h-16h ter

🎌 **Festivais** Bronx River Festival, (meados jun). The Tour de Bronx, evento de ciclismo (out; www.tourdebronx.org)

➕ **Farmácia** Rite Aid, 1540 Grand Concourse, Bronx, 10457; 718 731 8733; 10h-20h seg-sex, 9h-18h sáb, 10h-17h dom

🛝 **Playgrounds** River Park Playground (p. 237). Joyce Kilmer Park, entre East 161st St e East 164th St, Bronx, 10452. Mullaly Park, Jerome Ave, entre 164th St e McClellan St, Bronx, 10452. Macombs Dam Park, entre River Ave, 157th St, 161st St e Major Deegan Expressway, Bronx, 11102

Tigres-siberianos em mata no Bronx Zoo

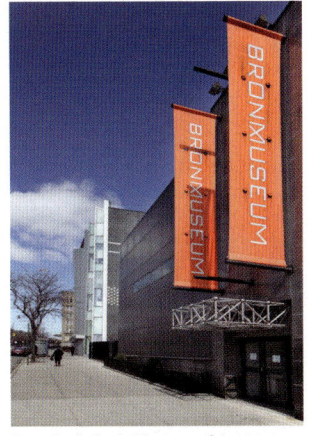

Entrada do Bronx Museum of the Arts, um marco cultural

① Bronx Zoo
Gorilas do Congo e baratas sibilantes

Maior parque zoológico urbano dos EUA, o Bronx Zoo foi aberto ao público em 1899. Gerido pela Wildlife Conservation Society, tem cerca de 4 mil animais de aproximadamente 650 espécies que, em sua maioria, vivem soltos em ambientes adequados. Entre os destaques estão partes nas quais os visitantes veem de perto tigres-siberianos e gorilas do Congo. Ande no monotrilho em meio a vários habitats asiáticos.

Voltas de camelo no zoo

Atrações

① **Congo Gorilla Forest** Andando na passagem envidraçada você vê os gorilas de perto em seu habitat.

② **Children's Zoo** As crianças podem alimentar cabras, subir ao ninho de uma ave e ver cangambás, raposas e corujas.

③ **Madagascar!** Crocodilos-do-nilo e baratas sibilantes dividem esse espaço com fossas (felinos) ferozes e quatro tipos de lêmure.

④ **Tiger Mountain** Essa seção recria o habitat no leste da Rússia dos tigres-siberianos. Apenas uma parede grossa de vidro separa os visitantes desses belos felinos.

⑤ **Himalayan Highlands** Fique de olho em pandas-vermelhos furtivos, grous e nos raros leopardos-das-neves nesse terreno montanhoso.

⑥ **African Plains** Essa ampla reconstituição de uma savana africana tem cercados ao ar livre com cães selvagens, guepardos, zebras-de-grévy, girafas e um bando de leões.

⑦ **Wild Asia Monorail** Espie elefantes e cavalos-de-przewalski correndo nessa área que enfoca o Leste Asiático.

⑧ **Jungle World** Não perca o raro binturongue, lontras e gibões nessa floresta tropical com partes secas e aquáticas.

Informações

- **Endereço** 2300 Southern Blvd, Bronx, 10460; 718 220 5197; www.bronxzoo.com
- **Metrô** 2 e 5 p/ West Farms Sq-E Tremont Ave **Ônibus** BxM11, Bx9 e Bx19
- **Aberto** Diariam; Children's Zoo e African Plains: abr-out
- **Preço** $56-66; taxa extra para algumas atrações; pague quanto quiser qua
- **Para evitar fila** Compre ingressos on-line no site do zoo para evitar as filas longas, em especial nos fins de semana de verão
- **Passeios guiados** Sim
- **Idade** Livre
- **Atividades** Passeios no Wild Asia Monorail, mai-out. Alimentação: leão-marinho 11h e 15h, pinguins 15h30; treinamento dos primatas 14h30 diariam; passeio de camelo; Bug Carousel (insetos no lugar dos cavalos); Bee-eater Buffet: 14h45, diariam na exibição World of Birds – os pássaros comem grilos vivos e crianças podem conversar com tratadores.
- **Duração** 3-5h
- **Cadeira de rodas** Sim
- **Cafés** Dancing Crane Café (p. 237); outros cafés e barracas abrem nos meses mais quentes por todo o zoológico
- **Lojas** Bronx Zoo Store; postos menores espalhados por todo o zoo
- **Banheiros** No Dancing Crane Café e perto das exibições Jungle World e Madagascar!

Bom para a família
Programa imperdível para famílias, o zoo tem excelentes habitats de animais, passeios e atrações tanto ao ar livre quanto em áreas fechadas.

Preços para família de 4 pessoas

Para relaxar

Uma quadra ao sul da entrada do Asia Gate fica o **River Park Playground** *(esq. da East 180th St com a Boston Rd, Bronx, 10460)*. Esse parque remodelado é excelente, com aspersores de água, uma rocha imensa para subir e uma gigantesca teia de aranha para escalar.

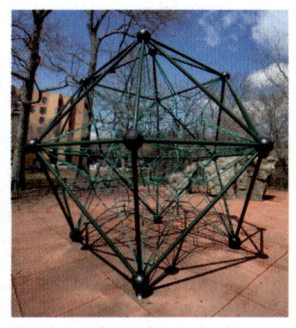

Teia de metal e corda para escalar, River Park Playground

Comida e bebida

Piquenique: até US$20; Lanches: US$20-35; Refeição: US$35-70; Para a família: mais de US$70 (base para 4 pessoas)

PIQUENIQUE Pioneer Supermarket *(2044 Boston Rd, Bronx, 10460; 718 378 5007)*, junto ao metrô na West Farms Square, vende frutas, bebidas e comidas de delicatessen. Daqui, vá ao River Park, na 180th Street, onde há áreas para piquenique e churrasqueiras de uso público.

LANCHES Dancing Crane Café *(2300 Southern Blvd, Bronx Zoo, Bronx, 10460; 718 367 1010)* não é um lugar empolgante, mas oferece hambúrgueres decentes, cachorros-quentes, fritas, saladas e bebidas.

REFEIÇÃO Dominick's *(2335 Arthur Ave, Bronx, 10458; 718 733 2807)* é uma instituição no bairro que muitos consideram a verdadeira Little Italy de Nova York. Serve porções fartas de comida italiana caseira.

PARA A FAMÍLIA Roberto Restaurant *(603 Crescent Ave, Bronx, 10458; 718 733 9503; www.roberto089.com)* é um italiano clássico perto da Arthur Ave que tem charme rústico e cozinha suntuosa. Massas caseiras, antepastos e pratos com vitela.

O interior rústico e acolhedor do Roberto Restaurant

Saiba mais

INTERNET O site interativo do zoo, www.bronxzoo.com, com vídeos e podcasts para baixar, dá uma boa noção sobre as mostras, tem curiosidades sobre os animais e informa os horários em que eles são alimentados.

FILME *Jim Knox's Wild Zoofari at the Bronx Zoo* é um documentário para crianças que mostra uma visita ao Bronx Zoo, com destaque para os gorilas da Congo Gorila Forest, um dos melhores habitats artificiais do mundo para grandes primatas.

Rockefeller Rose Garden, New York Botanical Garden

Se chover...

Há muitas áreas cobertas no zoo, a exemplo da Mouse House, com roedores de todas as formas e tamanhos, o fascinante World of Reptiles e o World of Birds, uma explosão ruidosa de cores.

Próxima parada...

NEW YORK BOTANICAL GARDEN Vizinho imponente do Bronx Zoo, o New York Botanical Garden *(pp. 230-1)* é repleto de flores e fauna. Como os dois lugares são enormes e demandam muita caminhada, é melhor visitá-los em dias separados.

CRIANÇADA!

Fique de olho

1 Entre os habitantes da zona Himalayan Highlands está um dos animais mais ameaçados de extinção do mundo. Que animal é esse?

2 Como se vê na mostra Madagascar!, há muitos animais que existem unicamente nessa ilha. Qual é a razão disso?

3 Se tiver a sorte de pegar uma sessão de treinamento dos tigres, você verá os animais se divertindo com brinquedos e tentanto descobrir como obter comida. Qual é a finalidade dessas sessões?

....

Respostas no fim do quadro.

CURIOSIDADE

Encontrados na área do Himalaia no Zoo, os pandas-vermelhos não têm ligação com os enormes pandas pretos e brancos da China. Na verdade, seu parente mais próximo é o guaxinim.

Cavalos selvagens

Os cavalos-de-przewalski – a única raça remanescente dos verdadeiros equinos selvagens – são diferentes dos cavalos domesticados. Com o nome do geógrafo e explorador russo Nikolai Przhevalsky, eles são nativos das estepes da Ásia Central e têm constituição forte e pernas mais curtas.

Respostas: 1 O leopardo-das-neves. **2** Separada da África há milhões de anos, a ilha de Madagascar tem ecologia singular, onde certas espécies conseguiram se desenvolver no isolamento. **3** A finalidade é envolver os tigres e estimular a mente deles.

② Grand Concourse

Tesouros art déco e saguões maravilhosos

Adequadamente chamado de Grand Concourse, o bulevar de 8km que se estende da 138th Street até o extremo norte do Bronx foi projetado em 1892 por Louis Risse, sob inspiração da Champs-Elysées de Paris, e aberto ao trânsito em 1906.

Alguns dos prédios residenciais e casas art déco mais excepcionais de Nova York foram construídos aqui entre as décadas de 1920 e 1940, no auge do Concourse. Embora seja uma sombra do que foi, o bulevar ainda merece uma visita pelas joias arquitetônicas remanescentes. Defronte ao Bronx Museum of the Arts fica sua residência mais imponente: a mansão de calcário de 1924 que era do milionário Andrew Freedman, construtor do metrô. Ele doou boa parte de sua fortuna para criar um asilo para idosos pobres na mansão, que hoje abriga um órgão de assistência social. Na esquina com a McClelland Place, duas quadras ao norte, no nº 1150, fica o edifício de apartamentos Grand Concourse, conhecido como "edifício dos peixes" devido ao mosaico de tema marítimo na entrada. Vale a pena ver seu saguão restaurado, que tem um terraço, murais pastorais e belas portas nos elevadores.

A Lorelei Fountain no Joyce Kilmer Park

Percorra as 23 quadras no norte do museu até o marcante **Loew's Paradise Theater**, no nº 2403 do Grand Concourse, perto da 188th Street, que foi o maior cinema de Nova York.

Para relaxar

Em frente ao nº 888 do Grand Concourse fica o **Joyce Kilmer Park** *(entre East 161st St e 164th St, Bronx, 10452)*. Aqui, a garotada pode procurar a estátua de Louis J. Heintz, que iniciou a construção do Grand Concourse, e a Lorelei Fountain, uma homenagem ao poeta alemão Heinrich Heine. O parque tem também um playground.

③ The Bronx Museum of the Arts

Arquitetura e arte surpreendentes

Esse museu acertou ao se autodenominar como "instituição cultural por excelência do Bronx", pois nenhum outro lugar no distrito é tão ligado a seu entorno quanto esse.

Galeria de arte contemporânea no Bronx Museum of the Arts

Seu foco é em arte contemporânea que tenha relevância para o distrito, seja devido a seus temas urbanos ou por ser criada por artistas locais com apreço pelo bairro. Todas as mostras são temporárias, o que dá muito dinamismo ao museu.

Embora fundada em 1971, a instituição só ganhou sede própria

Informações

- **Endereço** 1040 Grand Concourse, Bronx, 10456; 718 681 6000; www.bronxmuseum.org
- **Metrô** B e D p/ 167th St **Ônibus** Bx1, Bx2 e BxM4
- **Aberto** 11h-18h qui, sáb e dom; 11h-20h sex
- **Preço** Grátis
- **Passeios guiados** A pedidos. Na 1ª qua do mês, o Bronx Culture Trolley pega visitantes em vários pontos de arte no South Bronx, incluindo o Bronx Museum of the Arts (grátis; não há passeios em jan ou set). Entre e saia livremente do ônibus (17h30, 18h30 e 19h30; www.bronxarts.org.
- **Idade** A partir de 5 anos
- **Atividades** As tardes do Periodic Family Affair oferecem apresentações, visitas ao museu e oficinas para crianças entre 5-11 anos, com seus responsáveis; mais informações no site do museu
- **Duração** 1h
- **Cadeira de rodas** Sim
- **Comida e bebida** *Lanches* Estrellita Poblana III *(2328 Arthur Ave, 10458)* serve comida mexicana legítima. Conta com um cardápio infantil. *Refeição* Z'Novia *(888B Grand Concourse at 161st St, 10451; 718 585 5550)* serve comida sulista refinada perto do Yankee Stadium.
- **Banheiros** Em todos os andares nas asas norte e sul

Informações

- **Endereço** Grand Concourse, Bronx, entre 138th St e Mosholu Parkway
- **Metrô** B, D e 4 p/ 167th St **Ônibus** Bx1, Bx2 e BxM4
- **Idade** Livre
- **Duração** 1h
- **Comida e bebida** *Lanches* Crown Diner *(79 East 161st St, 10452; 718 538 0309)* é um diner popular mas que só aceita dinheiro, com café da manhã e almoço padrão; tem omeletes, waffles e hambúrgueres. *Refeição* Papaye *(196 McClellan St, 10456; 718 681 3240)* oferece autêntica cozinha de Gana, incluindo peixe, sopas, *fufu* de mandioca (pasta espessa de amido) e *omo tuo* (bolinhos de arroz cozido).
- **Banheiros** Dentro do Bronx Museum of the Arts

Preços para família de 4 pessoas

Bronx Zoo e arredores | 239

em 1982, quando se instalou em uma antiga sinagoga comprada para ela pela Prefeitura de Nova York. Em 2006, ganhou estupenda extensão projetada pela famosa firma de arquitetura Arquitectonica. Toda de vidro e aço, ela parece um origami feito às pressas. A excitante arte contemporânea, shows grátis de jazz nas noites de sexta-feira e programas periódicos bons para famílias criam interesse em vir para o norte.

Para relaxar

O **Mullaly Park** *(Jerome Ave até River Ave, entre 164th St e McClellan St, Bronx, 10452)* homenageia John Mullaly, o mentor do sistema de parques do Bronx. O complexo reformulado tem área para skate, aspersores de água, playground, rinque de patinação no gelo, campo de futebol e quadra de basquete, ou seja, agrada em cheio as famílias.

④ Yankee Stadium
A paixão pelo beisebol

Não se sabe se havia algo errado com o Yankee Stadium original, que foi inaugurado em 1923, mas o falecido dono dos Yankees, George Steinbrenner, fazia questão de uma nova arena. Seu desejo foi realizado com a abertura desse estádio em 2009, a um pulinho do anterior, o que parece ter dado sorte: os Yankees venceram a World Series de 2009. Se possível, veja um jogo aqui. Assistir a beisebol ao vivo, em meio ao público fanático e exuberante, é uma experiência eletrizante. Caso não seja possível, faça pelo menos uma visita guiada, passando pela Yankees Clubhouse, pelo Monument Park, que homenageia antigos jogadores, e pelo Yankees Museum, cuja Ball Wall contém centenas de bolas assinadas por jogadores do passado e atuais.

Para relaxar

Reconstruído em novo endereço para dar lugar ao novo Yankee Stadium, o **Macombs Dam Park** *(entre Jerome Ave e Major Deegan Expressway, Bronx, 11102)* tem playgrounds, campo de futebol e pista esportiva de alta tecnologia. O lugar também é perfeito para um piquenique antes de um jogo.

Informações

- **Endereço** 1 East com 161 St, Bronx, 10451; 718 293 4300; www.yankees.com
- **Metrô** B, D e 4 p/ 161st St-Yankee Stadium **Ônibus** Bx6 e Bx13
- **Aberto** Varia (mai-out)
- **Preço** $300 por jogo
- **Para evitar fila** Ingressos p/ jogo ou visita em www.yankees.com
- **Passeios guiados** Classic Tours: 12h-13h40; adultos $20; até 14 anos $15; menores de 4 grátis
- **Idade** Livre
- **Duração** 1h sem jogo; 3-4h com jogo
- **Cadeira de rodas** Sim
- **Comida e bebida** *Refeição* Feeding Tree (892 Gerard Ave, 10452; 718 293 5025) é um restaurante caribenho que serve frango jerk, bode ensopado e frutos do mar. *Para a família* G Bar (579 Grand Concourse, 10451; 718 402 6996) tem menu de brunch, frutos do mar frescos e massas no almoço e no jantar.
- **Banheiros** No estádio

CRIANÇADA!

Fique de olho

1 Um prédio no Grand Concourse tem o apelido de "edifício dos peixes" devido a um desenho marítimo em sua entrada. O desenho está inserido em que forma de arte?

2 Muitas casas e edifícios residenciais no Grand Concourse foram construídos em estilo art déco. Quais são os outros edifícios famosos em Nova York que têm esse estilo?

3 Onde fica a Ball Wall e por que ela é famosa?

....

Respostas no fim do quadro.

ÓRGÃO IMPORTANTE

O Loew's Paradise Theater era um dos cinco Wonder Theaters construídos na década de 1920. Essa denominação se devia ao órgão "Wonder", usado para as trilhas sonoras que acompanhavam os filmes mudos.

Mandinga do rival

Durante a construção do novo Yankee Stadium, um operário fã dos arquirrivais dos Yankees, os Boston Red Sox, enterrou uma camiseta do seu time sob o banco dos times visitantes para dar sorte. Depois ele foi obrigado a retirá-la.

....

Respostas: 1 Mosaico. **2** Os edifícios Chrysler, Empire State e Rockefeller Center. **3** No Yankee Stadium. A parede exibe bolas de beisebol assinadas por jogadores atuais e antigos dos Yankees.

O Yankee Stadium lotado para um jogo de beisebol

Piquenique até US$20; **Lanches** US$20-35; **Refeição** US$35-70; **Para a família** mais de US$70 (base para 4 pessoas)

Onde Ficar

Nova York oferece ampla variedade de hospedagem para famílias, incluindo opções econômicas, de luxo, hotéis-butique intimistas e diversos apartamentos mobiliados para estadas mais longas na cidade. Alguns hotéis aceitam crianças e têm pacotes especiais para famílias.

AGÊNCIAS
Abode Apartment Rentals
www.abodenyc.com
Manhattan Getaways
212 956 2010; www.manhattangetaways.com
Ambas as agências alugam apartamentos mobiliados para estadas curtas, desde quitinetes até imóveis com três quartos, o que dá mais privacidade a famílias.

Elegante salão no Ritz-Carlton Battery Park

Downtown: Lower Manhattan
HOTÉIS
Best Western Seaport Inn   Mapa 2 F3
33 Peck Slip, 10038; 212 766 6600; www.seaportinn.com; Metrô: 2 e 3
Esse hotel de 72 quartos perto do South Street Seaport (pp. 66-7) oferece café da manhã e Wi-Fi grátis e academia 24h. Menores de 12 anos ficam de graça no quarto dos pais. Os quartos com terraço têm banheira de hidromassagem e linda vista da Brooklyn Bridge (pp. 196-7).
$-$$

Cosmopolitan Hotel   Mapa 1 C2
95 West Broadway, 10007; 212 566 1900; www.cosmohotel.com; Metrô: A, C, 1, 2 e 3
Um dos hotéis mais antigos da cidade, o Cosmopolitan não é luxuoso, porém é limpo e tem móveis modernos, com preço compatível. A localização em uma esquina movimentada de Tribeca é ideal para andar em Downtown e pegar metrô para o norte da cidade.
$

DoubleTree by Hilton Hotel – Financial District   Mapa 1 D5
8 Stone St, 10013; 212 480 9100; www.doubletree3.hilton.com; Metrô: R, 4 e 5
Essa torre de 44 andares em Downtown abriu em 2010 e tem todas as comodidades desejáveis, incluindo TV de tela plana e MP3 players nos quartos. Famílias podem ficar em um quarto com duas camas de casal ou em uma suíte júnior com sofá-cama. Há berços e menu infantil.
$$-$$$

Duane Street Hotel   Mapa 1 C2
130 Duane St, 10013; 212 964 4600; www.duanestreethotel.com; Metrô: A, C, 1, 2 e 3
Minimalista é a palavra que define a decoração nesse hotel limpo e intimista de 43 quartos em Tribeca, onde as crianças podem emprestar livros da biblioteca na recepção. Os quartos, atraentes, têm plug-ins de iPod e Wi-Fi grátis. O hotel também disponibiliza iPads grátis.
$$

New York Marriott Downtown
Mapa 1 C4
85 West St, 10006; 212 385 4900; www.marriott.com; Metrô: R e 1
As tarifas são bem mais baratas que as de Midtown nesse hotel alto e elegante com 497 quartos. Sobretudo nos fins de semana, quando não há executivos. Entre as várias comodidades, há cofres, Wi-Fi, academia e serviço noturno. As lojas, restaurantes e o terraço fluvial do Brookfield Place/World Financial Center ficam perto, e o metrô, próximo, leva a Uptown.
$$

The Wall Street Inn   Mapa 1 D5
9 South William St, 10004; 212 747 1500; www.thewallstreetinn.com; Metrô: R
Uma alternativa a hotéis padrão em prédios no centro, esse hotel com 46 quartos e decoração clássica americana tem preço compatível. Embora não muito espaçosos, os quartos são bem equipados e dispõem de frigobares. O café da manhã é gratuito.
$$

Millennium Hilton   Mapa 1 C3
55 Church St, 10007; 212 693 2001; www3.hilton.com; Metrô: R, E e 4
A piscina aquecida coberta com vista para a cidade é um bom motivo para ficar nesse hotel com 569 quartos, que também oferece TVs grandes de tela de plasma e uma academia. O serviço de quarto inclui um menu infantil. Daqui dá para ir a pé a dezessete museus e atrações.
$$$

The Ritz-Carlton, Battery Park   Mapa 1 C5
2 West St, 10004; 212 344 0800; www.ritzcarlton.com; Metrô: 4 e 5
Esse hotel luxuoso oferece ursinhos, livros para colorir e um guia infantil sobre a cidade para as crianças. A localização, diante de um parque

Quarto no Millenium Hilton, com lindas vistas de Manhattan

junto ao rio, é ideal para a garotada ter espaço para brincar. A única desvantagem é a longa caminhada até o metrô.

🜛 ⇌ 🍽 $$$

Downtown: Chelsea, Meatpacking District e Gramercy Park

BED AND BREAKFAST
Inn on 23rd Mapa 8 C5
131 West 23rd St, entre Sixth Ave e Seventh Ave, 10011; 212 463 0330; www.innon23rd.com; Metrô: F, M e 1
Essa casa do século XIX reformada tem todos os confortos de uma estalagem campestre e serve o café da manhã na aconchegante biblioteca. Atraentes, os doze quartos comportam até três pessoas; famílias maiores podem reservar a suíte. Todos têm banheiro privativo. Wi-Fi grátis no salão de café da manhã.

🜛 ⇌ $-$$$

HOTÉIS
Chelsea Lodge Mapa 8 E6
318 West 20th St, entre Eighth Ave e Ninth Ave, 10011; 212 243 4499; www.chelsealodge.com; Metrô: C, E e 1
Em uma casa de tijolos remodelada com 22 quartos e decoração agradável, essa é uma opção econômica razoável. Os quartos, compactos, têm uma cama de casal, pia e chuveiro, e partilham o banheiro no saguão. Não há elevador.

🜛 ⇌ 🛏 $

Hotel 17 Mapa 9 C6
225 East 17th St, entre Second Ave e Third Ave, 10003; 212 475 2845; www.hotel17ny.com; Metrô: L, N, Q, R, 4, 5 e 6
Essa opção econômica básica com 120 quartos fica a curta distância da Union Square, do East Village (p. 82) e do Gramercy Park. Os quartos são limpos e bem arrumados. Os banheiros, compartilhados, ficam no saguão.

🜛 $

Larchmont Hotel Mapa 4 F2
27 West 11th St, entre Fifth Ave e Sixth Ave, 10011; 212 989 9333; www.larchmonthotel.com; Metrô: F e M
Embora careça de espaço e estilo,

esse hotel tem ótima localização no Greenwich Village (pp. 80-1). Suítes para famílias contam com banheiro privativo e café da manhã.

🜛 ⇌ 🛏 $

W New York – Union Square Mapa 9 A6
201 Park Ave South, entre 17th St e 18th St, 10003; 212 253 9119; www.whotels.com; Metrô: L, N, Q, R, 4, 5 e 6
Esse marco beaux-arts de 1911, transformado em um belo hotel contemporâneo, fica perto de muitas atrações da Union Square e de várias conexões de metrô. Os quartos têm cama com cabeceira, roupões e acesso à coleção de filmes em DVD.

🜛 🍽 $$-$$$

Quarto confortável no Hotel Gansevoort, Meatpacking District

Gansevoort Meatpacking NYC Hotel Mapa 3 D1
18 Ninth Ave com 13th St, 10014; 212 206 6700; www.hotel gansevoort.com; Metrô: A, C, E e L
Esse hotel luxuoso e badalado convida as famílias a se juntarem aos outros hóspedes na piscina na cobertura. Videogames, uma lancheira cheia de gostosuras e um cupcake são os mimos para as crianças.

🍽 E $$$

Gramercy Park Hotel Mapa 9 B5
2 Lexington Ave, entre 21st St e 22nd St, 10010; 212 920 3300; www.gramercyparkhotel.com; Metrô: 6
Reencarnação eclética e elegante do luxuoso hotel inaugurado em 1924. Os interiores são repletos de obras de arte, lustres grandes, tapeçaria, cortinas de veludo e uma paleta cromática renascentista com bordô e azul-escuro. Os quartos são de bom tamanho e os hóspedes têm chave para entrar no encantador Gramercy Park, privado, na vizinhança.

🜛 🐾 🍽 $$$

Standard, High Line Mapa 3 C1
848 Washington St com 13th St, 10014; 212 645 4646; www.standard hotels.com; Metrô: A, C, E e L
Instalado na High Line (pp. 86-7), esse hotel ultramoderno tem quartos com paredes de vidro e fácil acesso aos restaurantes e à vida noturna da área. É, porém, mais adequado a crianças maiores, e há um limite de três pessoas por quarto.

🜛 🍽 $$$

Downtown: Lower East Side

BED AND BREAKFAST
East Village Bed & Coffee Mapa 5 D2
110 Ave C, 10009; 917 816 0071; www.bedandcoffee.com; Metrô: L
Esse B&B econômico (sem café da manhã) não tem banheiros privativos, mas dois dos dez quartos comportam até três ou quatro pessoas. Cada andar possui cozinha equipada, computador com internet de banda larga grátis e impressora à disposição dos hóspedes. Caminhas com grades e carrinhos de bebê são fornecidos sob pedido.

🜛 ⇌ 🛏 $

HOTÉIS
Off SoHo Suites Mapa 5 B5
11 Rivington St, 10002; 212 979 9815; www.offsoho.com; Metrô: F e J
Modesto, porém confortável, esse hotel com ótima localização oferece suítes com cozinha completa e dois quartos para quatro pessoas. As habitações têm camas separadas ou queen-size; as salas de estar dispõem de sofá-cama queen-size. O melhor em termos de arte e gastronomia do Lower East Side fica a poucos passos de distância.

🜛 ⇌ 🛏 $-$$

St. Marks Hotel Mapa 4 H2
2 St. Marks Place, 10003; 212 674 0100; www.stmarkshotel.net; Metrô: 6
Limpo, despojado e sem elevador, esse hotel tem quartos razoáveis com banheiro privativo. O metrô fica a uma quadra de distância.

🚫 $

Categorias de preço
Faixas de preço para uma família de 4 pessoas por noite, incluindo serviços e taxas adicionais, na alta temporada.
$ menos de US$250; **$$** US$250-US$400; **$$$** acima de US$400

Legenda dos símbolos *na orelha da contracapa*

Onde Ficar

The Gem Hotel SoHo Mapa 5 B4
135 East Houston St, 10002; 212 358 8844; www.thegemhotel.com; Metrô: F
Esse hotel econômico de 45 quartos fica na orla do East Village e do badalado Lower East Side. Os quartos são básicos, mas dispõem de micro-ondas, cafeteira, frigobar, camas-boxe, roupões, artigos de toalete Gilchrist e Soames, Wi-Fi grátis e TV LCD de tela plana.
$

Cooper Square Hotel Mapa 5 A3
25 Cooper Square com Bowery, 10003; 212 475 5700; www.the coopersquarehotel.com; Metrô: 6
Uma novidade na dinâmica Bowery, essa torre esguia de 21 andares e 145 quartos tem decoração ultramoderna, um jardim encantador e uma biblioteca com lareira. Oferece Wi-Fi grátis, ingressos para uma academia e até assistentes pessoais para quem deseja ir às compras. Há também um computador para os hóspedes no saguão e iPods com conteúdo customizado. Dos quartos descortinam-se vistas fabulosas.
$$

Hotel on Rivington Mapa 5 C4
107 Rivington St, 10002; 212 475 2600; www.hotelonrivington.com; Metrô: F, J, M e Z
Paredes envidraçadas do teto ao chão com vistas espetaculares são a marca dos quartos nessa moderna torre de 21 andares, que denota a mudança vivida pelo Lower East Side e fica perto do East Village, de Nolita e de Chinatown. A garotada vai adorar os banheiros envidraçados com duchas a vapor e banheiras.
$$

Blue Moon Mapa 5 C5
100 Orchard St, 10002; 212 533 9080; www.bluemoon-nyc.com; Metrô: F, J, M e Z
O antigo e o novo se harmonizam nesse elegante hotel-butique de 22 quartos em um edifício do século XIX adaptado. As acomodações espaçosas, com nomes de celebridades dos anos 1920 e 1930, incluem quartos para famílias, com pé-direito alto, cama queen-size e sofá-cama com rodinhas. Oferece também Wi-Fi e café da manhã grátis. Todos os quartos têm estações de iPod.
$$$

Bowery Hotel Mapa 5 A3
335 Bowery, 10003; 212 505 9100; www.theboweryhotel.com; Metrô: F e 6
Projetado para se harmonizar com o velho bairro, esse hotel elegante exibe móveis retrô no saguão e uma varanda voltada para um gramado. Os quartos são arejados e têm janelões do teto ao chão. O limite é de duas pessoas por quarto. Há também academia e spa.
$$$

Midtown: East

HOTÉIS

Carlton Arms Mapa 9 B5
160 East 25th St, 10010; 212 679 0680; www.carltonarms.com; Metrô: 6
Esse hotel tem mais arte do que comodidade. Compactos e sem TV nem telefone, os 52 quartos dispõem de obras coloridas pintadas por diferentes artistas. Os quartos mais baratos não possuem banheiro próprio. Embora na categoria econômica, o hotel é muito charmoso.
$

O elegante hotel-butique Giraffe, na Park Avenue South

Gershwin Hotel Mapa 9 A4
7 East 27th St, entre Fifth Ave e Madison Ave, 10016; 212 545 8000; www.gershwinhotel.com; Metrô: N e R
Colorido e elegante hotel econômico, o Gershwin tem quartos de casal e suítes para famílias; um deles tem berço. O quarto com beliches comporta quatro pessoas e tem um banheiro de uso compartilhado.
$-$$

Ramada Eastside Mapa 9 B4
161 Lexington Ave, 10016; 212 545 1800; www.applecorehotels.com/ramada-eastside; Metrô: 6
Com 111 quartos, esse hotel de doze andares é boa opção econômica. Embora pequenos e antiquados, os quartos são limpos e têm camas confortáveis. Os hóspedes contam com Wi-Fi e ligações telefônicas grátis, jornais em dias de semana, TV de tela plana e café da manhã. Menores de 13 anos ficam de graça com os pais. Providencia caminhas com grades.
$

The MAve NYC Mapa 9 A4
62 Madison Ave com 27th St, 10016; 212 532 7763; www.themavehotel.com; Metrô: N, R e 6
A uma quadra do Madison Square Park (p. 83), num edifício encantador de cerca de 1902 com telhado de mansarda, o MAve (de Madison Ave) tem 72 quartos um tanto apertados, mas oferece Wi-Fi grátis e café da manhã. Animais de estimação são aceitos (com aviso prévio e um depósito de US$150).
$

O salão de refeições no Hotel on Rivington tem linda vista da cidade

Categorias de preço na p. 241

Downtown: Lower East Side – Midtown: East | 243

Affinia Dumont
Mapa 9 B3
150 East 34th St, 10016; 212 481 7600; www.affinia.com; Metrô: 6

Parte da rede Affinia, só de suítes, esse hotel dá ênfase à boa forma. Os hóspedes ganham "Experience Kits" para ioga, corrida e musculação, e há um spa interno. As suítes de um quarto para quatro pessoas são espaçosas e têm sofá-cama na sala de estar e cozinha completa.

$$

Affinia 50
Mapa 13 B5
155 East 50th St, 10022; 212 751 5710; www.affinia.com; Metrô: 6

Outro hotel só de suítes, oferece apartamentos de dois quartos com sala de refeições e cozinha completa. A localização em Midtown é prática, com conexões de metrô e ônibus por perto para circular na cidade. Há seis opções de travesseiros, desde os baixos e antialérgicos até os de espuma suecos, com memória de posições.

$$

Affinia Shelburne
Mapa 9 B2
303 Lexington Ave com 37th St, 10016; 212 689 5200; www.affinia.com; Metrô: 6

Belamente remodelado, o Shelburne tem quartos espaçosos com decoração moderna, porém sem cozinha completa. Nas suítes há copa com micro-ondas e geladeira. A localização na serena Murray Hill e o terraço no topo são outras atrações.

$$

Best Western PLUS Hospitality House
Mapa 13 B5
145 East 49th St, entre Third Ave e Lexington Ave, 10017; 212 753 8781; www.bestwesternnewyork.com; Metrô: 6

Nesse complexo reformado com 34 suítes de um e dois quartos todas as unidades têm cozinha completa e os hóspedes contam com cortesias como café da manhã completo, telefonemas locais, Wi-Fi e um computador. Há uma área de estar ao ar livre.

$$-$$$

Courtyard by Marriott New York Manhattan/Midtown East
Mapa 13 B5
866 Third Ave com 53rd St, 10022; 212 644 1300; www.marriott.com; Metrô: E e M

Travesseiros macios, colchões bons,

Suíte com quarto, sala de estar e quitinete no New York Palace

TV grande de tela plana, internet de banda larga grátis e geladeiras estão entre os confortos nos quartos desse hotel moderno em um prédio. As melhores habitações para famílias têm duas camas queen-size e um sofá-cama.

$$

Hotel Giraffe
Mapa 9 B4
365 Park Ave South com 26th St, 10016; 212 685 7700; www.hotelgiraffe.com; Metrô: 6

Bem iluminado, bonito, moderno e com um saguão espaçoso com sala de estar, o Giraffe tem quartos de bom tamanho com duas camas, estações de iPod, DVD players e TV de tela grande. Há berços disponíveis. Oferece ainda bufê de café da manhã grátis e queijos e vinhos à noite. Vale a pena optar por esse hotel ao sul de Midtown.

$$

Kimberly Hotel
Mapa 13 B5
145 East 50th St, entre Lexington Ave e Third Ave, 10022; 212 702 1600; www.kimberlyhotel.com; Metrô: E, M e 6

Pelo preço de um quarto comum de hotel, o Kimberly oferece suítes espaçosas com decoração tradicional. A maior delas conta com dois quartos com dois banheiros, sala de estar separada com sofá-cama queen-size, área de refeições e cozinha (sem fogão). Há também bar no topo e um lounge no 30º andar.

$$

King & Grove
Mapa 9 A4
29 East 29th St, entre Madison Ave e Park Ave, 10016; 212 689 1900; www.hotellolanyc.com; Metrô: 6

Essa construção de 1903 passou por uma elegante reforma de milhões de dólares em 2011. Entre as 276 acomodações, há quartos familiares e suítes júnior com sofás-cama e camas que se desdobram. TV de tela plana, conexão para iPod e luxuosos lençóis de algodão 300 fios.

$$

Marcel at Gramercy
Mapa 9 B5
201 East 24th St com Third Ave, 10010; 212 696 3800; www.themarcelatgramercy.com; Metrô: 6

O Marcel tem decoração elegante, com o bar Polar para relaxar às sextas e aos sábados. Há também um computador disponível com acesso grátis à internet. Daqui se pode ir a pé a atrações como o Flatiron Building (p. 82), o Soho, o Greenwich Village e Chelsea.

$$

New York Palace Hotel
Mapa 13 A5
455 Madison Ave com 50th St, 10022; 212 888 7000; www.newyorkpalace.com; Metrô: E e M

Hotel de luxo com quartos bem grandes, o Palace mima as crianças com livros para colorir, ursinhos, roupões, chinelos e DVD players. Talcos e loções para bebês, caminhas com grades, cadeirões e camas de armar são fornecidos sob pedido. Também oferece serviço de traslado grátis para os teatros da Broadway nos dias de semana. Considerando o ambiente elegante e as comodidades para adultos, o preço é excelente.

$$

Legenda dos símbolos na orelha da contracapa

244 | Onde Ficar

Roger Smith Hotel
Mapa 13 B6
501 Lexington Ave, entre 47th St e 48th St, 10017; 212 755 1400; www.rogersmith.com; Metrô: 6
Esse hotel com 130 quartos tem muitas obras de arte e decoração da Nova Inglaterra, sendo uma boa alternativa aos impessoais hotéis de rede. Os quartos contam com cafeteira e frigobar, além de TV a cabo e filmes para alugar. O bar na cobertura, aberto sazonalmente, apresenta instalações artísticas. **$$**

The InterContinental New York Barclay
Mapa 13 C6
111 East 48th St, 10017; 212 755 5900; www.intercontinental nybarclay.com; Metrô: 6
Hotel clássico dos anos 1920 modernizado, o Barclay é um oásis de serenidade. Seu pacote para fãs da boneca American Girl inclui um DVD, uma caminha da boneca. As suítes júnior são confortáveis para famílias, e geladeiras são fornecidas sob pedido. A Grand Central Terminal (pp. 100-1) fica por perto. **$$**

70 Park Avenue Hotel
Mapa 9 B2
70 Park Ave com 38th St, 10016; 212 973 2400; www.70parkave.com; Metrô: 4, 5, 6 e 7
Esse hotel de classe oferece às crianças o programa KimptonKids, que inclui um presente de boas-vindas, uma lista de atividades adequadas por perto, um kit com produtos de toalete e uma luz noturna. Berços são fornecidos sob pedido. **$$-$$$**

Waldorf Astoria
Mapa 13 B5
301 Park Ave com 50th St, 10022; 212 355 3000; www.waldorfastoria.com; Metrô: 6
Marco art déco, o Waldorf Astoria ocupa uma quadra inteira com 1.416 quartos, três restaurantes e dois lounges. Os hóspedes devem se vestir com esmero para circular pelas áreas comuns do hotel. Todos os quartos têm acesso à internet de banda larga, mas a decoração varia e pode decepcionar se comparada à do saguão, que é um dos mais majestosos da cidade. É muito chique se hospedar aqui. **$$-$$$**

The Alex Hotel
Mapa 13 C6
205 East 45th St, entre Second Ave e Third Ave, 10017; 212 867 5100; www.thealexhotel.com; Metrô: 4, 5, 6 e 7
Ideal para famílias, esse hotel tem suítes de dois quartos com camas king e queen-size, dois banheiros, duas TVs e DVD players. Todas as suítes contam com uma cozinha Poggenpohl. Caminhas com grades são fornecidas sob pedido. **$$**

Four Seasons Hotel
Mapa 13 B4
57 East 57th St, entre Madison Ave e Park Ave, 10022; 212 758 5700; www.fourseasons.com; Metrô: N, Q e R
Esse hotel moderno de 52 andares é a um só tempo minimalista e opulento. Alguns de seus quartos estão entre os maiores da cidade, e os banheiros são luxuosos. As mordomias incluem um closet enorme, TV no banheiro, chuveiro em box envidraçado e banheira que fica pronta em 60 segundos. **$$$**

Hotel Elysée
Mapa 13 A5
60 East 54th St, entre Madison Ave e Park Ave, 10022; 212 753 1066; www.elyseehotel.com; Metrô: E e M
É comum ver celebridades nesse elegante hotel-butique repleto de antiguidades, que abriga o lendário Monkey Bar. Os quartos são luxuosos e dão direito a café da manhã grátis, cookies, frutas, café e chá o dia todo, e queijos e vinhos à noite. Wi-fi grátis e ingressos para uma academia por perto também estão inclusos na diária. **$$$**

Library Hotel
Mapa 9 A1
299 Madison Ave com 41st St, 10017; 212 983 4500; www.libraryhotel.com; Metrô: 4, 5, 6 e 7
Hotel-butique singular cujos andares têm o nome de categorias do Sistema Decimal de Dewey: tecnologia, filosofia e artes. Os hóspedes contam com café da manhã grátis e um coquetel à noite, e têm acesso à sala de leitura repleta de livros, a um jardim e a um retiro de escritor com lareira. Só é permitida, porém, uma criança por suíte. Famílias maiores devem reservar quartos interligados. **$$$**

Omni Berkshire Place
Mapa 13 A5
21 East 52nd St com Madison Ave, 10022; 212 753 5800; www.omnihotels.com; Metrô: E e M
O programa especial do Omni para crianças abrange uma mochila repleta de jogos e livros e um menu ao gosto do paladar infantil. Nas proximidades das lojas na Fifth Avenue, o hotel também possibilita ir a pé à Broadway. **$$$**

Midtown: West

B&B E MOTÉIS

414 Hotel
Mapa 12 E6
414 West 46th St com Ninth Ave, 10036; 212 399 0006; www.414 hotel.com; Metrô: A, C e E
Uma boa surpresa nessa área movimentada, esse hotel de 22 quartos ocupa duas casas históricas separadas apenas por um pátio ajardinado. Café da manhã, Wi-Fi, iPod, iPhone e TV grande de tela plana estão inclusos na tarifa; os quartos melhores têm geladeira. Informe-se sobre pacotes para famílias. **$-$$**

O belo saguão de mármore no Four Seasons Hotel

Categorias de preço *na p. 241*

Midtown: East – Midtown: West | 245

Suíte no Hilton Garden Inn

Skyline Hotel
Mapa 11 D5
725 Tenth Ave com 49th St, 10019; 212 586 3400; www.skylinehotelny.com; Metrô: C e E
Único hotel em Midtown voltado para motoristas e com um estacionamento com taxa diária barata, o Skyline é próximo ao Theater District e tem uma grande piscina aquecida coberta no topo. Os quartos são espaçosos e contam com geladeira, TV de tela plana e Wi-Fi. A localização no oeste é um pouco distante, mas é fácil pegar ônibus para cruzar a cidade.
🛜 E ♿ $

HOTÉIS
Broadway@Times Square
Mapa 12 G6
129 West 46th St, entre Sixth Ave e Seventh Ave, 10036; 212 221 2600; www.applecorehotels.com; Metrô: B, D, F & M
Hotel econômico bom para famílias, com cortesias grátis como café da manhã, Wi-Fi, telefonemas nacionais, cafeteiras, cofres nos quartos, conexões para iPod, filmes sob pedido e videogames Nintendo para crianças.
🛜 E $

Hilton Garden Inn Times Square
Mapa 12 F6
790 Eighth Ave com 50th St, 10019; 212 581 7000; www.hiltongardeninn.hilton.com; Metrô: C
A boa localização e os quartos confortáveis estão entre as vantagens desse hotel. Os quartos são equipados com frigobar, cafeteira, micro-ondas e Wi-Fi grátis. Há também uma academia, um lounge na cobertura e um minimercado interno aberto 24 horas.
🛜 🍴 🍽 $

Hotel Edison NYC
Mapa 12 F6
228 West 47th St, entre Eighth Ave e Broadway, 10036; 212 840 5000; www.edisonhotelnyc.com; Metrô: N, Q e R
Com um mural no saguão, o art déco Edison é um velho favorito econômico. Pode-se optar por cama queen ou king-size nos quartos, pequenos mas elegantes. Tem academia, traslado para o aeroporto e pacotes com entrada para a Broadway.
🛜 🍽 $

New York Manhattan Hotel
Mapa 8 H3
6 West 32nd St, perto da Fifth Ave, 10001; 212 643 7100; www.applecorehotels.com; Metrô: B, D, M e N
Esse hotel de dezessete andares e 171 quartos não prima pelo espaço, mas é generoso nas cortesias: café da manhã, Wi-Fi e telefonemas grátis, caminhas com grades sob pedido e uma pequena academia. Menores de 13 anos ficam de graça no quarto dos pais, e as famílias também podem fazer compras na Macy's (p. 97), nas cercanias.
🛜 $

Salisbury Hotel
Mapa 12 G4
123 West 57th St, 10019; 212 246 1300; www.nycsalisbury.com; Metrô: F, N, Q e R
O Salisbury não é luxuoso, mas sua localização é de primeira classe. Os quartos, de tamanho decente, têm banheiro privativo, e muitos também dispõem de copa com cafeteira, micro-ondas e geladeira. O preço do café da manhã é uma verdadeira pechincha nessa área. Hospedagem gratuita para menores de 5 anos.
🍽 🍴 $

The Hotel @ Times Square
Mapa 12 G6
59 West 46th St, entre Fifth Ave e Sixth Ave, 10036; 212 719 2300; www.applecorehotels.com; Metrô: B, D, F e M
Essa opção econômica tem um saguão agradável e quartos de bom gosto, mas pequenos. Oferece gratuitamente café da manhã, Wi-Fi, telefonemas nacionais, cafeteiras, videogames Nintendo, filmes e TV de tela plana.
🛜 E $

Room Mate Grace Hotel
Mapa 12 G6
125 West 45th St, entre Sixth Ave e Seventh Ave, 10036; 212 354 2323; www.room-matehotels.com; Metrô: B, D, F e M
O Room Mate Grace Hotel é uma opção econômica com atmosfera jovial, decoração minimalista e piscina no saguão. Oferece café da manhã e Wi-Fi grátis e DVD players nos quartos. Caminhas com grades também são disponíveis. Os quartos com beliches são o que há de mais barato para famílias de quatro pessoas.
🛜 🍴 🐾 🍽 E ♿ $-$$

Shoreham Hotel
Mapa 12 H4
33 West 55th St, 10019; 212 247 6700; www.shorehamhotel.com; Metrô: E & F
Esse hotel moderno é equipado com detalhes de altíssimo nível. Entre os quartos, espaçosos, incluem-se uma cobertura, uma suíte junior e quartos com uma cama – todas as habitações são grandes o suficiente para acomodar uma família com crianças. O hotel fica perto do Museum of Modern Art (pp. 106-7).
🛜 🐾 🍽 $-$$$

414 Hotel, bem no meio de Midtown Manhattan

Affinia Manhattan
Mapa 8 F3
371 Seventh Ave com 31st St, 10001; 212 563 1800; www.affinia.com; Metrô: A, C, E, 1, 2 e 3
Os toques art déco de 1929 permanecem, mas o Affinia Manhattan foi belamente modernizado e oferece suítes com cozinha completa. Peça o kit para passeios a pé, composto por um iPod com orientações e um baralho para entreter as crianças.
🛜 🍽 🍴 $$

Legenda dos símbolos *na orelha da contracapa*

Onde Ficar

Algonquin Hotel   Mapa 8 G1
59 West 44th St, entre Fifth Ave e Sixth Ave; 10036; 212 840 6800; www.algonquinhotel.com; Metrô: B, D, F e M
Há charme histórico nesse marco literário com 174 quartos, o hotel há mais tempo em atividade em Nova York. O saguão mantém o clima de época. Famílias podem ficar em suítes com sofás-cama na sala de estar, duas TVs de tela plana e Wi-Fi grátis.
$$

Belvedere Hotel   Mapa 12 F6
319 West 48th St, entre Eighth Ave e Ninth Ave, 10036; 212 245 7000; www.belvederehotelnyc.com; Metrô: C e E
Nesse hotel elegante, todos os quartos têm uma cozinha com micro-ondas, geladeira e cafeteira.
$$

Best Western Plus President Hotel at Times Square   Mapa 12 F6
234 West 48th St, entre Broadway e Eighth Ave, 10036; 212 246 8800; www.bestwestern.com; Metrô: C, E, N, Q, R e 1
Bem no meio do Theater District, esse hotel de rede tem suítes com cama e sofá-cama queen-size por um preço pouco acima das tarifas econômicas. Os confortos incluem TVs de tela plana, Wi-Fi grátis e estações de iPod.
$$

DoubleTree Suites – Times Square   Mapa 12 F6
1568 Broadway, 10036; 212 719 1600; www3.hilton.com; Metrô: N, Q e R
Esse hotel só com suítes fica em meio à animação da Broadway. Toda suíte tem um quarto e uma sala de estar com sofá-cama duplo, TV, micro-ondas e frigobar. O restaurante interno oferece um menu infantil.
$$

DoubleTree Hotel Chelsea New York City   Mapa 8 G4
128 West 29th St, 10001; 212 564 0994; www3.hilton.com; Metrô: 1
Esse hotel de 26 andares e decoração moderna oferece quartos com os confortos de praxe, uma academia e um restaurante interno com menu infantil. Os quartos nos andares mais altos dão vista para o Empire State Building (pp. 94-5).
$$

Categorias de preço na p. 241

Eventi   Mapa 8 G4
851 Ave of the Americas, entre 29th St e 30th St, 10001; 212 564 4567; www.eventihotel.com; Metrô: N, R e 1
Prático para ir a Chelsea e Midtown, esse novo hotel-butique com 292 quartos oferece janelões do teto ao chão, roupas de cama Frette, obras de arte originais e uma confortável varanda no 5º andar, com queijos e vinhos à noite. O programa KimptonKids inclui presentes especiais e roupões com estampas de animais, assim como todos os equipamentos necessários para crianças pequenas.
$$

Hilton Times Square   Mapa 8 F1
234 West 42nd St, entre Broadway e Eighth Ave, 10036; 212 840 8222; www3.hilton.com; Metrô: A, C, N, Q, R, S, 1, 2, 3 e 7
As acomodações começam no 23º andar de um arranha-céu de 44 andares. Os quartos são espaçosos e têm vista impressionante. Embora a 42nd Street seja movimentada, o ruído é abafado pela altura. Fica próximo à Times Square (pp. 118-9).
$$

Hotel Metro   Mapa 8 H2
45 West 35th St, entre Fifth Ave e Sixth Ave, 10001; 212 947 2500; www.hotelmetronyc.com; Metrô: B, D, F, M, N, Q e R
Esse hotel cordial com 181 quartos é muito elogiado. Famílias contam com quartos interligados, e o farto bufê de café da manhã gratuito pode ser saboreado em uma biblioteca. Há Wi-Fi grátis, terraço na cobertura e academia de ginástica.
$$

Intercontinental New York Barclay   Mapa 8 F1
300 West 44th St com Eighth Ave, 10036; 212 803 4500; www.interconny.com; Metrô: A e C
Um dos hotéis mais novos no bairro, esse arranha-céu de vidro de 36 andares fica acima da Times Square. Os quartos são confortáveis e os banheiros têm box com chuveiro. Há uma convidativa sala de estar e restaurante com lareira falsa, academia 24h e guichê com ingressos de teatro.
$$

O opulento saguão revestido de carvalho do Algonquin

Mansfield Hotel   Mapa 8 H1
12 West 44th St, entre Fifth Ave e Sixth Ave, 10036; 212 277 8700; www.mansfieldhotel.com; Metrô: B, D, F, M e 7
Com 126 quartos, o gracioso hotel-butique Mansfield fica em um edifício de 1903 minuciosamente restaurado que mantém seus encantos originais. Os quartos são pequenos, mas confortáveis, e têm TV de tela plana. Conta com sala de ginástica, e a elegante biblioteca Club Room tem lareira, jogos de mesa e café grátis.
$$

Novotel   Mapa 12 F5
226 West 52nd St, entre Broadway e Eighth Ave, 10019; 212 315 0100; www.novotel.com; Metrô: B, C, D, E e 1
Nesse hotel, até dois menores de 16 anos ficam de graça no quarto dos pais e têm direito ao bufê de café da manhã, se acompanhados dos adultos. O saguão no 7º andar tem vista para a Times Square.
$$

Residence Inn by Marriott-New York Manhattan   Mapa 8 G2
1033 Sixth Ave, entre 38th St e 39th St, 10018; 212 768 0007; www.marriott.com; Metrô: B, D, F e M
Projetado para atrair executivos em estadas longas, esse hotel também é bom para famílias. Os apartamentos têm cozinha com micro-ondas, geladeira, cafeteira e lavadora de louça, assim como panelas, pratos e talheres. As tarifas incluem Wi-Fi grátis e bufê de café da manhã.
$$

Midtown: West | 247

Renaissance New York Hotel Times Square Mapa 12 G6
Two Times Square, 714 Seventh Ave com West 48th St, 10036; 212 765 7676; www.marriott.com/renaissance hotels; Metrô: N, Q e R

É difícil achar localização melhor, bem no meio da Times Square, assim como vistas tão deslumbrantes quanto as do lounge e de alguns quartos. Esse hotel elegante tem quartos com isolamento acústico, TVs grandes de tela plana e CD players, e disponibiliza berços.

$$

Área de estar ao ar livre no Peninsula New York

The Muse New York Mapa 12 G6
130 West 46th St, entre Sixth Ave e Seventh Ave, 10036; 212 485 2400; www.themusehotel.com; Metrô: B, D, M e F

Com 200 quartos, o Muse, da rede Kimpton, tem um toque fantasioso e quartos luxuosos com colchões de plumas de ganso, lençóis Frette, TVs de 37" e roupões com estampas de animais para adultos e crianças. Oferece os mimos KimptonKids, incluindo presente de boas-vindas.

$$

The Jewel Facing Rockefeller Center Mapa 12 H5
11 West 51st St, 10019; 212 863 0550; www.thejewelny.com; Metrô: B, D, E, F e M

Com ótima localização, voltada para o Rockefeller Center (pp. 112-3), preços razoáveis e suítes modernas com quitinete, o Jewel é uma opção excelente para famílias. Oferece gratuitamente Wi-Fi e computadores e impressoras, além de descontos para atrações nas proximidades. A maioria dos quartos tem paredes envidraçadas do teto ao chão; alguns contam com vistas fantásticas da St Patrick's Cathedral (p. 114).

$$

A imponente fachada do Plaza Hotel

Le Parker Meridien Mapa 12 G4
119 West 56th St, 10019; 212 245 5000; www.parkermeridien.com; Metrô: F, N, Q e R

A grande piscina coberta no topo e uma hamburgueria no saguão justificam a estada nesse hotel. Quando disponível, o pacote Family Fun inclui uma suíte júnior, sessões de spa. Os quartos têm TVs grandes de tela plana e Wi-Fi grátis.

$$$

The Plaza Hotel Mapa 12 H3
768 Fifth Ave com Central Park South, 10019; 212 759 3000; www.fairmont.com/theplaza; Metrô: N, Q e R

A *grande dame* de Nova York perdeu um pouco de seu lustro histórico com a reforma de US$450 milhões que eliminou quartos e dependências anexas, mas mantém o fabuloso Palm Court para o chá da tarde. Os quartos têm confortos luxuosos à altura do preço, como por exemplo tablets sem fio que controlam as cortinas, a iluminação, o som e a TV.

$$$

The Westin New York at Times Square Mapa 8 F1
270 West 43rd St e Eighth Ave, 10036; 212 201 2700; www.westinny.com; Metrô: A, C, E, N, Q, R, 1, 2, 3 e 7

O sofisticado Westin oferece 873 quartos com TVs de tela plana, estações de iPod e cafeteiras. As crianças recebem mochilas repletas de brinquedos e "instrumentos" para ajudá-las a desfrutar a cidade.

$$-$$$

London NYC Mapa 12 G5
151 West 54th St, entre Sixth Ave e Seventh Ave, 10019; 866 690 2029; www.thelondonnyc.com; Metrô: B, D, E, M, N, Q e R

O London tem áreas de estar espaçosas em todos os quartos e todas as mordomias. Os dois restaurantes daqui são comandados pelo renomado chef britânico Gordon Ramsay. As tarifas são caras, pois famílias de quatro pessoas têm de se hospedar em dois quartos. Quando há promoções, essa é uma ótima escolha.

$$$

Peninsula New York Mapa 12 H4
700 Fifth Ave com 55th St, 10019; 212 956 2888; www.peninsula.com; Metrô: E e M

Entre os luxos desse hotel estão piscina coberta e terraço ao ar livre. A acolhida calorosa para crianças inclui roupões, DVDs, livros e sugestões de programas especiais. Suítes e quartos interligados são ótimos para famílias que podem pagar por isso.

$$$

Warwick New York Hotel Mapa 12 G4
65 West 54th St com Sixth Ave, 10019, 212 247 2700; www.warwickhotelny.com; Metrô: F

Frequentado desde 1926 por astros como Cary Grant e Elvis Presley, o Warwick tem quartos grandes e suítes. Famílias ficam em quartos com duas camas de casal, e camas de armar extras são fornecidas sob pedidos.

$$$

Legenda dos símbolos na orelha da contracapa

Quarto elegante no Hotel Wales

Upper East Side

BED AND BREAKFAST

Gracie Inn — Mapa 16 G5
502 East 81st St, 10028; 212 628 1700; www.gracieinnhotel.com; Metrô: 6
Residência de cem anos transformada em uma pousada aconchegante, a Gracie tem preço acessível – inclusive nas pequenas suítes duplex com deque solar privado na cobertura. Todos os quartos contam com banheiro próprio e Wi-Fi grátis. O café da manhã também pode ser servido na cama. As suítes têm quitinete, e outra vantagem para famílias é o Carl Schurz Park, por perto.
S-$$

HOTÉIS

Affinia Gardens — Mapa 13 C2
215 East 64th St, entre Second Ave e Third Ave, 10065; 212 355 1230; www.affinia.com; Metrô: F
Uma boa opção para famílias, esse hotel oferece suítes com um quarto e cozinha. Para as crianças, há jogos de tabuleiro, livros para colorir e giz de cera, entre outros atrativos, por meio do serviço e-concierge, disponível aos hóspedes. Também conta com um salão de chá grátis.
$$

Courtyard by Marriott New York Manhattan/Upper East Side — Mapa 16 G3
410 East 92nd St com First Ave, 10128; 212 410 6777; www.marriott.com; Metrô: 6
A piscina coberta de 15m e o Carl Schurz Park, a poucos minutos de carro, com um caminho junto ao rio e playgrounds, são boas razões para se hospedar nesse hotel básico com 226 quartos em um prédio. Casais com crianças pequenas podem apreciar essa opção, embora não haja estação de metrô por perto.
$$

Hotel Wales — Mapa 16 E3
1295 Madison Ave, entre 92nd St e 93rd St, 10128, 212 876 6000; www.hotelwalesnyc.com; Metrô: 6
Basta entrar no Wales para se imaginar em um pequeno hotel europeu. Embora um tanto antiquado e bizarro, o hotel tem um certo charme e quartos de vários tamanhos. Famílias podem ficar em suítes com sofás-cama na sala de estar e duas TVs. Há um terraço na cobertura.
$$

The Carlyle — Mapa 16 E6
35 East 76th St, entre Park Ave e Madison Ave, 10021; 212 744 1600; www.thecarlyle.com; Metrô: 6
Não há hotel mais exclusivo do que o Carlyle, um gracioso refúgio antigo com 188 quartos. No entanto, é muito adequado para famílias, pois seu programa through "Rose Buds for Children" disponibiliza monitores para bebês, berços, roupões infantis, mesas para trocar fraldas e um menu infantil no serviço de quarto e no restaurante. Espere suítes espaçosas com decoração tradicional e uma conta final salgada.
$$$

Loews Regency — Mapa 13 B3
540 Park Ave com 61st St, 10065; 212 759 4100; www.loewshotels.com/en/Regency-Hotel; Metrô: N, Q e R
Hotel de alto luxo, o Loews Regency é conhecido localmente pelos "cafés da manhã de negócios", mas, como todos os hotéis da rede, recebe as famílias com presentes e pacotes com até 50% de desconto para um segundo quarto. Há também um menu infantil e jogos à disposição. A localização é excelente, tranquila e próxima a Midtown.
$$$

Upper West Side

HOTÉIS

Marrakech Hotel — Mapa 15 B2
2688 Broadway com 103rd St, 10025; 212 222 2954; www.marrakechhotelnyc.com; Metrô: 1
A decoração mourisca não encobre o fato de que essa é uma opção econômica básica um tanto descuidada e sem elevador. Os quartos são pequenos, mas têm banheiro próprio, encontra-se Wi-Fi grátis no saguão, o bairro é bom e há uma estação de metrô na esquina.
$

The Milburn Hotel — Mapa 15 B6
242 West 76th St, entre Broadway e West End Ave, 10023; 212 362 1006; www.milburnhotel.com; Metrô: 1
Há muitos pontos positivos nesse hotel econômico, onde as suítes para famílias têm quitinete com pia, micro-ondas, geladeira, pratos e talheres. Além de Wi-Fi, os hóspedes também usam gratuitamente a piscina e uma academia a uma quadra de distância.
$

Hotel Newton — Mapa 15 B3
2528 Broadway, 10025; 212 678 6500; www.thehotelnewton.com; Metrô: 1, 2 e 3
Até os quartos padrão são equipados com frigobar, micro-ondas e cafeteira nesse hotel econômico de 105 quartos e suítes com quitinete. A decoração é datada e não há muito espaço, mas os quartos são limpos. O metrô fica bem perto.
$

Hotel Belleclaire — Mapa 15 B6
250 West 77th St, entre Broadway e West End Ave, 10024; 212 362 7700; www.hotelbelleclaire.com; Metrô: 1
Em uma área residencial tranquila no West Side, esse hotel tem acomodações modestas, porém atraentes, incluindo suítes para famílias. Wi-Fi e café grátis, TVs HD, estações de iPod e uma academia estão entre

O salão de refeições no Mandarin Oriental Hotel

as comodidades. Boas opções de transporte por perto.

🚇 $-$$

The Excelsior Hotel   Mapa 15 C5
45 West 81st St, entre Central Park West e Columbus Ave, 10024; 212 362 9200; www.excelsiorhotelny.com; Metrô: B e C

Defronte ao American Museum of Natural History (pp. 174-5) e próximo ao Central Park, o Excelsior tem um clima residencial antigo e boas tarifas para quartos de tamanho decente. Bem localizado, há metrôs para Downtown logo na esquina.

🚇 🍴 $-$$

Hotel Beacon   Mapa 15 B6
2130 Broadway com 75th St, 10023; 212 787 1100; www.beaconhotel.com; Metrô: 1, 2 e 3

As suítes para até quatro pessoas nesse conhecido hotel de 260 quartos têm tamanho bom, móveis modernos, sala de estar com sofá-cama e quinete com fogão, micro-ondas e cafeteira. Algumas das melhores mercearias finas da cidade e meios de transporte ficam por perto. No geral, ótimo custo-benefício.

🚇 🚌 🛏 $$

The Lucerne   Mapa 15 B5
201 West 79th St com Amsterdam Ave, 10024; 212 875 1000; www.thelucernehotel.com; Metrô: 1

Edifício clássico de 1904 reformado para mesclar o charme tradicional com acomodações modernas, tem 200 quartos confortáveis com banheiros de mármore e suítes dotadas de dois quartos e quinete com geladeira, micro-ondas e louças finas. Jogos Nintendo, estação de iPod e TVs de tela plana estão presentes em todos os quartos. Atendimento

24h, tratamentos no spa interno e Wi-Fi grátis. O American Museum of Natural History e o Central Park ficam perto.

🚇 🚌 🛏 🍴 $$

Empire Hotel   Mapa 12 E3
44 West 63rd St, 10023; 212 265 7400; www.empirehotelnyc.com; Metrô: 1

Com 423 quartos, o Empire tem um elegante saguão. Há Wi-Fi grátis e uma academia de ginástica interna. A piscina ao ar livre é deliciosa no verão. A localização próxima ao Columbus Circle é prática para usar os meios de transporte.

🚇 🍴 E ♿ $$-$$$

Mandarin Oriental Hotel   Mapa 12 F3
80 Columbus Circle com 60th St, 10023; 212 805 8800; www.mandarinoriental.com; Metrô: A, B, C, D e 1

Famílias que podem arcar com a conta alta são acolhidas calorosamente nesse hotel modernista de cinco estrelas com vistas imbatíveis da cidade. As crianças recebem mimos de boas-vindas ou artigos de toalete. É possível solicitar livros para colorir, lápis, DVDs, videogames, cadeirões e carrinhos de bebê, sujeitos à disponibilidade no momento. Caminhas com grades e de armar são grátis.

🏊 🍴 E ♿ $$$

Arredores de Manhattan
HOTÉIS

Holiday Inn Long Island City – Manhattan View
39-05 29th St, Long Island City,

Queens, 11101; 718 707 3700; www.holidayinn.com; Metrô: N e Q

A decoração é típica da rede Holiday Inn, mas as tarifas são boas e as vistas da cidade são ótimas. Menores de 12 anos comem de graça no restaurante interno, e a academia de ginástica é outra atração. O metrô para Manhattan fica a um quarteirão. Para quem está de carro, o estacionamento daqui também é mais barato, porém limitado.

🚇 🍴 ♿ $

Ravel Hotel
8-08 Queens Plaza South, Long Island City, Queens, 11101; 718 289 6101; www.ravelhotel.com; Metrô: F

Com 63 quartos, o moderno Ravel acomoda famílias em apartamentos grandes com duas camas queen-size e banheiros com duchas e banheiras. Em sua maioria, os quartos têm sacada voltada para Manhattan. Traslados grátis levam os hóspedes a estações de metrô que agilizam a ida a Midtown.

🚇 🍴 $

Marriott New York at the Brooklyn Bridge
333 Adams St, Brooklyn, 11201; 718 246 7000; www.marriott.com; Metrô: A, C, F, R, 2, 3, 4 e 5

A piscina coberta, o estacionamento barato e um guichê da TKTS por perto com ingressos para shows na Broadway são boas razões para atravessar o rio East. Há vários metrôs por perto e dá para cruzar a pé a Brooklyn Bridge até Manhattan.

🚇 🏊 🍴 ♿ $$

Deque com piscina e lindas vistas no Empire Hotel

Legenda dos símbolos *na orelha da contracapa*

Vista aérea de parte do Central Park, cercado por arranha-céus.

NOVA YORK

Mapas

Mapas de Nova York

O mapa abaixo mostra a divisão das dezenove páginas de mapas desta seção, assim como as áreas principais cobertas na parte de atrações turísticas do guia. O quadro com o mapa menor à direita exibe a Grande Nova York e a área coberta no capítulo Arredores de Manhattan.

0 quilômetros 2
0 milhas 2

1 quilômetro = 0,621 milha
1 milha = 1,609 quilômetro

1 metro = 1,094 jarda
1 jarda = 0,914 metro

Detalhe no mapa 1

Arredores de Manhattan
pp. 190-239

LEGENDAS DOS MAPAS 1-19

- ■ Atração turística
- ■ Local de interesse
- ■ Outra atração
- 🚆 Estação de trem
- 🚌 Terminal rodoviário
- Ⓜ Estação de metrô
- Parada de ônibus fluvial
- ⛴ Terminal de balsas
- 🚁 Heliporto
- 🅿 Banheiros
- ℹ Informação turística
- 🚓 Delegacia
- Playground
- Rodovia
- Rua para pedestres
- Ferrovia

MAPAS 1-14
0 metros — 200
0 jardas — 200

MAPA 19
0 metros — 750
0 jardas — 750

MAPAS 15-18
0 metros — 200
0 jardas — 200

1
A
B
C
D
4
1
2
3
4
5
6
PIER 28
PIER 27
PIER 26
PIER 25
PIER 21
PIER A
Hudson River
TRIBECA
LOWER MANHATTAN
BATTERY PARK CITY
WHITE STREET
BEACH ST
FINN SQUARE
Franklin St 1
FRANKLIN STREET
NORTH MOORE
FRANKLIN
LEONARD STREET
BENSON ST
LAFAYETTE ST
CATHERINE LANE
WORTH STREET
HUDSON STREET
GREENWICH STREET
Independence Plaza
HARRISON STREET
STAPLE ST
JAY STREET
THOMAS STREET
TRIMBLE PLACE
THOMAS PAINE PARK
Manhattan Community College
DUANE ST
DUANE PARK
DUANE STREET
PACE PLAZA
ELK ST
WEST STREET
WASHINGTON MARKET PARK
READE STREET
Chambers St A.C
Surrogate's Court/Hall of Records
CHAMBERS STREET
Chambers St 1.2.3
Chambers St J.Z
NELSON A. ROCKEFELLER PARK
Old NY County Courthouse
WARREN STREET
RIVER TERRACE
TEARDROP PARK
City Hall
MURRAY STREET
MURRAY ST
Park Place 2.3
City Hall R
Brooklyn Bridge-City Hall 4.5.6
PARK PLACE
NORTH END AVENUE
CITY HALL PARK
Pace University
PARK ROW
Woolworth Building
BARCLAY STREET
ST PETER'S ST
BEEKMAN ST
Irish Hunger Memorial
Federal Office
US Post Office
Battery Park City Ferry Terminal
VESEY STREET
World Trade Center E
THEATRE ALLEY
ANN STREET
St Paul's Chapel
World Financial Center
Fulton St A.C.4.5
FULTON STREET
Fulton St J.Z
Sony Tower
DEY ST
Memorial Museum
Cortlandt St R
JOHN STREET
DUTCH ST
NASSAU STREET
North Cove Yacht Harbor
National September 11 Memorial
CORTLANDT ST
Federal Reserve Bank of New York
BROADWAY
CHURCH STREET
LIBERTY STREET
ZUCCOTTI PARK
Chamber of Commerce
CEDAR STREET
American Stock Exchange
Chase Manhattan Bank
THAMES ST
TRINITY PLACE
WILLIAM STREET
ALBANY STREET
WASHINGTON STREET
Wall St 4.5
Federal Hall
PINE
Trinity Church
CARLISLE STREET
WALL ST
Broad St J.Z
Wall St 2.3
RECTOR PLACE
RECTOR STREET
Rector St 1.R
EXCHANGE PLACE
SOUTH END AVENUE
Bank of New York
LIBERTY PLAZA
EXCHANGE ALLEY
WEST THAMES STREET
J P WARD STREET
NEW STREET
BROAD STREET
THIRD PLACE
LITTLE WEST STREET
BEAVER STREET
MARKETFIELD STREET
SOUTH WILLIAM ST
Cunard Building
South Cove
SECOND PLACE
MORRIS STREET
INTERNATIONAL PLAZA
WESTERN UNION
BOWLING GREEN
STONE ST
Downtown Athletic Club
Bowling Green 4.5
FIRST PLACE
BRIDGE ST
PEARL ST
MOORE ST
Museum of Jewish Heritage
Skyscraper Museum
BATTERY PL
National Museum of the American Indian
STATE ST
WHITEHALL ST
WATER ST
Battery Plaza
BATTERY PARK
Whitehall R
Castle Clinton National Monument
Shrine of Elizabeth Ann Seton
Liberty and Ellis Island Ferry terminal
SOUTH FERRY PLAZA
South Ferry 1
Brooklyn-Battery Tunnel
US Coast Guard
Staten Island Ferry
Battery Maritime Building
Hudson River
LOWER MANHATTAN
East River
NEW JERSEY
Ellis Island Immigration Museum
GOVERNORS ISLAND
LIBERTY ISLAND
Statue of Liberty
Staten Island
Upper Bay
BROOKLYN

E
F
G
H
2
5
1
2
3
4
5
6
CHINATOWN
Confucius Plaza
NYC Dept of Ports & Terminals
PIER 35
RUTGERS PARK
Knickerbocker Village
Police Headquarters
Manhattan Bridge
East River
SOUTH STREET VIADUCT
R F WAGNER SR PLACE
ST. JAMES PLACE
MAIN STREET PARK
Southbridge Towers
Brooklyn Bridge
Fulton Ferry Water Taxi Landing
EMPIRE-FULTON FERRY PARK
Jacques Torres Chocolate Shop
DUMBO
TITANIC MEMORIAL PARK
South Street Seaport
Pier 17
PIER 18
PIER 17
Seaport Museum
Brooklyn Ice Cream Factory
PIER 15
PIER 1
BROOKLYN BRIDGE PARK
PIER 14
PIER 13
BROOKLYN HEIGHTS
New York City Police Museum
Pier 11 / Wall Street Ferry Terminal
PIER 2
PIER 9
PIER 3
Downtown Manhattan Heliport
PIER 6
PIER 4
PIER 5
BROOKLYN – QUEENS EXPRESSWAY 278
BROOKLYN HEIGHTS PROMENADE
FURMAN STREET
PIERREPONT ST
MONTAGUE ST
REMSEN STREET
GRACE COURT

Map 3 — Hudson River Piers / Meatpacking District

Grid references: A–D (columns), 1–6 (rows)

Labels visible on map

- Port Authority Building (D)
- 14th St–Eighth Ave A.C.E.L M
- WEST 14TH STREET
- THE HIGH LINE
- WEST 14TH STREET PARK
- West 15th Street
- West 13th Street
- The Meatpacking District
- Little West 12th Street
- Gansevoort Street
- Horatio Street
- Jane Street
- West 12th Street
- Bethune Street
- Bank Street
- West 11th Street
- Perry Street
- Charles Street
- Charles Lane
- West 10th Street
- Weehawken Street
- Barrow Street
- Morton Street
- Leroy Street
- Washington Street
- Greenwich Street
- Hudson Street
- Eighth Avenue
- Abingdon Square
- West Street
- Bloomfield Street
- Trapeze School
- Hudson River Park
- Hudson River
- Holland Tunnel

Piers
- Pier 57
- Pier 54
- Pier 53
- Pier 52
- Pier 51
- Pier 50
- Pier 46
- Pier 45
- Pier 40
- Pier 34
- Pier 32

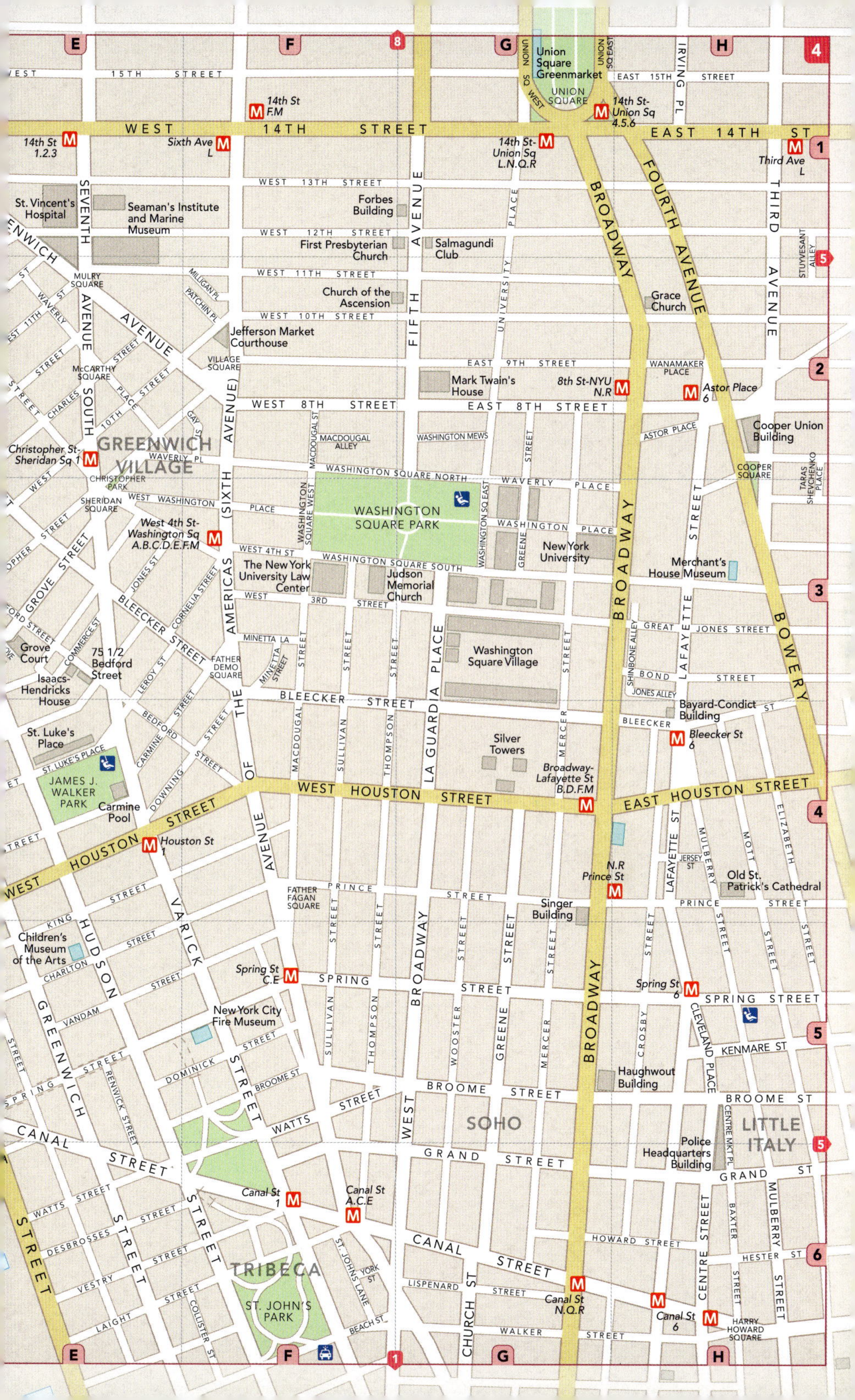

E
F
G
H
4
Union Square Greenmarket
UNION SQUARE
UNION SQ WEST
UNION SQ EAST
IRVING PL
EAST 15TH STREET
15TH STREET
14th St F.M
14th St-Union Sq 4.5.6
WEST 14TH STREET
EAST 14TH ST
14th St 1.2.3
Sixth Ave L
14th St-Union Sq L.N.Q.R
Third Ave L
1
WEST 13TH STREET
Forbes Building
St. Vincent's Hospital
Seaman's Institute and Marine Museum
SEVENTH
WEST 12TH STREET
First Presbyterian Church
Salmagundi Club
FIFTH AVENUE
UNIVERSITY PLACE
BROADWAY
FOURTH AVENUE
THIRD AVENUE
STUYVESANT ALLEY
5
MULRY SQUARE
WEST 11TH STREET
Church of the Ascension
MILLIGAN PL
PATCHIN PL
WEST 10TH STREET
Grace Church
Jefferson Market Courthouse
VILLAGE SQUARE
AVENUE SOUTH
McCARTHY SQUARE
EAST 9TH STREET
WANAMAKER PLACE
2
Mark Twain's House
8th St-NYU N.R
Astor Place 6
WEST 8TH STREET
EAST 8TH STREET
MACDOUGAL ST
MACDOUGAL ALLEY
WASHINGTON MEWS
ASTOR PLACE
Cooper Union Building
GREENWICH VILLAGE
Christopher St-Sheridan Sq 1
WAVERLY PL
CHRISTOPHER PARK
WASHINGTON SQUARE NORTH
WAVERLY PLACE
COOPER SQUARE
TARAS SHEVCHENKO PLACE
SHERIDAN SQUARE
WEST WASHINGTON PLACE
WASHINGTON SQUARE PARK
WASHINGTON SQUARE WEST
WASHINGTON SQ EAST
WASHINGTON PLACE
West 4th St-Washington Sq A.B.C.D.E.F.M
WEST 4TH ST
New York University
GREENE STREET
Merchant's House Museum
WASHINGTON SQUARE SOUTH
The New York University Law Center
Judson Memorial Church
GROVE STREET
JONES ST
CORNELIA STREET
AMERICAS
WEST 3RD STREET
3
BLEECKER STREET
GREAT JONES STREET
COMMERCE ST
MINETTA LA
MINETTA STREET
Grove Court
75 1/2 Bedford Street
Washington Square Village
LA GUARDIA PLACE
SHINBONE ALLEY
BOND STREET
JONES ALLEY
LAFAYETTE STREET
BOWERY
FATHER DEMO SQUARE
Isaacs-Hendricks House
LEROY ST
BLEECKER STREET
Bayard-Condict Building
MACDOUGAL
SULLIVAN
THOMPSON
MERCER
BLEECKER
Bleecker St 6
St. Luke's Place
BEDFORD
CARMINE
Silver Towers
ST. LUKE'S PLACE
Broadway-Lafayette St B.D.F.M
JAMES J. WALKER PARK
Carmine Pool
DOWNING
WEST HOUSTON STREET
EAST HOUSTON STREET
4
Houston St 1
AVENUE
ELIZABETH
MOTT
MULBERRY
JERSEY ST
N.R Prince St
Old St. Patrick's Cathedral
FATHER FAGAN SQUARE
PRINCE STREET
Singer Building
KING
HUDSON
VARICK
Children's Museum of the Arts
CHARLTON
Spring St C.E
SPRING STREET
Spring St 6
SPRING STREET
New York City Fire Museum
VANDAM
CROSBY
CLEVELAND PLACE
KENMARE ST
5
GREENWICH
DOMINICK
BROOME ST
RENWICK STREET
WOOSTER
Haughwout Building
BROOME STREET
BROOME ST
WATTS
SOHO
LITTLE ITALY
CENTRE MKT PL
CANAL STREET
Police Headquarters Building
5
GRAND STREET
GRAND ST
Canal St 1
Canal St A.C.E
ST. JOHN'S LANE
YORK ST
HOWARD STREET
CENTRE STREET
BAXTER
MULBERRY
HESTER ST
6
DESBROSSES
VESTRY
TRIBECA
ST. JOHN'S PARK
LISPENARD
CHURCH ST
Canal St N.Q.R
Canal St 6
HARRY HOWARD SQUARE
LAIGHT
COLLISTER ST
BEACH ST
WALKER STREET
1

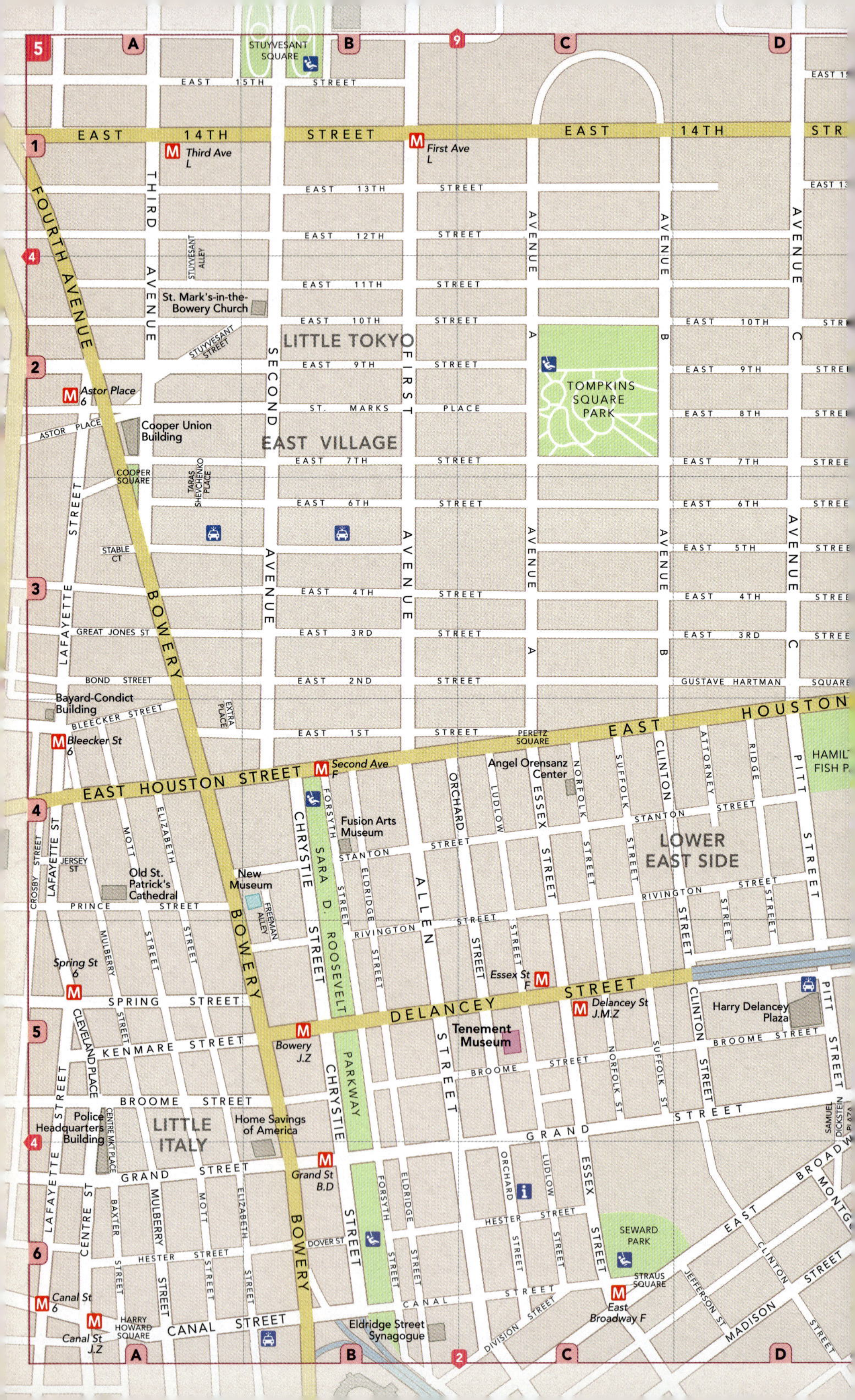
5
A
B
C
D
9
2
1
2
3
4
5
6
STUYVESANT SQUARE
EAST 15TH STREET
EAST 14TH STREET
Third Ave L
First Ave L
EAST 13TH STREET
EAST 12TH STREET
EAST 11TH STREET
EAST 10TH STREET
EAST 9TH STREET
ST. MARKS PLACE
EAST 8TH STREET
EAST 7TH STREET
EAST 6TH STREET
EAST 5TH STREET
EAST 4TH STREET
EAST 3RD STREET
EAST 2ND STREET
EAST 1ST STREET
FOURTH AVENUE
THIRD AVENUE
SECOND AVENUE
FIRST AVENUE
AVENUE A
AVENUE B
AVENUE C
STUYVESANT ALLEY
St. Mark's-in-the-Bowery Church
STUYVESANT STREET
LITTLE TOKYO
EAST VILLAGE
TOMPKINS SQUARE PARK
Astor Place 6
ASTOR PLACE
Cooper Union Building
COOPER SQUARE
TARAS SHEVCHENKO PLACE
LAFAYETTE STREET
STABLE CT
GREAT JONES ST
BOND STREET
BOWERY
GUSTAVE HARTMAN SQUARE
Bayard-Condict Building
BLEECKER STREET
EXTRA PLACE
Bleecker St 6
PERETZ SQUARE
EAST HOUSTON STREET
Second Ave F
Angel Orensanz Center
HAMILTON FISH PARK
CHRYSTIE STREET
FORSYTH STREET
SARA D. ROOSEVELT PARKWAY
Fusion Arts Museum
ORCHARD STREET
LUDLOW STREET
ESSEX STREET
NORFOLK STREET
SUFFOLK STREET
CLINTON STREET
ATTORNEY STREET
RIDGE STREET
PITT STREET
STANTON STREET
LOWER EAST SIDE
MOTT STREET
ELIZABETH STREET
CROSBY STREET
JERSEY ST
Old St. Patrick's Cathedral
New Museum
FREEMAN ALLEY
PRINCE STREET
ELDRIDGE STREET
ALLEN STREET
RIVINGTON STREET
MULBERRY STREET
Spring St 6
SPRING STREET
Essex St F
DELANCEY STREET
Delancey St J.M.Z
Harry Delancey Plaza
Tenement Museum
Bowery J.Z
CLEVELAND PLACE
KENMARE STREET
BROOME STREET
SAMUEL DICKSTEIN PLAZA
Police Headquarters Building
CENTRE MKT PLACE
LITTLE ITALY
Home Savings of America
GRAND STREET
Grand St B.D
CENTRE ST
BAXTER STREET
HESTER STREET
DOVER ST
SEWARD PARK
EAST BROADWAY
MONTGOMERY
STRAUS SQUARE
East Broadway F
JEFFERSON ST
MADISON STREET
Canal St 6
HARRY HOWARD SQUARE
Canal St J.Z
CANAL STREET
Eldridge Street Synagogue
DIVISION STREET

Map: East River / Williamsburg

Grid references: E, F, G, H (columns); 1, 2, 3, 4, 5, 6 (rows)

Manhattan side (west)

- FRANKLIN D. ROOSEVELT (EAST RIVER DRIVE)
- ATHLETIC FIELD
- EAST RIVER PARK
- MARGIN STREET
- BARUCH PLACE
- STREET
- DELANCEY STREET
- DELANCEY STREET SOUTH
- LEWIS STREET
- CANNON STREET
- BROOME ST
- Bialystoker Synagogue
- SAMUEL A. SPIEGEL SQUARE
- GRAND STREET
- JACKSON STREET
- MADISON STREET
- CHERRY STREET
- CORLEARS HOOK PARK
- EAST RIVER PARK
- Fireboat Station
- GOUVERNEUR STREET
- WATER STREET
- SOUTH STREET VIADUCT
- PIER 44
- Corlears Hook

East River

East River

Williamsburg Bridge

Wallabout Channel

Williamsburg side (east)

- NORTH 10TH STREET
- NORTH 7TH STREET
- NORTH 6TH STREET
- NORTH 5TH STREET
- NORTH 4TH STREET
- NORTH 3RD STREET
- METROPOLITAN AVE
- NORTH 1ST STREET
- GRAND STREET
- SOUTH 1ST STREET
- SOUTH 2ND STREET
- SOUTH 3RD STREET
- SOUTH 4TH STREET
- SOUTH 5TH STREET
- SOUTH 6TH STREET
- DUNHAM PLACE
- BROADWAY
- SOUTH 8TH ST
- KENT AVENUE
- WYTHE AVENUE
- RIVER STREET
- WILLIAMSBURG

Map: Hudson River / West Midtown Piers

Grid reference: 7

Columns: A, B, C, D
Rows: 1, 2, 3, 4, 5, 6

Labels on map

- Hudson River
- PIER 83 — Circle Line Cruise
- PIER 81
- West Midtown Ferry Terminal
- Lincoln Tunnel
- PIER 76
- Jacob K. Javits Convention Center
- PIER 72
- Port Authority West 30th Street Heliport
- PIER 66
- PIER 64
- CHELSEA WATERSIDE PARK
- PIER 62
- PIER 61
- Chelsea Piers
- PIER 60
- PIER 59
- THE HIGH LINE

Streets

- WEST 44TH STREET
- WEST 43RD STREET
- WEST 42ND STREET
- WEST 41TH STREET
- WEST 40TH STREET
- WEST 39TH STREET
- WEST 38TH STREET
- WEST 37TH STREET
- WEST 36TH STREET
- WEST 35TH STREET
- WEST 34TH STREET
- WEST 33RD STREET
- WEST 30TH STREET
- WEST 29TH STREET
- WEST 28TH STREET
- WEST 27TH STREET
- WEST 26TH STREET
- WEST 25TH STREET
- WEST 24TH STREET
- WEST 23RD ST

Avenues

- TWELFTH AVENUE
- ELEVENTH AVENUE
- TENTH AVENUE

International Center of Photography
Times Square
Times Sq-42nd St 1.2.3
Times Sq-42nd St 7.N.Q.R.S
42nd St-Port Auth. Bus Terminal A.C.E
42nd St B.D.F.M
Fifth Ave 7
West 42nd Street
Port Authority Bus Terminal
Bryant Park
New York Public Library
Broadway
Ninth Avenue
Eighth Avenue
Seventh Avenue
Sixth Avenue
Fifth Avenue
The Morgan Library and Museum
Church of the Incarnation Episcopal
Macy's
34th St-Herald Sq B.D.F.M.N.Q.R
Herald Square
34th St-Penn Station A.C.E
34th St-Penn Station 1.2.3
West 34th Street
East 34th St
Empire State Building
General Post Office
Madison Square Garden Center
Pennsylvania Station
Pennsylvania Plaza
Greeley Square Park
St. John the Baptist Church
Marble Collegiate Reformed Church
Church of the Transfiguration
Parcel Building
28th St 1
28th St N.R
Madison Avenue
Avenue of the Americas (Sixth Avenue)
Seventh Avenue (Fashion Avenue)
Madison Square Plaza
Worth Square
Worth Monument
Madison Square Park
23rd St N.R
23rd St A.C
23rd St 1
23rd St F.M
Chelsea Hotel
Flatiron Building
Chelsea
General Theological Seminary
Hugh O'Neill Dry Goods Store
Chelsea Historic District
18th St 1

9
A
B
13
C
D
MetLife Building
Grand Central Terminal
Chrysler Building
1&2 United Nations Plaza
United Nations Headquarters
Fifth Ave 7
1
Grand Central-42nd St S.4.5.6.7
Chanin Building
News Building
Tudor City Place
Vanderbilt Avenue
East 44th Street
East 43rd Street
East 42nd Street
East 41st Street
New York Public Library
Library Way
Pershing Square
Tudor City
Franklin D. Roosevelt Drive
8
East 40th Street
East 39th Street
East 38th Street
East 37th Street
East 36th Street
East 35th Street
East 34th Street
Tunnel Exit Street
Tunnel Entrance St
Scandinavia House
2
The Morgan Library and Museum
Church of the Incarnation Episcopal
Sniffen Court
St. Vartans Park
34th St Helipo
Empire State Building
3
33rd St 6
East 33rd Street
East 32nd Street
East 31st Street
East 30th Street
East 29th Street
East 28th Street
East 27th Street
East 26th Street
East 25th Street
East 24th Street
East 23rd Street
East 22nd Street
East 21st Street
East 20th Street
East 19th Street
East 18th Street
East 17th Street
Kips Bay Plaza
New York University Medical Center
Fifth Avenue
Madison Avenue
Park Avenue
Park Avenue South
Lexington Avenue
Third Avenue
Second Avenue
First Avenue
Marble Collegiate Reformed Church
Church of the Transfiguration
4
28th St 6
East 28th St
East 27th St
Bellevue Hospital
Broadway Alley
New York Life Insurance Company
Madison Square Plaza
Worth Square
Madison Square Park
Worth Monument
Metropolitan Life Insurance Company
East 24th St
Asser Levy Place
5
23rd St N.R
23rd St 6
Flatiron Building
Gramercy Park Hotel
Gramercy Park
Gramercy Park West
Gramercy Park East
Police Academy Museum
Theodore Roosevelt Birthplace
Broadway
National Arts Club
Irving Place
Block Beautiful
6
Flatiron District
Union Square
Union Square Greenmarket
Stuyvesant Square

10
E
F
G
H
14
6
1
2
3
4
5
6
GANTRY PLAZA STATE PARK
Belmont Island
Queens - Midtown Tunnel 495
48TH AVENUE
49TH AVENUE
50TH AVENUE
51ST AVENUE
5TH STREET
VERNON BLVD
JACKSON AVENUE
11TH STREET
BORDEN AVENUE
2ND (FRONT) STREET
Vernon Blvd-Jackson Ave
7
Long Island City Station
54TH (FLUSHING) AVENUE
55TH AVENUE
56TH AVENUE
Pulaski Bridge
Newton Creek
COMMERCIAL STREET
MANHATTAN AVENUE
BOX STREET
CLAY STREET
DUPONT STREET
EAGLE STREET
FRANKLIN STREET
FREEMAN STREET
WEST STREET
GREEN STREET
HURON STREET
INDIA STREET
JAVA STREET
KENT STREET
GREENPOINT AVE
East River
Manhattan Marina
PIER 70
PIER 69
PIER 68
PIER 67
AVENUE C
FRANKLIN D ROOSEVELT DRIVE (EAST RIVER DRIVE)

Map — Upper West Side / Hudson River Piers

Hudson River

HENRY HUDSON PARKWAY / MILLER HIGHWAY

TWELFTH AVENUE

ELEVENTH AVENUE

TENTH AVENUE

AMSTERDAM AVENUE

WEST END AVENUE

RIVERSIDE BOULEVARD

FREEDOM PLACE

Streets (north to south)
- WEST 72ND STREET
- WEST 71ST STREET
- WEST 70TH STREET
- WEST 66TH
- WEST 65TH STREET
- WEST 64TH STREET
- WEST 61ST STREET
- WEST 60TH
- WEST 59TH STREET
- WEST 58TH STREET
- WEST 57TH STREET
- WEST 54TH STREET
- WEST 52ND STREET
- WEST 51ST STREET
- WEST 50TH STREET
- WEST 49TH STREET
- WEST 48TH STREET
- WEST 47TH STREET
- WEST 46TH STREET
- WEST 45TH STREET

Points of Interest
- VERDI SQUARE
- 72nd St 1.2.3 M
- The Dorilton
- SHER... SQU...
- UPPER WEST SIDE
- Vivian Beaumont a Mitzi E. Newhouse Theate
- Metropol Opera Ho...
- PIER 99
- PIER 98
- PIER 97
- PIER 96 — New York City Downtown Boathouse
- PIER 95
- PIER 94
- PIER 92
- N.Y.C. Passenger Ship Terminal (Port Authority)
- PIER 90
- PIER 88
- DE WITT CLINTON PARK
- PIER 86 — Intrepid Sea, Air & Space Museum

12
E
F
G
H
15
The Dakota
Bethesda Terrace
WEST 72ND STREET
72nd St B.C
STRAWBERRY FIELDS
CHERRY HILL
72ND ST TRANSVERSE ROAD
Majestic Apartments
WEST 71ST STREET
SummerStage
Bandshell
The Frick Collection
E 71ST ST
1
WEST 70TH STREET
EAST GREEN
E 70TH ST
COLUMBUS AVENUE
CENTRAL PARK WEST
WEST 69TH STREET
Mineral Springs
E 69TH ST
WEST DRIVE
THE MALL
EAST DRIVE
WEST 68TH STREET
E 68TH ST
13
SHEEP MEADOW
Hotel des Artistes
WEST 67TH STREET
Tavern on the Green
Balto Statue
E 67TH ST
CENTRAL PARK
FIFTH AVENUE
66th St-Lincoln Center 1
E 66TH ST
Tisch Children's Zoo
Temple Emanu-El
2
American Folk Art Museum
65TH ST TRANSVERSE ROAD
E 65TH ST
LINCOLN SQUARE
Friedsam Memorial Carousel
The Dairy
Avery Fisher Hall
HECKSCHER BALLFIELDS
Central Park Zoo
E 64TH ST
David H. Koch Theater
WEST 63RD STREET
E 63RD ST
Century Apartments
Wollman Rink
WEST 62ND ST
E 62ND ST
Museum of Biblical Art
BIRD SANCTUARY
WEST 61ST STREET
E 61ST ST
3
Duck Pond
DORIS C. FREEDMAN PLAZA
E 60TH ST
St. Paul the Apostle Church
59th St-Columbus Circle 1.A.B.C.D
Fifth Ave-59th St N.Q.R
Time Warner Center
COLUMBUS CIRCLE
CENTRAL PARK SOUTH (OLMSTED WAY)
E 59TH ST
Apple Store Fifth Avenue
Roosevelt Hospital Center
Plaza Hotel
GRAND ARMY PLAZA
FAO Schwarz
Museum of Arts & Design
WEST 58TH STREET
E 58TH ST
SEVENTH AVENUE
57th St N.Q.R
BROADWAY
AVENUE OF THE AMERICAS (SIXTH AVENUE)
WEST 57TH STREET
E 57TH ST
57th St F
Carnegie Hall
Trump Tower
IBM Building
4
WEST 56TH STREET
E 56TH ST
MONY Tower
City Center of Music and Dance
Sony Wonder Technology Lab
WEST 55TH STREET
WEST 55TH STREET
E 55TH ST
The Museum of Modern Art
MADISON AVENUE
WEST 54TH ST
E 54TH ST
WEST 53RD STREET
Seventh Ave B.D.E
WEST 53RD ST
Fifth Ave-53rd St E.M
NINTH AVENUE
EIGHTH AVENUE
Paley Center for Media
W. C. HANDY'S PLACE
WEST 52ND STREET
E 52ND ST
5
WEST 51ST STREET
Radio City Music Hall
ROCKEFELLER PLAZA
International Building
St. Patrick's Cathedral
50th St C.E
50th St 1
WEST 50TH STREET
E 50TH ST
The British Empire Building
Rockefeller Center
La Maison Francaise
WEST 49TH STREET
49th St N.Q.R
47th-50th St-Rockefeller Center B.D.F.M
E 49TH ST
13
Nintendo World
Manufacturers Hanover Trust Building
WEST 48TH STREET
E 48TH ST
MIDTOWN
WEST 47TH STREET
E 47TH ST
6
TKTS Booth
Diamond Row
WEST 46TH STREET
E 46TH ST
DUFFY SQUARE
Lyceum Theater
Fred F. French Building
WEST 45TH STREET
E 45TH ST
8

Upper East Side

Map Labels

Streets & Avenues:
- Fifth Avenue, Madison Avenue, Park Avenue, Lexington Avenue, Third Avenue, Second Avenue, First Avenue, York Avenue
- East 45th–72nd Streets
- Sutton Place, Sutton Place South, Beekman Place, United Nations Plaza, Vanderbilt Avenue
- Franklin D. Roosevelt Drive (East River Drive)
- Doris C. Freedman Plaza, Grand Army Plaza, Hammarskjold Plaza

Points of Interest:
- East Green
- Tisch Children's Zoo
- Central Park Zoo
- The Frick Collection
- Asia Society
- Hunter College
- New York Hospital
- Memorial Hospital
- Seventh Regiment Armory
- Temple Emanu-El
- Museum of American Illustration
- Society of Illustrators
- Mount Vernon Hotel Museum
- Bloomingdale's
- Apple Store Fifth Avenue
- Plaza Hotel
- FAO Schwarz
- Bridge Market
- Fuller Building
- Trump Tower
- IBM Building
- The Museum of Modern Art
- Central Synagogue
- Citigroup Center
- Lever House
- Seagram Building
- St. Patrick's Cathedral
- Villard Houses
- St. Bartholomew's Church
- General Electric Building
- The British Empire Building
- La Maison Francaise
- International Building
- Waldorf-Astoria
- Manufacturers Hanover Trust Building
- Diamond Row
- Japan Society
- Fred F. French Building
- Helmsley Building
- MetLife Building
- United Nations Headquarters

Subway Stations:
- 68th St-Hunter College (6)
- Lexington Ave-63rd St (F)
- Lexington Ave-59th St (N.Q.R)
- Fifth Ave-59th St (N.Q.R)
- 59th St (4.5.6)
- Fifth Ave-53rd St (E.M)
- Lexington Ave-53rd St (E.M)
- 51st St (6)

Map: Long Island City / Roosevelt Island

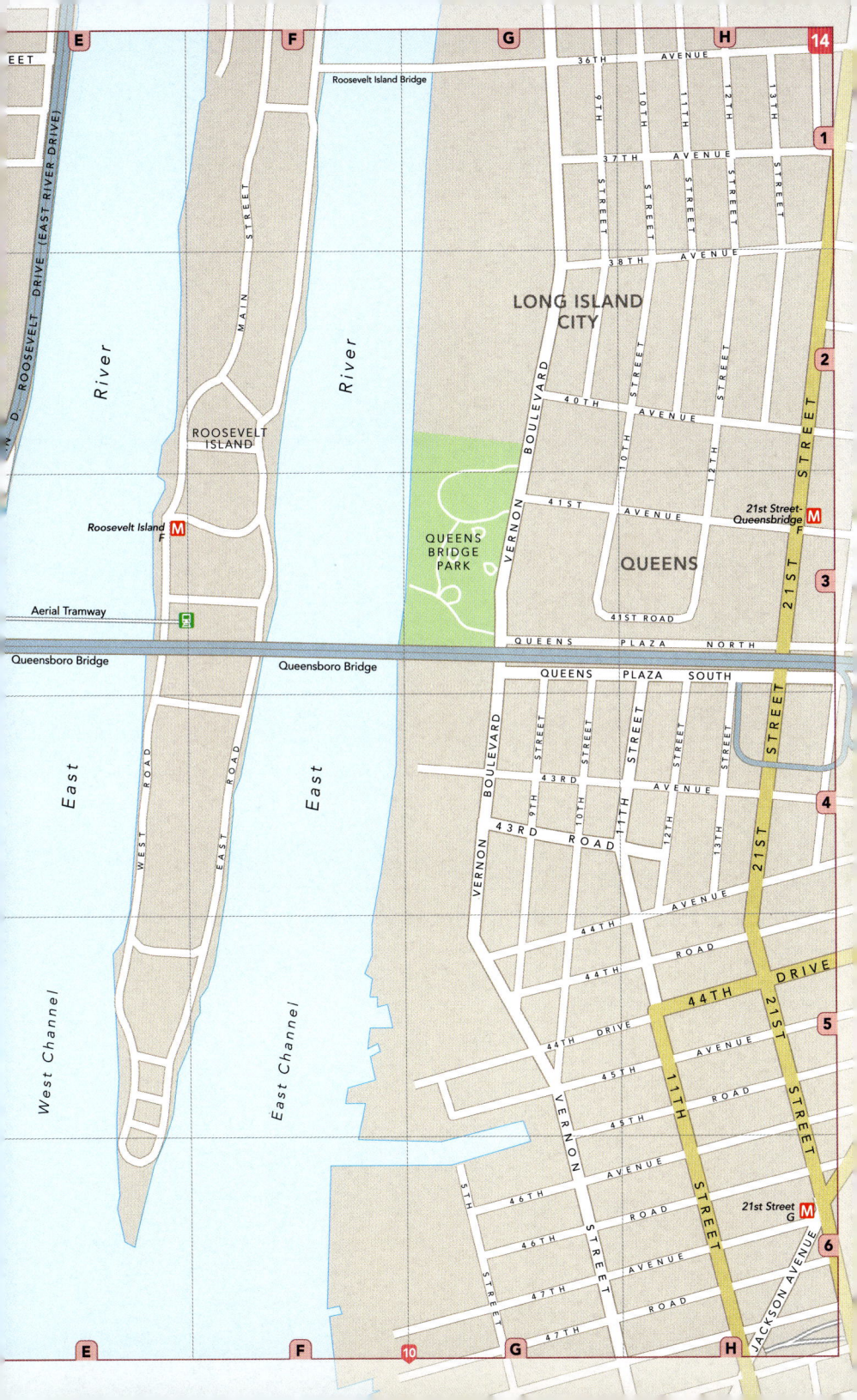

Labels:

- East River
- Roosevelt Island
- Main Street
- West Road
- East Road
- West Channel
- East Channel
- Roosevelt Island Bridge
- Roosevelt Island (M) F
- Aerial Tramway
- Queensboro Bridge
- Queens Bridge Park
- Long Island City
- Queens
- Vernon Boulevard
- 9th Street, 10th Street, 11th Street, 12th Street, 13th Street, 21st Street
- 36th Avenue, 37th Avenue, 38th Avenue, 40th Avenue, 41st Avenue, 41st Road
- Queens Plaza North
- Queens Plaza South
- 43rd Road, 43rd Avenue
- 44th Avenue, 44th Road, 44th Drive
- 45th Avenue, 45th Road
- 46th Avenue, 46th Road
- 47th Avenue, 47th Road
- Jackson Avenue
- 21st Street–Queensbridge (M) F
- 21st Street (M) G
- ROOSEVELT DRIVE (EAST RIVER DRIVE)

15
A
B
C
D
17
12
1
2
3
4
5
6
110th St-Cathedral Parkway B.C
Boathous
CENTRAL PARK
Lasker and Po
WEST 109TH STREET
WEST 108TH STREET
WEST 107TH STREET
STRAUS PARK
WEST 106TH ST (DUKE ELLINGTON BLVD)
WEST 105TH STREET
WEST 104TH STREET
WEST 103RD ST
103rd St 1
103rd St B.C
WEST 102ND STREET
WEST 101ST STREET
WEST 100TH STREET
WEST 99TH STREET
WEST 98TH STREET
WEST 97TH STREET
96th St 1.2.3
WEST 96TH STREET
96th St B.C
WEST 95TH STREET
WEST 94TH STREET
WEST 93RD STREET
WEST 92ND STREET
WEST 91ST STREET
WEST 90TH STREET (HENRY J BROWNE BOULEVARD)
WEST 89TH STREET
WEST 88TH STREET
WEST 87TH STREET
86th St 1
WEST 86TH STREET
86th St B.C
WEST 85TH STREET
EDGAR ALLAN POE STREET
WEST 84TH STREET
WEST 83RD ST
WEST 82ND ST
WEST 81ST STREET
WEST 80TH STREET
79th St 1
WEST 79TH STREET
WEST 78TH STREET
WEST 77TH STREET
WEST 76TH ST
WEST 75TH ST
WEST 74TH ST
WEST 73RD STREET
RIVERSIDE DRIVE
RIVERSIDE DRIVE EAST
RIVERSIDE DRIVE WEST
WEST END AVENUE
BROADWAY
AMSTERDAM AVENUE
COLUMBUS AVENUE
MANHATTAN AVENUE
CENTRAL PARK WEST
POMANDER WALK
UPPER WEST SIDE
RIVERSIDE PARK
HENRY HUDSON PARKWAY
9A
Hudson River
JOAN OF ARC PARK
Boat Basin
THE GREAT HILL
WEST DRIVE
The Loch
The Pool
NORTH MEADOW
BALL FIELD
North Meadow Recreation Center
97TH STREET TRANSVERSE ROA
SOUTH MEADOW TENNIS COURTS
Jacqueline Kenne Onassis Reservoi
86TH STREET TRANSVERSE RO
CENTRAL PARK
GREAT LAWN
Obelisk
Children's Museum of Manhattan
81st St-Museum of Natural History B.C
THEODORE ROOSEVELT PARK
Hayden Planetarium
American Museum of Natural History
Delacorte Theater
Swedish Cottage
SHAKESPEARE GARDEN
Belvedere Castle
79TH
New York Historical Society
San Remo Apartments
Ansonia Hotel
The Gill
THE RAMBLE
Loeb Boathouse
Central Park Lake
Bow Bridge

16
18
13
Benjamin Franklin Plaza
Museo del Barrio
Museum of the City of New York
Mount Sinai Medical Center
St. Nicholas Russian Orthodox Cathedral
Jewish Museum
Cooper-Hewitt Museum
National Academy Museum
Solomon R. Guggenheim Museum
Church of the Holy Trinity
Asphalt Green
Gracie Mansion
CARL SCHURZ PARK
JOHN JAY PARK
MILL ROCK PARK
Lenox Hill Hospital
Whitney Museum of American Art
YORKVILLE
Harlem River
West Channel
Foot Bridge
RECREATION PIER
FRANKLIN D ROOSEVELT DRIVE (EAST RIVER DRIVE)
FIFTH AVENUE (MUSEUM MILE)
MADISON AVENUE
PARK AVENUE
LEXINGTON AVENUE
THIRD AVENUE
SECOND AVENUE
FIRST AVENUE
YORK AVENUE
EAST END AVENUE
HENDERSON PLACE
GRACIE SQ
103rd St 6
96th St 6
86th St 4.5.6
77th St 6
EAST 96TH STREET
EAST 86TH STREET
EAST 79TH STREET
Alice in Wonderland Statue
Hans Christian Andersen Statue
Conservatory Garden
Metropolitan Museum of Art

17
A
B
C
D
1
2
3
4
5
6
15
145th St 1
145th St A,B,C,D
WEST 145TH ST
WEST 145TH STREET
WEST 144TH STREET
WEST 143RD STREET
WEST 142ND STREET
WEST 141ST STREET
WEST 140TH STREET
WEST 139TH STREET
WEST 138TH STREET
WEST 137TH STREET
WEST 136TH STREET
WEST 135TH STREET
WEST 134TH STREET
WEST 133RD STREET
WEST 132ND STREET
WEST 131ST STREET
WEST 130TH STREET
WEST 129TH STREET
WEST 128TH STREET
WEST 127TH STREET
WEST 126TH STREET
WEST 125TH STREET
WEST 124TH STREET
WEST 123RD STREET
WEST 122ND STREET
WEST 121ST STREET
WEST 120TH STREET
WEST 119TH ST
WEST 118TH ST
WEST 117TH STREET
WEST 116TH STREET
WEST 115TH ST
WEST 114TH STREET
WEST 113TH STREET
WEST 112TH STREET
WEST 111TH STREET
HAMILTON TERRACE
EDGECOMBE AVENUE
Hamilton Grange National Monument
FREDERICK DOUGLASS BOULEVARD (EIGHTH AVENUE)
ADAM CLAYTON POWELL, JR BOULEVARD (SEVENTH AVENUE)
LENOX AVENUE
MALCOLM X BOULEVARD (LENOX AVENUE)
RIVERBANK STATE PARK
HENRY HUDSON PARKWAY
9A
HAMILTON PLACE
BROADWAY
AMSTERDAM AVENUE
CONVENT AVENUE
ST. NICHOLAS TERRACE
ST. NICHOLAS AVENUE
St. Nicholas Historic District
Abyssinian Baptist Church
137th St-City College 1
Hudson River
ST. NICHOLAS PARK
135th St B,C
Schomburg Center for Research in Black Culture
135th St 2,3
Harlem YMCA
City College of the University of NY
CONVENT HILL
TWELFTH AVENUE
ST CLAIR PL
WEST 125TH ST (MARTIN LUTHER KING, JR BLVD)
OLD BROADWAY
WEST 126TH STREET
125th St 1
TIEMANN PL
CLAREMONT AVENUE
RIVERSIDE DRIVE EAST
RIVERSIDE DRIVE WEST
HARLEM
Apollo Theater
Harlem Lanes
125th St A,B,C,D
ROOSEVELT SQUARE
125th St 2,3
LA SALLE STREET
HANCOCK PL
HANCOCK SQUARE
Studio Museum
Grant's Tomb
SAKURA PARK
Jewish Theological Seminary
MORNINGSIDE AVENUE
MANHATTAN AVENUE
Riverside Church
Teachers' College, Columbia University
MORNINGSIDE DRIVE
REINHOLD NIEBUHR PL
RIVERSIDE DRIVE
RIVERSIDE PARK
St Paul's Chapel
Low Library
116th St-Columbia University 1
Columbia University
116th St B,C
116th St 2,3
PHILLIP RANDOLPH SQUARE
Butler Library
MORNINGSIDE PARK
Cathedral Church of St. John the Divine
Central Park North 110th St 2,3

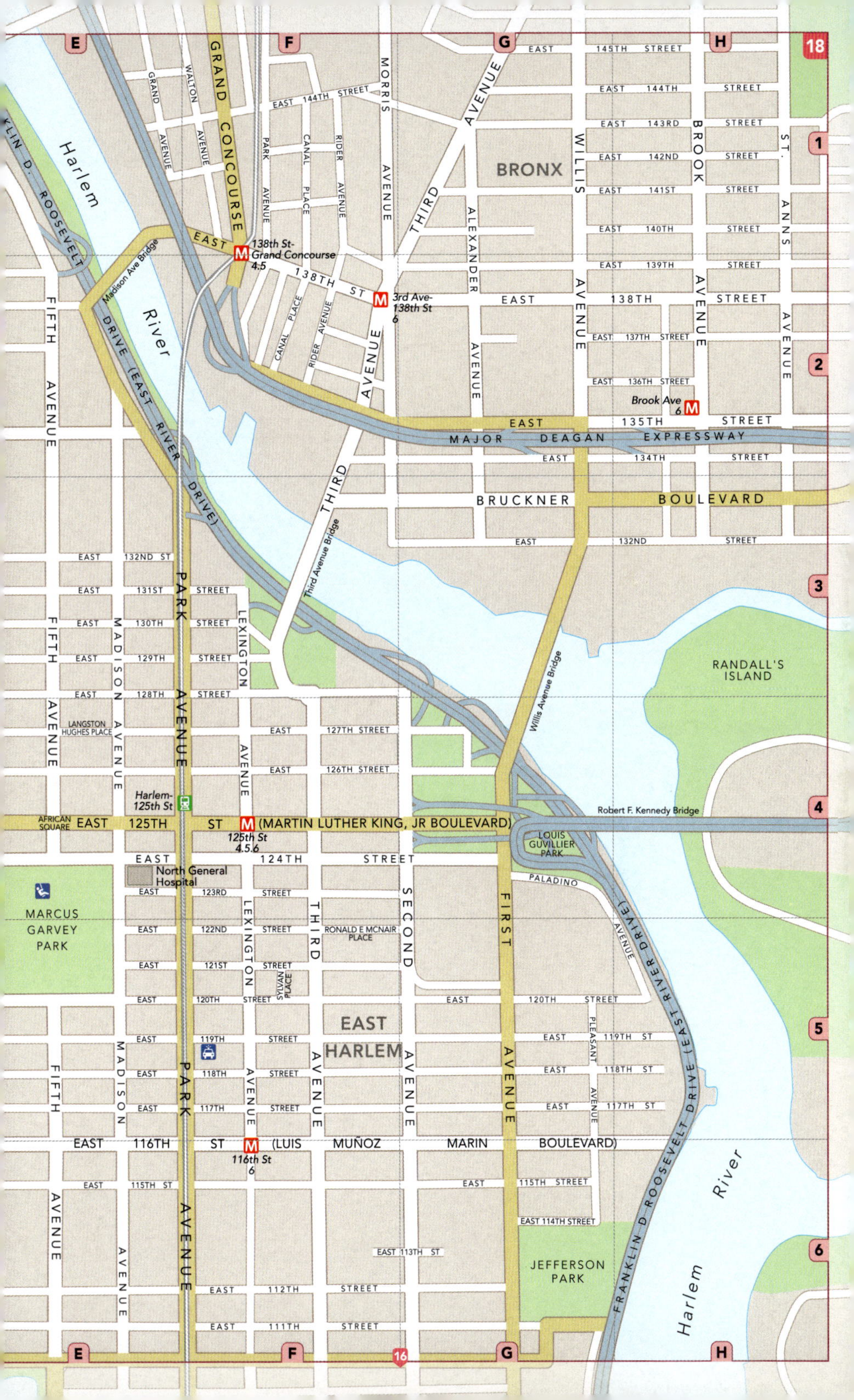
18
E
F
G
H
1
2
3
4
5
6
BRONX
EAST HARLEM
Harlem River
GRAND CONCOURSE
GRAND AVENUE
WALTON AVENUE
PARK AVENUE
CANAL PLACE
RIDER AVENUE
MORRIS AVENUE
THIRD AVENUE
ALEXANDER AVENUE
WILLIS AVENUE
BROOK AVENUE
ST. ANNS AVENUE
EAST 145TH STREET
EAST 144TH STREET
EAST 143RD STREET
EAST 142ND STREET
EAST 141ST STREET
EAST 140TH STREET
EAST 139TH STREET
EAST 138TH STREET
EAST 137TH STREET
EAST 136TH STREET
EAST 135TH STREET
EAST 134TH STREET
EAST 132ND STREET
BRUCKNER BOULEVARD
MAJOR DEAGAN EXPRESSWAY
138th St-Grand Concourse
4.5
3rd Ave-138th St
6
Brook Ave
6
Madison Ave Bridge
Third Avenue Bridge
Willis Avenue Bridge
Robert F. Kennedy Bridge
FRANKLIN D. ROOSEVELT DRIVE (EAST RIVER DRIVE)
RANDALL'S ISLAND
FIFTH AVENUE
MADISON AVENUE
LEXINGTON AVENUE
SECOND AVENUE
FIRST AVENUE
PLEASANT AVENUE
PALADINO AVENUE
EAST 132ND ST
EAST 131ST STREET
EAST 130TH STREET
EAST 129TH STREET
EAST 128TH STREET
EAST 127TH STREET
EAST 126TH STREET
LANGSTON HUGHES PLACE
Harlem-125th St
AFRICAN SQUARE
EAST 125TH ST (MARTIN LUTHER KING, JR BOULEVARD)
125th St
4.5.6
LOUIS GUVILLIER PARK
EAST 124TH STREET
North General Hospital
MARCUS GARVEY PARK
EAST 123RD STREET
EAST 122ND STREET
RONALD E MCNAIR PLACE
EAST 121ST STREET
SYLVAN PLACE
EAST 120TH STREET
EAST 119TH STREET
EAST 118TH STREET
EAST 117TH STREET
EAST 116TH ST (LUIS MUÑOZ MARIN BOULEVARD)
116th St
6
EAST 115TH STREET
EAST 114TH STREET
EAST 113TH ST
EAST 112TH STREET
EAST 111TH STREET
JEFFERSON PARK
16

19
A
B
C
D
1
2
3
4
5
6
East River
Williamsburg Bridge
Manhattan Bridge
Wallabout Bay
LOWER EAST SIDE
BROOKLYN NAVY YARD
WILLIAMSBURG
BROOKLYN
DUMBO
BROOKLYN HEIGHTS
COBBLE HILL
BOERUM HILL
CARROLL GARDENS
PARK SLOPE
PROSPECT HEIGHTS
RED HOOK
WINDSOR TERRACE
CROWN HEIGHTS
PROSPECT LEFFERTS GARDENS
MCCARREN PARK
COOPER PARK
FORT GREENE PARK
THOMPKINS PARK
RED HOOK PARK
BYRNE MEMORIAL PARK
PROSPECT PARK
Prospect Park Lake
PARADE GROUND
Brooklyn Museum
BROOKLYN BOTANIC GARDEN
Brooklyn Public Library
Prospect Park Zoo
Lefferts Historic House
Audubon Center
New York Transit Museum
Brooklyn Academy of Music
Brooklyn Children's Museum
GRAND ARMY PLAZA
Nassau Ave
Bedford Ave
Graham Ave
Grand St
Lorimer St
Metropolitan Ave
Montrose Ave
Morgan Ave
Jefferson Ave
Central Ave
Broadway
Marcy Ave
Hewes St
Flushing Ave
Myrtle Ave
Kosciuszko
Myrtle Ave-Willoughby Ave
Bedford Ave-Nostrand Ave
Classon Ave
Clinton Ave-Washington Ave
Kingston Ave-Throop Ave
Nostrand Ave
Franklin Ave
York St
High St
Clark St
Court St
Jay St-Metro Tech
Borough Hall
Hoyt St
Hoyt Schermerhorn
DeKalb Ave
Nedvins St
Fulton St
Lafayette Ave
Flatbush North
Atlantic Ave
Atlantic Ave-Pacific St
Bergen St
7th Ave
Grand Army Plaza
Eastern Parkway Brooklyn Museum
Botanic Gardens
Park Pl
Union St
Carroll St
Smith St-9th St
4th Ave-9th St
Prospect Ave
15th St-Prospect Park
Prospect Park
Parkside Ave
FRANKLIN D. ROOSEVELT DRIVE (EAST RIVER DRIVE)
BROOKLYN QUEENS EXPRESSWAY
GOWANUS EXPRESSWAY
PROSPECT EXPRESSWAY
SOUTH STREET VIADUCT
FLUSHING AVENUE
FLATBUSH AVE
GRAND STREET
METROPOLITAN AVENUE
BROADWAY
MYRTLE AVENUE
DEKALB AVENUE
FULTON ST
ATLANTIC AVE
EASTERN PARKWAY
PROSPECT PARK WEST
WASHINGTON AVE
UNION STREET
9TH STREET

Índice dos Mapas de Nova York

1st Street (Brooklyn)	19 C5
3rd Avenue (Brooklyn)	19 B5
3rd Street (Brooklyn)	19 C5
4th Avenue (Brooklyn)	19 B4
5th Avenue (Brooklyn)	19 B4
5th Street (Brooklyn)	19 C5
6th Street Broadway	19 B2
7th Avenue (Brooklyn)	19 C6
7th Street (Brooklyn)	19 C5
8th Avenue (Brooklyn)	19 C5
9th Street (Brooklyn)	19 B5
11th Street (Brooklyn)	19 C6
13th Street (Brooklyn)	19 C6
15th Street (Brooklyn)	19 C6
21st Street (Brooklyn)	14 H5
43rd Road (Queens)	14 G4
44th Drive	14 H5
59th East Street	13 A3
65th Street Transverse Rd	12 F2
72nd Street Transverse Rd	12 F1
97th Street Transverse Rd	15 D3

A
Abraham E Kazan Street	6 E5
Adam Clayton Powell, Jr. Boulevard	17 D4
Adam Clayton Powell, Jr. Blvd (Seventh Ave)	17 D1
Adams Street (Brooklyn)	19 A4
Albany Street	1 C4
Alexander Avenue (Bronx)	18 G1
Allen Street	5 B5
Amsterdam Avenue	17 B4
Ann Street	1 D3
Asser Levy Place	9 D5
Astor Place	5 A2
Atlantic Avenue (Brooklyn)	19 C4
Attorney Street	5 D4
Avenue A	5 C2
Avenue B	5 C2
Avenue C	19 A1
Avenue D	6 E2
Avenue of the Americas (Sixth Avenue)	8 G3
Avenue of the Finest	2 E2

B
Bank Street	3 D3
Barclay Street	1 B3
Barrow Street	3 D4
Baruch Place	6 E4
Battery Place	1 C5
Baxter Street	5 A6
Bayard Street	2 E1
Beach Street	1 B1
Beaver Street	1 D5
Bedford Ave (Brooklyn)	19 D4
Bedford Street	4 E4
Beekman Place	13 D5
Beekman Street	2 E3
Benson Street	1 D1
Berry Street (Brooklyn)	19 B1
Bethune Street	3 C2
Bialystoker Place	6 E5
Bleecker Street	5 A4
Bloomfield Street	3 C2
Bond Street	5 A3
Bowery	5 A3
Bridge Street	1 D5
Broad Street	1 D5
Broadway (Brooklyn)	19 C2
Broadway Alley	9 B4
Broadway Old	17 B3
Brook Avenue	18 H1
Brooklyn – Queens Expressway 278 (Brooklyn)	2 H5
Brooklyn Heights Promenade (Brooklyn)	2 H5
Broome Street	5 D5
Bruckner Boulevard (Bronx)	18 G3
Bushwick Avenue (Brooklyn)	19 C1

C
Canal Place	18 F2
Canal Street	5 C6
Cannon Street	6 E5
Cardinal Street	2 E2
Carlisle Street	1 C4
Carlton Avenue (Brooklyn)	19 B3
Carmine Street	4 E4
Catherine Slip	2 F2
Catherine Street	2 F1
Cedar Street	1 C4
Central Park South (Olmsted Way)	12 F3
Central Park West	15 C3
Centre Market Place	5 A5
Centre Street	4 H6
Chambers Street	1 B2
Charles Lane	3 D3
Charles Street	3 D3
Charlton Street	4 E5
Cherry Street	6 F6
Christopher Street	4 E3
Chrystie Street	5 B5
Church Street	1 C3
Claremont Avenue	17 A4
Clark Street (Brooklyn)	2 H5
Clarkson Street	3 D4
Cleveland Place	5 A5
Cliff Street	2 E3
Clinton Street	5 D6
Collister Street	4 F6
Columbia Heights (Brooklyn)	2 H5
Columbia Street (Brooklyn)	19 A5
Columbus Avenue	15 C1
Commerce Street	4 E3
Commercial Street (Brooklyn)	10 H3
Convent Avenue	17 B3
Convent Hill	17 B3
Cornelia Street	4 E3
Cortlandt Street	1 C3

(cont.)
Court Street (Brooklyn)	19 A5
Cranberry Street (Brooklyn)	2 H4
Crosby Street	5 A4

D
Dean Street (Brooklyn)	19 C4
Dekalb Avenue (Brooklyn)	19 B4
Delancey Street	5 B5
Delancey Street	6 E5
Delancey Street South	6 E5
Desbrosses Street	4 E6
Dey Street	1 C3
Division Avenue (Brooklyn)	19 B2
Division Street	5 C6
Dock Street (Brooklyn)	2 H3
Dominick Street	4 F5
Doris C. Freedman Plaza	13 A3
Doughty Street (Brooklyn)	2 H4
Dover Street	2 E3
Downing Street	4 E4
Doyers Street	2 E1
Driggs Avenue (Brooklyn)	19 B1
Duane Street	1 C2
Dunham Place (Brooklyn)	6 H5
Dutch Street	1 D3
Dyer Avenue	8 E2

E
East 1st Street	5 B4
East 2nd Street	5 B3
East 3rd Street	5 D3
East 4th Street	5 D3
East 5th Street	5 D3
East 6th Street	5 D3
East 7th Street	5 D2
East 8th Street	5 D2
East 9th Street	5 D2
East 10th Street	5 D2
East 11th Street	5 B2
East 12th Street	5 B1
East 13th Street	5 B1
East 14th Street	5 C1
East 15th Street	5 B1
East 17th Street	9 C6
East 18th Street	9 C6
East 19th Street	9 C6
East 20th Street	9 C6
East 21st Street	9 C6
East 22nd Street	9 C5
East 23rd Street	9 C5
East 24th Street	9 C5
East 25th Street	9 B5
East 26th Street	9 B4
East 27th Street	9 B4
East 28th Street	9 C4
East 29th Street	9 B4
East 30th Street	9 B4
East 31st Street	9 B3
East 32nd Street	9 B3
East 33rd Street	9 B3
East 34th Street	9 A3
East 35th Street	8 H3
East 36th Street	9 C2
East 37th Street	9 C2
East 38th Street	9 C2
East 39th Street	9 C2
East 40th Street	9 C2
East 41st Street	9 C1
East 42nd Street	9 B1
East 43rd Street	9 C1
East 44th Street	9 C1
East 45th Street	12 H6
East 46th Street	12 H6
East 47th Street	12 H6
East 48th Street	12 H6
East 49th Street	12 H6
East 50th Street	13 C5
East 51st Street	13 A5
East 52nd Street	13 A5
East 53rd Street	13 A5
East 54th Street	13 A4
East 55th Street	13 A4
East 56th Street	13 B4
East 57th Street	13 C4
East 58th Street	13 A4
East 59th Street	12 H3
East 60th Street	13 D3
East 61st Street	13 A3
East 62nd Street	13 A3
East 63rd Street	13 C3
East 64th Street	13 A2
East 65th Street	13 C2
East 66th Street	13 A2
East 67th Street	13 A2
East 68th Street	13 A1
East 69th Street	13 A1
East 70th Street	13 A1
East 71st Street	13 A1
East 72nd Street	13 C1
East 73rd Street	16 G6
East 74th Street	16 G6
East 75th Street	16 G6
East 76th Street	16 G6
East 77th Street	16 G6
East 78th Street	16 G6
East 80th Street	16 E5
East 81st Street	16 E5
East 82nd Street	16 E5
East 83rd Street	16 E5
East 84th Street	16 E5
East 85th Street	16 E5
East 87th Street	16 E4
East 88th Street	16 E4
East 89th Street	16 E4
East 90th Street	16 E4
East 91st Street	16 E4
East 92nd Street	16 G3
East 93rd Street	16 G3
East 94th Street	16 G3
East 95th Street	16 G3
East 97th Street	16 G3
East 98th Street	16 E2
East 99th Street	16 G2
East 100th Street	16 G2

Índice dos Mapas de Nova York

East 101st Street	16 G2	Flushing Avenue (Brooklyn)	19 C3	Jane Street	3 D2	Moore Street	1 D5
East 103rd Street	16 G2	Forsyth Street	5 B4	Jay Street	1 B1	Morningside Avenue	17 C4
East 104th Street	16 F1	Fourth Avenue	5 A2	Jefferson Street	5 D6	Morningside Drive	17 B5
East 105th Street	16 F1	Frankfort Street	1 D2	John Street	1 D3	Morris Avenue (Bronx)	18 F1
East 106th Street	16 F1	Franklin D. Roosevelt		Jones Alley	4 H3	Morris Street	1 C5
East 107th Street	16 F1	(East River Drive)	6 F4	Jones Street	4 E3	Morton Street	3 D4
East 108th Street	16 G1	Franklin Place	1 D1	Joralemon Street (Brooklyn)	19 A4	Mosco Street	2 E1
East 109th Street	16 F1	Franklin Street	1 B1	Joseph P Ward Street	1 C5	Mott Street	5 A6
East 111th Street	18 F6	Frederick Douglass Avenue				Mount Morris Park West	18 E4
East 112th Street	18 F6	(Eighth Avenue)	17 C4	**K**		Mulberry Street	5 A6
East 113th Street	18 F6	Freedom Place	11 C1			Murray Street	1 C2
East 114th Street	18 G6	Freeman Alley	5 B4	Kenmare Street	5 A5	Myrtle Avenue (Brooklyn)	19 B4
East 115th Street	18 G6	Front Street	2 H3	Kent Avenue	6 H1		
East 116th Street	18 E6	Fulton Street	19 D4	King Street	4 E4	**N**	
East 117th Street	18 G5	Furman Street (Brooklyn)	2 H5				
East 118th Street	18 G5			**L**		Nassau Street	1 D3
East 119th Street	18 G5	**G**				Navy Street (Brooklyn)	19 B3
East 120th Street	18 G5			La Guardia Place	4 G4	New Street	1 D5
East 121st Street	18 E5	Gansevoort Street	3 C2	La Salle Street	17 B4	Ninth Avenue	12 E5
East 122nd Street	18 E5	Gates Avenue (Brooklyn)	19 C4	Lafayette Ave (Brooklyn)	19 D3	Norfolk Street	5 C4
East 123rd Street	18 E4	Gay Street	4 F2	Lafayette Street	5 A6	North 1st St (Brooklyn)	6 H3
East 124th Street	18 E4	Gold Street	2 E3	Laight Street	4 E6	North 3rd St (Brooklyn)	6 H2
East 125th Street	18 E4	Gouverneur Slip East	6 E6	Langston Hughes Place	18 E4	North 4th St (Brooklyn)	6 H2
East 126th Street	18 F4	Gouverneur Slip West	6 E6	Lenox Avenue	17 D1	North 5th St (Brooklyn)	6 H2
East 127th Street	18 F4	Gouverneur Street	6 E6	Leonard Street	1 C1	North 6th St (Brooklyn)	6 H2
East 128th Street	18 E3	Grace Court (Brooklyn)	2 H6	Leroy Street	3 D4	North 7th St (Brooklyn)	19 B1
East 129th Street	18 E3	Gracie Square	16 H5	Lewis Avenue (Brooklyn)	19 D3	North 9th St (Brooklyn)	19 B1
East 130th Street	18 E3	Gramercy Park East	9 B6	Lewis Street	6 E5	North 10th St (Brooklyn)	6 H1
East 131st Street	18 E3	Gramercy Park West	9 B6	Lexington Avenue	18 F4	North 12th St (Brooklyn)	19 B1
East 132nd Street	18 G3	Grand Avenue (Brooklyn)	18 E1	Liberty Street	1 D4	North 15th St (Brooklyn)	19 B1
East 134th Street	18 G2	Grand Concourse	18 F1	Lispenard Street	4 G6	North End Avenue	1 B3
East 135th Street	18 G2	Grand Street (Brooklyn)	6 H3	Little West 12th Street	3 C1	North Moore Street	1 B1
East 136th Street	18 H2	Great Jones Street	4 H3	Ludlow Street	5 C6	Nostrand Ave (Brooklyn)	19 C3
East 137th Street	18 H2	Greene Avenue (Brooklyn)	19 C3	Luis Muñoz Marin Blvd	18 F6		
East 138th Street	18 F1	Greene Street	4 G3			**O**	
East 139th Street	18 H2	Greenwich Avenue	4 E1	**M**			
East 140th Street	18 H1	Greenwich Street	1 C4			Old Slip	2 E5
East 141st Street	18 H1	Grove Place	4 E3	MacDougal Alley	4 F2	Oliver Street	2 F1
East 142nd Street	18 H1	Grove Street	4 E3	MacDougal Street	4 F4	Orange Street (Brooklyn)	2 H4
East 143rd Street	18 H1	Gustave Hartman Square	5 D3	Madison Avenue	18 E5	Orchard Street	5 C6
East 144th Street	18 H1			Madison Square Plaza	9 A4		
East 145th Street	18 G1	**H**		Madison Street	6 E6	**P**	
East Broadway	5 D6			Maiden Lane	2 E4		
East Drive	12 H2	Hamilton Place	17 B2	Major Deagan		Pace Plaza	1 D2
East Houston Street	5 C4	Hamilton Terrace	17 C1	Expressway (Bronx)	18 G2	Paladino Avenue	18 G4
Edgar Allan Poe Street	15 A5	Hammarskjöld Plaza	13 C6	Malcolm X Boulevard	17 D3	Park Avenue (Bronx)	18 F1
Edgecombe Avenue	17 C1	Hancock Place	17 C4	Mangin Street	6 E4	Park Avenue (Brooklyn)	19 C3
Eighth Avenue	12 F5	Hancock Square	17 C4	Manhattan Avenue	17 C5	Park Avenue South	9 B3
Eldridge Street	5 B4	Hanover Street	1 D4	Manhatten Ave (Brooklyn)	19 C1	Park Place	1 C2
Eleventh Avenue	11 D5	Harrison Street	1 B1	Marcy Avenue (Brooklyn)	19 D3	Park Row	1 D3
Elizabeth Street	5 A6	Henderson Place	16 H4	Market Slip	2 G2	Park Street	1 D2
Elk Street	1 D2	Henry Hudson Parkway 9A	15 A2	Market Street	2 F1	Patchin Place	4 F2
Essex Street	5 C6	Henry Street	6 E6	Marketfield Street	1 D5	Pearl Street	1 D5
Exchange Alley	1 C4	Hester Street	5 C6	Martin Luther King,		Peck Slip	2 E3
Exchange Place	1 D4	Hicks Street (Brooklyn)	2 H5	Jr Boulevard	18 F4	Pell Street	2 E1
Extra Place	5 A4	Horatio Street	3 C2	Mercer Street	4 G5	Perry Street	3 D3
		Howard Street	4 H6	Metropolitan Ave (Brooklyn)	19 B1	Pierrepont Street (Brooklyn)	2 H5
F		Hudson Street	3 D3	Middagh Street (Brooklyn)	2 H4	Pike Street	2 G1
		Humboldt Street (Brooklyn)	19 C1	Miller Highway	11 C3	Pine Street	1 D4
Fashion Avenue	8 F5			Milligan Place	4 F2	Pineapple Street (Brooklyn)	2 H5
Fifth Avenue	18 E5	**I**		Minetta Lane	4 F3	Pitt Street	5 D5
First Avenue	16 G2	Irving Place	9 B6	Minetta Street	4 F3	Platt Street	1 D4
First Avenue	18 G4			Monroe Street	2 F1	Pleasant Avenue	18 G5
Flatbush Avenue (Brooklyn)	19 A4	**J**		Montague Street (Brooklyn)	2 H6	Pomander Walk	15 B3
Fletcher Street	2 E4	Jackson Avenue (Queens)	14 H6	Montgomery Street	5 D6	Prince Street	5 A4
		Jackson Street	6 E5			Putnam Avenue (Brooklyn)	19 C4
		James Street	2 E2				

R

Reade Street	1 C2
Rector Place	1 B4
Rector Street	1 C4
Reinhold Niebuhr Place	17 A5
Remsen Street (Brooklyn)	2 H6
Renwick Street	4 E5
Rider Avenue (Bronx)	18 F2
Ridge Street	5 D4
River Street (Brooklyn)	6 H3
River Terrace	1 A2
River View Terrace	13 D3
Riverside Boulevard	11 C1
Riverside Drive	17 A5
Riverside Drive East	17 A4
Riverside Drive West	17 A4
Rivington Street	5 B5
Robert F Wagner Sr Place	2 E2
Rockefeller Plaza	12 H5
Ronald E McNair Place	18 F5
Roosevelt Square	17 C4
Rose Street	2 E2
Rutgers Slip	2 G1
Rutgers Street	2 G1
Ryders Alley	2 E3

S

St. Anns Avenue (Bronx)	18 H1
St. Clair Place	17 A3
St. James Place	2 E2
St. Johns Lane	4 F6
St. Johns Place (Brooklyn)	19 C4
St. Luke's Place	4 E4
St. Marks Avenue (Brooklyn)	19 C4
St. Marks Place	5 B2
St. Nicholas Avenue	17 C5
St. Nicholas Terrace	17 C3
St. Peter's Street	1 C3
Samuel Dickstein Plaza	5 D5
Second Avenue	18 G4
Second Place	1 B5
Seventh Avenue	12 F4
Seventh Avenue South	4 E2
Sheriff Street	5 D4
Shinbone Alley	4 H3
Sixth Avenue	8 G1
Smith Street (Brooklyn)	19 A4
Sniffen Court	9 B2
South 1st Street (Brooklyn)	6 H3
South 2nd Street (Brooklyn)	6 H3
South 3rd Street (Brooklyn)	6 H4
South 4th Street (Brooklyn)	6 H4
South 5th Street (Brooklyn)	6 H4
South 6th Street (Brooklyn)	6 H4
South 8th Street (Brooklyn)	6 H5
South End Avenue	1 B4
South Street	2 E5
South Street Viaduct	19 A3
South William Street	1 D5
Spring Street	4 E5
Spruce Street	1 D3
Stable Court	5 A3
Stanton Street	5 B4
Staple Street	1 B1
State Street	1 D6
Stone Street	1 D5
Straus Park	15 A1
Stuyvesant Alley	5 A2
Stuyvesant Ave (Brooklyn)	19 D2
Stuyvesant Street	5 A2
Suffolk Street	5 C4
Sullivan Street	4 F5
Sumner Avenue (Brooklyn)	19 D3
Sutton Place	13 D4
Sutton Place South	13 D5
Sylvan Place	18 F5
Szold Place	5 D2

T

Taras Shevchenko Place	5 A3
Tenth Avenue	11 D5
Thames Street	1 C4
The Mall	12 G1
Theatre Alley	1 D3
Third Avenue	18 F4
Third Place	1 B5
Thomas Street	1 C1
Thompson Street	4 F5
Throop Avenue (Brooklyn)	19 D3
Tiemann Place	17 A4
Tillary Street (Brooklyn)	19 A4
Tompkins Ave (Brooklyn)	19 C2
Trimble Place	1 C1
Trinity Place	1 C4
Tudor City Place	9 D1
Tunnel Entrance Street	9 C2
Tunnel Exit Street	9 C2
Twelfth Avenue	11 C4

U

Union Avenue (Brooklyn)	19 C2
Union Square East	4 G1
Union Square West	4 G1
Union Street (Brooklyn)	19 C5
United Nations Plaza	13 D5
University Place	4 G2

V

Vandam Street	4 E5
Vanderbilt Ave (Brooklyn)	19 B3
Vandervoort Ave (Brooklyn)	19 C1
Varick Street	4 F5
Vernon Blvd (Queens)	14 G4
Vernon Street	14 G5
Vesey Street	1 B3
Vestry Street	4 E6
Vine Street (Brooklyn)	2 H4

W

Walker Street	4 G6
Wall Street	1 D4
Walton Avenue (Bronx)	18 F1
Warren Street	1 C2
Washington Ave (Bronx)	19 B3
Washington Mews	4 G2
Washington Place	4 G3
Washington Square East	4 G3
Washington Square North	4 F2
Washington Square South	4 F3
Washington Square West	4 F3
Washington Street	4 E5
Water Street	6 E6
Watts Street	4 E6
Waverly Place	4 G3
Weehawken Street	3 D3
West 3rd Street	4 F3
West 4th Street	4 E2
West 8th Street	4 F2
West 10th Street	4 F2
West 11th Street	3 D3
West 12th Street	3 C2
West 13th Street	4 F1
West 14th Street	3 C1
West 15th Street	3 C1
West 23rd Street	8 F5
West 28th Street	8 F4
West 31st Street	8 F3
West 32nd Street	8 G3
West 33rd Street	8 F3
West 34th Street	8 F3
West 39th Street	8 F2
West 40th Street	8 F1
West 42nd Street	8 F1
West 44th Street	8 G1
West 45th Street	12 E6
West 46th Street	12 E6
West 47th Street	12 E6
West 48th Street	12 E6
West 49th Street	12 E6
West 50th Street	12 G5
West 52nd Street	12 G5
West 53rd Street	12 G5
West 54th Street	11 C4
West 55th Street	12 G4
West 57th Street	12 F4
West 58th Street	12 G4
West 59th Street	11 C3
West 60th Street	11 D3
West 61st Street	12 E3
West 62nd Street	12 E3
West 63rd Street	12 E3
West 64th Street	11 D2
West 65th Street	11 D2
West 66th Street	11 D2
West 67th Street	12 E2
West 70th Street	11 C1
West 71st Street	11 C1
West 72nd Street	11 C1
West 74th Street	15 B6
West 75th Street	15 B6
West 76th Street	15 B6
West 77th Street	15 A6
West 78th Street	15 A6
West 80th Street	15 A5
West 81st Street	15 A5
West 82nd Street	15 B5
West 83rd Street	15 B5
West 84th Street	15 B5
West 85th Street	15 A5
West 96th Street	15 B3
West 100th Street	15 C2
West 101st Street	15 A2
West 102nd Street	15 A2
West 103rd Street	15 A2
West 104th Street	15 C1
West 105th Street	15 C1
West 111th Street	17 B6
West 112th Street	17 B6
West 113th Street	17 B6
West 114th Street	17 B6
West 115th Street	17 B6
West 116th Street	17 C6
West 117th Street	17 C5
West 118th Street	17 C5
West 119th Street	17 C5
West 120th Street	17 C5
West 121st Street	17 C5
West 122nd Street	17 C5
West 123rd Street	17 B4
West 124th Street	17 D4
West 125th Street	17 C4
West 126th Street	17 D4
West 127th Street	17 D4
West 131st Street	17 C3
West 132nd Street	17 C3
West 133rd Street	17 C3
West 134th Street	17 C2
West 135th Street	17 C2
West 136th Street	17 C2
West 137th Street	17 C2
West 138th Street	17 C2
West 139th Street	17 C2
West 140th Street	17 C1
West 141st Street	17 C1
West 142nd Street	17 C1
West 143rd Street	17 C1
West 144th Street	17 C1
West 145th Street	17 C1
West Broadway	4 G5
West End Avenue	15 B1
West Houston Street	4 F4
West Street	3 C3
West Thames Street	1 B5
West Washington Place	4 E3
Western Union International Plaza	1 C5
White Street	1 C1
Whitehall Street	1 D5
Willett Street	5 D5
William Street	1 D4
Willis Avenue	18 G1
Willoughby Ave (Brooklyn)	19 C3
Willow Street (Brooklyn)	2 H5
Wooster Street	4 G5
Worth Street	2 E1
Wyckoff Street (Brooklyn)	19 B4
Wythe Avenue (Brooklyn)	6 H3

Y

York Avenue	16 G6
York Street (Brooklyn)	19 A3

ómi# Índice

Os números de página em **negrito** referem-se às entradas principais.

125th Street, Harlem **180-1**
5 Pointz 221
92nd Street Y 39

A

Abbott, Berenice 198
Abode Apartment Rentals 29
Abyssinian Baptist Church 165, **182**
Ação de Graças 16
achados e perdidos 25, 27
Açúcar, Lei do (1764) 47
Adirondack (escuna) 44
Adrienne's Pizzabar 31
Air Link 18, 19
AirTrain 19
Ajisen 32, 33
Alan's Falafel 32, 33
alergias alimentares 24
Algonquin Hotel 102, **246**
Alice no País das Maravilhas, estátua de 137
Allstate Car Service 19, 22
Alojamento, Lei de (1765) 47
Al-Qaeda 49, 69
aluguel
　bicicletas 23
　carros 22
Ambrose (barco-farol) 66
ambulâncias 27
American Crafts Festival 15
American Indian, National Museum of 13, 55, **60-1**
American Museum of Natural History 11, 129, 163, 165, **174-5**
Amtrak 19
Amy Ruth's 31
Ancient Playground 143, 153, 159
Andersen, Hans Christian 96, 137
Angel of the Waters 134
animais
　vida selvagem 44
　veja também Observação de aves; Zoos
Anne Loftus Playground 187
Ano-Novo, bola na chegada do 17
Antiques Garage 35, 37
Antony, Mark 143
apartamentos 29
Apollo Theater 180
Apple Store Fifth Avenue 108-9
Aquarium, New York 11, 45, 210, **212-3**
Armory Art Show 14
Arquitectonica 239
Art Farm in the City 39
arte 38-9
Arte del Gelato, L' 32, 33

arte, oficinas de 37
artes cênicas 40-1
artes culinárias 39
artesanato 39
árvore de Natal, cerimônia de iluminação da 16
Asia Society 155
Asphalt Green 155
Astor, John Jacob 219
Astoria 219
Au Bon Pain 30, 33
Audubon Center 13, 192, **209**
Audubon EcoCruise 44
Audubon Society 44
avião, viagens de 18-9
Awash 32, 33

B

B'tween 36, 37
Babesta 35, 37
Ballet, New York City 14
balsas 23
Balto 125
Balto, estátua de 131
Balzac, monumento a 202
BAMkids Film Festival 38, 39
bancos 25
　horários de funcionamento 26
banheiros 26
Banjara 32, 33
Bank Street Bookstore 37, 39
barcos 44
　balsas e táxis aquáticos **23**
Barge Music 199
Barnes & Noble 37
Barneys 36, 37
Barnum, P. T. 196
Bartholdi, Frédéric-Auguste 58
Basie, Count 183
basquete 42
　Big East Championship Tournament 14
Battery Conservancy 60
Battery Park City 54
Beads of Paradise 39
Beatles, The 125, 135
bebês, compras para 36, 37
bed and breakfast 29
Bed and Breakfast Network 29
Bedford Street 80
Beekman Beer Garden Club 67
Beethoven, Ludwig van 131
beisebol 14, 42
　Yankee Stadium 13, 239
Bel Aire Diner 30, 33
Belvedere Castle 13, 123, 124, **140-1**
Benenson Ornamental Conifers 230
Beth Israel Hospital 24, 27

Bethesda Arcade 134
Bethesda Fountain 123
Bethesda Terrace 12, 125, **134-5**
Biblical Art, Museum of **170,** 171
bibliotecas
　Brooklyn Public Library 39
　Central Library 206
　Morgan Library and Museum, 91, 96
　New York Public Library 39, 89, 91, **102**
　Queens Public Library 39
bicicletas **23,** 43
Big Apple Circus 41
Big East Championship Tournament 14
Big Onion Tours 23
Bike NYC 23
Bike and Roll 42, 43
Billy Johnson Playground 129
Bleecker Street 80
Blick 37
Bloomingdale's 36, 37
Blue Marble 32, 33
Bolt 19
bombeiros 27
Bonpoint 34, 37
Books of Wonder 37, 39
Boqueria 32, 33
Bow Bridge 134, 135
Bowden, Benjamin B. 203
Bowling Green 61
Brick Lane Curry House 32, 33
Brighton Beach 215
brinquedos, lojas de 35-6, 37
Britton, Nathaniel Lord 231
Broadway 41
Broadway at Bryant Park 40, 41
Broadway Box 40, 41
Bronx 191
Bronx Museum of the Arts 192, **238-9**
Bronx Zoo 11, 192, **236-7**
Brooklyn 191
Brooklyn Botanic Garden 13, 192, 193, **206-7,** 231
Brooklyn Bridge 10, 54, 192, **196-7**
Brooklyn Bridge Park 196
Brooklyn Children's Museum 207
Brooklyn Cruise Terminal 19
Brooklyn Flea 35, 37
Brooklyn Heights Promenade 197
Brooklyn Ice Cream Factory 198-9
Brooklyn Museum 191, 193, **202-3,** 205
Brooklyn Public Library 39
Brooklyn, Batalha do (1776) 48
brunch 30, 33

A–C | 277

Bryant Park 101, **103**
   Citi Pond at Bryant Park 16, 42, 43
Bubby's 30, 33
Build-A-Bear Workshop 36, 37
Bundle 34, 36, 37
Buttercup Bake Shop 32, 33
Butterfly Conservatory 174
Buttermilk Channel 30, 33
Buy Buy Baby 36, 37

C

Cabán, Roger 161
Cacio e Pepe 31
cadeira de rodas, acesso para *veja* Portadores de deficiência
Café Cortadito 31, 33
café da manhã **30**, 33
cafés
   125th Street, Harlem e arredores 181
   American Museum of Natural History e arredores 175
   Belvedere Castle e arredores 141
   Bethesda Terrace e arredores 135
   Bronx Zoo e arredores 237
   Brooklyn Bridge e arredores 196
   Brooklyn Museum e arredores 202
   Central Park Zoo e arredores 129
   Cloisters e arredores 187
   Empire State Building e arredores 95
   Estátua da Liberdade e arredores 59
   Greenwich Village e arredores 81
   High Line e Meatpacking District 86
   Metropolitan Museum of Art e arredores 153
   Museum of Arts and Design e arredores 167
   Museum of Modern Art e arredores 107
   Museum of the Moving Image e arredores 219
   New York Aquarium, Coney Island e arredores 213
   New York Botanical Garden 230-1
   New York Hall of Science e arredores 225
   Prospect Park Zoo 205
   Rockefeller Center e arredores 113
   Solomon R. Guggenheim Museum e arredores 159
   South Street Seaport 67
   Tenement Museum e arredores 73
   Times Square e arredores 119
Cai Guo-Qiang 152

caiaque 43
caixas eletrônicos 25
Calder, Alexander 171
Calexico 32, 33
câmbio 25
caminhadas 22, 43
Capucine 35, 37
Carmel Car Service 19, 22
Carmel, Charles 208
Carnegie Hall 108
carrinhos de bebê em restaurantes 30
Carroll, Lewis 137
carros
   dirigir 22, 23
   locadoras 22
carrosséis
   Friedsam Memorial Carousel 123, 130-1
   Jane's Carousel 198
Carta de Direitos dos EUA 48
cartões de crédito 25
Cassatt, Mary 152
catedrais
   Cathedral Church of St. John the Divine 163, 175, **176-7**
   St. Patrick's Cathedral 114
   veja também Igrejas
Catimini 34, 37
Celebrate Brooklyn! 38, 39
celulares, telefones 25-6, 27
Central Library 206
Central Park 12, 122-43
   Alice no País das Maravilhas, estátua de 137
   Belvedere Castle 13, 123, 124, **140-1**
   Bethesda Terrace 12, 125, **134-5**
   Central Park Boathouse, doca da 134
   Central Park Lake 134
   Central Park Zoo 11, 108, 109, 123, 124, **128-9**, 213
   Conservatory Water 123, 125, **136-7**
   Great Lawn 143
   Hans Christian Andersen, estátua de 137
   Jacqueline Kennedy Onassis Reservoir 125, **143**, 160
   Merchant's Gate 167, 170
   Obelisco 125, 143, 147, 153
   observação de aves 141
   Ramble 11, 13, 43, 124, **136**
   Swedish Cottage 123, 136, **142**
Central Park Bicycle Shop 23
Central Park Lake 125
   Grand Army Plaza 206
   Ramble 136
   Riverside Park 165
   Swedish Cottage 142
centro *veja* Downtown

Century 21 36, 37
Cézanne, Paul 153
Chagall, Marc 158, 171
Chelsea
   hotéis 241
Chelsea Piers 87
Cherry Valley 230
Chicago, Judy 202
Chikanobu, Toyohara 152
Children's Museum of Manhattan 163, 165, **176**
Children's Museum of the Arts 38-9, **76**, 81
Chinatown 13, **76-7**
Chinatown Ice Cream Factory 32, 33
Chinese New Year Parade 17
chineses, restaurantes 32, 33
Chocolate Bar 32, 33
chocolate
   chocolatarias 32, 33
   Jacques Torres Chocolate Shop 198
Christmas Spectacular 16
Chrysler Building 10, 47, 95
ciclismo 23, 43
cinema *veja* Filmes
Circle Line 44
Circle Line Cruise **120**
   circos 41
   Cirque du Soleil 41
   Ringling Bros. Barnum & Bailey Circus 14, 41
Citi Pond at Bryant Park 16, 42, 43
City College of New York 182
City Island 44, 45, 191, **233**
City Sights 23
Cleópatra, rainha do Egito 143
Clinton Street Baking Company 30, 33
Clinton, Bill 180
Cloisters, museu 163, **186-7**
Cobble Hill Cinemas 38, 39
Cocoron 32, 33
Colombo, Cristóvão 131, 169
Columbia University 165, 175, 177
Columbus Day Parade 16
Columbus Park 76-7, 199
comida
   alergias alimentares 24
   artes culinárias 39
   Ninth Avenue International Food Festival 14
   veja também Cafés; Restaurantes
compras 34-7
   125th Street, Harlem e arredores 181
   American Museum of Natural History e arredores 175
   Belvedere Castle e arredores 141
   Bethesda Terrace e arredores 135
   Central Park Zoo e arredores 129
   Cloisters e arredores 187
   Empire State Building e arredores 95

278 | Índice

compras (cont.)
  Estátua da Liberdade e arredores 59
  Grand Central Terminal e arredores 101
  Greenwich Village e arredores 81
  High Line e Meatpacking District 87
  horários de funcionamento 26, 34
  Metropolitan Museum of Art e arredores 153
  Museum of Arts and Design e arredores 167
  Museum of Modern Art e arredores 107
  Museum of the Moving Image e arredores 219
  New York Aquarium, Coney Island e arredores 213
  New York Botanical Garden 231
  Rockefeller Center e arredores 113
  Solomon R. Guggenheim Museum e arredores 159
  South Street Seaport 67
  Tenement Museum e arredores 73
  Times Square e arredores 119
comunicações 25-6
Cones 32, 33
Coney Island 11, 44-5, 193, 210, **214-5**
Coney Island Polar Bear Club 215
Coney Island, USA 214-5
Congresso Continental 48
Conservatory Water 123, 125, **136-7**
Conservatory, Enid A. Haupt 230
Conspiração de 1741 47
Continental 18, 19
Corbin, Margaret 187
correio 26, 27
Crewcuts 36, 37
crianças pequenas, compras para 36, 37
criminalidade 25
cruzeiros 19

D

Dalí, Salvador 106
dança
  Kwanzaa Festival 17
  New York City Ballet 14
  New York Dance Parade 14
David Z 36, 37
David, Joshua 86
De Creeft, José 137
Declaração da Independência (1776) 48, 69
Degas, Edgar 152
Delacorte Theater 40, 125, 141
Delacorte, George Jr. 137

DeLillo, Pat 221
Delta 18, 19
Delue, Donald 227
Department of Transportation (DOT) 22, 23
Desalvio Playground 75
descontos em hotéis 28-9
devolução em lojas 34
Di Modica, Arturo 61
Diana Ross Playground 142
Diller-von Furstenberg Sundeck 86
Dim Sum Go Go 32, 33
diners 30
dinheiro 25, 27
Dinosaur Hill 36, 37
Dinosaur Playground 176
dirigir 22, 23
discagem, códigos de 25
Disney Store 36, 37
diversão 38-43
  eventos esportivos e atividades 42-3
  teatro e artes cênicas 40-1
Doughnut Plant 32
Douglas, Aaron 182
Downtown 52-87
  Estátua da Liberdade e arredores 56-63
  Greenwich Village e arredores 78-83
  High Line e Meatpacking District 84-7
  hotéis 240-2
  South Street Seaport e arredores 64-9
  Tenement Museum e arredores 70-7
Downtown Boathouse 42, 43, 44, 120
DR2 Theatre 41
Draft Riots (1863) 48
Dragon Boat Festival 15
Dublin 6 30, 33
Duckworth, Ruth 168
Dumbo 198
Dumbo Arts Center 197
Dumbo Arts Festival 15
Dyckman Farmhouse Museum 188-9
Dyckman, William 188
Dylan, Bob 49, 80

E

Eames, Charles e Ray 224
East 72nd Street Playground 136-7
East Village 82
East, rio 196
Easter Parade e Easter Bonnet Festival 14
Edgar Allan Poe Cottage 12, 193, **232**
Eldridge Street Synagogue 73
eletricidade 26

Elevated Acre 59, 63
Ellington, Duke 181
Ellis Island (balsa) 61
Ellis Island 48, 53
Ellis Island Immigration Museum 11-2, 55, **60**
emergências 24, 27
emergências médicas 24, 27
Emerson Playground 189
Emerson, Ralph Waldo 189
Empanada Mama 31, 33
Empire State Building 10, 47, 89, 90, **94-5**
Empire-Fulton Ferry Park 198, 199
Enid A. Haupt Conservatory 230
entrada nos EUA, requisitos para 18
espanhóis, restaurantes 31-2, 33
Estátua da Liberdade 12, 44, 53, **58-9**
etíopes, restaurantes 32, 33
etiqueta 27
eventos esportivos 42-3
Everett Children's Adventure Garden 230

F

FAO Schwarz 35, 90, **109**
Farm on Adderley, The 31, 33
Federal Hall 68-9
Federal Reserve Bank of New York 68
Feira Mundial (1939) 49
Fellig, Arthur ("Weegee") 121
feriados 17
Festa de San Gennaro 15
festivais 14-7
Fifth Avenue 203
Filhos da Liberdade 47
filmes 38
  BAMkids Film Festival 38, 39
  Cobble Hill Cinemas 38, 39
  Museum of the Moving Image 192, **218-9**
  New York Film Festival 15
  New York International Children's Film Festival 14, 38, 39
  Tribeca Film Festival 14
Fisher Landau Center for Art 221
Fitzgerald, Ella 181
Flatiron Building 82
Flatiron District 82-3
Fleet Week 14
Flushing Meadows-Corona Park 226, 227
Foot Locker 36, 37
Fort Tryon Park 187
Fort Washington Park 189
Fratin, Christopher 131
Fredericks, Marshall M. 227
Freedman, Andrew 238
Freedom Tower 69

Frick Collection 145, 146, 147, **154-5**
Frick, Henry Clay 154
Friedsam Memorial Carousel 123, 130-1
fumar em restaurantes 30
furtos 25
fuso horário 27
futebol 42

G

Galaxy Diner 30, 33
galerias *ver* Museus e galerias
Gansevoort Woodland 86
Gantry Plaza State Park 221
Gap 36, 37
Garvey, Marcus 180, 181
Gaskin, Franco 180
GE Building 112
gelato 31
Gennaro 31, 33
George Washington Bridge 189
Giggle 34, 36, 37
Ginsberg, Allen 49, 55
Glenn, John 224
Golden Unicorn 32, 33
Goldstein, Harry 130
Governors Island 44, 45
Graham, Augustus 202
Gramercy Park
  hotéis 241
Grand Army Plaza 109, **206**
Grand Central Terminal 12, 89, 90, 95, **100-1**
Grand Concourse 238
Grande Incêndio (1835) 48
Grande Migração 48
Gray Line 23
Great Lawn 143
Greek Independence Day Parade 14
Greeley Square and Park 97
Greenwich Village 54, 55, **80-1**
gregos, restaurantes 31, 33
Greyhound 19
Ground Zero 49
Guerra Civil (1861-5) 48
Guerra dos Sete Anos (1756-63) 46
Guerra Franco-Indígena (1754-63) 47
Guggenheim (Solomon R.) Museum 38, 145, 146, **158-9**

H

Hale, Nathan 49
Half Pint Citizens 36, 37
Hamilton Heights Historic District 165, **183**
Hamilton, Alexander 183
Hamilton, Andrew 47
Hammond, Robert 86
Hana Michi 32, 33

Hans Christian Andersen, estátua de 137
Hanukkah 16-7
Harlem 163-5, 178-81
Harlem Meer 160, 161
Harlem Week 15
Harlem, Renascimento do 48-9
Harry's Shoes 37
Hayden Planetarium 174
Heckscher Playground 131
Heine, Heinrich 238
Heintz, Louis J. 238
Hell's Kitchen Fleamarket 35, 37
Hemingway, Ernest 80
Henry Luce Nature Observatory 124, 140, 141
Herald Square 91, **97**
Herbert, Victor 131
Hester Street Playground 74
Hicks, Edward 203
High Line 12, 13, 53, 55, **86-7**
Hippo Playground 176
história 46-9
Holiday Bazaars 16
Holiday Train Show 16
Home Exchange 29
Home Link 29
Homer, Winslow 150
Hong Kong Dragon Boat Festival 15
Hopper, Edward 154
hóquei no gelo 42-3
horários de funcionamento 26
  lojas 26, 34
  restaurantes 30
hospedagem 28-9, 240-9
hospitais 24, 27
hotéis 28-9, 240-9
  Arredores de Manhattan 249
  Chelsea, Meatpacking District e Gramercy Park 241
  Downtown 240-2
  gorjetas 27
  Lower East Side 241-2
  Lower Manhattan 240-1
  Midtown 242-7
  Upper East Side 248
  Upper West Side 248-9
Housecall MD NY 24, 27
Hu, Mary Lee 168
Hubbard, Alex 154
Hudson River Park 13, 81
Hudson River Park Playground 86
Hudson, Henry 46, 49

I

Ibiza Kidz 36, 37
igrejas
  Abyssinian Baptist Church 165, **182**
  St. Mark's Church-in-the-Bowery 82
  veja também Catedrais

ilhas 44-5
  City Island 233
Imagination Playground 209
impostos 34
indianos, restaurantes 32, 33
Infinity 36, 37
informação turística 26, 27
Institute of Culinary Education 39
intercâmbio de residências 29
International Center of Photography 121
internet 26
Intrepid Sea, Air & Space Museum 13, **120**
inverno em Nova York 16-7
Inwood Hill Nature Center 188
Inwood Hill Park 188
Irish Hunger Memorial 62
Isamu Noguchi Foundation and Garden Museum 220
italianos, restaurantes 31, 33

J

Jacob K. Javits Playground 187
Jacqueline Kennedy Onassis Reservoir 125, 143, 160
Jacques Torres Chocolate Shop 32, **198**
James J. Walker Park 77
James Michael Levin Playground 137
Jane's Carousel 198
japoneses, restaurantes 32, 33
Japonica 32
jardins *veja* Parques e jardins
Jazz Hall of Fame 170
Jefferson Market Garden 55
Jefferson, Thomas 102
Jewel Bako 32, 33
Jewish Museum 145, 147, **160**, 161
Joe Allen 30, 33
Joe's Pub 38, 39
Joe's Shanghai 32, 33
John F. Kennedy Airport 18, 19
Johns, Jasper 154
Johnson (Billy) Playground 129
Johnson, Philip 115
Jojotalk 26, 27
Jorge II, rei da Inglaterra 177
jornais 26, 27
Joyce Kilmer Park 238
Julian & Sara 36

K

Kaasen, Gunnar 131
Kee's Chocolates 32, 33
Kennedy (John F.) Airport 18, 19
Kennedy, Jacqueline
  Jacqueline Kennedy Onassis Reservoir 125, **143**, 160
Kertész, André 198
Kids' Night on Broadway 40, 41
Kilmer (Joyce) Park 238

Kinokuniya Bookstore 103
Kwanzaa Festival 17

L

Laboratorio del Gelato, Il 32
LaGuardia Airport 18, 19
Landau, Emily Fisher 221
Lasker Pool 161
latinos, restaurantes 31, 33
Lefferts Historic House 12, 193, **208**
Lego Store 36, 114
Leisler, Jacob 46-7
lenape, tribo indígena 46, 47
Lennon, John 125, 135
Lenox Hill Hospital 24, 27
Lenox Lounge 180
Leone, Sergio 198
Lesbian and Gay Pride Day Parade 15
Levin (James Michael) Playground 137
Levitt, Helen 106
LeWitt, Sol 221
Libeskind, Daniel 62, 69
Library Way 102
Lighthouse, Little Red 189
Li-Lac 32
Lillian D. Wald Playground 73
Lincoln Center 38, 164, **170-1**
Lincoln Center Out of Doors 15
Lincoln Road Playground 205
liquidações 34
Literary Walk 12, 125, **131**
literatura 39
Little Airplane Productions 67
Little Engine Playground 171
Little Italy 75
Little Red Lighthouse 189
Little Shop of Crafts 39, 159
Little Tokyo 82
livrarias 37, 39
Lober, Georg 137
Loeb Boathouse 44
Loew's Paradise Theater 239
Loftus (Anne) Playground 187
Long Island City 191, 192, **220-1**
Long Island Railroad 23
Lord & Taylor 36, 37
Lower East Side 74
 hotéis 241-2
Lower Manhattan
 hotéis 240-1
Luce (Henry) Nature Observatory 124, 140, 141
Lucha, La 31, 33
Lucille Lortel Theatre 40, 41
Luna Park 45, 191

M

Macombs Dam Park 239
Macy's 36, 97
 Flower Show 14

Macy's (cont.)
 fogos de artifício da 15
 Thanksgiving Day Parade 16
Madame Tussauds New York 118
Madison Square Park 83, 95, 96
Main Street Park 198
Make Meaning 39
Makié 34, 37
Malcolm Shabazz Market 181
Manet, Edouard 158
Manhattan (barco) 44
Manhattan Bridge 199
Manhattan Cruise Terminal 19
Manhattan Getaways 29
Manhattan Island 189, 191
Mano Pottery, La 39
mapas
 125th Street, Harlem e arredores 178-9
 American Museum of Natural History 172-3
 Belvedere Castle e arredores 138-9
 Bethesda Terrace e arredores 132-3
 Bronx Zoo 234-5
 Brooklyn Bridge e arredores 194-5
 Brooklyn Museum 202-3
 Central Park 123
 Central Park Zoo e arredores 126-7
 Cloisters e arredores 184-5
 Downtown 53
 Empire State Building e arredores 92-3
 Estátua da Liberdade 57
 Grand Central Terminal e arredores 98-9
 Greenwich Village e arredores 78-9
 High Line e Meatpacking District 84-5
 Metropolitan Museum of Art e arredores 148-9
 Midtown 89
 Museum of Arts and Design e arredores 166-7
 Museum of Modern Art e arredores 104-5
 Museum of the Moving Image e arredores 216-7
 New York Aquarium, Coney Island e arredores 210-1
 New York Botanical Garden 228-9
 New York Hall of Science e arredores 222-3
 Nova York 252-73
 Rockefeller Center 110-1
 Solomon R. Guggenheim Museum e arredores 156-7
 South Street Seaport 65
 Tenement Museum e arredores 70-1
 Times Square e arredores 116-7

Marc, Franz 158
Marcus Garvey Park 180, 181, 183
Maritime Crafts Center 66
Marshall, Thurgood 183
Max 31, 33
Maya 31, 33
Mayor's Office for People with Disabilities 26, 27
McKim, Charles 177
McKim, Mead e White 202
McKinley, William 83
McNally Jackson 39
Meatpacking District 84-7
 hotéis 241
medicamentos 24
Megabus 19
mercados 35
 Cloisters e arredores 187
 Grand Central Terminal e arredores 101
 Malcolm Shabazz Market 181
 Market NYC, The 35, 37
 South Street Seaport 67
 Union Square Greenmarket 13, **82-3**
Merchant's Gate 167, 170
Merchant's House Museum 81
Mermaid Parade 15
Mesa Grill 31, 33
Meskel 32, 33
Meskerem 32, 33
metrô 20-1, 23
Metro North 23
Metrocard 20, 21
Metropolitan Museum of Art 11, 38, 145, 146, 147, **150-3**
Metropolitan Opera 15, 170
Metropolitan Transit Authority 23
mexicanos, restaurantes 31, 33
Michaels 37
mídia 26, 27
Midsummer Night Swing 15
Midtown 88-121
 hotéis 242-7
Minetta Lane 80, 81
Mini Jake 36, 37
Minuit, Peter 47, 189
Miss Maude's Spoonbread Too 31
Model T Headquarters (Moore) 202
Modigliani, Amedeo 151
moedas 25
Molyvos 31, 33
MoMA (Museum of Modern Art) 11, 38, 89, 91, **106-7**
MoMA PS1 11, 192, 221
Mommy Poppins 38, 39
Moore, Andrew 202
Moore, Henry 171
Morgan Library and Museum 96
Morgan, Pierpont 96
Morningside Heights 175
Morningside Park 177
Mould, Jacob Wrey 134

Mount Morris Historic District 180
Mount Sinai Hospital 24, 27
Mullaly Park 239
Municipal Art Society 23
Murakami, Takashi 203
Museo del Barrio, El 145, 147, **161**
Museum Mile Festival 15
museus e galerias
 5 Pointz 221
 American Museum of Natural History 11, 129, 163, 165, **174-5**
 Asia Society 155
 Audubon Center 209
 Bronx Museum of the Arts 192, **238-9**
 Brooklyn Children's Museum 207
 Brooklyn Museum 191, 193, **202-3**, 205
 Carnegie Hall 108
 Children's Museum of the Arts 38-9, **76**, 81
 Children's Museum of Manhattan 163, 165, **176**
 Cloisters 163, **186-7**
 Coney Island, USA 214-5
 Dyckman Farmhouse Museum 188-9
 Edgar Allan Poe, casa de 12, 193, **232**
 Ellis Island Immigration Museum 11-2, 55, **60**
 Fisher Landau Center for Art 221
 Frick Collection 145, 146, 147, **154-5**
 International Center of Photography 121
 Intrepid Sea, Air & Space Museum 13, **120**
 Inwood Hill Nature Center 188
 Isamu Noguchi Foundation and Garden Museum 11, 191, 192, **220**
 Jewish Museum 145, 147, **160**, 161
 Lefferts Historic House 12, 193, **208**
 Madame Tussauds New York 118
 Merchant's House Museum 81
 Metropolitan Museum of Art 11, 38, 145, 146, 147, **150-3**
 MoMA PS1 11, 192, 221
 Morgan Library and Museum 91, **96**
 Museo del Barrio, El 145, 147, **160**
 Museum of Arts and Design 163, **168-9**
 Museum of Biblical Art 170
 Museum of the City of New York 12, 147, **160**
 Museum of Modern Art (MoMA) 11, 38, 89, 91, **106-7**
 Museum of the Moving Image 11, 192, **218-9**

museus e galerias (cont.)
 National September 11 Memorial 69
 National Museum of the American Indian 13, 55, **60-1**
 New Museum 11, 55, **74-5**
 New York City Fire Museum 77
 New York City Police Museum 63
 New York Hall of Science 13, **224-5**
 New York Historical Society 176
 New York Transit Museum 101, **199**
 Queens Museum of Art 192, **226**
 Ripley's Believe It or Not! Museum 118
 SculptureCenter 221
 Seaport Museum New York 66
 Skyscraper Museum 62
 Socrates Sculpture Park 220
 Solomon R. Guggenheim Museum 38, 145, 146, **158-9**
 Steinhardt Conservatory 207, 208
 Studio Museum 180
 Tenement Museum 12, 53, 55, **72-3**
 Theodore Roosevelt, local de nascimento de 12, 55, **83**
 Ukrainian Museum **76**
 Whitney Museum of American Art 145, 146, **154**
música 38
 Carnegie Hall 108
 Kwanzaa Festival 17
 Metropolitan Opera 15
 Philharmonic in the Park Concerts 15

N

N.Y. Dosas 32, 33
National Museum of the American Indian 13, 55, **60-1**
National September 11 Memorial 69
navio, viagens de 19
NBC, visita ao estúdio 91, 113
necessidades especiais *veja* Portadores de deficiência
Nelson A. Rockefeller Park 63
Nesjar, Carl 76
Nethermead 209
New Jersey Transit 23
New Museum 11, 55, **74-5**
New Victory Theater 41, 91, 118, 119
New York Airport Service 18, 19
New York Aquarium 11, 45, 210, **212-3**
New York Boat Show 17
New York Botanical Garden 13, 193, **230-1**, 237
New York Chocolate Show 16
New York City Ballet 14, 164, 170

New York City Fire Museum 77
New York City Marathon 16
New York City Police Museum 63
New York Classical Theatre 40, 41
New York Comedy Festival 16
New York Comic-Con 16
New York Dance Parade 14
New York Doctors on Call 24, 27
New York Film Festival 15
New York Hall of Science 13, 193, **224-5**
New York Harbor 53, 59
New York Historical Society 176
New York International Children's Film Festival 14, 38, 39
New York Knicks 16, 42
New York Mets 14, 42
New York Philharmonic Orchestra 170-1
NewYork-Presbyterian/Weill Cornell Medical Center 24, 27
New York Public Library 39, 89, 91, **102-3**
New York Rangers 42, 43
New York Red Bulls 42
New York Times, The 26, 27
New York Transit Museum 101, **199**
New York Water Taxi 23, 44
New York Yankees 14, 42
New York's Waterfront Bicycle Shop 42, 43
Newark Liberty International Airport 18, 19
Nha Trang 32
Nicholas Schenck House 203
Nintendo World 36, 90, **114**
Ninth Avenue International Food Festival 14
Noguchi, Isamu 221
 Isamu Noguchi Foundation and Garden Museum 11, 191, 192, **220**
North Meadow Recreation Center 143
Northwest Ordinance 48
nova culinária americana, restaurantes de 31, 33
Nova York econômica 12
NYC & Company 26, 27
NYU Hospital 24, 27
NYU Skirball Center 41

O

O'Keeffe, Georgia 154
O'Neill, Eugene 80
Obelisco, Central Park 125, 143, 147, 153
observação de aves 44
 Central Park 141
 Harlem Meer 160
 Henry Luce Nature Observatory 140, 141
 Jacqueline Kennedy Onassis

282 | Índice

observação de aves (cont.)
　Reservoir 143
　Prospect Park Lake 209
　Ramble 136
off Broadway, shows 40, 41
Olmsted, Frederick Law
Olympia Trails Airport Express 18, 19
Omai 32, 33
Onassis, Jacqueline Kennedy
　Jacqueline Kennedy Onassis Reservoir 125, **143**, 160
ônibus 18, 21-2
ônibus, viagens longas de 19
Open House New York Weekend 16
Opera, Metropolitan 15
Orchid Show 14
Oriental Garden 32, 33
outono em Nova York 15-6
Ovelia 31, 33

P

padarias **32**, 33
Pain Quotidien, Le 30
painel eletrônico, Times Square 118
Paley Center for Media 91, **115**, 219
Paragon 35
parques e jardins
　Bowling Green 61
　Brooklyn Botanic Garden 13, 192, 193, **206-7**, 231
　Brooklyn Bridge Park 196
　Bryant Park 101, **103**
　Central Park 12, 122-5
　Columbus Park 76-7, 199
　Elevated Acre 59, 63
　Empire-Fulton Ferry Park 198, 199
　Flushing Meadows-Corona Park 226, 227
　Fort Tryon Park 187
　Fort Washington Park 189
　Gansevoort Woodland 86
　Gantry Plaza State Park 221
　Great Lawn 143
　Greeley Square and Park 97
　High Line 53, 55, **86-7**
　Hudson River Park 13, 81
　Inwood Hill Park 188
　Isamu Noguchi Foundation and Garden Museum 220
　James J. Walker Park 77
　Jefferson Market Garden 55
　Joyce Kilmer Park 238
　Macombs Dam Park 239
　Madison Square Park 83, 95, 96
　Main Street Park 198
　Marcus Garvey Park 180, 181, 183
　Morningside Park 177
　Mullaly Park 239

parques e jardins (cont.)
　Nelson A. Rockefeller Park 63
　Nethermead 209
　New York Botanical Garden 13, 193, **230-1**, 237
　Prospect Park 12, 13, 191, **208**
　Queens Botanical Garden 227
　Ramble 11, 13, 43, 124, **136**
　Riverbank State Park 183
　Riverside Park 163, 165, 176
　Robert F. Wagner Jr. Park 62
　St. Luke's Garden 80
　St. Nicholas Park 182
　Sara D. Roosevelt Park 74
　Shakespeare Garden 142-3
　Socrates Sculpture Park 220
　Theodore Roosevelt Park 175
　Tompkins Square Park 55, 75
　Washington Market Park 69
　Washington Square Park 53, 55, 80
　Wave Hill 191, **232-3**
　Zuccotti Park 69
passaportes 18, 27
Patagonia 34, 37
patinação no gelo 43
　Citi Pond at Bryant Park 16
　Rockefeller Center, rinque no 16, 42, 43
　Trump Rink 13, 16, 43, **130**
Pâtisserie Claude 32, 33
Peggy Rockefeller Rose Garden 230
Pei, I. M. 76
Penn Station 19
Periyali 31, 33
Perkins Visitor Center 233
Petit Bateau 34, 37
Philharmonic in the Park Concerts 15
Picasso, Pablo 76, 106, 152, 159
Pies-N-Thighs 31, 33
Planetarium, Hayden 174
playgrounds
　Ancient Playground 143, 153, 159
　Anne Loftus Playground 187
　Billy Johnson Playground 129
　Desalvio Playground 75
　Diana Ross Playground 142
　Dinosaur Playground 176
　East 72nd Street Playground 136-7
　Emerson Playground 189
　Heckscher Playground 131
　Hester Street Playground 74
　Hippo Playground 176
　Hudson River Park Playground 86
　Imagination Playground 209
　Jacob K. Javits Playground 187
　James Michael Levin Playground 137
　Lillian D. Wald Playground 73

playgrounds (cont.)
　Lincoln Road Playground 205
　Little Engine Playground 171
　Playground for All Children 226
　River Park Playground 237
　Thirty-five Playground 219
　Union Square Park Playground 82-3
Poe, Edgar Allan
　Edgar Allan Poe, casa de 12, 193, **232**
polícia 25, 27
　New York City Police Museum 63
Pollock, Jackson 152
Port Authority Bus Terminal 19
portadores de deficiência 26, 27
　ônibus 21-2
Powell Jr., Adam Clayton 182
primavera em Nova York 14
Prometeu, estátua de 112
Prospect Park 12, 13, 191, **208**
Prospect Park Lake 209
Prospect Park Zoo 192, **204-5**
PS1 11, 192, 221
Puerto Rican Day Parade 15, 17

Q

QBG Store 227
Queens 191, 219
Queens Botanical Garden 227
Queens Museum of Art 192, **226**, 227
Queens Public Library 39
Queens Zoo 226

R

Radio City Music Hall 91, 112
Ramble Arch 137
Ramble, The 11, 13, 43, 124, **136**
Rauschenberg, Robert 154
Red Steps 118
Republic 32
restaurantes 30-3
　125th Street, Harlem e arredores 181
　American Museum of Natural History e arredores 175
　Belvedere Castle e arredores 141
　Bethesda Terrace e arredores 135
　Bronx Zoo e arredores 237
　Brooklyn Bridge e arredores 196
　Brooklyn Museum e arredores 202-3
　Central Park Zoo e arredores 129
　Cloisters e arredores 187
　Empire State Building e arredores 95
　Estátua da Liberdade e arredores 59
　gorjetas em 27, 30
　Grand Central Terminal e arredores 101
　Greenwich Village e arredores 81

restaurantes (cont.)
  High Line e Meatpacking District 87
  horários de funcionamento 30
  Metropolitan Museum of Art e arredores 153
  Museum of Arts and Design e arredores 167
  Museum of Modern Art e arredores 107
  Museum of the Moving Image e arredores 219
  New York Aquarium, Coney Island e arredores 213
  New York Botanical Garden 230
  New York Hall of Science e arredores 225
  Prospect Park Zoo 205
  Rockefeller Center e arredores 113
  Solomon R. Guggenheim Museum e arredores 159
  South Street Seaport 67
  Tenement Museum e arredores 73
  Times Square e arredores 119
Revolução americana 48
Richmond County Fair 15
Ringling Bros. Barnum & Bailey Circus 14, 41
Ripley, Robert LeRoy 119
Ripley's Believe It or Not! Museum 118
Risse, Louis 238
River Park Playground 237
River To River Festival 12, 38, 39, 40, 41
Riverbank State Park 183
Riverside Park 163, 165, 176
Robert F. Wagner Jr. Park 62
Robeson, Paul 183
Rockefeller (Nelson A.) Park 63
Rockefeller (Peggy) Rose Garden 230
Rockefeller Center 10, 12, 13, 89, 90, 91, 95, **112-3**
  árvore de Natal, cerimônia de iluminação da 16
  rinque de patinação no gelo 16, 42, 43
Rockefeller Jr., John D. 186, 187
Rockefeller, John D. III 155
Rockettes 113
Rodin, Auguste 202
Roebling, Emily 197
Roebling, John Augustus 197
Roebling, Washington 197
Roosevelt Hospital 24, 27
Roosevelt, Theodore (Teddy) 232
  Theodore Roosevelt, local de nascimento de 12, **83**
Ross (Diana) Playground 142
Rossetti, Dante Gabriel 152

Roth, Frederick 131
Rothko, Mark 152
roupas
  compras 34-5, 36, 37
  tabela de tamanhos 35
  rua, comida de 32, 33

S

Saks Fifth Avenue 36, 37
Sakura Matsuri, Festival de cerejeiras floridas 14, 207
Sakura Park 177
sapatos, lojas de 36-7
Sarabeth's Kitchen 30, 33
Saravanaas 32, 33
saúde 24, 27
saúde, seguro de 24
Scandinavia House 96
Schaechter, Judith 168
Schenck, Nicholas 203
Schermerhorn Row 66
Scholastic Store 37
Schomberg, Arturo 182
Schomburg Center for Research into Black Culture 182
SculptureCenter 221
Sean's Place 219
Seaport Museum New York 66
Segovia, Andres 152
Segunda Guerra Mundial 49
segurança 25
seguro 24
Selo, Congresso da Lei do 47-8
Seppala, Leonhard 131
Shakespeare Garden 142-3
Shakespeare in the Park 15, 40
Shearwater (escuna) 44
Sheep Meadow 131
Sheridan Square 80
Sherman, general William Tecumseh 109
Shiota, Takeo 206
Shoofly 36-7
Siller, Stephen 49
Silver Towers 76
Skate Park 177
Skechers 36, 37
Sky Rink 42, 43
Skyscraper Museum 62
Socarrat Paella Bar 32, 33
Socrates Sculpture Park 220
Solomon R. Guggenheim Museum 38, 145, 146, **158-9**
Sony Wonder Technology Lab 107
sorvete 31, 32, 33
  Brooklyn Ice Cream Factory **198-9**
soul food 30-1, 33
South Street Seaport 44, 54, **66-7**
Space Kiddets 35
Spacelander Bicycle 203
Sripraphai 32, 33

St. Francis Day 16
St. Luke's Garden 80
St. Mark's Church-in-the-Bowery 82
St. Nicholas Historic District 182-3
St. Nicholas Park 182
St. Nick's Dog Run 183
St. Patrick's Cathedral 114
St. Patrick's Day Parade 14
St. Petersburg Bookstore 215
Staten Island 191
Staten Island Ferry 23
Stein, Sol 130
Steinbrenner, George 239
Steinhardt Conservatory 207, 208
Stella, Joseph 154
Stonewall, revoltas de (1969) 49, 80
Strand Bookstore 78, 81
Strawberry Fields 125, 135
Strayhorn, Billy 181
Streb Lab for Action Mechanics 41
Studio Museum 180
Stuyvesant Square 82
Stuyvesant, família 82
Stuyvesant, Peter 46, 47, 181
Stuyvesant, Peter Gerard 82
Style-Licious 36, 37
Sugar Hill 165, **183**
sulista, comida 30-1, 33
SummerStage12, 38, 39
Super Shuttle 18, 19
Swedish Cottage 123, 136, **142**
Swedish Cottage Marionette Theater 41, 125
Swift, Hildegarde 189
Sylvia's 31, 33
Symphony Space 38, 39, 41, 164

T

TADA! Youth Theater 41
tailandeses, restaurantes 32, 33
TAM 18, 19
Taniguchi, Yoshio 106
Taste Buds 39
Tavern on the Green Visitor Center 135
Taverna Kyclades 31, 33
táxis 22, 23
  aeroporto 18-9
  gorjetas 27
táxis aquáticos 23
teatro 40-1
telefones 25-6, 27
telefones celulares 25-6, 27
televisão 26
Tenement Museum 12, 53, 55, **72-3**
tênis 42
  US Open 15, 42
Tenth Avenue Cookshop 31, 33
Tenth Avenue Square 86
Thai Market 32, 33
Thalia Kids' Book Club 39

Theater Mania 40, 41
Theatreworks USA 40, 41
Theodore Roosevelt Park 175
Theodore Roosevelt, local de nascimento de 55, **83**
Thirty-five Playground 219
Thomas, Dylan 80
Thompson, Mark 198
Three Kings Day Parade 17
Tía Pol 31, 33
Ticket Master 40, 41
Tiffin Wallah 32, 33
Time Out Kids 38, 39, 40, 41
Time Out New York 26, 27
Time Warner Center 170
Times Square 89, 91, **118-9**
Times Square Alliance 26, 27
Times Tower 118
Tisch Children's Zoo 128
Titanic Memorial Lighthouse 66
TKTS, guichês da 40, 41
Tolle, Brian 62
Tom's Restaurant 30, 33
Tompkins Square Park 55, 75
Top of the Rock 90, 112
Torres (Jacques) Chocolate Shop 32, **198**
Tortillería Nixtamal 31
Toys"R"Us 35
Trabalho, Dia do 15
Transportation Security Administration 18
Trapeze School of New York 120
Travelex 25, 27
Treats Truck 32, 33
trem, viagens de 19, 23
Triangle Shirtwaist Factory, incêndio na (1911) 48
Tribeca Film Festival 14
Trump Rink 13, 16, 43, **130**
Tryon, sir William 187
turísticos, passeios 23
Turrell, James 221
Turtle Pond, Belvedere Castle 140, 141
TV 26
Twain, Mark 232
Two Little Red Hens 32, 33

U

Union Square Greenmarket 13, 35, **82-3**
Union Square Park Playground 82-3
Unisphere 225
United Airlines 18, 19
Upper East Side 144-61
 hotéis 248
 Metropolitan Museum of Art e arredores 148-55
 Solomon R. Guggenheim Museum e arredores 156-61
Upper West Side e Harlem 162-89
 American Museum of Natural History e arredores 172-7
 hotéis 248-9
 Museum of Arts and Design e arredores 166-71
US Open, tênis 15, 42

V

Van Gogh, Vincent 106, 153
Van Leeuwen Ice Cream Truck 32, 33
Vaux, Calvert
 Belvedere Castle 140-1
 Bow Bridge 134, 135
 Grand Army Plaza 206
 verão em Nova York 15, 44-5
Verrazzano, Giovanni da 46
viagem, cartões de 25
viagem, cheques de 25
viagem, seguro de 24
viagens 18-23
 avião 18-9
 balsas e táxis aquáticos 23
 bicicleta 23
 como circular 20-3
 dirigir 22, 23
 metrô 20-1, 23
 Metrocard 20, 21
 navio 19
 ônibus 21–2
 ônibus de longa distância 19
 passeios turísticos 23
 táxis 22, 23
 trem 19, 23
vida selvagem 44
vietnamitas, restaurantes 32, 33
Village Chess Shop 36, 37
Village Halloween Parade 16
Village Voice 26, 27
Virgin Atlantic 18, 19
Vista Rock, Belvedere Castle 140
vistos 18, 27
Vital Theater Company 41, 164

W

Wagner Jr. (Robert F.) Park 62
Walker (James J.) Park 77
Wall Street 47
Ward, John Quincy Adams 131
Warhol, Andy 106, 152
Washington Market Park 69
Washington Square Park 53, 55, 80
Washington, George 47, 48, 53, 68
Waterfall Trail 205
Waterfront Bicycle Shop 86
Wave Hill 12, 191, 193, **232-3**
"Weegee" 121
West Chelsea 84
West Indian Carnival 15
Westminster Kennel Club Dog Show 17
White, E. B. 136
Whitney Museum of American Art 145, 146, 154, 155
Whitney, Gertrude 155
Wi-Fi, lugares com 26
Word for Word Kids 40, 41
World Trade Center 49, 55, 69
Wright, Frank Lloyd 159
Wyeth, Andrew 106
Yankee Stadium 13, **239**

Y

Yorkville 155
Yoyamart 36

Z

Zenger, John Peter 47
zoos
 Bronx Zoo 11, 192, **236-7**
 Central Park Zoo 11, 108, 109, 123, 124, **128-9**, 213
 New York Aquarium 11, 45, 210, **212-3**
 Prospect Park Zoo 192, **204-5**
 Queens Zoo 226
 Tisch Children's Zoo 128
Zuccotti Park 69

Frases

Na terceira coluna, você encontra a transcrição mais aproximada em português da pronúncia das palavras em inglês. No entanto, na língua inglesa há sons inexistentes em português, como o "th", que é transcrito aqui de duas maneiras diferentes: como "d", na palavra "this", ou como "f", na palavra "thank you". A pronúncia correta é feita, nos dois casos, com a língua entre os dentes frontais. O "h" de " help" é transcrito pelas letras "rr", enquanto o "rr" de "sorry" aparece na terceira coluna como "r", com um som próximo ao do "r" seguido de consoante pronunciado em algumas regiões do interior de São Paulo.

Em Emergências

Socorro	Help	rrélp
Pare	Stop	stóp
Chame um médico	Call a doctor	koladóktor
Chame uma ambulância	Call an ambulance	kolanémbiulens
Chame a polícia	Call the police	kol dê pólís
Chame os bombeiros	Call the fire department	kol dê fáier départment
Onde fica o telefone mais próximo?	Where is the nearest telephone?	ueriz dê nírest télefoun?
Onde fica o hospital mais próximo?	Where is the nearest hospital?	ueriz dê nírest rróspital?

Comunicação Essencial

Sim	Yes	iés
Não	No	nôu
Por favor	Please	plíz
Obrigado	Thank you	fênkiu
Desculpe	Sorry	sóri
Com licença	Excuse me	ekskíuzmi
Oi	Hello	rrélou
Adeus	Goodbye	gudbái
Manhã	Morning	mórnin
Tarde	Afternoon	afternún
Noite	Evening	ívinin
Noite (tarde)	Night	náit
Ontem	Yesterday	iéstêrdei
Hoje	Today	túdei
Amanhã	Tomorrow	tumórou
Aqui	Here	rriêr
Lá	There	dér
O quê?	What?	úat
Quando?	When?	úen
Por quê?	Why?	úai
Onde?	Where?	uér

Frases Úteis

Como vai?	How are you?	rrauáriu
Muito bem, obrigado.	Very well, thank you	véri uél, fênkiu
Muito prazer em conhecer você	Pleased to meet you	plízd tu mítiu
Até logo	See you soon	síu sún
Está bem/bom	That's fine	déts fáin
Onde está/estão?	Where is/ where are...?	uériz uérár
Quantos metros/ quilômetros são até...?	How far is it to...	rrau farízit tu
Como se vai para...?	Which way to...?	úitch uei tu
Você fala português?	Do you speak portuguese?	du iu spík pôrtiuguíz?
Você fala espanhol?	Do you speak spanish?	du iu spík spênish?
Não entendo	I don't understand	ai dount anderstênd
Pode falar mais devagar, por favor?	Could you speak more slowly, please?	kúdiu spík môr slôuli plíz?
Sinto muito	I'm sorry	áim ssóri

Palavras Úteis

grande	big	bêg
pequeno	small	smól
quente	hot	rrót
frio	cold	kôuld
bom	good	gûd
ruim	bad	béd
suficiente	enough	ináf
bem	well	uél
aberto	open	ôupen
fechado	closed	klôuzd
esquerda	left	léft
direita	right	ráit
direto	straight (on)	strêit (ón)
perto	near	níer
longe	far	fár
em cima	up	áp
abaixo	down	dáun
cedo	early	êrlí
tarde	late	léit
entrada	entrance	êntranss
saída	exit	égzêt
banheiros	toilets	tôilétz
mais	more	môr
menos	less	léss

Nas Compras

Quanto custa isto?	How much does this cost?	rrau mátch daz dês kóst?
Eu gostaria	I would like	ai uôd laik
Vocês têm...?	Do you have...?	du iu rrév...?
Estou só olhando, ...obrigado	I'm just looking, ...thank you	aim djast lûkin,... fênkiu
Vocês aceitam cartões de crédito?	Do you take credit cards?	du iu têik krédit kardz?
A que horas vocês abrem?	What time do you open?	uotáim du iu ôupen?
A que horas vocês fecham?	What time do you close?	uotáim du iu klôuz?
este	this one	dêss uán
aquele	that one	dét uán
caro	expensive	ekspénssiv
barato	cheap	tchip
tamanho (roupas e sapatos)	size	ssáiz
amarelo	yellow	iélou
azul	blue	blú
branco	white	uáit
verde	green	grín
preto	black	blék
vermelho	red	réd
açougue	butcher's	bôtcherz
agência de viagens	travel agency	trévl êidjenssí
agência do correio	post office	pôustófiss
antiquário	antique shop	entík shóp
banco	bank	bénk
cabeleireiro	hairdresser's	rrer drésserz
farmácia	chemist's	kémists
jornaleiro	newsagent's	niúzêidjentz
livraria	bookshop	bôkshop
loja de calçados	shoe shop	shú shóp
loja de alimentos	grocer's	grôusserz
mercado, feira	market	márket
padaria	bakery	bêikeri
peixaria	fishmonger's	fêshmônguerz
quitanda	greengrocer's	grín grôusserz
supermercado	supermarket	supermárket

Atrações Turísticas

biblioteca	library	láibreri
catedral	cathedral	kafídral
galeria de arte	art gallery	art guélerí
igreja	church	tchêrtch
jardim	garden	gárden
museu	museum	miuzíam

Português	Inglês	Pronúncia
estação de trem	railway station	reiluei stêishan
fechado por causa do feriado	closed for holiday	klôuzd for rrólidei
informação turística	tourist information	tôrist infôrmêishan
prefeitura	townhall	táunról
ponto de ônibus	bus stop	bástop

No Hotel

Português	Inglês	Pronúncia
Vocês têm quarto disponível?	Do you have a vacant room?	du iu rrev â vêikant rum?
quarto para dois	double room	dábô rúm
com cama de casal	with double bed	uêf dábô bed
quarto com duas camas	twin room	tuên rúm
quarto de solteiro/individual	single room	cêngol rúm
quarto com banheiro	room with a bath	rúm uêf â bef
chuveiro	shower	sháuer
porteiro	porter	pórter
chave	key	kí
Eu tenho uma reserva	I have a reservation	ai rrev â rezêrvêishan

No Restaurante

Português	Inglês	Pronúncia
Tem uma mesa para...?	Have you got a table for...?	rréviu gat a teibôu for..?
Quero reservar uma mesa	I want to reserve a table	ai uant tu rizêrv â teibôu
A conta, por favor	The bill, please	dê bêll, plíz
Sou vegetariano/a	I'm vegetarian	áim vedjetérian
malpassado	rare	rér
ao ponto	medium	mídium
bem passado	well done	uél dán
almoço	lunch	lântch
café	coffee	kófi
café da manhã	breakfast	brékfest
carta de vinhos	winelist	uáin lêst
colher	spoon	spún
copo	glass	gláss
entrada	starter	stárter
faca	knife	náif
garçom	waiter	uêiter
garçonete	waitress	uêitress
garfo	fork	fórk
garrafa	bottle	bátlôu
jantar	dinner	dêner
menu	menu	mêniu
menu de preço fixo	fixed-price menu	fêkst-praiss mêniu
prato do dia	dish of the day	dêsh ov dê dêi
prato principal	main course	mêin kórs

Interpretando o Cardápio

Português	Inglês	Pronúncia
apple	ápôl	maçã
baked	bêik	ao forno
banana	banána	banana
beef	bíf	carne de boi
beer	bíer	cerveja
bread	bréd	pão
butter	bátâr	manteiga
cake	kêik	bolo
cheese	tchíz	queijo
chicken	tchêken	frango
chocolate	tcháklat	chocolate
cold meat	kôuld mít	os frios
dessert	dèzért	sobremesa
dry	drái	seco
egg	êg	ovo
fish	fêsh	peixe
fried	fráid	frito
fruit	frút	fruta
garlic	gárlek	alho
ham	rrém	presunto
icecream	áiss krím	sorvete
lamb	lêm	cordeiro
lemon	léman	limão
lemonade	lémanêid	limonada
lobster	lóbster	lagosta
meat	mít	carne
milk	mêlk	leite
mineral water	míneral uáter	água mineral
nuts	nâts	nozes
oil	óil	azeite
olives	ólêvz	azeitonas
onion	ânian	cebola
orange	órandj	laranja
pepper	péper	pimenta
pie	pái	torta
pork	pórk	porco
potatoes	ptêitôuz	batatas
prawns	prónz	camarões
red wine	red úain	vinho tinto
rice	ráiss	arroz
roast	rôust	assado
rosé wine	rouzê úain	vinho rosé
salt	sólt	sal
sauce	sóss	molho
sausages	sósêdj	linguiças
seafood	sifud	frutos do mar
sirloin steak	sêrloin stêik	filé-mignon
soup	súp	sopa
still/sparkling	stil/spárklin	sem gás/com gás
sugar	shûgar	açúcar
vegetable stew	védjetabôu stú	cozido de legumes
tea	tí	chá
toasts	tôusts	torradas
vinegar	vênagar	vinagre
white wine	úait úain	vinho branco

Números

0	zero	zírou
1	one	uán
2	two	tú
3	three	frí
4	four	fór
5	five	faiv
6	six	sêks
7	seven	sévên
8	eight	êit
9	nine	nain
10	ten	tên
11	eleven	ilévên
12	twelve	tuélv
13	thirteen	fêrtín
14	fourteen	fortín
15	fifteen	fêftín
16	sixteen	sêkstín
17	seventeen	seventín
18	eighteen	êitín
19	nineteen	naintín
20	twenty	tuentí
21	twenty-one	tuentí uán
22	twenty-two	tuentí tú
30	thirty	fêrtí
31	thirty-one	fêrti uán
40	fourty	fórti
50	fifty	fêfti
60	sixty	sêksti
70	seventy	séventi
80	eithty	êiti
90	ninety	náinti
100	one hundred	uán rrándrêd
200	two hundred	tu rrándrêd
500	five hundred	faiv rrándrêd
1.000	one thousand	uán fáuzand
1.001	one thousand one	uán fáuzand úan

Tempo

Português	Inglês	Pronúncia
um minuto	one minute	uán mênat
uma hora	one hour	uán áuar
meia hora	half an hour	rráfen áuar
segunda-feira	Monday	mândei
terça-feira	Tuesday	túzdei
quarta-feira	Wednesday	uênizdêi
quinta-feira	Thursday	fêrzdêi
sexta-feira	Friday	fráidêi
sábado	Saturday	satêrdêi
domingo	Sunday	sândêi

Agradecimentos

A Dorling Kindersley agradece a todas as pessoas cujo auxílio e assistência contribuíram para a preparação deste livro.

Colaboradoras

Lee Magill é escritora e fotógrafa de turismo radicada há duas décadas no West Village, em Nova York. Há dez anos edita e colabora em vários guias internacionais, em revistas especializadas e seus sites, e é mãe de dois pequenos nova-iorquinos.

A escritora e repórter de turismo AnneLise Sorensen cobre os quatro continentes, onde prova vinhos, colaborando em guias, revistas, sites, rádio e TV, incluindo Rough Guides, *New York Magazine*, *Time Out*, Condé Nast, NBC e MSN. Vive em Nova York, uma cidade que sempre recompensa sua ânsia por novidades.

Eleanor Berman, nova-iorquina desde 1981, escreve para revistas e jornais, e é autora de catorze guias de viagem. Suas obras incluem mais dois guias para a Dorling Kindersley, *Top 10 New York* e *Eyewitness New York*, o qual ganhou o prêmio Thomas Cook de melhor guia do ano.

Fotografias Adicionais

Steven Greaves; Dave King; Angus Oborn; Rough Guides: Nelson Hancock; Chris Stowers.

Cartografia

Os mapas nas páginas 210-1, 216-7, 222-3, 228-9 e 234-5 são de © www.openstreetmap.org e colaboradores, sob a licença CC-BY-SA; veja mais detalhes em www.creativecommons.org

Design e Editorial

EDITORA Vivien Antwi
GERENTE DE EDIÇÃO Christine Stroyan
EDITORA SÊNIOR DE ARTE Mabel Chan
EDITOR SÊNIOR DE CARTOGRAFIA Casper Morris
EDITOR DE CARTOGRAFIA Stuart James
EDITORA SÊNIOR Michelle Crane
DESIGN DA CAPA Louise Dick, Tessa Bindloss
DESIGN DE ÍCONES Claire-Louise Armitt
DIAGRAMAÇÃO Jason Little
PESQUISA DE IMAGENS Ellen Root, Chloe Roberts
CONTROLE DE PRODUÇÃO Rebecca Short
LEITURA Anna Streiffert, Debra Wolter
CHECAGEM DE DADOS Andrew Rosenberg
REVISÃO Lucilla Watson
INDEXAÇÃO Hilary Bird

Agradecimentos a Douglas Amrine por sua ajuda no desenvolvimento desta série.

Assistência Editorial Adicional

Vicki Allen, Claire Bush

Revisão

Shruti Bahl, Marta Bescos, Uma Bhattacharya, Imogen Corke, Karen D'Souza, Hayley Maher, Annie Shapero, Ajay Verma

Autorizações de Fotos

A Dorling Kindersley agradece a todos a seguir pela colaboração e gentileza de nos permitir fotografar seus estabelecimentos.

The 414 Hotel, 5 Napkin Burger; Adrienne's Pizzabar; Alex Navissi do American Museum of Natural History; Amy Ruth's; Angus McIndoe Restaurant; Asia Society; Brooklyn Children's Museum; Adam Husted do Brooklyn Museum; Todd McGovern do Children's Museum of Manhattan; Central Park Zoo; The Cloisters; Susan De Vries do Dyckman Farmhouse Museum; El Museo del Barrio; Heartland Brewery; HomBom; Hotel Gansevoort; Hue-Man Bookstore & Café; Indian Road Café; Jacques Torres Chocolate; Jewish Museum; Katz's Delicatessen; LEGO® Store; Sarah Needham do Lincoln Center; Madame Tussauds; Egle Zygas do Metropolitan Museum of Art; Miss Maude's Spoonbread; Carnelia Garcia do Museum of Arts and Design; Museum of Comic and Cartoon Art; Museum of Modern Art; Tomoko Kawamoto do Museum of the Moving Image; New Leaf Café; New York City Police Museum; Mary Record do New York Hall of Science; New York Public Library; Paley Center for Media; Ripley's Believe It or Not; Brooke Smy do Rockefeller Center; Scandinavia House; Skyscraper Museum; Smithsonian National Museum of the American Indian; Tenement Museum; Toys"R"Us; Whitney Museum of American Art; Barbara Russo do New York Aquarium.

As obras de arte foram reproduzidas com a permissão dos seguintes detentores de copyright:

Charging Bull © Arturo DiModica 1998 61ae; *Latas de sopa Campbell* © Andy Warhol/DACS 2011 106cdb; *Move Along, Nothing to See Here* © Cai Guo-Qiang 152be; *Paris através da janela* © Marc Chagall/DACS 2011 158cd; *Asaf and Yo'ah* © Boaz Vaadia 167ac; *Peace Fountain* © Greg Wyatt 177ac; *Harlem Sophisticated Ladies* 178ce, *Harlem Break Dancers* 180c © Franco Gaskin; *Intruder* © Lauren Ewing 220cdb; Minicampo de golfe 223ad e Rocket Park 224cd no New York Hall of Science, projetado por Lee H. Skolnick Architecture + Design Partnership, Nova York.

Créditos das fotos

a=alto; b=embaixo; c=centro; e=esquerda; d=direita.

Agradecemos às seguintes pessoas, empresas e bancos de imagens por autorizarem a reprodução de suas fotos:

ALAMY IMAGES: AF archive 213cb; Ambient Images Inc. 12b, 94c; The Art Archive 48ae; Martin Bond 86ad; Cephas Picture Library 101c; Lonely Planet Images 165a; Paul Nichol 221ae; North Wind Picture Archives 47ac, 48cdb; Pictorial Press Ltd 203bc; Frances M. Roberts 32be.
ALGONQUIN HOTEL: 102bc, 246ad.
AMERICAN GIRL PLACE: Michelle Litvin 113be.
AMERICAN MUSEUM OF NATURAL HISTORY LIBRARY: 174ce.
BILL'S BAR & BURGER: 33be, 114ac.
BKLYN LARDER: Lauren Sandler 202be.
BLOCKHEADS BURRITOS: 57be.
BROOKLYN MUSEUM OF ART, NOVA YORK: 202cda, 202c, 203c, 203ceb.
MARIO BURGER: 125bd.
CAFÉ GLECHIK: 211ae.
CHILDREN'S MUSEUM OF MANHATTAN: 163ce, 165bd, 173ae, 176bc.
CORBIS: Neville Elder 36bd; Julie Lemberger 164b; Andrew Lichtenstein 25be; Liu Xin/Xinhua Press 14be; PCN Photography 43a; Stapleton Collection 46cdb; Mike Zens 44cd.

Agradecimentos

DARYL ROTH THEATRE: 41ae. DK IMAGES: Navio "Copenhagen" em uma garrafa. Feito por C. V. Nielsen, c. 1940. Seamen's Bank for Savings Collection, Seaport Museum New York, Max Alexander, 66ce; American Museum of Natural History, Dave King 174cd.
EMPIRE HOTEL: 249bd.
LAUREN EWING: 220cd.
FAO SCHWARZ: 34be.
FELD ENTERTAINMENT: Ringling Bros/Heinz Kluetmeier 14bd.
FINANCIER PATISSERIE: 63be.
FOUR SEASONS HOTEL NEW YORK: 244be.
FRICK COLLECTION, NOVA YORK: Michael Bodycomb 145ce, 154bc; Galen Lee 149cd.
GETTY IMAGES: NY Daily News 232ae.
HELL'S KITCHEN FLEAMARKET: 34bd.
HILTON GARDEN INN BRAND: 245ae.
HOTEL GIRAFFE: 242ad.
HOTEL ON RIVINGTON: 242be.
HOTEL WALES: 248ae.
LA LUCHA: 30bd.
LANDMARC: 108bc.
LINCOLN CENTER: Mark Bussell 171ac.
MANDARIN ORIENTAL, NOVA YORK: 29bd, 249ae.
NATASHA MARCO: 186c.
METROPOLITAN MUSEUM OF ART, NOVA YORK: 150bc; *Angels Swinging Censers*, c. 1170, feito em Troyes, vidro de cadinho, tinta vítrea e chumbo, 47 x 44 cm, doação de Ella Brummer em memória de seu marido, Ernest Brummer, 1977 (1977.346.1) 150cd; Amedeo Modigliani (italiano, 1884-1920). *Jeanne Hébuterne*, 1919. Óleo sobre tela, 91,4 x 73 cm, doação do sr. e sra. Nate B. Spingold, 1956 151ce; Sarcófago com o Triunfo de Dionísio e as Quatro Estações, conhecido como *Sarcófago de Badminton*/romano, final da época imperial, c. 260-270 d. C., mármore, 86,4 x 215,9 cm, aquisição, legado de Joseph Pulitzer, 1955 (55.11.2) 151ae; *The Cup of Tea*, c. 1879, Mary Cassatt (americana, 1844-1926), óleo sobre tela , 92,4 x 65,4 cm, da Coleção de James Stillman, doação do dr. Ernest G. Stillman, 1922 (22.16.17) 152cd; *Concerto de música europeia*, Japão, era Meiji (1868-1912), 1889, tríptico de gravuras em madeira policromática, tinta e cor sobre papel, 36,8 x 73,7 cm, doação de Lincoln Kirstein, 1959 152cdb; Mick Hales 186ceb.
MIDTOWN COMICS, INC.: 67c.
MILLENIUM HILTON: 240bd.
MUSEUM OF ARTS AND DESIGN: 169be; Sara Silverstein 168cd; Ed Watkins 168c, 168ceb, 168cdb.
MUSEUM OF THE CITY OF NEW YORK: Harry Zernike 160bd.
MUSEUM OF THE MOVING IMAGE: Flip-book, The Royal Tailors, 1920, Coleção do Museum of the Moving Image/218c; Wendy Moger-Bross 193ce, 216c, 217ad, 218ce, 219ac; Esto/ Peter Aaron 218ad, 218ceb, 218bc; Brian Palmer 216be.
NEW YORK HALL OF SCIENCE: 224cda, 224ceb.
NEW YORK PALACE: 243ad.
LE PAIN QUOTIDIEN: 121ae, 127bd.
PENINSULA NEW YORK: 247ad.
PHOTO SCALA, FLORENCE: Museum of Modern Art, Nova York 106c.
PHOTOLIBRARY: 54b; Age fotostock/Garry Black 35b, / Kordcom 2-3, 12ad; Alamy/Sandra Baker 10cd,/Patrick Batchelder 86cdb, 87ceb, 139ac,/Richard Cummins 62cd,/ dbimages 8-9,/Randy Duchaine 13a,/Jeff Greenberg 66cd,/ David Grossman 15bd, 17bd,/Paul Hakimata 40be,/Debra Hershkowitz 229ce,/Holmes Coastal Images 189be,/Len Holsborg 129cb,/Richard Levine 17be, 20bd, 23bd, 37bd,/ Bob London 16bd,/Patti McConville 41ce, 50-51, 138be,/Erick Nguyen 61ae,/ pbpgalerias 98bd,/Photos-12 153ce,/The Print Collector 158cd,/ Frances Roberts 55a, 80ce,/Robert Harding Picture Library Ltd 134bd,/ Jochen Tack 20be,/TNT Magazine 42be,/Cal Vornberger 45ce; All Canada Photos/ Chris Cheadle 1c; Ambient Images/Peter Bennett 45a, 87c, 105ae, 109be, 239be,/Richard B Levine 26bd, 36be, 45be, 69be, 135be,/ Jackie Weisberg 38be, 43ce, 234ce; Axiom/ Jenny Acheson 27b,/Dosfotos 101cea; The Bridgeman Art Library 46ce, 152ce; Cuboimages/PhotoEquipe– 153 19bd; Images.com/John Cadenhead 24bd; Index Stock Imagery/ Paul Frankian 26bc; Look-foto/Franz Marc Frei 23be; The Medical File/Michelle Del Guercio 39bd; Rick Shupper 15be; Stockbrokerxtra Images 250-251; Tetra Images 18bd, 45bd, 90b; Ticket/Barry Winiker 19be, 162-163; Top Photo Corporation 197ae; Barry Winiker 184ce.
PLAZA HOTEL: 247be.
PUBLIC THEATER: Joseph Moran 141ae.
QUEENS BOTANICAL GARDEN: Shari Romar 227bc.
QUEENS MUSEUM OF ART: 226bd.
RITZ-CARLTON NEW YORK, BATTERY PARK: 240ce.
RIVER TO RIVER FESTIVAL: 40-41bc.
ROBERTO: 237be.
RUSKNIGA.COM: 215ae.
SOLOMON R. GUGGENHEIM MUSEUM, NOVA YORK: 158ad; David M. Heald 147be, Edouard Manet, *Diante do espelho*, 1876, óleo sobre tela, 92,08 x 71,44cm, Thannhauser Collection. Doação de Justin K. Thannhauser, 1978, 158ce; *Vaca Amarela* (Gelbe Kuh), 1911, óleo sobre tela, 140,5 x 189,2 cm. Solomon R. Guggenheim Founding Collection, 49.1210 158c.
SONY WONDER TECHNOLOGY LAB: 107bc.
SUGAR & SPICE: 228se.
TASTE BUDS: 38bd.
WIKIPEDIA: *A noite estrelada*, de Vincent van Gogh (holandês, 1853-1890), Saint Rémy, junho de 1889, óleo sobre tela, 73,7 x 92,1 cm. Adquirido através do legado de Lillie P. Bliss do Museum of Modern Art 106ce; *Lady Lilith*, 1867, aquarela e guache sobre papel, 51,3 x 44 cm, de Dante Gabriel (britânico, Londres 1828-1882) Rossetti, Rogers Fund, 1908, do Metropolitan Museum of Art, coleção de Nova York 152c.
WILDLIFE CONSERVATION SOCIETY: Central Park Zoo/Julie Larsen Maher 128ad, 128cb; New York Aquarium 212ca, 212ce, 212cd.

CRÉDITOS FOTOS DE CAPA
FRENTE: ALAMY IMAGES: Peter Chambers ad, CORBIS: Alan Copson b, PHOTOLIBRARY: Ambient Images/Rick Shupper ac; SUPERSTOCK: Eye Ubiquitous ae. VERSO: PHOTOLIBRARY: Age fotostock/Kordcom Kordcom ad,/ Corbis ac,/ Imagebroker.net/jean-pierre lescourret ae.
LOMBADA: PHOTOLIBRARY: Hoberman Collection UK a.

As demais fotos © Dorling Kindersley
Outras informações em www.dkimages.com

Mapa do metrô de NY

LEGENDA

- ○ Parada
- ◐ Serviço parcial
- ◑ Apenas um sentido
- — Baldeação gratuita

- **B** 6 Avenue Express
- **D** 6 Avenue Express
- **F** 6 Avenue Local
- **M** 6 Avenue Local
- **G** Crosstown Local
- **1** 7 Avenue Local
- **2** 7 Avenue Express
- **3** 7 Avenue Express
- **4** Lexington Avenue Express
- **5** Lexington Avenue Express
- **6** Lexington Avenue Local
- **7** 42 Street-Flushing Local
- **A** 8 Avenue Express
- **C** 8 Avenue Local
- **E** 8 Avenue Local
- **N** Nassau Street Local
- **Q** Nassau Street Express
- **L** 14 Street-Canarsie Local
- **N** Broadway Express
- **R** Broadway Local
- **S** Shuttle